Répertoire des
lieux de marche
au Québec

De la promenade à la longue randonnée

6e édition

D1302690

ÉDITIONS
Bipède

Réalisation

FÉDÉRATION QUÉBÉCOISE DE LA MARCHE

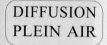

Direction :	Daniel Pouplot
Recherche et mise à jour :	Sylvain Lavoie
	Marie-Douce Bélanger
Traitement informatique :	Sylvain Lavoie
Collaboration :	Nicole Blondeau
	Denise Després
	Leslie Gravel
	Nadia Renaud
Conception graphique :	Rita Alder
Mise en pages :	Daniel Pouplot
Cartographie :	Marc Létourneau

Photos de couverture

Avant :	Les buttes des Demoiselles – Îles-de-la-Madeleine *(photo : LMI - Daniel Pouplot)*
Arrière :	Panorama de Charlevoix, *(photo : LMI - Daniel Pouplot)*

Dépôt légal : 1er trimestre 2007
Bibliothèque nationale du Québec
ISBN 978-2-921979-12-2
Imprimé au Canada

Table des matières

Remerciements

Quand on aborde la production d'une nouvelle édition de cet ouvrage, on pense avoir acquis une certaine habitude qui rendra toutes les opérations plus faciles. Il y a bien du vrai, mais aussi beaucoup de faux. On s'aperçoit en effet, chaque fois, que les imprévus, la disponibilité de nos partenaires et les changements conceptuels du produit vont se charger de nous rappeler que, publier plus de 500 pages d'informations et les rendre accessibles de façon attrayante et intéressante est une tâche exigeante qui ne s'achève que lorsque l'on tient le livre entre nos mains. Alors, encore merci à tous ceux qui ont participé à cette 6e édition pour en faire un outil de découverte et d'appropriation respectueuse du territoire québécois, par la pratique d'une activité aux multiples bienfaits. Merci à ceux qui nous ont permis d'enrichir cet ouvrage de près de 300 photos qui vont donner à nos lecteurs une première idée de l'environnement dans lequel se situent les lieux bénéficiant de cet ajout visuel. Merci aux gens des régions qui, pour répondre aux exigences de la publication, ont fait les efforts nécessaires pour répondre, de façon précise, à toutes nos questions. Et si nous avons dû reporter certaines inscriptions à une version ultérieure, nous ne doutons pas que d'autres efforts seront faits pour compléter les réseaux pédestres en construction, ou en restauration. Nous vous invitons maintenant à parcourir un Québec aux multiples facettes. Et quand vous serez en train de marcher ou de randonner, ayez une petite pensée pour tous les bénévoles qui œuvrent dans les sentiers et remerciez-les en ne laissant, à la fin de la journée, que les traces de vos pas.

Le directeur de l'édition

Daniel Pouplot

Préface

Parler de la marche devient tout à coup une aventure très émouvante pour moi. Jamais je n'aurais pensé que cela pourrait me faire un bien aussi énorme entre les deux oreilles. Moi qui suis toujours dans ma voiture, je ne mesurais plus du tout les distances. La marche s'est présentée à moi dans un moment d'arrêt. Curieux…

En 2000, le téléphone n'a plus sonné pour moi pendant presqu'un an. J'étais déprimé, angoissé. Mais cette situation négative s'est transformée en une libération extraordinaire.

Le rêve que j'avais depuis 12 années de faire le Chemin de Compostelle se concrétisa. Comme si la vie avait fait en sorte que tout concorde pour que je parte à la rencontre de moi-même.

J'ai entrepris le pèlerinage du côté français. Je suis parti du Puy en Velay, dans la région de la Haute-Loire, le 16 juillet 2001. J'ai fait 500 kilomètres en un mois. Formidable! Fantastique!

Savez-vous à quel moment j'ai pris la mesure de ce qui m'arrivait? C'est lorsqu'après une semaine de marche dans l'Aubrac, un matin brumeux de la mi-juillet, quelqu'un du groupe avec qui j'étais à ce moment là s'est retourné pour dire : « Regardez, il y a une semaine, nous étions là-bas. » Nous nous sommes retournés et, comme nous étions sur le haut d'une montagne, nous voyions très loin. Je n'en croyais pas mes yeux. Nous avions fait tout cela à pied. Pour moi, ce fut une révélation : la marche ne me quitterait plus. J'y suis retourné en 2003 compléter la partie française et, en 2005 j'ai terminé la partie espagnole.

Je me suis rencontré sur le Chemin, et aussi pris contact très intensément avec d'autres pèlerins. 1650 kilomètres de pur bonheur, voilà ce qu'a été pour moi Compostelle. Trois mois de pique-nique.

Je vais sûrement le refaire un jour. En fait, chaque fois que j'en parle, c'est comme si je le remarchais, ce chemin.

Quand je suis revenu au Québec en 2001, je me suis mis à marcher le plus que je le pouvais pour retrouver ce sentiment de contact profond avec moi-même. Et ça fonctionne! D'autant plus que j'habite maintenant Mont-Saint-Hilaire. Je prends souvent des marches dans les sentiers de la montagne et, effet assez satisfaisant, j'ai souvent l'impression d'être en plein pèlerinage. Il y a tellement de beaux sentiers à découvrir au Québec que j'ai l'impression d'en avoir pour des siècles à marcher. Tant mieux! D'ailleurs, je ne quitte plus, en randonnée, mon bâton de pèlerin; c'est devenu mon confident de marche, à la vie à la mort.

Je peux dire maintenant que peu importe la longueur de la route, que cela dure 15 minutes ou trois mois, c'est avec mon corps et ma tête que j'avance.

Marcel Leboeuf

Introduction

Sans contredit, la marche est l'activité physique la plus accessible et la plus populaire. À tout âge, on marche pour des raisons pratiques, pour sa santé ou pour son plaisir.

Parcourir, par plaisir, le Québec à pied, c'est ce que propose ce répertoire.

Chaque région est unique. Dans l'une, la mer et le vent seront omniprésents, dans l'autre, le roc et la forêt domineront le paysage. Dans l'une, la flore et la faune vous séduiront, dans l'autre, l'histoire et l'architecture guideront vos pas. Dans certains lieux, des panoramas grandioses vous éblouiront, dans d'autres, l'intimité de la nature vous attendrira.

C'est près de 600 lieux de marche que vous propose ce nouveau répertoire. Comme pour l'édition précédente, toutes les données ont été mises à jour. Des lieux ont été retirés et d'autres, ajoutés, ce qui exprime bien le dynamisme de la marche au Québec. Et pour chaque lieu, vous avez maintenant la liste complète des sentiers.

Encore cette fois-ci, le répertoire fait un appel important à la couleur afin d'en faciliter la consultation. Et, grande nouveauté, plus de 300 photos agrémentent l'ouvrage.

Les résidants des régions vous invitent à nouveau à partager avec eux les lieux où eux-mêmes aiment marcher. Que ce soit pour une promenade de quelques heures ou une longue randonnée de plusieurs jours, le Québec est riche en sentiers et parcours, et il ne vous reste plus qu'à vous laisser conquérir.

Le Répertoire des lieux de marche au Québec est le compagnon idéal de vos escapades. Gardez-le près de vous pour ne rien manquer!

Avant-propos

Le but

Même s'il est possible de marcher à peu près n'importe où, il existe au Québec des endroits où l'environnement est particulièrement favorable à la pratique de cette activité. Ce répertoire a été créé dans le but de faire connaître, tant aux Québécois qu'aux visiteurs étrangers, ces lieux qui invitent à la promenade et à la randonnée pédestre.

La démarche

Cette 6e édition est une digne héritière des cinq précédentes. Le but n'est pas ici de modifier une formule éprouvée, mais de continuer de tenir à jour un éventail significatif des ressources pédestres québécoises. Nous avons donc poursuivi nos visites des lieux, nous permettant ainsi de vérifier des éléments répertoriés et de faire, à l'occasion, des commentaires aux gestionnaires. Les marcheurs ont continué également d'être des témoins critiques et nous ont aidé à améliorer l'information. Tout renseignement porté à notre attention, par quel que moyen que ce soit, a été considéré et traité.

Le choix des lieux

Les lieux répertoriés ici ont tous en commun d'être ouverts au grand public et d'avoir le droit d'y circuler à son propre rythme, dans le respect des périodes et horaires précisés, et après acquittement des frais d'accès, s'il y a lieu. La période où les lieux doivent être praticables pour la marche a été considérée comme débutant après la fonte des neiges au printemps, et se terminant avec l'arrivée des nouvelles précipitations. Ainsi, des centres de ski de fond, ouvrant hors saison leurs sentiers aux marcheurs, ont pu être retenus. Dans ce cas, l'évidence des tracés ou l'existence d'un balisage visible hors présence de neige a été le minimum demandé. Des lieux où la marche ne se pratique que l'hiver (peu fréquents) ont été ignorés.

Sentiers et pistes multifonctionnels

Développement des loisirs de plein air, recherche de l'économie, souci du partage et, pourquoi pas, droit de chacun d'occuper le territoire, une ou toutes ces raisons conduisent à une réalité en développement : les sentiers et pistes multifonctionnels. Si le terme paraît clair, son application est parfois plus confuse.

La polyvalence qui conduit marcheurs et skieurs sur les mêmes pistes ou sentiers, à des périodes différentes de l'année, ne fait pas l'objet de questionnement si ce n'est sur l'existence d'un balisage adéquat pour les différentes activités.

Par contre, le « multifonctionnalisme » qui amène le marcheur à côtoyer le vélo, le vélo de montagne, le cheval ou le VTT peut être plus préoccupant. La Fédération québécoise de la marche ne donne aucun support à l'aménagement de sentiers ou pistes multifonctionnels mais, n'étant pas propriétaires des lieux répertoriés, pas plus que juges de leur utilisation, nous avons opté pour refléter les réalités, respecter la perception des intervenants et le degré de responsabilité et de convivialité de chacun.

Nous n'avons pas, non plus, voulu oublier que la proximité plus fréquente de ces lieux de zones urbanisées, ainsi que leur aménagement plus élaboré, peut encourager la pratique de l'activité pédestre chez une clientèle privilégiant ces critères.

L'utilisation d'un sentier multifonctionnel par un marcheur ne nous apparaît pas, dans la majorité des cas, comme la meilleure façon de découvrir la nature. De toute façon, elle nécessite de sa part une plus grande vigilance, garantissant sa sécurité, mais l'empêchant d'apprécier pleinement son expérience.

Précautions

Quels que soient l'attention et les soins apportés à rendre les lieux de marche plus accessibles et sécuritaires, le marcheur restera toujours le principal responsable de la qualité de sa promenade ou de sa randonnée. Sa préparation et sa planification devront être proportionnelles à sa capacité physique et au caractère plus ou moins sauvage de la destination choisie. Il devra aussi, à l'occasion, se montrer attentif aux autres usages des lieux qu'il fréquente, et prudent face au partage dont nous parlions précédemment.

Pour le confort et la sécurité des randonneurs, une information sur la pratique de la chasse dans certains lieux a été ajoutée. Nous vous invitons à en tenir compte.

Exclusions

Certains sentiers que vous connaissez pourraient ne pas apparaître dans le présent répertoire. Il peut s'être agi d'un manque de renseignements pour compléter le dossier, de l'absence d'assurances ou d'entretien, ou d'une autre raison spécifique à ce réseau. Nous vous invitons à consulter la section « Dossiers en traitement », à la fin du livre, pour voir si nous sommes au courant de son existence, ou à nous en informer et nous verrons alors s'il est opportun d'ouvrir un dossier.

Avertissement

L'inscription dans ce répertoire ne donne aucun droit au marcheur de se rendre effectivement sur les lieux répertoriés si les gestionnaires ou les personnes en autorité sur ces lieux en ont, depuis, interdit ou limité l'accès. Des événements à caractère naturel ou autre peuvent aussi être survenus et avoir rendu certaines des informations transmises inexactes ou périmées. N'hésitez pas à vous informer aux numéros apparaissant à la fin de chaque lieu si vous désirez effectuer une vérification.

Appel aux lecteurs

Même si cet ouvrage a été préparé avec le plus grand soin, il n'est pas à l'abri des omissions, des erreurs ou des lacunes. La collaboration que nous ont apportée les adeptes de marche et de randonnée pédestre a été très appréciée.

Nous souhaitons maintenant que toutes les personnes qui utiliseront la présente publication aient à cœur le même intérêt de nous informer de ce qu'elles constateront dans les lieux visités, que cela concerne l'aménagement, l'entretien, le balisage ou les services disponibles dans le lieu. Leurs commentaires sur ce recueil seront également bienvenus.

Toutes les informations que vous nous ferez parvenir, de même que les documents que vous pourrez y joindre, seront classés dans chacun des dossiers des lieux concernés et nous serviront à préparer une prochaine édition et à orienter nos futures validations.

Ce recueil est un outil pour vous, adeptes de la marche et de la randonnée pédestre, et la Fédération québécoise de la marche, qui a créé les Éditions Bipède pour diffuser l'information, est convaincue qu'il continuera d'être, grâce à vous, LA référence d'identification des ressources existantes au Québec pour la pratique de ces activités populaires.

Pour tout envoi ou correspondance :

Éditions Bipède
Fédération québécoise de la marche
Case postale 1000, succursale M
Montréal (Québec) H1V 3R2

editionsbipede@fqmarche.qc.ca

Pour bien utiliser ce répertoire

Les lieux répertoriés sont présentés par région touristique. Vous trouverez donc 20 sections.

Chaque lieu peut comporter les éléments suivants :

NUMÉRO Il réfère au même numéro apparaissant sur la carte de la région, permettant de localiser le lieu.

LIEU Le nom du lieu est orthographié tel que le gestionnaire nous l'a transmis.

 Parc national du Québec

 Parc national ou un lieu historique national du Canada

 Tronçon ou lieu comportant un tronçon du Sentier national

Description

Elle présente brièvement et objectivement ce qui caractérise le lieu. Aucune interprétation subjective des paysages n'est faite. Ainsi, on n'utilisera pas de qualificatifs tels que magnifique, le plus beau ou panorama à couper le souffle. L'appréciation des lieux est laissée aux marcheurs.

Texte brun Un texte de cette couleur met en évidence un attrait particulier à ce lieu ou un avertissement concernant un élément susceptible d'affecter le confort ou la sécurité du marcheur.

🐕 ( ) Chiens autorisés à accompagner leur maître dans le lieu ou une partie du lieu.

Notez que tous les chiens doivent être tenus en laisse. Même si vous considérez avoir un contrôle absolu de votre chien et que celui-ci est très doux, le marcheur que vous rencontrez l'ignore. Il peut avoir peur des chiens ou tout simplement ne pas les aimer. Le confort du marcheur est plus important que celui de votre chien. De plus, vous devez ramasser ses excréments et demeurez responsable de tout dégât qu'il pourrait causer.

Une note, entre parenthèses, peut suivre ce pictogramme et indiquer dans ce cas une spécificité d'application de l'admission. Veuillez aussi prendre note qu'un parcours ou sentier accessible aux chiens peut comporter un court tronçon faisant l'objet de restriction (traversée d'un parc urbain par exemple). Cette particularité n'a pas amené la suppression du pictogramme dans la mesure où ce court tronçon peut être contourné aisément.

Lorsque ce pictogramme n'apparaît pas, vous devez comprendre qu'il s'agit d'une interdiction formelle de faire entrer votre chien dans ce lieu.

Services et aménagements

Ils se trouvent à l'intérieur des limites officielles du lieu ou à l'entrée du lieu. La présence d'un pictogramme indique qu'on trouve cet aménagement ou ce service à au moins un endroit dans le lieu. Notez que même si le lieu est accessible, certains services indiqués peuvent avoir des périodes ou des horaires de disponibilité différents.

✳ Point d'accueil : il s'agit d'un point d'accueil où le public n'entre pas dans un bâtiment. Il peut s'agir d'une guérite avec une personne préposée aux renseignements et à la perception des frais d'accès, un aménagement extérieur comportant, sous abri ou non, un ou des panneaux affichant diverses information ou tout simplement le nom du lieu.

🏠 Pavillon d'accueil : il s'agit d'un bâtiment dans lequel le public peut entrer pour y être accueilli. Il y trouvera, suivant le cas, un comptoir avec une personne préposée aux renseignements, un présentoir de dépliants ou des informations affichées. Dans certains cas, un commerce peut avoir été désigné pour servir d'accueil.

P Stationnement : celui-ci devrait généralement être au point d'accès au lieu, mais peut aussi se situer plus à l'intérieur et correspondre à l'emplacement d'un pavillon d'accueil.

👫 Toilettes : il peut s'agir de toilettes fonctionnant à l'eau ou de toilettes sèches (bécosse).

☎ Téléphone public

✕ Restauration : il peut s'agir d'une cantine, d'une cafétéria, d'un restaurant, mais non de machines distributrices.

🛒 Épicerie : il peut s'agir d'un marché d'alimentation ou d'un dépanneur, quel qu'en soit le volume, mais pas de machines distributrices.

🪑 Table à pique-nique

🏠 Abri : il s'agit d'un endroit où l'on peut s'abriter de la pluie ou du vent. Ce peut être un bâtiment fermé mais non chauffé, ou une construction comportant un toit avec ou sans murs.

▲ Camping rustique : il s'agit d'un site de camping qui ne peut être atteint qu'à pied et ne comporte qu'un aménagement minimum constitué d'un ou plusieurs emplacements dégagés ou d'une ou plusieurs plates-formes pour tentes, ainsi que d'une toilette sèche. Il peut s'agir aussi d'une simple indication précisant l'emplacement où il est permis de planter une tente. Note : si on peut accéder à ce type de site en véhicule motorisé, le pictogramme suivant sera utilisé à la place de celui-ci.

Camping aménagé : il se caractérise par son accessibilité aux véhicules motorisés, comporte des installations sanitaires, un ou plusieurs points d'eau potable, une forme de surveillance et d'autres services pouvant aller jusqu'à des prises électriques sur des sites, etc. Des emplacements sans service peuvent exister sur le terrain.

Tente prospecteur : il s'agit d'un refuge fabriqué de toile épaisse et résistante aux intempéries, et dans lequel il est permis d'installer son sac de couchage pour y passer la nuit.

Appentis (lean-to) : il s'agit d'une construction rudimentaire constituée d'un toit et de trois murs, et dans laquelle on peut installer son sac de couchage pour y passer la nuit.

Refuge : il s'agit d'un bâtiment fermé, plus ou moins aménagé, dans lequel on peut passer la nuit. Il se situe en bordure ou près d'un sentier. Il n'est pas exclu qu'il puisse se trouver en un emplacement que d'autres modes de locomotion puissent atteindre, mais il doit avoir comme premier usage celui de servir aux marcheurs.

Hébergement : il peut s'agir d'un gîte, d'un hôtel, d'une auberge ou d'un chalet. On parle ici d'un séjour d'une nuit ou de plusieurs, avec des services fournis avec ou sans personnel, et non tributaire d'un parcours pédestre préalable pour atteindre l'aménagement.

Belvédère : il s'agit d'une construction donnant accès à un point de vue. Un point de vue naturel, sans construction, n'est pas exprimé par ce signe.

Tour d'observation : il s'agit d'une construction en hauteur donnant accès à un point de vue.

Passerelle : il s'agit d'un pont piétonnier étroit dont les deux extrémités du tablier sont posées sur des bases solides.

Pont suspendu : il s'agit d'un pont piétonnier dont le tablier est supporté par des câbles.

Centre d'interprétation : il s'agit d'une construction où sont rassemblés divers documents donnant des explications sur divers éléments de la nature ou de l'histoire présents dans le lieu.

Interprétation de la nature : au moins un sentier du lieu doit comporter sur son tracé des panneaux d'identification traitant de flore, de faune, de géologie ou autre élément de la nature. Il peut s'agir aussi d'un dépliant, d'une brochure ou d'une audiocassette, permettant de s'auto-guider. L'interprétation, lorsqu'elle est effectuée uniquement par la présence d'une personne faisant fonction de guide, n'est pas inscrite.

Interprétation historique : les mêmes critères que pour l'activité précédente s'appliquent, mais doivent traiter d'un ou plusieurs éléments reliés à des faits ou à des événements du passé. Les circuits piétonniers en ville ont, la plupart du temps, un but de découverte historique. S'ils s'effectuent sans document pour s'auto-guider, ils devraient comporter une certaine forme de balisage sur les trottoirs ou les murs.

Baignade : il peut s'agir d'une plage ou d'une piscine. La présence ou l'absence de surveillance n'a pas été vérifiée, mais l'emplacement doit être identifié sur place ou sur carte comme site de baignade.

Service de navette : il s'agit d'un service où le transport des randonneurs est fourni pour se rendre à l'entrée d'un sentier ou pour en revenir. Dans certains cas, le service consiste à conduire la voiture du randonneur à l'autre extrémité du sentier. Des frais s'ajoutent pour ce service.

Transport de bagages : il s'agit d'un service où le pourvoyeur transporte les bagages du randonneur d'un point à l'autre. Le randonneur ne porte que son sac à dos d'un jour, son équipement pour dormir et manger ayant été déposé sur les lieux où il passera la nuit. Des frais s'ajoutent pour ce service.

♿ **Accès total :** ce pictogramme indique que ce lieu est considéré par l'organisme Kéroul (Tourisme pour les personnes à capacités physiques restreintes), « adapté », donc accessible sans aide, aux personnes à capacités physiques restreintes.

♿ **Accès partiel :** ce pictogramme indique que ce lieu est jugé, par l'organisme Kéroul (Tourisme pour les personnes à capacités physiques restreintes), « partiellement accessible », donc accessible avec aide, aux personnes à capacités physiques restreintes.

Autres Cet élément indique la présence d'autres aménagements ou services ayant pour objet d'améliorer le séjour et les déplacements des visiteurs, ou constituant des attraits supplémentaires.

Réseau pédestre

Il s'agit de la longueur totale du réseau aménagé pour la marche dans le lieu. Cette longueur peut correspondre à la somme des sentiers et parcours du tableau, mais peut aussi y être inférieure, signifiant que certains tracés indiqués partagent des tronçons communs. Certains tronçons peuvent aussi ne pas comporter une identification spécifique. Lorsqu'un lieu ne comporte qu'un seul sentier ou parcours, ou lorsqu'il n'est pas justifié de donner les détails, on indique entre parenthèses, après la longueur totale, le type général du réseau, ainsi que le niveau de difficulté et parfois le dénivelé.

(Multi : 0,0) Inscrite après la longueur du réseau pédestre, cette indication précise si ce réseau, ou une portion de celui-ci, est de type « multifonctionnel ». Si une seule portion a cette spécificité, la longueur est indiquée.

Liste des sentiers et parcours

Lorsqu'un lieu comporte plusieurs sentiers, ceux-ci sont détaillés.

NOM DU SENTIER OU PARCOURS Tel qu'indiqué par le gestionnaire ou exprimant au mieux sa localisation ou sa destination.

LONGUEUR Distance aller seulement pour un sentier ou parcours linéaire, totale pour un sentier ou parcours en boucle. Cette longueur n'est pas calculée à partir de l'accueil au réseau, mais correspond uniquement au sentier ou parcours nommé, quel que soit l'endroit où il débute dans le lieu de marche.

TYPE « Boucle » pour un tracé qui revient à son point de départ.

« Linéaire » pour un tracé menant d'un point à un autre, obligeant la personne à revenir sur ses pas ou à prendre un autre tracé pour revenir à son point de départ.

« Mixte » pour un tracé ou les deux formes se retrouvent dans des longueurs ne justifiant pas de les traiter séparément.

NIVEAU Il y a trois niveaux de difficulté : débutant, intermédiaire et avancé. Cette information ne découle pas de critères appliqués à l'échelle du Québec, mais plutôt de la perception du gestionnaire du lieu quant à la difficulté relative des tracés situés à cet endroit. Ainsi, un sentier de niveau « débutant » en Gaspésie pourra être plus exigeant qu'un sentier de niveau « avancé » à Laval. Nous vous invitons à ne pas oublier que la prise en considération d'éléments tels que le relief du lieu, la longueur du parcours, le temps qu'il fait et votre forme physique constitueront toujours la bonne recette pour apprécier la difficulté d'une promenade ou d'une randonnée. L'information de niveau donnée dans ce répertoire n'est donc qu'indicative.

DÉNIVELÉ Il s'agit ici de l'écart entre le point le plus bas et le point le plus haut sur un sentier ou un parcours. C'est un bon indicatif pour estimer la difficulté d'un sentier. Ainsi, un dénivelé de 300 m sur un sentier de 1 km indique une pente raide. Par contre, le même dénivelé sur un sentier de 10 km indique une pente douce ou en paliers. Cependant, une succession de montées et de descentes peut se cacher derrière un dénivelé en soi peu impressionnant. Pensez alors à relire la longueur du parcours. Si le dénivelé n'est pas inscrit, c'est qu'il ne nous a pas été communiqué ou qu'il ne dépasse pas 50 m.

Informations complémentaires

HORAIRE Même si plusieurs lieux sont ouverts toute l'année et en tout temps, on n'indique ici que la période où le public peut accéder au lieu pour la pratique de la marche, en dehors de la période hivernale. Ainsi, on peut y retrouver des dates, des mois, des heures ou l'indication « du lever au coucher du soleil ». L'information ne touche pas les personnes séjournant déjà dans l'enceinte du lieu.

TARIF Si beaucoup de lieux sont gratuits, d'autres demandent des frais pour y accéder. Ces frais, à moins de précisions inscrites, sont ceux demandés pour qu'une personne accède au lieu et y pratique la marche. L'usage d'un véhicule pour entrer ou circuler dans les limites d'un lieu peut faire l'objet d'une tarification spécifique. De même, certains services présents dans un lieu tels que restauration, navette, guide, etc., ou certains attraits tels qu'un musée, un centre d'interprétation, une piscine, etc. peuvent requérir des frais additionnels.

Les parcs nationaux du Québec

La tarification ci-dessous est celle fixée jusqu'en 2007. Par son site Web ou sa revue Marche-Randonnée, la Fédération québécoise de la marche vous tiendra informé de tout changement éventuel.

Adulte (18 ans et plus) :	3,50 $
Carte annuelle pour un parc :	16,50 $
Carte annuelle pour le réseau :	30,00 $
Enfant (6 à 17 ans) :	1,50 $
Carte annuelle pour un parc :	7,50 $
Carte annuelle pour le réseau :	15,00 $
Enfant (0 à 5 ans) :	gratuit

Des tarifs pour les familles et pour les groupes sont également disponibles.

Note : au moment de votre visite, certains prix ou informations inscrits dans le présent recueil pourraient avoir changé.

ACCÈS Il s'agit de la description du chemin le plus simple pour se rendre à l'entrée du lieu. Si plusieurs voies d'accès sont possibles, nous avons choisi d'en indiquer deux, au plus trois. Veuillez prendre note que, dans le cas des circuits patrimoniaux, il est conseillé, sinon souvent indispensable, de se procurer le livret ou la brochure descriptive du parcours avant d'accéder à celui-ci.

Transports publics

Cette information n'apparaît que pour les régions de Laval, Montréal et Québec. Nous avons choisi comme point de départ un terminus ou une station de métro. Pour d'autres options, vous pouvez communiquer avec les réseaux de transport concernés :

Laval : Société de transport de Laval (STL)
450 688-6520
www.stl.laval.qc.ca

Montréal : Société de transport de Montréal (STM)
514 786-4636
www.stm.info/index.htm

Québec : Réseau de Transport de la Capitale (RTC)
418 627-2511
www.rtcquebec.ca

DOCUMENTATION Il peut s'agir de cartes, dépliants ou brochures. Selon la nature des documents, ils peuvent être donnés, prêtés ou vendus. On indique entre parenthèses l'endroit où se les procurer.

Note : plusieurs documents sont disponibles également aux bureaux de la Fédération québécoise de la marche.

INFORMATION Pour obtenir plus de détails sur un lieu, on indique un ou deux numéros de téléphone, ainsi que le site Web. L'adresse de courrier électronique (courriel) n'est indiquée que dans les cas où il n'y a pas de site Web.

JCT Il s'agit de l'indication d'une connexion avec un autre lieu de marche. Le marcheur ou le randonneur a donc la possibilité de prolonger son excursion. Le lien entre deux lieux peut se faire au niveau d'un ou plusieurs sentiers. Dans le cas de lieux se situant à l'intérieur d'une même ville, les connexions peuvent ne pas avoir été inscrites.

Les régions touristiques du Québec

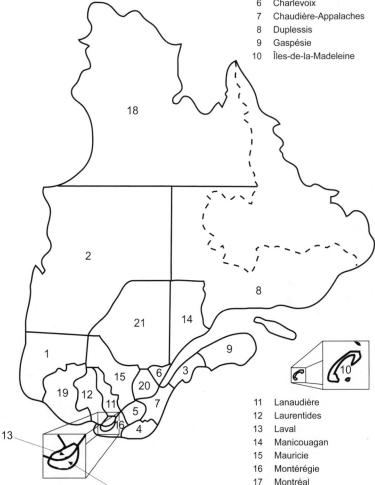

1 Abitibi-Témiscamingue
2 Baie-James
3 Bas-Saint-Laurent
4 Cantons-de-l'Est
5 Centre-du-Québec
6 Charlevoix
7 Chaudière-Appalaches
8 Duplessis
9 Gaspésie
10 Îles-de-la-Madeleine

11 Lanaudière
12 Laurentides
13 Laval
14 Manicouagan
15 Mauricie
16 Montérégie
17 Montréal
18 Nunavik (pas d'inscription)
19 Outaouais
20 Québec
21 Saguenay – Lac-Saint-Jean

ABITIBI-TÉMISCAMINGUE

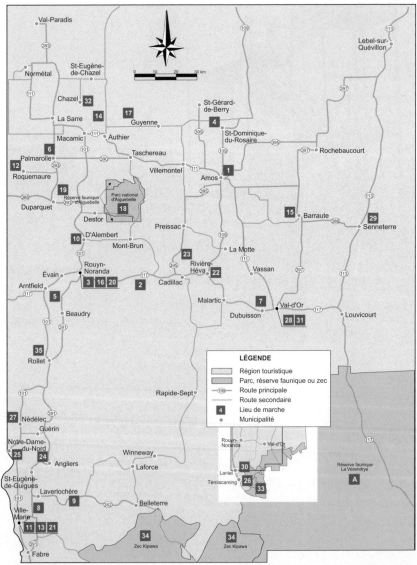

Photo page précédente : Sentiers pédestres et poste d'observation Grand Héron (LMI - Daniel Pouplot)

Répertoire des lieux de marche au Québec

LIEUX DE MARCHE

L'Abitibi-Témiscamingue

GRAND
QU'C'EST BEAU!

tourisme
abitibi
témiscamingue

1 800 808-0706
www.48nord.qc.ca

Canada

québec

• PARC NATIONAL D'AIGUEBELLE

Photo: Mathieu Dupuis

1 AMOS CHEF-LIEU DE L'ABITIBI

Amos, située à la jonction de la rivière Harricana et du chemin de fer Transcontinental, s'est développée rapidement et fut désignée ville en 1925, devenant ainsi la première ville de l'Abitibi. En parcourant le circuit d'interprétation historique, on en apprendra plus sur l'histoire de la ville à travers ses bâtiments et lieux patrimoniaux tels que le palais de justice et l'église Sainte-Thérèse-d'Avila, ainsi que sur ses 16 panneaux d'interprétation répartis en huit stations thématiques. Le circuit a été récipiendaire du prix Léonidas-Bélanger en 1999, décerné par la fédération des sociétés d'histoire du Québec.

RÉSEAU PÉDESTRE 4,0 km (Multi : 4 km) (linéaire, débutant)

HORAIRE Toute l'année, du lever au coucher du soleil
TARIF Gratuit
ACCÈS Le circuit d'interprétation est situé en plein cœur d'Amos. Le départ se situe sur le boulevard Mercier, au croisement de la rivière Harricana et de la voie ferrée.
DOCUMENTATION Dépliant-carte (au centre d'archives, à la maison de la culture et à la maison du tourisme)
INFORMATION 819 732-6070 • www.societehistoireamos.com

2 CENTRE ÉDUCATIF FORESTIER DU LAC JOANNÈS

Fondé en 1972, ce centre éducatif forestier est un site d'intérêt écologique unique de par la diversité des milieux qu'on y retrouve comme la cédrière, la montagne, la pessière, la tourbière et le milieu riverain. Le sentier Ptéridium fait découvrir différentes fougères. Le sentier Pessière grimpe sur une colline offrant une vue sur le lac Joannès. Le sentier Bouts d'chou, destiné aux enfants de 3 à 8 ans, renferme des jeux de manipulation et d'observation pour éveiller leurs sens. La piste d'hébertisme offre des jeux de bois et de corde afin de mettre à l'épreuve l'habileté physique des enfants de 5 ans et plus. Pour mettre à l'épreuve le sens d'orientation, 3 km de sentiers s'entrecroisent pour ainsi former un labyrinthe forestier.

Autres : piste d'hébertisme, mini-golf forestier, salle d'exposition

RÉSEAU PÉDESTRE 9,4 km

SENTIERS ET PARCOURS	LONGUEUR	TYPE	NIVEAU
Cédrière	1,0 km	boucle	débutant
Tourbière	0,8 km	linéaire	débutant
Ptéridium	0,3 km	linéaire	débutant
Des pins	5,0 km	boucle	débutant
Clintonie	0,6 km	boucle	débutant
Entre-deux	0,1 km	linéaire	débutant
Bouts d'chou	0,4 km	boucle	débutant
Pessière	0,5 km	boucle	débutant
Hébertisme	0,8 km	linéaire	débutant

HORAIRE De la fête de la Saint-Jean-Baptiste à la fête du Travail, de 10 h à 18 h
TARIF Gratuit
ACCÈS De Rouyn-Noranda, suivre la route 117 jusqu'à McWatters. Prendre ensuite le chemin des lacs Joannès-Vaudray et suivre les indications sur une distance de 8 km.
DOCUMENTATION Dépliant-carte (à l'accueil)
INFORMATION 819 762-8867 • 819 762-2369 • www.afat.qc.ca

3   CIRCUITS D'INTERPRÉTATION HISTORIQUE DE ROUYN-NORANDA

Ces deux circuits, l'un se dirigeant vers le nord et l'autre vers le sud, débutent au parc du site historique de la maison Dumulon, le premier bâtiment de Rouyn-Noranda. On découvrira l'histoire de ces deux anciennes villes, fusionnées mais développées de façon très différente. Le circuit d'interprétation historique du Vieux-Rouyn permet de voir des bâtiments historiques comme les églises, la station d'incendie et l'hôtel de ville. Des panneaux d'interprétation traitent de l'histoire de la ville, de sa création à aujourd'hui. Ce circuit aboutit au parc botanique « À fleur d'eau ». Le circuit d'interprétation historique du Vieux-Noranda traite de la fondation de la ville en 1926 à la suite de la découverte d'un gisement d'or et de cuivre. Le Vieux-Noranda fut le premier quartier de la ville, témoin de la ruée vers l'or, qui attira un grand nombre d'immigrants européens. 25 panneaux d'interprétation, répartis en 13 stations, témoignent de l'histoire du « pays de l'or ». 🐴

✶ 🏛 P ⚞ ⟨✗ ⟩ ⚓ ⚔

RÉSEAU PÉDESTRE 4,8 km (Multi : 4,8 km)

SENTIERS ET PARCOURS	LONGUEUR	TYPE	NIVEAU
Circuit d'interprétation historique du Vieux-Noranda	1,5 km	linéaire	débutant
Circuit d'interprétation historique du Vieux-Rouyn	3,3 km	mixte	débutant

HORAIRE De mai à décembre, du lever au coucher du soleil
TARIF Gratuit
ACCÈS On accède aux circuits d'interprétation au cœur même de la ville de Rouyn-Noranda. Le départ s'effectue à partir de la maison Dumulon.
INFORMATION 819 797-7101 • www.rouyn-noranda.ca

JCT   PARC BOTANIQUE « À FLEUR D'EAU » INC.

4 COLLINE BÉARN

Le sentier passe à travers la forêt, composée de sapins, d'épinettes, d'érables et de plantes herbacées, pour nous conduire au sommet de la colline. De là, on a un panorama sur la campagne de Saint-Dominique-du-Rosaire et sur la petite église du village. En chemin, on passera à travers un milieu plus humide grâce à un petit pont. On pourra apercevoir des lièvres, des oiseaux et des traces du passage de rares ours. 🐕

✳P🪑🏠🚂

RÉSEAU PÉDESTRE	2,5 km (Multi : 2,5 km) (linéaire, débutant, dénivelé maximum de 75 m)
HORAIRE	De mai à novembre, du lever au coucher du soleil Prudence en période de chasse
TARIF	Gratuit
ACCÈS	D'Amos, prendre la route 109 nord, puis suivre les indications pour Saint-Dominique-du-Rosaire. Il y a deux entrées. L'entrée nord est la plus accessible. Elle se trouve à environ 2 km du village, du côté droit de la route. L'entrée sud débute au chemin Lavoie est, à environ 5,5 km du village et traverse une petite carrière de gravier.
INFORMATION	819 727-9544 • mun.stdomrosaire@cableamos.com

5 COLLINES KÉKÉKO

Ce massif, d'une superficie de 32 km², tient son nom du mot algonquin kêkêk, qui veut dire « épervier ». Ces collines sont recouvertes d'une forêt du type taïga abitibienne. On passera par des cours d'eau, des escarpements, des abris sous roche, des cascades et des barrages de castors. On traversera aussi une zone de tourbière. Le sentier des Remparts longe une muraille composée de sédiments d'origine glaciaire datant d'environ 2 milliards d'années et passe par une zone d'éboulis. Le sentier du Réflecteur grimpe une pente raide pour mener à un réflecteur d'Hydro-Québec servant à relier les antennes des stations avoisinantes. On aura une vue sur le lac Beauchastel et la route menant à Beaudry avant de redescendre par le versant opposé de la montagne. La Ligne du prospecteur, sentier plus humide, se rend aussi au réflecteur par une pente plus douce. Le sentier panoramique Despériers longe en partie un lac, permet de voir un bloc erratique et passe dans une zone marécageuse avant d'entamer une ascension menant à une statuette de la Vierge

Marie. Le sentier de la Falaise permet l'ascension de celle-ci par une brèche. Le sentier du Trappeur fait découvrir plusieurs structures rocheuses et donne accès aux boucles 1 et 2. La boucle 1 traverse à quelques reprises un ruisseau et longe des étangs de castors. Au bout du sentier des Crevasses, on trouve une formation géologique particulière : un labyrinthe minéral, plein de crevasses, murailles et abris sous roche.

RÉSEAU PÉDESTRE 32,3 km

SENTIERS ET PARCOURS	LONGUEUR	TYPE	NIVEAU	DÉNIVELÉ
Sentier des Remparts	1,6 km	linéaire	intermédiaire	
Sentier du Réflecteur	0,5 km	linéaire	intermédiaire	125 m
Sentier panoramique Despériers	2,2 km	boucle	débutant	
Sentier du Trappeur, boucle 1 et 2	9,7 km	boucle	débutant	50 m
La Transkékéko	12,5 km	linéaire	intermédiaire	
Sentier de la Falaise	2,3 km	linéaire	débutant	80 m
Sentier du Ruisseau	1,7 km	linéaire	débutant	
Ligne du prospecteur	1,2 km	linéaire	débutant	
Sentier des Crevasses	0,6 km	linéaire	intermédiaire	

HORAIRE	Toute l'année, du lever au coucher du soleil
	Prudence en période de chasse
TARIF	Gratuit
ACCÈS	De Rouyn-Noranda, prendre la route 391 sud sur 11 km. Un premier stationnement, non-annoncé, se trouve à l'entrée du sentier du Trappeur. Le deuxième stationnement se trouve 1 km plus loin.
DOCUMENTATION	Carte du réseau (sur le site Web)
INFORMATION	819 762-0931 • www.cegepat.qc.ca/sitekekeko

6 DOMAINE ROCH PARADIS

Pour accéder au domaine, il faut emprunter une passerelle située à l'entrée. Les sentiers de ce réseau sillonnent une forêt de plantation composée de mélèze, d'orme d'Amérique, de pins rouge et blanc, de bouleaux jaune et blanc, d'érable rouge, de frêne et de cyprès, ainsi que d'épinettes blanche, noire et de Norvège. Environ 500 arbres de plus sont plantés chaque année. On trouve aussi beaucoup de rosiers sauvages et de petits arbres fruitiers comme le merisier. On pourra apercevoir des lièvres, des perdrix, des coyotes, des renards et des pistes de chevreuils. Ce boisé urbain attire plusieurs oiseaux comme des tourterelles, des hirondelles et des mésanges. Les sentiers La montée du petit 8 et Des lièvres croisent une crique située en contrebas. On descendra une petite côte pour remonter de l'autre côté. Ces sentiers traversent un ruisseau. À côté de l'aire de pique-nique, un grand panneau traite des essences d'arbres présentes avec une illustration pour chacune. Des bancs ont été aménagés le long des sentiers. Deux nouveaux sentiers sont en cours d'aménagement, ils devraient être accessibles en 2007.

RÉSEAU PÉDESTRE 2,2 km

SENTIERS ET PARCOURS	LONGUEUR	TYPE	NIVEAU
La montée du petit 8	0,6 km	boucle	débutant
Des Lièvres	0,6 km	boucle	débutant
Des Marmottes	0,3 km	boucle	débutant
Des Renards	0,3 km	boucle	débutant
Des Perdrix	0,4 km	boucle	débutant

HORAIRE	Toute l'année, du lever au coucher du soleil
TARIF	Gratuit
ACCÈS	De Rouyn-Noranda, emprunter la route 101 en direction nord. Tourner à gauche sur la route 393 et continuer jusqu'au village de Palmarolle. Tourner à gauche sur la 12ᵉ Avenue Ouest. Le domaine est situé au bout de la rue, à l'intersection de la 1ʳᵉ Rue Ouest.
INFORMATION	819 787-2822 • guy.fortin2@tlb.sympatico.ca

7 ÉCOLE BUISSONNIÈRE

En parcourant les différents sentiers de ce réseau, on passera à travers la forêt abitibienne Piché-Lemoyne, peuplée de conifères, de bouleaux et de cèdres. On longera en partie la rivière Piché, sur laquelle on aura des points de vue, ainsi que des marécages. Les sentiers Vigneault, Leclerc et Desjardins sont agrémentés de panneaux d'interprétation de la nature. L'un des sentiers est plus axé sur la faune tandis que les autres renseignent sur la flore. Ces petites boucles peuvent être parcourues individuellement ou être combinées pour une plus longue randonnée. Des observatoires permettent d'observer la flore, le paysage et la faune présente comme la sauvagine, la perdrix, le lièvre, l'écureuil et parfois la martre.

RÉSEAU PÉDESTRE 3,0 km (boucle, débutant)

HORAIRE	Toute l'année, du lever au coucher du soleil
TARIF	Gratuit
ACCÈS	De Val-d'Or, suivre la route 117 vers le nord sur 10 km environ. Juste avant le village de Dubuisson, prendre le chemin des Explorateurs sur 1 km.
INFORMATION	819 824-1333 poste 276 • www.ville.valdor.qc.ca

8 LA LIGNE DU MOCASSIN

Ce parc linéaire multifonctionnel, en poussière de pierre, relie Angliers à Ville-Marie en passant par Laverlochère et Lorainville. En s'y promenant, on verra des paysages parfois plats et parfois montagneux. On verra également des parois rocheuses, des chutes, des affleurements rocheux et plusieurs petits cours d'eau. On passera par des zones de champs, de forêt de plantation et de forêt naturelle. La forêt est composée de bouleaux, de trembles, d'érables, de sapins et d'épinettes. La portion reliant Laverlochère et Lorainville permet l'observation d'urubus et de grues du Canada, tandis que celle reliant Lorainville à Ville-Marie a une halte offrant une vue sur cinq barrages de castors.

RÉSEAU PÉDESTRE 45,2 km (Multi : 45,2 km)

SENTIERS ET PARCOURS	LONGUEUR	TYPE	NIVEAU
Angliers à Laverlochère	17,1 km	linéaire	débutant
Laverlochère à Lorainville	8,8 km	linéaire	débutant
Lorainville à Ville-Marie	19,3 km	linéaire	débutant

HORAIRE	De mai à octobre, du lever au coucher du soleil
TARIF	Gratuit
ACCÈS	On peut accéder à chacune des extrémités de cette piste en plein cœur de Ville-Marie et à Angliers. D'autres accès sont possibles le long du parcours.
DOCUMENTATION	Dépliant-carte (bureau d'information touristique de la région)
INFORMATION	819 629-3355 poste 49 • www.tourismetemiscamingue.ca

9 LE DOMAINE DE LA BAIE GILLIES

Situé en bordure du lac des Quinze, ce domaine occupe un territoire d'une superficie de 283 hectares. En parcourant les différents sentiers menant au sommet d'une colline, on passera à travers une forêt mixte dominée par les feuillus comme le bouleau, le merisier, le tremble, quelques érables et plusieurs thuyas. On passera aussi par un sentier bordé d'herbes hautes permettant l'observation des oiseaux. Le sommet offre un panorama sur les environs. Des sentiers, on aura également des points de vue sur le lac. Le parcours est agrémenté de panneaux d'interprétation sur les différents arbres. 🐎

🏠P👬🏕️🌲🅿️🚻♿

Autre : piste d'hébertisme

RÉSEAU PÉDESTRE 13,0 km

SENTIERS ET PARCOURS	LONGUEUR	TYPE	NIVEAU	DÉNIVELÉ
Les Étangs	3,0 km	boucle	débutant	
Le Sommet	2,0 km	boucle	débutant	75 m
La Vallée des Schtroumpfs	3,5 km	boucle	débutant	
La Gravière	4,5 km	boucle	débutant	

HORAIRE	Toute l'année, de 9 h à 17 h
TARIF	Adulte : 4,00 $ Enfant : 2,00 $ Tarifs spéciaux pour famille
ACCÈS	De la route 101 à Ville-Marie, prendre la route 382 est. Dépasser Fugèreville et tourner au chemin de la Baie-Gillies.
DOCUMENTATION	Carte (à l'accueil)
INFORMATION	819 747-2548 • www.temiscamingue.net/domaine.baiegillies

10 LES COLLINES D'ALEMBERT

À proximité du centre-ville de Rouyn-Noranda, le quartier d'Alembert offre des collines parsemées d'escarpements et de cours d'eau, avec plusieurs points de vue sur la région. On y retrouve sept sentiers balisés avec des inukshuks. Des mésanges viennent manger dans la main sur le sentier du même nom. Situé en montagne, le sentier de la Griffe passe à travers un tunnel dans la roche. Le sentier des Castors permet de voir leur barrage. Le sentier des Grottes passe devant

plusieurs petites grottes. On verra le phénomène de lave coussinée. Des panneaux d'interprétation sur la faune et la flore sont dispersés le long des sentiers. Dans le sentier des Grottes, on sera salué par un personnage au regard de pierre.

RÉSEAU PÉDESTRE 6,2 km

SENTIERS ET PARCOURS	LONGUEUR	TYPE	NIVEAU	DÉNIVELÉ
Sentier des Mésanges	0,5 km	mixte	débutant	
Sentier de la Griffe	1,5 km	mixte	intermédiaire	75 m
Retour en montagne	0,2 km	linéaire	débutant	
Sentier des Grottes	1,5 km	linéaire	intermédiaire	60 m
Sentier des Castors	1,4 km	linéaire	intermédiaire	
Sentier du Quartz	0,1 km	linéaire	débutant	
Sentier des Pics	1,0 km	linéaire	intermédiaire	

HORAIRE	Toute l'année, du lever au coucher du soleil
	Le port du dossard orange est obligatoire en période de chasse
TARIF	Gratuit
ACCÈS	De Rouyn-Noranda, prendre la route 101 en direction nord sur une distance de 15 km.
DOCUMENTATION	Dépliant-carte (au bureau de la ville et au bureau d'information touristique)
INFORMATION	819 797-0007 • 819 797-7111 • www.ville.rouyn-noranda.qc.ca

11 LIEU HISTORIQUE NATIONAL DU CANADA DU FORT-TÉMISCAMINGUE

Le site est situé à un point où un rétrécissement rapproche les rives du lac Témiscamingue. Le territoire, en majorité recouvert d'un boisé diversifié, est divisé en trois secteurs naturels. Le plateau occupe 16,7 hectares, la plus grande partie du lieu. Le milieu boisé est composé de peuplier à grandes dents, de peuplier faux-tremble et de bouleau blanc. On aura quelques points de vue panoramique. Dans le secteur des escarpements, on retrouve des falaises recouvertes d'une pinède à pin rouge et d'une cédrière sèche à thuya de l'Ouest. Ce peuplement peu répandu au Québec est centenaire. Les basses terres se situent entre les falaises et la rive du lac Témiscamingue. Elles englobent la rive ouest, sur laquelle on verra des blocs fluvio-glaciaires et une plage de 450 mètres de longueur. Cette plage est peuplée d'essences aimant les endroits humides comme le saule, le frêne noir et l'orme d'Amérique. En chemin, on passera devant deux cimetières, l'un autochtone, l'autre catholique. On peut y apercevoir le chalef argenté, un arbuste très rare au Québec et en voie d'extinction.

 Autre : boutique

RÉSEAU PÉDESTRE 2,0 km (Multi : 0,8 km) (mixte, débutant)

HORAIRE	D'avril à novembre, du lever au coucher du soleil
TARIF	Adulte (17 à 64 ans) : 4,95 $
	Âge d'or (65 ans et plus) : 4,20 $
	Enfant (6 à 16 ans) : 2,95 $
	Enfant (moins de 6 ans) : gratuit
	Famille : 11,85 $
	Tarifs de groupe et passes saisonnières disponibles
ACCÈS	De Ville-Marie, emprunter la route 101 en direction sud sur environ 4 km et prendre le chemin du Vieux-Fort jusqu'à l'accueil du site.
DOCUMENTATION	Dépliant (à l'accueil, au kiosque d'information touristique)
INFORMATION	819 629-3222 • 819 629-3228
	www.pc.gc.ca/lhn-nhs/qc/temiscamingue

12 MARAIS ANTOINE

Ce marais, aménagé par Canards Illimités, est situé en bordure du lac Abitibi et occupe un territoire de 2,8 km². En parcourant le sentier, on passera à travers champs avant de pénétrer dans une forêt marécageuse grâce à un trottoir de bois. On gravira ensuite une butte recouverte de forêt mixte composée d'épinette noire, de tremble, de bouleau et de quelques mélèzes. Au sommet, un belvédère aménagé sur un cap rocheux offre une vue d'ensemble du marais, ainsi que sur le lac Abitibi et le barrage. Une passerelle sur pilotis permet de se rendre à l'intérieur du marais, où on retrouvera des quenouilles. On pourra apercevoir des huttes de rats musqués et de castors ainsi que des renards, des oiseaux et des traces de belettes. 🐴

✳P🚶🚴🔥🪑🌿

RÉSEAU PÉDESTRE 2,5 km (linéaire, débutant)

HORAIRE	D'avril à octobre, du lever au coucher du soleil
TARIF	Gratuit
ACCÈS	De Rouyn-Noranda, suivre la route 101 nord sur une quarantaine de kilomètres. Tourner à gauche vers Sainte-Germaine et se diriger par la suite vers Roquemaure. L'entrée du sentier se situe à 6 km à l'ouest de Roquemaure, sur le chemin des 2ᵉ et 3ᵉ Rangs.
DOCUMENTATION	Dépliant (à l'entrée du sentier, au bureau de la municipalité de Roquemaure et au bureau d'information touristique)
INFORMATION	819 787-6311 • 819 787-6292 • munroc@hotmail.com

13 MARAIS LAPERRIÈRE

Le sentier prend son départ dans un champ. Il continue à travers une friche, entre à l'intérieur d'une forêt de feuillus et de conifères et fait le tour d'un marais. Une tour d'observation, situé près du lac Laperrière, offre une vue sur le marais. On pourra y observer de nombreux animaux, entre autres, la tortue serpentine et la tortue peinte. Des nichoirs permettent d'observer plusieurs espèces d'oiseaux. Le sentier passe dans un sous-bois formé de fougères à l'autruche. 🐴

✳P🚶🚴⛺🏠🔥🚰🪑🏚🌿

RÉSEAU PÉDESTRE 3,0 km (Multi : 3 km) (boucle, débutant)

HORAIRE	Toute l'année, du lever au coucher du soleil
TARIF	Gratuit

ACCÈS   De Ville-Marie, prendre la rue Notre-Dame-Sud sur 2,4 km.
DOCUMENTATION Dépliant (au bureau d'information touristique)
INFORMATION   819 629-2522 • www.temiscaming.net

14 MICRO-FORÊT ÉDUCATIVE ET RÉCRÉATIVE AUTHIER-NORD

Ce réseau fait partie de la Route des Randonneurs Macamic. Cette forêt couvre un territoire d'une superficie de 120 hectares. En effectuant les différents parcours proposés, sous couvert forestier, on passera par plusieurs écosystèmes. On traversera entre autres une peupleraie, une bétulaie et une pessière. Presque toutes les essences de la forêt boréale sont présentes. Les parcours sont agrémentés de panneaux sur la flore et la faune. 🐾

⭐P👫⛲🌿

RÉSEAU PÉDESTRE 11,8 km

SENTIERS ET PARCOURS	LONGUEUR	TYPE	NIVEAU
La sapinière	0,5 km	boucle	débutant
La pinède	1,4 km	boucle	débutant
La peupleraie	2,1 km	boucle	débutant
La pessière	3,2 km	boucle	débutant
La tourbière	4,5 km	boucle	débutant

HORAIRE   Toute l'année, du lever au coucher du soleil
                 Porter un dossard en période de chasse
TARIF   Gratuit
ACCÈS   D'Amos, emprunter la route 111 en direction nord. Traverser la municipalité d'Authier. À la jonction du chemin Principal, emprunter ce dernier. Tourner à gauche sur le chemin de la Mini-Forêt. Le stationnement est situé moins d'un km plus loin, en haut d'une côte, à gauche.
DOCUMENTATION   Dépliant, carte (au bureau municipal)
INFORMATION   819 782-3193 • 819 782-3914

15 MONT VIDÉO

Ce réseau de sentier sillonne une forêt mixte composée, entre autres, d'érables, de trembles et de bouleaux. On fera le tour de la colline avant de la gravir. On verra une chute de 3 mètres de hauteur, ainsi que les phénomènes de failles et de marmites. Au sommet de la colline, un belvédère offre un panorama sur 100 kilomètres, permettant de voir le lac Roy et les villes avoisinantes comme Amos. On y trouve également des panneaux sur la géomorphologie de la montagne. En chemin, on pourra apercevoir des lièvres, des perdrix, des martres, des écureuils, des suisses et des traces d'orignaux et de lynx. 🐾

🏠P👫ⓒ✗⛲▲⛺🏕🎋🌿🏊 Autre : piste d'hébertisme

RÉSEAU PÉDESTRE   14,4 km (Multi : 8 km)

SENTIERS ET PARCOURS	LONGUEUR	TYPE	NIVEAU	DÉNIVELÉ
Ascension de la montagne	3,4 km	boucle	intermédiaire	105 m
Tour de la montagne	8,5 km	boucle	débutant	
La Blanche Vallée	2,5 km	boucle	intermédiaire	70 m

HORAIRE	Toute l'année, du lever au coucher du soleil
	Prudence en période de chasse
TARIF	Gratuit
ACCÈS	De Val-d'Or, prendre la route 397 nord jusqu'à Barraute. Emprunter ensuite le chemin du Mont-Vidéo sur 12 km environ. On accède aux sentiers en empruntant la piste de ski principale sur environ 100 mètres, puis en se dirigeant à gauche pour franchir le portillon.
DOCUMENTATION	Carte (à l'accueil)
INFORMATION	819 734-3193 • 1 866 734-3193 • www.mont-video.com

16   PARC BOTANIQUE « À FLEUR D'EAU » INC.

Occupant un territoire de 3,5 hectares, ce parc botanique est le premier en Amérique du Nord à avoir un lac naturel sur son site. Les sentiers passent par différents décors comme la forêt abitibienne, la forêt ornementale et le jardin alpin. Un pont enjambe une petite rivière. On verra plusieurs plantes, arbres et fleurs vivaces ainsi que des plates-bandes florales à thèmes. On passera aussi par la maison de la Fée des eaux où on découvrira sa légende. C'est l'un des rares parcs au Canada à posséder un jardin alpin naturel. Ce lieu a fait l'objet de trois films dont « Le soleil se lève au nord », d'André Melançon, et de l'émission « Les jardins d'aujourd'hui », avec Aline Desjardins. Aménagement unique au pays, on trouve dans ce parc un jardin géologique permettant de découvrir les pierres ayant marqué le développement économique de la région. On y verra différents végétaux et minéraux.

🏛P👭🏕⛏✕🎋❀

RÉSEAU PÉDESTRE   2,0 km (mixte, débutant)

HORAIRE	De mai à octobre, du lever au coucher du soleil
TARIF	Gratuit
ACCÈS	Le Parc botanique est situé en plein cœur de Rouyn-Noranda, à l'extrémité sud de l'avenue Principale.
DOCUMENTATION	Dépliant (à l'accueil, à la maison Dumulon et à l'association touristique de l'Abitibi-Témiscamingue)
INFORMATION	819 797-8753 • 819 762-3178 • www.ville.rouyn-noranda.qc.ca

JCT   CIRCUITS D'INTERPRÉTATION HISTORIQUE DE ROUYN-NORANDA

17   PARC CHAMPÊTRE DE LANGUEDOC

La Route des Randonneurs Macamic est constituée de quatre réseaux indépendants reliés entre eux, dont le Parc champêtre de Languedoc. Il offre des sentiers sillonnant une forêt composée d'épinette blanche, de cyprès, de tremble, de peuplier, de sapin, de bouleau blanc, de mélèze, de cerisier, de merisier et de noisetier. On y trouve aussi des lilas mauve et blanc. On pourra apercevoir des ours, des lynx et des lièvres, ou du moins, des traces de leur passage. Plusieurs oiseaux peuvent être observés dont la perdrix. On longera en partie un ruisseau où nagent des truites. On longera aussi une portion de la rivière Macamic, une zone parcourue par des rapides. On verra des objets du patrimoine religieux comme la croix du promontoire, une croix de chemin sur un escarpement rocheux accessible par un escalier. 🐴

P

RÉSEAU PÉDESTRE 3,5 km (mixte, débutant)

HORAIRE De mai à octobre, du lever au coucher du soleil
TARIF Gratuit
ACCÈS D'Amos, emprunter la route 111 nord jusqu'au village de Taschereau. Tourner à droite sur le chemin du Nord. Le Parc champêtre se situe 15 km plus loin, à l'intersection du chemin des 6e et 7e Rangs.
INFORMATION 819 796-3124 • languedoc.ao.ca

18 PARC NATIONAL D'AIGUEBELLE Parcs Québec

Ce parc, d'une superficie de 268 km², a un territoire sur lequel on retrouve 80 cours d'eau dont les lacs de failles La Haie et Sault. La végétation est composée d'épinette noire et de sapin baumier, propres à la forêt boréale, mais aussi d'essences plus rares comme le bouleau jaune et le frêne noir. Les sentiers passent par des escarpements rocheux, des tourbières et des milieux forestiers. En parcourant le sentier des Marmites, on pourra observer des phénomènes géologiques comme les coussins volcaniques et les marmites de géant. En tout, une trentaine de phénomènes sont visibles dans le parc. Dans le sentier Les Paysages, on retrouve un pont japonais, un pont flottant et un escalier hélicoïdal, situé sur un escarpement rocheux. Le Castor grimpe une colline où on note la présence de la martre d'Amérique. La Loutre se rend à la faille du lac La Haie, où on empruntera une passerelle de 64 mètres de long, suspendue à 22 mètres au-dessus du lac. La Castorière est un des cinq sentiers d'interprétation. On y découvrira l'habitat du castor. Des huttes, des barrages et des troncs rongés témoignent de sa présence. En parcourant les différents sentiers, on aura une vue sur les collines Abijévis, dont les formations rocheuses datent de plus de 2,7 milliards d'années, et sur la plaine abitibienne. On verra des traces du passage des glaciers et celles de la présence du lac post-glaciaire qui inondait la région. On pourra apercevoir des orignaux, des castors, des loutres et plusieurs oiseaux comme le colibri à gorge rubis et différentes espèces de pics, de parulines, de moucherolles et de mésanges.

Le long des sentiers d'interprétation, des panneaux traitent de l'histoire, de la formation géologique, de la faune et de la flore du parc. On retrouve dans ce parc la plus forte concentration d'orignaux de la région. Le sentier La Castorière, sur poussière de pierre et trottoir de bois, a gagné la mention spéciale Kéroul en 2002.

🏛P👫🧍🎿🎋⛰🪧🏕🔥🎠🏛🛖🎣🏹♿🛶🏖💼

Autres : escalier hélicoïdal, trottoir flottant, pont arqué japonais

RÉSEAU PÉDESTRE 70,3 km

SENTIERS ET PARCOURS	LONGUEUR	TYPE	NIVEAU	DÉNIVELÉ
Les Marmites	1,8 km	boucle	débutant	100 m
La Traverse	3,0 km	boucle	débutant	70 m
L'Aventurier	9,5 km	boucle	avancé	70 m
Les Paysages	1,6 km	boucle	débutant	100 m
Les Versants	5,5 km	linéaire	avancé	70 m
Les Gardes-feu	1,0 km	linéaire	intermédiaire	100 m
La Castorière	0,8 km	boucle	débutant	
Le Nomade	13,2 km	linéaire	avancé	
Le Petit Nomade	2,2 km	linéaire	débutant	
Le Haut Bois	2,5 km	boucle	débutant	
La Plaine	2,1 km	boucle	débutant	
Le Loup	0,9 km	linéaire	intermédiaire	150 m
Le Sommet	10,6 km	boucle	avancé	190 m
L'Élan	1,2 km	boucle	débutant	100 m
Le Jardin secret	2,5 km	boucle	débutant	
Le Partage	1,0 km	linéaire	débutant	
La Loutre	4,0 km	boucle	débutant	
Le Castor	1,8 km	boucle	débutant	50 m
Le Lièvre	3,2 km	boucle	débutant	
L'Escalade	1,9 km	linéaire	intermédiaire	100 m

HORAIRE	Toute l'année, du lever au coucher du soleil
TARIF	Voir la tarification des Parcs nationaux du Québec à la page 15 de cet ouvrage.
ACCÈS	De Rouyn-Noranda, emprunter la route 101 nord jusqu'à D'Alembert. Tourner à droite vers Saint-Norbert-de-Mont-Brun et suivre les indications pour le parc.
DOCUMENTATION	Carte, journal du parc (à l'accueil)
INFORMATION	819 637-7322 • 1 800 665-6527 • www.parcsquebec.com

19 PARCS RURAUX RAPIDE DANSEUR

Dix parcs sont répartis le long de deux sentiers, celui de la Promenade, au village, et celui de la Lune, 6 kilomètres plus loin. Dans chaque parc, on trouve un banc et un présentoir avec beaucoup d'information sur le thème du parc. Le sentier de la Promenade se rend au parc des Épilobes, nommé ainsi en raison de l'abondance de cette plante. Plus loin, le parc du Rapide se trouve sur le site historique de l'église de Rapide-Danseur, qui date de 1940. On peut y voir une exposition au sous-sol. Ce parc permet d'observer les rapides. Le sentier passe aussi par les parcs des Bruants et des Vieilles autos. Le sentier du Rang de la Lune passe par le parc de l'érable rouge, recouvert d'une forêt de cette essence. Au parc du Belvédère, le sentier grimpe une petite montagne et offre une vue sur le lac Duparquet et les environs. Le parc du Bloc erratique permet de voir ce bloc laissé par le passage des glaciers. On trouve sur le parc de la Vieille école les fondations d'une école de rang datant des années 1930-

1940. Il y a aussi les parcs de la Grenouillère et de l'Esker. On pourra aussi circuler sur une portion de l'ancien sentier du Détour, traversant un boisé composé de trembles et d'épinettes. Des renards et des chevreuils sont présents. On peut faire une visite guidée du parc des Rapides pour trois dollars. 🐎

✸ P ❦ ⚞ Autre : bancs de repos

RÉSEAU PÉDESTRE 6,3 km

SENTIERS ET PARCOURS	LONGUEUR	TYPE	NIVEAU
Les sentiers de la lune	4,5 km	mixte	débutant
Sentier de la Promenade	1,8 km	boucle	débutant

HORAIRE	De mi-mai à fin octobre, du lever au coucher du soleil
TARIF	Gratuit
ACCÈS	De Duparquet, emprunter la route 393 vers Palmarolle. Tourner à droite sur le rang de la Lune. Continuer jusqu'à l'entrée des parcs ruraux située 2 km plus loin, à gauche. Entrer et se diriger vers stationnement un peu plus loin.
DOCUMENTATION	Dépliant (aux bureaux d'information touristique de la région et au sous-sol de l'église de Rapide-Danseur)
INFORMATION	819 787-6699

20 PROMENADE OSISKO

Cette promenade débute à la maison Dumulon, une maison en bois rond datant de 1926. La Promenade fait le tour du lac en passant sur un trottoir asphalté, sur la digue séparant le lac en deux et dans une forêt de feuillus, surtout composée de trembles et de bouleaux. Un petit ruisseau serpente dans la forêt et des bancs permettent de se reposer. La Promenade passe à travers la place Edmond-Horne. Des spectacles ont lieu sur la presqu'île. On pourra apercevoir des poissons dans le lac. Des panneaux et des plaques commémoratives renseignent sur la découverte de la ville et l'histoire de la mine. Des statues sont dispersées le long du parcours. 🐎

✿ P ♟ ⚞ ⛩ ⌂ ⛩ 🍴 ⚞ 🏊

RÉSEAU PÉDESTRE 8,0 km (Multi : 8 km)

SENTIERS ET PARCOURS	LONGUEUR	TYPE	NIVEAU
Promenade du lac Osisko	8,0 km	boucle	débutant

HORAIRE	D'avril à novembre, du lever au coucher du soleil
TARIF	Gratuit
ACCÈS	De Rouyn-Noranda, emprunter la route 117 nord. Tourner à droite sur l'avenue du Lac. Le départ de la Promenade est situé à la maison Dumulon, au numéro 191.
DOCUMENTATION	Guide touristique (au kiosque d'information touristique de la région)
INFORMATION	819 797-7101 • www.rouyn-noranda.ca

21 RESTAURANT LA BANNIK / CAMPING FORT-TÉMISCAMINGUE

Le domaine couvre un territoire d'une superficie de 70 hectares, recouvert d'une forêt composée de pin, d'épinette rouge, de thuya et de sapin. Le sentier serpente dans la forêt et grimpe sur une montagne. Un premier belvédère offre une vue sur le lac Témiscamingue, un second, sur une partie de Duhamel-Ouest. En chemin, on pourra observer des oiseaux grâce à des mangeoires. On pourra apercevoir des lièvres. 🐎

RÉSEAU PÉDESTRE 2,0 km (Multi : 2 km)
(boucle, intermédiaire, dénivelé maximum de 200 m)

HORAIRE Toute l'année, de 8 h à 22 h
TARIF Gratuit
ACCÈS De Ville-Marie, prendre la route 101 en direction sud sur environ 5 km. Tourner à droite sur le chemin du Vieux-Fort et suivre les indications.
DOCUMENTATION Dépliant (au restaurant La Bannik)
INFORMATION 819 622-0922 • www.bannik.ca

22 SENTIER DE LA NATURE DE RIVIÈRE-HÉVA

Le sentier, balisé de flèches jaunes, passe dans une forêt de pins gris. Le sol est recouvert de mousses. Sur le parcours, les enfants pourront profiter d'une aire de jeu. Deux tables à pique-nique, agrémentées d'un toit, sont à la disposition des marcheurs. Plus loin, on trouvera un abri.

RÉSEAU PÉDESTRE 4,0 km

HORAIRE Toute l'année, du lever au coucher du soleil
TARIF Gratuit

SENTIERS ET PARCOURS	LONGUEUR	TYPE	NIVEAU
La Mystérieuse	4,0 km	mixte	débutant

ACCÈS De Malartic, suivre la route 117 nord sur un peu plus de 5 km et tourner à droite sur la rue du Lac-Malartic. Le stationnement est situé à 4,6 km. Du village de Rivière-Héva, suivre la route 109 nord, puis tourner sur la rue du Lac-Malartic et poursuivre sur 5 km environ.
INFORMATION 819 735-3521

23 SENTIER DE LA ROCHE ET D'INTERPRÉTATION

Situé à 200 mètres d'une tour d'observation, ce sentier serpente à travers la forêt boréale, parsemée de bleuets sauvages. En le parcourant, on verra plusieurs phénomènes géologiques, expliqués par des panneaux d'interprétation. D'autres panneaux renseignent sur les espèces végétales présentes. Le sentier grimpe ensuite sur une colline, d'où on a un panorama sur la forêt et les lacs de la région et, par temps clair, sur la tour de mine de Malartic. Le point culminant du parcours est la Roche, un bloc erratique de 250 tonnes, ancien segment de la montagne, arraché et déposé là lors du recul d'un glacier. En chemin, il est possible de construire un inukshuk pour accompagner ceux déjà présents. Un petit sentier ornithologique permet d'observer les oiseaux sur le territoire, notamment des envolées de perdrix et même le faucon pèlerin.

RÉSEAU PÉDESTRE	1,6 km (mixte, débutant, dénivelé maximum de 50 m)
HORAIRE	De mai à décembre, du lever au coucher du soleil
	Prudence pendant la période de chasse
TARIF	Gratuit
ACCÈS	De Val-d'Or, emprunter la route 117 nord. Tourner à droite sur la route 395. Après le pont, tourner à droite sur le chemin des Peupliers. L'entrée du sentier est située 1 km plus loin, à la hauteur du chemin privé, à gauche.
INFORMATION	819 732-4938 • www.preissac.com

24   SENTIER DES MARMITES

Ce sentier regroupe plusieurs petits sentiers. En les parcourant, on passera par une forêt de pins rouge et blanc. Un belvédère offre une vue sur la rivière des Quinze. Un autre donne sur le barrage Giovani. On pourra observer le phénomène des marmites de géants et admirer une chute et des blocs erratiques. 🐴

✶ P 🕴🏻 🎋 ⛰ 🎇 🔎 🪑

RÉSEAU PÉDESTRE   1,4 km

SENTIERS ET PARCOURS	LONGUEUR	TYPE	NIVEAU
Sentier des marmites	0,9 km	linéaire	débutant
Belvédère Giovani	0,2 km	linéaire	débutant
Pied du barrage	0,2 km	linéaire	débutant
Lit de la rivière	0,1 km	linéaire	débutant

HORAIRE	Toute l'année, en tout temps
	Le port du dossard est conseillé lors de la chasse au gros gibier
TARIF	Gratuit
ACCÈS	À la sortie nord du village d'Angliers en direction de Rouyn-Noranda, tourner à gauche sur le chemin Angliers-Guérin. Le sentier se situe au bout du chemin.
INFORMATION	819 785-2301 • recre_eau_des_quinze@hotmail.com

25   SENTIER DES QUINZE

Ce sentier serpente à travers une forêt mixte composée de tremble, d'épinette, de sapin, d'érable et de bouleau. On pourra apercevoir des chevreuils ou, du moins, des traces de leur présence. À mi-parcours, on pourra voir un lac où nagent des canards. Une ouverture offre un point de vue sur la rivière des Quinze, située 15 mètres plus bas, qu'on longera par moments. On verra aussi une partie du village situé de l'autre côté de la rivière et la première chute du barrage hydroélectrique.

✶ P 🏠

RÉSEAU PÉDESTRE   6,5 km (Multi : 6,5 km) (boucle, débutant)

HORAIRE	Toute l'année, du lever au coucher du soleil
TARIF	Gratuit
ACCÈS	De Ville-Marie, emprunter la route 101 en direction nord. À Notre-Dame-du-Nord, juste avant le pont, tourner à droite sur le 3e Rang Est. Le stationnement est situé environ 1 km plus loin, à gauche.
INFORMATION	819 723-2185

26 SENTIER DU RUISSEAU GORDON

Le ruisseau Gordon, déversoir naturel du lac Kipawa, serpente dans la ville pour aboutir dans la rivière des Outaouais. En parcourant le sentier, pratiquement toujours en bordure du cours d'eau, on verra plusieurs cascades. Du pont au-dessus du ruisseau, on pourra admirer une chute encaissée dans une gorge. Le ruisseau est ensemencé de truites mouchetées. On y trouve un sanctuaire de tortues. 🐾

RÉSEAU PÉDESTRE	6,7 km (Multi : 6,7 km) (linéaire, débutant, dénivelé maximum de 70 m)
HORAIRE	D'avril à novembre, du lever au coucher du soleil
TARIF	Gratuit
ACCÈS	De la route 101 à Témiscaming, prendre le chemin Kipawa et suivre les indications du « Parc linéaire ». Le départ du sentier se fait derrière la gare de Témiscaming, rue Humphrey.
INFORMATION	819 627-3230 • www.temiscaming.net

27 SENTIER ÉCOLOGIQUE DE NÉDÉLEC

Ce sentier d'interprétation renfermant une soixantaine de plantes sauvages et médicinales indigènes, passe à travers une forêt mixte dans laquelle on pourra apercevoir des renards et des perdrix. On atteindra des affleurements rocheux et un petit étang. Des panneaux renseignant sur les différentes plantes thérapeutiques sont dispersés le long du chemin. 🐾

Autres : pergola, piste d'hébertisme

RÉSEAU PÉDESTRE	1,0 km (boucle, débutant)
HORAIRE	De mai à novembre, du lever au coucher du soleil
TARIF	Gratuit
ACCÈS	De la route 101 à Nédélec, prendre la rue Principale. Le sentier débute derrière le centre des loisirs.
DOCUMENTATION	Dépliant (au bureau municipal)
INFORMATION	819 784-3311 • municipalitenedelec@tlb.sympatico.ca

28   SENTIER J-P ROLLAND FORTIN

Ce sentier pavé longe le chemin de l'aéroport et monte une longue pente douce. On y trouve certaines zones boisées, du type sapinière à bouleau blanc. Ce sentier conduit au pavillon Kinsmen, un site d'observation d'où on aura une vue sur l'aéroport.

✸P⛷⛷⛱⌂

RÉSEAU PÉDESTRE	2,7 km (Multi : 2,7 km)
	(linéaire, débutant, dénivelé maximum de 200 m)
HORAIRE	Toute l'année, du lever au coucher du soleil
TARIF	Gratuit
ACCÈS	De Val-d'Or, prendre la 3e Avenue Ouest. Tourner à gauche sur la 7e Rue. L'entrée du sentier est située à l'intersection du boulevard des Pins, 1,1 km plus loin.
INFORMATION	819 824-9646 • 819 824-1333 • www.ville.valdor.qc.ca

29   SENTIER PÉDESTRE DU MONT BELL

Ce sentier est situé à proximité de Senneterre, une ville à l'est de Val-d'Or. En le parcourant, on grimpera en territoire montagneux à travers une forêt composée de pin, de sapin, d'érable, de bouleau et d'épinette. On passera par une forêt de feuillus, ce qui est rare à ce niveau géographique habituellement dominé par les conifères.

✸P⛱▦

RÉSEAU PÉDESTRE	15,0 km (mixte, intermédiaire, dénivelé maximum de 105 m)
HORAIRE	De mai à octobre De 7 h à 21 h
TARIF	Gratuit
ACCÈS	De Senneterre, prendre l'avenue du Parc en direction de l'ancienne base militaire.
INFORMATION	819 737-8854

30   SENTIER PÉDESTRE GRANDE CHUTE

Ce sentier linéaire, en territoire boisé, longe la rivière Kipawa. On aura des points de vue sur des chutes et leurs marmites de géant, phénomène causé par le tournoiement des débris entraînés par le courant créant un creux dans le roc. Un sentier d'interprétation de la flore est aménagé sur 2 km. Au cours des années 20, des films y furent tournés par des cinéastes américains. Durant les années 50, l'actrice Lana Turner, mariée à un membre de la famille propriétaire du site à l'époque, a souvent marché dans ce sentier avec ses amis acteurs. Parmi eux, John Wayne et Kirk Douglas.

✸P⛷⛷⛱⌂▦▦❦

RÉSEAU PÉDESTRE	9,5 km (Multi : 9,5 km) (linéaire, intermédiaire)

HORAIRE	De début mai à fin octobre, du lever au coucher du soleil
TARIF	Gratuit
ACCÈS	De Témiscaming, suivre la route 101 nord. Environ 10 km après Laniel, le site est indiqué en bordure de la route.
DOCUMENTATION	Dépliant avec carte (à l'entrée du sentier, sur la route 101, et près des grandes chutes)
INFORMATION	819 634-3123 • 819 634-2629 • www.temiscamingue.net/laniel

31 SENTIERS DE LA TOUR ROTARY

Ce sentier débute derrière la tour d'observation Rotary. De son palier le plus élevé, à 20 mètres du sol, on aura une vue sur les plans d'eau alimentant la rivière Harricana et sur des chevalements miniers. On pénètre ensuite dans une sapinière à bouleau blanc dans laquelle on pourra apercevoir des représentants de la petite faune. 🐾

✶P⛺🧍

RÉSEAU PÉDESTRE	3,0 km (Multi : 3 km) (mixte, débutant)
HORAIRE	D'avril à novembre, du lever au coucher du soleil
TARIF	Gratuit
ACCÈS	À Val-d'Or, suivre les indications de « Tour Rotary ».
INFORMATION	819 824-1333 • www.ville.valdor.qc.ca

32 SENTIERS PÉDESTRES ET POSTE D'OBSERVATION GRAND HÉRON

Ce réseau de sentiers fait partie de la Route des Randonneurs Macamic, une route formée de quatre lieux indépendants. La randonnée commence par un ancien chemin forestier sillonnant une forêt mixte. En grimpant sur la montagne, les arbres sont peu à peu remplacés par des affleurements rocheux recouverts d'arbustes et de mousses. Une tour d'observation d'une hauteur de 10 mètres et un belvédère situés au sommet de la montagne offrent une vue sur les îles du lac Macamic, dont l'une abrite une héronnière, et sur la région environnante. On pourra apercevoir des orignaux, des lièvres et des perdrix. Le parcours est agrémenté de 13 panneaux d'interprétation traitant de la faune et de la flore. Prudence lorsqu'il pleut, les sentiers sont très glissants. 🐎

✳🅿♿🚻🗑🪑🛏🚣 Autre : quai

RÉSEAU PÉDESTRE 2,0 km (mixte, débutant, dénivelé maximum de 50 m)

HORAIRE	Toute l'année, du lever au coucher du soleil
TARIF	Gratuit
ACCÈS	D'Amos, prendre la route 111 nord. Dépasser la ville de Macamic de 5 km, puis tourner à droite vers Chazel. Suivre les panneaux bleus sur environ 9 km.
DOCUMENTATION	Dépliant (au bureau d'information touristique)
INFORMATION	819 782-4604 poste 225 • www.villemacamic.qc.ca

33 ZEC DUMOINE

Cette zec couvre un territoire de 1 502 km². Les sentiers sillonnent un boisé mixte composé essentiellement de bouleau jaune, mais aussi de sapin, d'épinette, de chêne, d'érable à sucre, de frêne blanc, de hêtre à grandes feuilles, de pruche du Canada et de pins rouge et blanc. On y trouve plusieurs plantes dont le sabot de la vierge, le trille dressé et le maïanthème du Canada, ainsi que plusieurs espèces de champignons. Certains sentiers longent la rivière Dumoine, d'autres conduisent au lac Six-Mille. Le sentier de la Dumoine emprunte la piste Wagon Trail, qui servait autrefois à alimenter les fermes forestières. On trouve un refuge à mi-parcours. La forêt des Grands fait une boucle sur la montagne. On y verra l'habitat du castor. Autour de l'île parcourt l'île Keal et offre une vue sur le lac aux Sangsues. La chute Mill permet d'admirer une série de chutes. On pourra apercevoir plusieurs mammifères dont le lynx du Canada et la martre d'Amérique, et plus d'une centaine d'espèces d'oiseaux dont le cardinal à poitrine rose, le passerin indigo, le tangara écarlate et le roselin pourpré. S'ajoutent des reptiles dont la tortue peinte, des grenouilles et des poissons tels que le doré jaune, le grand brochet, le touladi et l'omble de fontaine. En parcourant les sentiers, on verra une cheminée datant des années 1800. Le bâtiment n'est plus là, mais la cheminée est restée. 🐎

🏛🅿♿⛺🏠

RÉSEAU PÉDESTRE 26,5 km

SENTIERS ET PARCOURS	LONGUEUR	TYPE	NIVEAU
Le sentier de la Dumoine	24,0 km	linéaire	avancé
La forêt des Grands	1,5 km	linéaire	débutant
Autour de l'île	0,5 km	linéaire	débutant
La chute Mill	0,5 km	linéaire	débutant

HORAIRE	De mai à octobre, du lever au coucher du soleil
	Le port du dossard est obligatoire en période de chasse
TARIF	Gratuit
ACCÈS	D'Ottawa, prendre l'autoroute 17 nord puis la route 635 nord vers le Québec par Rapides-des-Joachims. Emprunter le chemin Dumoine et suivre les indications pour le poste d'accueil Grande-Chute, situé 26 km plus loin.
INFORMATION	819 762-6660 • www.zecdumoine.ca

Cette zec couvre un territoire d'une superficie de 2 500 km². Le sentier d'interprétation du Lac des Cinq Dams tient son nom des cinq barrages de castors bouchant les arrivées d'eau, créant ainsi un lac. Cinq parcours sont possibles. Plus d'une trentaine de panneaux d'interprétation sur la flore et la faune y sont dispersés. La Bétulaie permet d'observer des oiseaux grâce à des mangeoires. C'est là qu'on trouve le plus de panneaux d'interprétation. La Frênaie fait traverser un étang et permet de voir une petite chute et un barrage de castor. On y trouve des thuyas et des grands pics. La Pinède passe à travers une forêt mixte dans laquelle on retrouve d'immenses pins blancs âgés de plus de 100 ans. Ce parcours nous fait passer par plusieurs côtes. Du Grand Pic permet d'observer cet oiseau dans son habitat grâce aux chicots. On y trouve l'île des plantes carnivores. De La Tour mène à une tour d'observation offrant une vue sur le lac, ensemencé de truites. Il permet de voir trois nichoirs à canards. Le parcours De La Tour permet de voir une île flottante qui se déplace continuellement au gré du vent. 🐾

RÉSEAU PÉDESTRE 3,0 km

SENTIERS ET PARCOURS	LONGUEUR	TYPE	NIVEAU
Sentier d'interprétation du Lac des Cinq Dams	3,0 km	mixte	débutant

HORAIRE	De mi-mai à mi-octobre, de 8 h à 22 h
TARIF	Gratuit
ACCÈS	De Ville-Marie, emprunter la route 101 en direction sud. Tourner à gauche sur le chemin de la Petite-Rivière. Tourner à gauche sur le chemin du Carrefour, puis à droite sur la route à Vio. Prendre ensuite la route 391 en direction sud et tourner à gauche sur le chemin de pénétration menant à la zec. Ce chemin est situé au km 33.
INFORMATION	819 629-2002 • www.temiscamingue.net/zec.kipawa

35 ZONE RÉCRÉOTOURISTIQUE DE ROLLET

Cette zone récréotouristique occupe un territoire de 7 km² recouvert d'un boisé composé de bouleau, de tremble, d'érable, de pins rouge et blanc, d'épinette et de peuplier. Certains arbres ont plus de 60 centimètres de diamètre. Une boucle permet de voir un barrage de castor de près de 80 mètres de longueur, l'un des douze barrages présents sur le territoire, ainsi qu'une cascade de 5 mètres de hauteur grâce à des belvédères. On grimpera quelques collines. Un autre sentier quitte la boucle et traverse une érablière pour conduire au lac Gingras-Trompeur. Ce lac fait plus d'un kilomètre de longueur. 🐴 Le parcours est agrémenté de pages plastifiées contenant des informations sur les arbres, des photos et des échantillons de feuilles. L'une d'elles nous renseigne sur les différences entre l'épinette blanche et l'épinette rouge. Ce travail a été accompli par des élèves d'une école primaire.

P ♟ ⛩ ⌂ ▲ 🏠 ⛲ ❦

RÉSEAU PÉDESTRE	7,5 km (Multi : 5,2 km) (mixte, débutant, dénivelé maximum de 60 m)
HORAIRE	Toute l'année, du lever au coucher du soleil
TARIF	Gratuit
ACCÈS	De Rouyn-Noranda, emprunter la route 101 en direction sud. Dans le quartier de Rollet, tourner à droite sur le chemin des 7e et 8e Rangs Ouest. Tourner à droite sur le chemin Joli-B. Le stationnement est situé juste après le pont, à droite.
DOCUMENTATION	Dépliant (à l'accueil et au centre touristique de Rouyn)
INFORMATION	819 493-1140 • 819 493-6411 • gerardjolin@hotmail.com

Baie-James

BAIE-JAMES

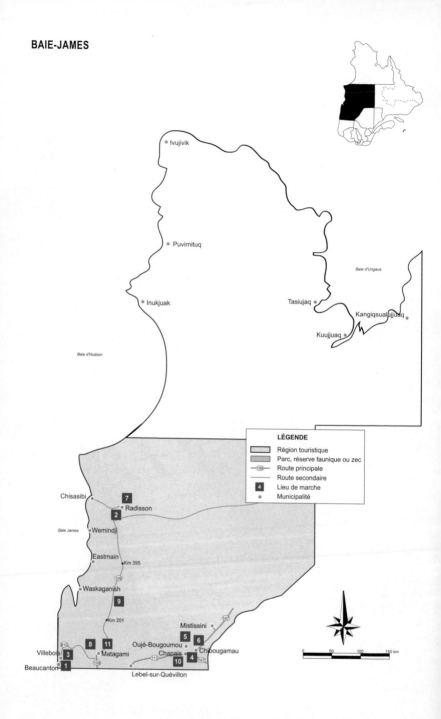

Photo page précédente : Oujé-Bougoumou Nature trail (LMI - Daniel Pouplot)

LIEUX DE MARCHE

1. LES SENTIERS DU LAC IMBEAU
2. LOCALITÉ DE RADISSON
3. MONT FENOUILLET
4. MONT SPRINGER
5. OUJÉ-BOUGOUMOU NATURE TRAIL
6. PARC OBALSKI
7. PARC ROBERT-A.-BOYD
8. RÉSEAU BELL-NATURE
9. SENTIER DE LA RIVIÈRE BROADBACK
10. SENTIER PÉDESTRE DU LAC CAVAN
11. ZONE RÉCRÉATIVE DU LAC MATAGAMI

Pour obtenir notre guide touristique ou pour obtenir
des informations supplémentaires, contactez-nous !

1 888 748-8140
www.tourismebaiejames.com • info@tourismebaiejames.com

tourisme
Baie-James *Vivez l'attrait du Nord!*

LES SENTIERS DU LAC IMBEAU

Au sein des collines Abitibi, on a tracé des sentiers sur un territoire ayant été ravagé par un feu de forêt en 1997. À l'époque, le feu de Val-Paradis avait détruit 12 500 hectares de forêt. Le sentier Le feu réplique raconte, à l'aide de panneaux d'interprétation, les divers rôles importants que jouent les feux en forêt boréale. Le sentier prend son départ à l'est du lac Imbeau, contourne sa partie sud et va rejoindre le lac Oloron avant de compléter la boucle et revenir au stationnement. C'est à partir de ce sentier que l'on pourra rejoindre les sentiers Les Éboulis et Val-Paradis. Le sentier Le Roc raconte, agrémenté aussi de panneaux d'interprétation, explique l'histoire géologique et humaine de la région. On pourra observer, entre autres, les vestiges de la dernière glaciation comme des blocs erratiques, des tables de pierre et les cordons de blocs du lac glaciaire Ojibway. On aura des vues sur la vallée de la Turgeon.

✳ P ✵✵ ⅌ ⋏ ☰✦ ⟋ ⌂

RÉSEAU PÉDESTRE 9,5 km

SENTIERS ET PARCOURS	LONGUEUR	TYPE	NIVEAU	DÉNIVELÉ
Le Feu réplique	3,5 km	boucle	débutant	150 m
Le Roc raconte	3,0 km	boucle	débutant	150 m
Les Éboulis	1,5 km	boucle	débutant	150 m
Val-Paradis	1,5 km	linéaire	débutant	150 m

HORAIRE	De mi-avril à fin octobre, du lever au coucher du soleil
TARIF	Gratuit
ACCÈS	De La Sarre, suivre la route 393 nord et tourner vers l'ouest sur le rang 4 et 5, un rang au nord de Beaucanton. Continuer sur 8 km, soit jusqu'au lac Pajégasque, et tourner à droite sur le chemin qui contourne ce lac vers le nord. Tourner encore à droite au premier chemin et continuer sur 4 km, soit jusqu'au lac Imbeau.
DOCUMENTATION	Dépliant et carte des sentiers (dans les bureaux d'information

touristique de l'Abitibi-Témiscamingue et de la Baie-James, ou en téléphonant au 819 941-2180)

INFORMATION   819 941-2180 • valcanton.tripod.com

2 LOCALITÉ DE RADISSON

La municipalité de Radisson est située sur une colline, au bout de la route de la Baie-James. Le parc linéaire, situé au centre du village, permet de voir les installations communautaires ainsi qu'un panneau inusité indiquant la distance qui sépare Radisson des grandes villes mondiales. Le sentier écologique Hudson sillonne la taïga, forêt d'épinettes noires, de pins gris et de lichens. On pourra y apercevoir des représentants de la faune nordique comme les renards. Ce sentier, agrémenté de panneaux d'interprétation sur la géographie, la faune et la flore mène à un belvédère surplombant le bassin de la rivière La Grande, offrant une vue sur cette dernière et sur le barrage Robert-Bourassa. La nuit, par ciel clair, il est possible de voir des aurores boréales.

RÉSEAU PÉDESTRE 2,5 km

SENTIERS ET PARCOURS	LONGUEUR	TYPE	NIVEAU	DÉNIVELÉ
Parc linéaire	1,3 km	linéaire	débutant	
Sentier écologique Hudson	1,2 km	boucle	débutant	50 m

HORAIRE	De mai à octobre, du lever au coucher du soleil
TARIF	Gratuit
ACCÈS	Au kilomètre 617 de la route de la Baie-James, tourner à gauche sur l'avenue Des Groseilliers et poursuivre jusqu'à l'entrée du village, au bureau d'information touristique.
DOCUMENTATION	Guide touristique officiel (au bureau d'accueil touristique)
INFORMATION	819 638-8687 • 819 638-7777 • www.municipalite.baie-james.qc.ca

3 MONT FENOUILLET

La forêt boréale englobe la majeure partie du mont Fenouillet. Des sentiers, utilisés pour le ski de fond l'hiver, sont accessibles à la marche, aux vélos et aux chevaux durant le reste du temps. Un sentier mène à une grotte tandis qu'un autre grimpe au sommet et offre des vues sur la vallée de la Turgeon. On pourra y voir les vestiges d'une tour de garde-feu.

✳🅿👫✖🌲🏠🔺🎒🛏🔨🏊

RÉSEAU PÉDESTRE 18,0 km (Multi : 6 km)

SENTIERS ET PARCOURS	LONGUEUR	TYPE	NIVEAU	DÉNIVELÉ
Ruisseau	5,0 km	linéaire	débutant	50 m
L'ours	3,0 km	linéaire	débutant	150 m
Le sommet	2,0 km	linéaire	débutant	150 m
Le renard	2,0 km	linéaire	débutant	50 m
Ski de fond	6,0 km	boucle	débutant	50 m

HORAIRE	Toute l'année, du lever au coucher du soleil
TARIF	Gratuit
ACCÈS	De La Sarre, suivre la route 393 nord et poursuivre sur la route des Conquérants (N-810) jusqu'à Villebois. Dans le village de Villebois, suivre le rang 6 et 7, puis tourner vers l'est sur le chemin des Défricheurs. Continuer sur 5 km et tourner à droite sur la route des Montagnes. L'accueil se situe environ 1 km plus loin.
DOCUMENTATION	Dépliant et carte des sentiers (dans les bureaux d'information touristique de l'Abitibi-Témiscamingue et de la Baie-James, ou en téléphonant au 819 941-2180)
INFORMATION	819 941-4166 • cdevvbj@tlb.sympatico.ca • cdevvbj@lino.com

4 MONT SPRINGER

Le sentier débute au kiosque d'information touristique de Chapais, à l'entrée de la ville. Il est tracé dans une forêt composée de pin gris, d'épinette noire, de bouleau blanc, de bouleau jaune, de peuplier et de sapin baumier. On passera près des lacs Castor et Campbell où des tables à pique-nique ont été installées. On atteindra par la suite le second stationnement, situé au pied de la montagne, avant de grimper le

mont Springer à 530 mètres d'altitude. La pente est assez abrupte par endroits. Des escaliers en facilitent la montée. Au sommet, un belvédère offre un panorama sur les étendues sauvages du Nord québécois. Des panneaux d'interprétation, disposés le long du sentier, traitent de la faune et de la flore, et aussi de l'histoire de Chapais. 🐾

✳🅿🌲🔺🔨🌿🏊

RÉSEAU PÉDESTRE	6,8 km (Multi : 6,8 km) (linéaire, intermédiaire, dénivelé maximum de 100 m)
HORAIRE	De mai à octobre, du lever au coucher du soleil Prudence pendant la période de chasse

Note : l'inauguration officielle du sentier s'effectuera au printemps 2008. D'ici là, plusieurs travaux seront en cours, mais n'empêcheront pas l'accessibilité au site.

TARIF   Gratuit

ACCÈS   Le stationnement se situe au kiosque d'information touristique de Chapais, sur le boulevard Springer (route 113). Un autre stationnement est possible au pied de la montagne.

DOCUMENTATION   Dépliant (2008) (au kiosque d'information touristique)

INFORMATION   418 745-2511 • 418 745-2355 • villedechapais@lino.com

5   OUJÉ-BOUGOUMOU NATURE TRAIL

Cette communauté, qui figure parmi les 50 collectivités exemplaires de la planète selon les Nations unies, offre des sentiers sillonnant la forêt boréale bordant le lac Opémiska. Une partie du parcours, agrémenté de panneaux d'interprétation, traverse une zone où le sol est recouvert de mousses grâce à un trottoir de bois.

RÉSEAU PÉDESTRE   2,0 km (Multi : 2 km) (mixte, débutant)

HORAIRE   Toute l'année
Du lever au
coucher du soleil

TARIF   Gratuit

ACCÈS   De Chibougamau, prendre la route 113 en direction de Chapais. Après une trentaine de kilomètres, tourner à droite en face de la scierie Barrette-Chapais. Parcourir alors 23 km pour atteindre l'entrée du village. L'accès aux sentiers se situe à l'ouest du village.

INFORMATION   418 745-3905 • 418 745-2519 • www.ouje.ca

6   PARC OBALSKI

Les sentiers serpentent à travers une forêt dans laquelle on pourra observer les effets d'un feu de forêt ayant ravagé le parc en 2005. Le sentier Kiwanis fait le tour du lac Gilman et du Petit lac Gilman. On peut écourter la randonnée en prenant un raccourci via le sentier de la Ville, qui longe en partie chacun des lacs. Le sentier du mont Hélios relie le sentier Kiwanis, depuis la rive du Petit lac Gilman, au chemin Campbell. On grimpera jusqu'au sommet du mont Hélios, mot qui signifie « dieu du soleil », d'où on aura une vue sur la ville de Chibougamau et le lac du même nom ainsi que sur le lac aux Dorés. Un autre sentier conduit au mont Chalco. La tour Hélios, qui existait depuis 1970, a été détruite par les flammes, par un acte de vandalisme.

RÉSEAU PÉDESTRE 12,8 km (Multi : 8,4 km)

SENTIERS ET PARCOURS	LONGUEUR	TYPE	NIVEAU	DÉNIVELÉ
Sentier de la Ville	2,5 km	linéaire	débutant	
Sentier Kiwanis	8,4 km	boucle	débutant	
Sentier du mont Hélios	1,9 km	linéaire	intermédiaire	100 m

HORAIRE	Toute l'année, du lever au coucher du soleil
TARIF	Gratuit
ACCÈS	Les sentiers débutent près de la plage municipale de Chibougamau. Un autre stationnement est possible pour le sentier de la Tour. À 4 km au nord de Chibougamau par la route 167, tourner à droite sur le chemin Campbell et faire 4,3 km.
DOCUMENTATION	Dépliant-carte de Chibougamau et ses environs (à la Commission économique et touristique de Chibougamau et sur le site Web)
INFORMATION	418 748-7195 • 418 748-3132 • www.ville.chibougamau.qc.ca

7 PARC ROBERT-A.-BOYD

Ce parc, situé au confluent de la Grande Rivière et de la rivière Mosquito, est la reconstitution d'un ancien campement d'exploration. Les sentiers sillonnent la taïga. Le circuit est une exposition thématique, par des panneaux d'interprétation, sur la vie des travailleurs de la Baie-James. Ses trois belvédères offrent des vues sur la rivière Mosquito, qui coule en cascades. Au milieu du circuit, une tour d'observation donne sur la

Grande Rivière. Le sentier, quant à lui, est accessible via une passerelle au-dessus de la chute de la rivière Mosquito et conduit à un belvédère donnant sur la Grande Rivière. Il y a des visites guidées à caractère historique tous les matins.

RÉSEAU PÉDESTRE 2,0 km

SENTIERS ET PARCOURS	LONGUEUR	TYPE	NIVEAU
Le sentier pédestre	1,5 km	linéaire	débutant
Le circuit	0,5 km	boucle	débutant

HORAIRE	De la fête de la Saint-Jean-Baptiste à la fête du Travail
	De 8 h 30 à 16 h
TARIF	5,70 $ par personne
	11,40 $ par personne (incluant la visite guidée)
ACCÈS	Au kilomètre 617 de la route de la Baie-James, tourner à gauche sur l'avenue Des Groseilliers et se rendre au bureau de la Société des sites historiques, situé au numéro 65. C'est à cet endroit que l'on doit acquitter les frais pour le bateau passeur.
DOCUMENTATION	Journal du parc (à la Société des sites historiques)
INFORMATION	819 638-6673 • www.sshr.qc.ca

8 RÉSEAU BELL-NATURE

À proximité de l'entrée de ce réseau, une tour d'observation domine la cime des arbres et offre un panorama sur le village et les environs. Un belvédère offre sensiblement la même vue. Les sentiers, qui passent par plusieurs parcs en milieu urbain, longent la rivière Bell et le rapide du Chenal à travers la forêt boréale.

RÉSEAU PÉDESTRE 3,5 km (Multi : 3,5 km)

SENTIERS ET PARCOURS	LONGUEUR	TYPE	NIVEAU
Parc de la Rivière-Bell	3,5 km	mixte	débutant

HORAIRE	Toute l'année, du lever au coucher du soleil
TARIF	Gratuit
ACCÈS	Dans la ville de Matagami, plusieurs panneaux de signalisation indiquent les différentes entrées possibles.
DOCUMENTATION	Carte touristique (à l'hôtel de ville et au bureau d'information touristique)
INFORMATION	819 739-2718 • 819 739-4566 • www.matagami.com

9 SENTIER DE LA RIVIÈRE BROADBACK

Ce sentier est tracé dans une forêt boréale. En le parcourant, on atteindra trois belvédères. Le premier permet d'observer le phénomène de chaudron (kettle), une dépression laissée par le passage des glaciers et qui s'est remplie d'eau. Au deuxième, on trouve un ancien lit de rivière. Le troisième, à la fin du sentier, permet de voir la rivière Broadback, la deuxième plus importante de la région, qu'on longe depuis le début sans l'apercevoir. Chaque belvédère est agrémenté d'un panneau d'interprétation traitant de sa particularité ainsi que de la flore aux alentours. En chemin, on pourra apercevoir des orignaux, des castors et des porcs-épics. Des ours et des visons sont présents dans le secteur.

✳P⋀🏕🌲

RÉSEAU PÉDESTRE 1,0 km (linéaire, débutant)

HORAIRE	De mai à octobre, du lever au coucher du soleil
TARIF	Gratuit
ACCÈS	De Matagami, emprunter la route de la Baie-James jusqu'au km 232. Le stationnement est à la halte routière.
DOCUMENTATION	Liste des sites d'intérêts (au bureau d'information touristique, au km 6)
INFORMATION	819 739-4473 • www.municipalite.baie-james.qc.ca

10 SENTIER PÉDESTRE DU LAC CAVAN

Malgré son nom, ce sentier ne passe pas à côté du lac. Il offre plutôt une randonnée dans une forêt composée d'épinettes et de pins gris. On pourra voir beaucoup de champignons. Le sentier conduit à un belvédère surplombant un étang derrière le lac Cavan. 🐾

✳P🏕🏊

RÉSEAU PÉDESTRE 5,0 km (linéaire, débutant)

HORAIRE	De mai à novembre, du lever au coucher du soleil
TARIF	Gratuit
ACCÈS	De Chapais, emprunter la route 113 sud. Au cimetière, tourner à gauche sur le chemin du lac Cavan et continuer sur 7 km.
INFORMATION	418 745-3351 • steve.gamache@tlb.sympatico.ca

11 ZONE RÉCRÉATIVE DU LAC MATAGAMI

Cette zone récréative couvre un territoire d'une superficie de 400 km², où on trouve trois strates de végétation : la forêt de conifères, la taïga et la toundra. Les sentiers, situés en montagne, arpentent ces milieux et permettent de voir des lacs, des barrages de castors, des marques des plus anciens volcans et des traces du passage des loups et des lynx. Le site est un lieu où s'est produit une collision entre deux microcontinents. Le mont Laurier fut créé par des pressions faites sur le roc par des intrusions volcaniques. De là, on a un panorama sur l'arrière-pays de la Baie-James. 🐾

⛩P🚶X⋀🏕🏛🌲🎿🏊 Autre : poste de premiers soins

Note : les services sont disponibles au Centre de plein air du lac Matagami de la mi-mai à la fête du Travail.

RÉSEAU PÉDESTRE 30,0 km

SENTIERS ET PARCOURS	LONGUEUR	TYPE	NIVEAU	DÉNIVELÉ
Mont-Laurier	4,0 km	boucle	intermédiaire	250 m
Parcours des Sommets	10,0 km	boucle	avancé	160 m
Sentier des Collines	16,0 km	boucle	avancé	150 m

HORAIRE	Toute l'année, du lever au coucher du soleil
	Le port du dossard est obligatoire en période de chasse
TARIF	Gratuit
ACCÈS	De la ville de Matagami, emprunter la route de la Baie-James. Il y a des entrées pour les sentiers au kilomètre 10, 12 et 18. On peut également accéder à la zone au kilomètre 2, 4, 32 et 36.
DOCUMENTATION	Carte (au bureau d'information touristique)
INFORMATION	819 739-2541 • 819 739-4566 • www.matagami.com

Bas-Saint-Laurent

BAS-SAINT-LAURENT

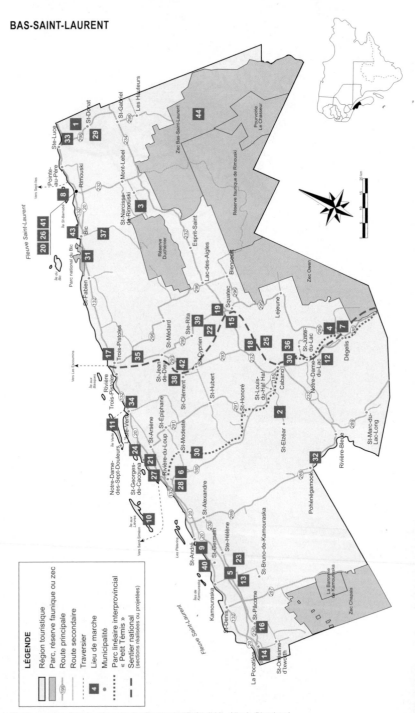

Photo page précédente : Canyon des Portes de l'Enfer (LMI - Nicole Blondeau)

Répertoire des lieux de marche au Québec

LIEUX DE MARCHE

1 AU BOIS JOLI

Les sentiers sillonnent un territoire boisé d'une superficie de 52 hectares. On y trouve plusieurs arbres et plantes dont des noisetiers, ainsi que plusieurs arbres fruitiers : pommiers, pruniers, groseillers et mûriers. L'abondance des petits fruits favorise une faune diversifiée composée, entre autres, de perdrix, de lièvres, de renards et de chevreuils. On pourra cueillir des champignons sauvages. Les sentiers, agrémentés de panneaux d'interprétation de la flore, passent par un petit lac artificiel, aménagé d'écluses, et sur lequel on pourra apercevoir des canards. Le sentier Le labyrinthe fait circuler à travers un véritable labyrinthe. Le sentier Le petit canyon longe un canyon et une rivière et ses rapides. On y trouve un embranchement de La pente rude, un sentier aménagé dans une falaise. Des animaux en bois sont dispersés sur le territoire. 🐎

🏠P👫🏔🔺🛖🌿💼

RÉSEAU PÉDESTRE 7,4 km

SENTIERS ET PARCOURS	LONGUEUR	TYPE	NIVEAU	DÉNIVELÉ
L'épinette blanche	1,6 km	linéaire	débutant	
Le petit cayon	1,2 km	boucle	débutant	
Le labyrinthe	0,9 km	boucle	débutant	
La pente rude	1,5 km	linéaire	intermédiaire	85 m
La randonnée	2,2 km	boucle	débutant	

HORAIRE	Toute l'année, de 9 h à 17 h
TARIF	Adulte : 2,00 $
	Enfant (5 ans et demi et moins) : gratuit
ACCÈS	De la route 132, prendre la route 298 vers Saint-Donat-de-Rimouski.
DOCUMENTATION	Dépliant (à l'accueil)
INFORMATION	418 739-5073

2 CAMPING DES HUARTS

Le sentier fait le tour du lac Dôle, entre ce dernier et une bande de forêt composée d'épinette, de sapin, de bouleau, d'érable et de merisier. Des ponceaux permettent de circuler aisément dans des milieux plus humides. 🐎

🏠P👫(✗🛏🏔🔺🛖🎣🚣 Autre : piscine

RÉSEAU PÉDESTRE 6,0 km (boucle, débutant)

HORAIRE	De début juin à mi-septembre, de 8 h à 21 h
TARIF	Gratuit
ACCÈS	De Rivière-du-Loup, emprunter la route 185 vers le sud. Au feu clignotant de Saint-Louis-du-Ha! Ha!, tourner à droite vers Saint-Elzéar et poursuivre sur 1,5 km. Tourner à gauche au rang Beauséjour et continuer sur 2 km, soit jusqu'à l'indication du camping.

DOCUMENTATION   Dépliant (à l'accueil)
INFORMATION   418 854-3563 • 1 877 654-3563
www.saintlouisduhaha.com/camping

3 CANYON DES PORTES DE L'ENFER

Le Canyon des Portes de L'Enfer s'étend sur environ 5 kilomètres de longueur. Ses parois, rapprochées et abruptes, peuvent atteindre une hauteur de 90 mètres. La rivière Rimouski s'y encaisse. Le canyon a été nommé ainsi car autrefois, les arbres se rejoignaient pour former un pont naturel qui constituait un obstacle infernal pour la drave. Au début des sentiers, on trouve la chute du Grand Sault, d'une hauteur de 20 mètres. À l'extrémité des sentiers, on retrouve la chute Chaud, également de 20 mètres de hauteur. Les sentiers sont boisés et mènent à la plus haute passerelle au Québec, juchée à 63 mètres. Durant la Descente aux Enfers, un escalier de 300 marches descendant au niveau de la rivière Rimouski, on pourra admirer la turbulente chute de la rivière du Grand Macpès.

RÉSEAU PÉDESTRE 14,0 km

SENTIERS ET PARCOURS	LONGUEUR	TYPE	NIVEAU	DÉNIVELÉ
Draveur (total)	5,2 km	boucle	intermédiaire	90 m
Grand Sault	1,0 km	linéaire	débutant	

HORAIRE   De fin mai à fin octobre, de 9 h à 17 h
De fin juin à fin août, de 8 h 30 à 18 h 30
TARIF   Adulte : 7,50 $
Étudiant et Âge d'or : 6,50 $
Enfant (5 à 16 ans) : 4,00 $
Enfant (0 à 4 ans) : gratuit
Tarif familial : 19,00 $
Prix de groupe disponible
ACCÈS   De la sortie 610 de l'autoroute 20, suivre ensuite la route 232 vers Saint-Narcisse-de-Rimouski et continuer jusqu'au chemin Duchénier. Tourner à droite et, 10 km après le village, on atteint le poste d'accueil.
DOCUMENTATION   Dépliant (au kiosque d'information touristique)
INFORMATION   418 735-6063 • www.canyonportesenfer.qc.ca

4 CENTRE DE PLEIN AIR LE MONTAGNAIS DU LAC TÉMISCOUATA

Ce centre, situé au bord du lac Témiscouata, offre des sentiers en territoire semi-boisé dominé par les conifères. Le Sentier national passe à cet endroit. Un belvédère offre une vue sur l'étendue du lac Témiscouata.

RÉSEAU PÉDESTRE 17,6 km

SENTIERS ET PARCOURS	LONGUEUR	TYPE	NIVEAU	DÉNIVELÉ
Sentier de la Montagne	2,0 km	boucle	intermédiaire	100 m
Sentier national (La Grande Baie – Le Montagnais)	6,0 km	linéaire	intermédiaire	
Sentier d'hébertisme	1,0 km	boucle	intermédiaire	100 m
Sentier d'interprétation	0,6 km	linéaire	débutant	
Sentier national (Le Montagnais – Plage municipale de Dégelis)	8,0 km	linéaire	intermédiaire	

HORAIRE   De mai à novembre, du lever au coucher du soleil
                 Prudence en période de chasse
TARIF   Gratuit
ACCÈS   De Dégelis, prendre la route 295 vers le nord sur environ 8 km.
                 L'entrée du Centre est indiquée sur la gauche. Les sentiers débutent
                 au pavillon d'accueil.
DOCUMENTATION   Carte, dépliant (à l'accueil et en téléphonant)
INFORMATION   1 877 853-2003 • 418 853-2332 • www.ville.degelis.qc.ca

[JCT]   LA GRANDE BAIE ; DÉGELIS

5   CIRCUIT PATRIMONIAL DE SAINT-PASCAL

Ce circuit permet de découvrir l'histoire de cette municipalité, érigée en 1827 et devenue chef-lieu du Kamouraska en 1913, à travers ses nombreux bâtiments patrimoniaux. Le parcours comporte 23 arrêts. On verra diverses maisons, la gare, l'hôtel Victoria, la première école normale pour filles datant de 1905 et les anciens magasins généraux dont l'un date de 1860. S'ajoutent des éléments du patrimoine religieux comme l'église datant des années 1800 et le calvaire de la côte Bélanger. Plusieurs moulins sont présents, le premier ayant été bâti en 1781. Sur chaque site, on trouve un panneau d'interprétation agrémenté du dessin original du bâtiment. Le moulin à scie Roger Madore est l'une des dernières scieries qui fonctionnent à l'eau au Québec. Le moulin Lavoie, scierie érigée entre 1778 et 1802, est le plus vieux des quatre moulins existant encore. Il fait l'objet d'un projet de restauration et de mise en valeur. Bien que toujours équipé à l'intérieur, on ne peut accéder au moulin à farine Dufour car l'accès en est interdit. 🐕

✱ P ⋔ ⟨ ⟩ ⨾ 🕱 ⟐ ✂

RÉSEAU PÉDESTRE   5,0 km (mixte, débutant)

HORAIRE   De mai à octobre, du lever au coucher du soleil
TARIF   Gratuit
ACCÈS   De la sortie 465 de l'autoroute 20, se rendre au bureau d'information
                 touristique en suivant la signalisation. Le circuit débute à la gare de
                 l'avenue de la Gare, au numéro 536.
DOCUMENTATION   Brochure « Entre Mer et Montagnes » (à l'hôtel de ville et au bureau
                 d'information touristique)
INFORMATION   418 492-2312 • 418 492-7753 poste 2 • www.villesaintpascal.qc.ca

6   CIRCUIT PATRIMONIAL RIVIÈRE-DU-LOUP

Rivière-du-Loup, anciennement le village de Fraserville jusqu'en 1919, tient son nom de trois légendes : un bateau ayant comme nom le Loup, une tribu amérindienne appelée les Loups et la présence de loups marins autrefois nombreux à l'embouchure de la rivière. Le circuit patrimonial est situé au cœur de la ville et parcourt l'emplacement du premier village, construit sur un domaine seigneurial. Il commence au bureau d'information touristique et aboutit au manoir Fraser. On découvrira l'histoire de la ville à partir de bâtiments de valeur historique comme le premier hôpital de la ville, l'ancien bureau de poste et des églises. Le circuit emprunte un chemin pour se rendre à des chutes de 30 mètres de hauteur, au centre-ville.

RÉSEAU PÉDESTRE 6,0 km (mixte, débutant)

HORAIRE	Toute l'année, du lever au coucher du soleil
TARIF	Gratuit
ACCÈS	Le circuit patrimonial débute au bureau d'information touristique situé au 189, rue Hôtel-de-Ville, au centre-ville de Rivière-du-Loup.
DOCUMENTATION	Brochure « Au cœur des souvenirs » (au bureau d'information touristique)
INFORMATION	418 862-1981 • www.tourismeriviereduloup.ca

JCT   PARC DES CHUTES

7   DÉGELIS   SENTIER NATIONAL

Ce tronçon du sentier national relie le Centre de plein air Le Montagnais au Camping-plage de Dégelis. Ce sentier forestier est caractérisé par sa proximité des installations de villégiature et de la ville. On pénètre dans une jeune forêt en régénération jusqu'à un ruisseau. Débute ensuite une ascension à travers une forêt composée de tremble, d'épinette blanche et de sapin baumier. La montée passe ensuite à travers une forêt feuillue de tremble, d'érable

à sucre, de bouleaux jaune et blanc et de hêtre. On redescend à travers une forêt mixte jusqu'à un ruisseau. De l'autre côté, une courte mais raide montée passe dans une forêt de jeunes sapins puis dans une érablière. Le sentier s'aplanit et atteint l'embranchement vers le Camping-plage. On suivra un ancien chemin forestier où les broussailles forment une tonnelle. On quitte les érables pour amorcer une longue descente longeant une plantation d'épinettes de Norvège. On passera ensuite par une plantation d'épinettes blanches puis une forêt de feuillus dans laquelle on longera un abattis datant de 2002. À la fin de la descente, on traversera un chemin forestier pour pénétrer dans une forêt de mélèze, de peuplier, de thuya et de sapin jusqu'à l'arrivée au terrain de camping. Le stationnement situé 100 mètres plus loin marque la fin de ce tronçon et du Sentier national.

Autre : traversier

RÉSEAU PÉDESTRE 9,7 km (linéaire, intermédiaire)

HORAIRE	Toute l'année, du lever au coucher du soleil
	La marche est interdite en période de chasse.
TARIF	Gratuit
ACCÈS	De Lots-Renversés, prendre la route 295 sud. L'entrée du chemin d'accès au Centre de Plein air le Montagnais se trouve à environ 7 km plus loin, à droite.
	De Dégelis, prendre la route 295 nord. L'entrée du chemin d'accès au Centre de Plein air le Montagnais se trouve à environ 2 km plus loin que le Camping municipal de Dégelis, à gauche.
DOCUMENTATION	Topo-guide et dépliants (aux bureaux de la Corporation P.A.R.C. Bas-Saint-Laurent et aux bureaux d'information touristique locaux)
INFORMATION	418 867-8882 • www.leterroirbasque.ca/sentiernational.htm

JCT   LA GRANDE BAIE ; CENTRE DE PLEIN AIR LE MONTAGNAIS DU LAC TÉMISCOUATA

8   EXCURSION À L'ÎLE SAINT-BARNABÉ

Cette île, située face au centre-ville de Rimouski, a une longueur de 6 kilomètres et une largeur de 300 mètres. Elle fut nommée le 11 juin 1603, jour de la fête de saint Barnabé, par Samuel de Champlain. Au 18e siècle, l'ermite Toussaint Cartier a habité sur l'île pendant environ quarante ans. Il est encore possible de repérer l'emplacement de sa maison. En parcourant l'île, on pourra voir des épaves, une petite mare et un lac à canards. On longera aussi l'anse à Marsouin. On pourra apercevoir des phoques communs et plus de 72 espèces d'oiseaux dont l'eider à duvet, le cormoran à aigrettes, le bécasseau semi-palmé, la bernache cravant, le pluvier argenté, l'étourneau sansonnet, le canard noir, les goélands argenté et à bec cerclé, ainsi que le grand héron. On aura une vue sur Rimouski, située 3 kilomètres plus loin. On peut écourter la randonnée en empruntant un des petits sentiers qui traversent l'île sur sa largeur. Il est strictement interdit de s'approcher des héronnières (est et ouest). Les excursions à l'île peuvent être annulées pour cause de mauvaises conditions climatiques ou de marée trop basse. Il est préférable de se renseigner avant le départ.

RÉSEAU PÉDESTRE   15,0 km (mixte, débutant)

HORAIRE	De fin juin à début septembre, les départs s'effectuent à toutes les 30 minutes, de 9 h à 14 h 30. Les retours s'effectuent également à toutes les 30 minutes jusqu'à 18 h 15.
TARIF	Traversier de type Zodiac 15,00 $ par personne 5 ans et moins : Gratuit
ACCÈS	Du centre-ville de Rimouski, prendre la route 132 vers l'est sur 6 km. Le traversier se trouve à la marina de Rimouski. La traversée dure environ 10 minutes.
DOCUMENTATION	Dépliant-carte (au bureau d'information touristique de Rimouski)
INFORMATION	418 723-2322 • 1 800 746-6875 • www.tourisme-rimouski.org

9   HALTE ÉCOLOGIQUE DES BATTURES DE SAINT-ANDRÉ-DE-KAMOURASKA

Les sentiers de ce parc riverain, situé en bordure du fleuve Saint-Laurent, permettent de découvrir l'écosystème marécageux et fluvial. On y trouve une halte écologique, un kiosque aménagé pour observer les oiseaux et neuf belvédères offrant des vues de 360 degrés. Le sentier de la batture longe le marais. Un autre sentier sillonne un peuplement de pins rouges, sur un cap rocheux, avant d'atteindre des escaliers conduisant à un belvédère offrant une vue sur La Malbaie, Pointe-au-Pic et Tadoussac. Les autres panoramas sont sur la campagne environnante et le Fleuve, ainsi que sur les îles de Kamouraska, de la Côte-Nord et de la baie de Saint-André.

Autres : kiosque d'observation, piste d'hébertisme

RÉSEAU PÉDESTRE   12,2 km

Répertoire des lieux de marche au Québec

SENTIERS ET PARCOURS	LONGUEUR	TYPE	NIVEAU
Sentier de la batture	2,4 km	linéaire	débutant
Les écoliers	3,0 km	boucle	intermédiaire
Le plateau	1,9 km	boucle	intermédiaire
Le pet de loup	1,6 km	boucle	intermédiaire
La petite virée	1,3 km	boucle	intermédiaire
La grimpe	2,0 km	boucle	intermédiaire

HORAIRE	Du 1er mai au 24 juin : 8 h à 18 h
	Du 24 juin à la fête du Travail : 8 h à 21 h
	De la fête du Travail au 31 octobre : 8 h à 18 h
TARIF	Adulte : 3,00 $
	Enfant (moins de 6 ans) : gratuit
ACCÈS	De la sortie 480 de l'autoroute 20, se diriger vers Saint-André et prendre la route 132 vers l'ouest sur 3 km.
DOCUMENTATION	Guide d'exploration (incluant carte), dépliant (à l'accueil)
INFORMATION	418 493-9984 • www.sebka.ca

10 ÎLE AUX LIÈVRES

Cette île, située à 8 kilomètres au large de Rivière-du-Loup, s'étend sur 13 kilomètres de longueur. Le sentier du jardin passe par des zones où l'on retrouve des lichens et des sabots de la Vierge. On aura une vue sur les rives nord et sud du Fleuve. On atteindra une anse rocheuse par le sentier des eiders. Le long du sentier de la mer, sur le rivage, on trouvera des coquillages. Le sentier de la grande course traverse l'île au complet. Selon la direction choisie, on arrivera au Bout d'en Bas, à l'est, où on pourra voir des phoques gris et commun; à l'ouest, le Bout d'en Haut permet une vue sur l'estuaire. On longera un escarpement d'une hauteur de 40 mètres sur la rive nord de l'île par le sentier de la corniche. De là, on aura un panorama sur la région de Charlevoix et du chenal nord du Saint-Laurent dans lequel on trouve des marsouins. On pourra apercevoir des bélugas, des petits rorquals et le phare du cap de la Tête au Chien. On trouve, à la pointe de l'Est, une prairie composée de persil de mer et de potentille. En parcourant les sentiers, on verra des grèves bordées d'églantiers, des escarpements, des zones boisées et des plages. Un kiosque d'interprétation renseigne sur la faune et l'histoire de l'occupation de l'île par l'homme. On pourra apercevoir plusieurs oiseaux dont le grand héron, l'eider à duvet, plusieurs espèces de bruants et de parulines ainsi que quelques rapaces comme le faucon pèlerin et l'aigle royal. Les lièvres ont occupé l'île pendant plusieurs milliers d'années. Ils ont sculpté des épinettes aux allures de bonsaï sur le sentier du jardin. Le comptoir d'épicerie sur l'île ne vend que quelques produits de dépannage.

Autres : trottoirs de bois, machine à café

RÉSEAU PÉDESTRE 39,6 km

SENTIERS ET PARCOURS	LONGUEUR	TYPE	NIVEAU	DÉNIVELÉ
De la chouette	1,6 km	linéaire	intermédiaire	
De la mer	9,9 km	linéaire	débutant	
La grande course	14,4 km	linéaire	débutant	85 m
De la corniche	1,9 km	linéaire	intermédiaire	
Du Bonhomme-Bouchard	0,4 km	linéaire	débutant	
Du campagnol	0,8 km	linéaire	intermédiaire	
De la traverse	0,3 km	linéaire	débutant	
L'anse double	0,8 km	linéaire	intermédiaire	
Du jardin	1,0 km	linéaire	intermédiaire	
Des eiders	2,1 km	linéaire	intermédiaire	
La petite forêt	0,9 km	linéaire	avancé	
Du lièvre	1,7 km	linéaire	avancé	
Des cèdres	0,8 km	linéaire	intermédiaire	
De l'if	1,8 km	linéaire	débutant	
Des bélugas	1,2 km	linéaire	débutant	

HORAIRE	De fin mai à septembre, tous les jours et déterminé par les marées
TARIF	Frais pour le traversier
ACCÈS	De l'autoroute 20, prendre la sortie 507. De là, suivre les indications pour le traversier Rivière-du-Loup / Saint-Siméon. On prend le traversier à la marina située à la pointe de Rivière-du-Loup.
DOCUMENTATION	Dépliant-carte, dépliant (à l'accueil)
INFORMATION	418 867-1660 • 1 877 867-1660 • www.duvetnor.com

11 ÎLE VERTE

En parcourant les sentiers de cette île du fleuve Saint-Laurent, située à l'est de Rivière-du-Loup, on atteindra le premier phare à avoir été érigé sur le Fleuve. Ce dernier guide les bateaux depuis 1809. On verra l'école du Bout d'en Bas, qu'il est possible de visiter et qui permet de découvrir l'histoire et le patrimoine des habitants de l'île.

Autres : boutique, musée

RÉSEAU PÉDESTRE 15,0 km (Multi : 15 km)

SENTIERS ET PARCOURS	LONGUEUR	TYPE	NIVEAU
A l'est (Bout d'en Bas)	4,0 km	linéaire	débutant
Au nord (au Phare)	2,0 km	linéaire	débutant
A l'ouest (Bout d'en Haut)	9,0 km	linéaire	débutant

HORAIRE	Traversier selon les marées : de mai à novembre; Pont de glace : de janvier à mars
TARIF	6,00 $ (traversier/aller)
ACCÈS	De Rivière-du-Loup, suivre l'autoroute 20 est, puis la route 132 jusqu'à L'Isle-Verte où on peut prendre le traversier.
DOCUMENTATION	Dépliant (au bureau d'information touristique)
INFORMATION	418 898-2730 • 418 898-2843 (traversier) • www.ileverte.net

12　LA GRANDE BAIE

Ce tronçon du sentier national débute à l'extrémité est du chemin du Lac, à Saint-Juste-du-Lac, et se rend au Centre de plein air Le Montagnais, à Dégelis. On pénètre d'abord dans une forêt mature. Le sentier rejoint la rive du lac Témiscouata et longe ce dernier, sur lequel on aura plusieurs accès. On passera par La Petite Plage, nommée ainsi par les résidants du secteur, et une fosse aux touladis. Un escalier descend dans un ravin où coule le ruisseau à Grondin, qu'on franchit sur une passerelle de bois. Plus loin, on atteint la plage du cap du Garde-Feu. De là, le sentier s'éloigne du lac et y revient pour le longer jusqu'à la Grande Baie, sur laquelle on aura des points de vue. On accèdera à la plage naturelle Le Montagnais avant de longer le lac dans une zone peuplée de résineux dont de gros pins blancs. Ce secteur très rocheux offre des ouvertures sur le lac. Un court sentier mène à un belvédère. En continuant sur le Sentier national, on arrive au chemin d'accès du Centre de plein air Le Montagnais qui marque la fin du tronçon. On pourra apercevoir, en juin, le calypso bulbeux, une petite orchidée devenue très rare dans la région.

RÉSEAU PÉDESTRE	14,3 km (linéaire, intermédiaire)
HORAIRE	Toute l'année, du lever au coucher du soleil La marche est interdite en période de chasse.
TARIF	Gratuit
ACCÈS	Du village de Saint-Juste-du-Lac, prendre le Chemin Principal vers l'ouest. Rouler environ 3 km, soit jusqu'au chemin du Lac, puis tourner à gauche. Le stationnement se trouve au bout du chemin à environ 3 km. Du traversier Le Corégone via Notre-Dame-du-Lac, rejoindre le chemin du Lac, puis tourner à droite. Le stationnement se trouve au bout du chemin à environ 2 km.
DOCUMENTATION	Topo-guide et dépliants (aux bureaux de la Corporation P.A.R.C. Bas-Saint-Laurent et aux bureaux d'information touristique locaux)
INFORMATION	418 867 8882 • www.leterroirbasque.ca/sentiernational.htm

JCT　RIVIÈRE TOULADI ; CENTRE DE PLEIN AIR LE MONTAGNAIS DU LAC TÉMISCOUATA ; DÉGELIS

13　LA MONTAGNE À COTON

Cette montagne, d'une altitude de 150 mètres, tient son nom du père Coton, un ermite qui y vivait autrefois. L'ascension vers le sommet se fait rapidement grâce à 168 marches en bois permettant de gravir les escarpements. Le sommet offre un panorama de 360 degrés sur les villages des rives nord et sud du Saint-Laurent. En chemin, cinq belvédères offrent des points de vue différents sur le Fleuve, les îles, les villages riverains et, par temps clair, Charlevoix. Le dessin des terres de l'ancienne seigneurie de Kamouraska est bien visible. Des panneaux traitant de l'histoire de cette seigneurie et de la création de Saint-Pascal sont présents sur les belvédères.

HORAIRE	De mi-mai à fin octobre, du lever au coucher du soleil
TARIF	Gratuit
ACCÈS	De la sortie 465 de l'autoroute 20, prendre le 2e Rang Est vers Saint-Pascal. Le sentier se trouve à 1 km de la halte vélo « La route des Moulins ».
DOCUMENTATION	Brochure « Entre Mer et Montagnes » (à l'hôtel de ville et au bureau d'information touristique)
INFORMATION	418 492-2312 • 418 492-7753 poste 2 • www.villesaintpascal.qc.ca

14 LA MONTAGNE DU COLLÈGE DE SAINTE-ANNE-DE-LA-POCATIÈRE

Cette montagne est située en plein centre-ville, à proximité du fleuve Saint-Laurent. Les sentiers, tracés il y a plus de cent ans, sillonnent une forêt mixte dans laquelle on retrouve des pins blancs et rouges bicentenaires. Le long du sentier religieux, on verra des statues, le Calvaire datant de 1904 et le cimetière Painchaud ayant une certaine importance historique. On peut accéder rapidement au sommet en empruntant l'escalier de la Trinité, composé de 246 marches ou s'y rendre par le sentier longue randonnée le long duquel on verra quatre grottes naturelles. Le sommet offre un panorama sur le fleuve Saint-Laurent au nord et les Appalaches au sud. On aperçoit le Fleuve entre les arbres dans les sentiers. On peut voir aussi des roches et des troncs d'arbres recouverts de mousses vertes. Des panneaux renseignent sur la flore locale. 🐾

RÉSEAU PÉDESTRE 3,9 km

SENTIERS ET PARCOURS	LONGUEUR	TYPE	NIVEAU	DÉNIVELÉ
Sentier religieux	0,6 km	boucle	débutant	
Sentier écologique	0,9 km	boucle	intermédiaire	
Sentier courte randonnée	0,8 km	boucle	débutant	50 m
Sentier longue randonnée	1,6 km	boucle	intermédiaire	130 m

HORAIRE	Toute l'année, de 8 h à 17 h
TARIF	Gratuit
ACCÈS	La montagne se situe au cœur de La Pocatière, à côté du collège.
DOCUMENTATION	Dépliant, carte (à l'accueil et au collège)
INFORMATION	418 856-3012 • info@leadercsa.com

15   LAC ANNA   🏕 SENTIER NATIONAL

Ce tronçon du sentier national, strictement forestier et au relief un peu plus montagneux, traverse des érablières et des forêts de conifères, habitat du cerf de Virginie. Après l'érablière, on pénètre dans une forêt mixte composée d'érable à sucre, de bouleaux jaune et blanc, d'épinette blanche, de sapin et de thuya. En longeant une crête, on entendra le murmure du ruisseau Marquis en contrebas. À la fin d'une descente, on verra un imposant thuya criblé de gros trous creusés par le grand pic, un oiseau peu commun habitant les vieilles forêts. Passé une forêt mixte et une autre érablière, on atteint la bretelle d'accès au lac Anna. Ce chemin de motoquad, menant au lac Anna sous couvert d'érables à sucre, marque la fin du tronçon. 🐴

✴P👫☍🛆🏠

RÉSEAU PÉDESTRE   7,6 km (linéaire, débutant)

HORAIRE	Toute l'année, du lever au coucher du soleil
	La marche est interdite en période de chasse.
TARIF	Gratuit
ACCÈS	De Squatec, suivre la route 232 sud en direction de Cabano. Le stationnement se situe à gauche, 800 mètres après le motel Le Chevalier.
DOCUMENTATION	Topo-guide et dépliants (aux bureaux de la Corporation P.A.R.C. Bas-Saint-Laurent et aux bureaux d'information touristique locaux)
INFORMATION	418 867-8882 • www.leterroirbasque.ca/sentiernational.htm

[JCT]   LES ÉRABLES ; LES CASCADES SUTHERLAND

16   LE BRISE-CULOTTES ET LA CÔTE NORBERT

Ces sentiers font partie du circuit « Forêts, rivière et lacs », s'inscrivant dans le projet du réseau de marche Transkamouraska. Le sentier Brise-Culottes longe la rivière Ouelle, qu'une passerelle permet de traverser. Des escaliers nous font descendre au creux de la gorge et nous amène à la chute du Cran Rouge. Avec de la chance, on pourra apercevoir des saumons. Le sentier de la Côte Norbert conduit à deux belvédères. Le premier, à mi-chemin, offre une vue sur le village et les environs. Au sommet de la montagne, le deuxième belvédère offre un panorama sur le Fleuve, la plaine et les montagnes. Avec des jumelles, il est possible d'apercevoir sept clochers d'églises. 🐴

✴P👫☍🪑▥

RÉSEAU PÉDESTRE   3,0 km

SENTIERS ET PARCOURS	LONGUEUR	TYPE	NIVEAU	DÉNIVELÉ
Sentier Brise-Culottes	2,2 km	linéaire	débutant	
Sentier de la Côte Norbert	0,8 km	linéaire	débutant	50 m

HORAIRE	De juin à octobre, du lever au coucher du soleil
	Prudence en période de chasse
TARIF	Gratuit
ACCÈS	Du village de Saint-Pacôme, prendre la rue Galarneau jusqu'au stationnement du Brise-Culottes. Le départ de la Côte Norbert se trouve, quant à lui, à la station de plein air Saint-Pacôme.
DOCUMENTATION	Guide du marcheur du Kamouraska (au bureau d'information touristique de la région)
INFORMATION	418 852-2356 • 418 856-5040 • www.st-pacome.ca

Ce tronçon du Sentier national débute au Parc de l'Aventure basque en Amérique (PABA). On aura plusieurs accès au Fleuve et des points de vue sur ce dernier. Le terrain récréatif de la Grève Morency offre aussi une vue sur l'île aux Basques, les dunes de sable de Tadoussac et l'embouchure du Saguenay. Un peu plus loin dans le parcours, le point de vue de L'Embouchure donne sur l'endroit précis où les eaux de la rivière des Trois Pistoles et celles du Saint-Laurent se rejoignent. Passé le belvédère du Sault Mackenzie, donnant sur la chute, un escalier de 66 marches descend à la rivière pour voir la chute sous un angle différent. On remonte par un autre escalier, composé de 55 marches. Après avoir longé un champ, on entre dans une érablière où on pourra voir une cabane à sucre et parfois des bouquets d'if du Canada. À la sortie de l'érablière, on longe la rivière jusqu'à la passerelle Basque. Cette passerelle, construite en 1999 sur le site de l'ancien barrage, relie les municipalités de Notre-Dame-des-Neiges et de Saint-Éloi, marquant la fin du tronçon. Juchée 25 mètres au-dessus de la rivière des Trois Pistoles, elle offre une vue sur le site de l'ancien barrage. Certaines scènes du téléroman Bouscotte, de Victor-Lévy Beaulieu, ont été tournées à cet endroit. 🐾

 Autre : musée

RÉSEAU PÉDESTRE	12,1 km (Multi : 6,5 km) (linéaire, débutant)
HORAIRE	Toute l'année, du lever au coucher du soleil
	La marche est interdite en période de chasse.
TARIF	Gratuit
ACCÈS	Le Parc de l'Aventure basque en Amérique (PABA) est situé à 600 mètres de la traverse Trois-Pistoles / Les escoumins, soit au 66 rue du Parc à Trois-Pistoles.
DOCUMENTATION	Topo-guide et dépliants (aux bureaux de la Corporation P.A.R.C. Bas-Saint-Laurent et aux bureaux d'information touristique locaux)
INFORMATION	418 867-8882 • www.leterroirbasque.ca/sentiernational.htm

⟦JCT⟧ RIVIÈRE DES TROIS PISTOLES

18 **LES CASCADES SUTHERLAND** SENTIER NATIONAL

Ce tronçon du Sentier national est situé à Squatec et relie la bretelle d'accès du lac Anna à la halte Le Sauvage. Des montées et des descentes passent à travers des forêts d'érables, de feuillus et mixtes. Deux énormes pins blancs sont visibles. On suivra un moment un sentier de motoquad. On peut accéder au sentier panoramique du ruisseau Sutherland, qui offre des points de vue sur ses chutes et ses cascades, avant de terminer son parcours à un lac permettant d'observer la faune présente. Un belvédère et différents points de vue donnent sur le lac Témiscouata, le plus grand de l'est du Québec avec ses 40 kilomètres de longueur. 🐾

★P👥☗🏠🎋

RÉSEAU PÉDESTRE 9,6 km (linéaire, intermédiaire)

HORAIRE Toute l'année, du lever au coucher du soleil
La marche est interdite en période de chasse.

TARIF Gratuit

ACCÈS Accès Cabano : Prendre la route 232 est. De la jonction de la route 293, rouler sur 7 km. Tourner à droite (vers le sud) sur une route de terre menant à la pourvoirie du lac Anna.
Accès Squatec : Prendre la route 232 ouest, quelques kilomètres plus loin, tourner vers le sud sur une route de terre. Le stationnement de la route Turcot se trouve à 9 km.

DOCUMENTATION Topo-guide et dépliants (aux bureaux de la Corporation P.A.R.C. Bas-Saint-Laurent et aux bureaux d'information touristique locaux)

INFORMATION 418 867-8882 • www.leterroirbasque.ca/sentiernational.htm

[JCT] LAC ANNA ; MONTAGNE À FOURNEAU

19 LES ÉRABLES 🅰 SENTIER NATIONAL

Ce tronçon du Sentier national relie le rang des Sept-Lacs, à Sainte-Rita, à la route 232, à Squatec. On passera à travers différents groupements forestiers : forêt mature, forêt de régénération, plantation, sapinière, cédrière et érablière. On y trouvera des trembles, des érables, des bouleaux, des sapins, des thuyas et des épinettes noires et blanches. Au début du tronçon, on aura une vue sur la coulée des Sept-Lacs. On gravira une colline, on traversera une érablière dont les arbres sont équipés de tubulure et on longera ensuite une crête rocheuse. Vers la fin du tronçon, on passera par une jeune forêt de résineux, puis par une éclaircie où on verra une gravière. En chemin, on traversera plusieurs ruisseaux, dont le ruisseau Noir, grâce à des passerelles et un trottoir de bois. On aura des points de vue sur le ruisseau de l'Étang, une source et un abattis datant de l'an 2 000. 🐴

★P👥🏠

RÉSEAU PÉDESTRE 14,2 km (linéaire, intermédiaire, dénivelé maximum de 400 m)

HORAIRE Toute l'année, du lever au coucher du soleil
La marche est interdite en période de chasse.

TARIF Gratuit

ACCÈS De Saint-Cyprien, prendre la route 293 sud sur 3 km. Tourner à gauche sur le rang C qui change de nom pour le rang des Sept-Lacs. Le stationnement se situe à gauche, en haut de la grosse côte.
De Sainte-Rita, emprunter la route Neuve sur 3,5 km en direction sud. Tourner à droite sur le rang des Sept-Lacs en direction ouest. Le stationnement est sur la droite, 3,5 km plus loin.

DOCUMENTATION Topo-guide et dépliants (aux bureaux de la Corporation P.A.R.C. Bas-Saint-Laurent et aux bureaux d'information touristique locaux)

INFORMATION 418 867-8882 • www.leterroirbasque.ca/sentiernational.htm

[JCT] LES SEPT LACS ; LAC ANNA

20 LES PROMENADES HISTORIQUES DE RIMOUSKI

On trouve à Rimouski quatre circuits historiques où 22 panneaux d'interprétation sont dispersés. Ces circuits permettent de découvrir l'histoire de la ville à travers ses bâtiments et ses rues historiques comme l'hôtel de ville, l'archevêché, des maisons, des scieries, des moulins, des écoles, le palais de justice, l'orphelinat, des églises, la gare, des hôtels et plusieurs autres lieux. La promenade du manoir permet de voir le monument aux Braves sur la place des Anciens Combattants, un château datant de 1895, le couvent des Sœurs missionnaires de l'Immaculée Conception faisant maintenant office de résidence pour personnes âgées, une croix lumineuse en fer datant de 1955, située sur le barrage à l'embouchure de la rivière, et l'emplacement de l'ancien manoir seigneurial qui a brûlé. Il est possible de se procurer un audio-guide.

RÉSEAU PÉDESTRE 7,5 km

SENTIERS ET PARCOURS	LONGUEUR	TYPE	NIVEAU
La promenade du manoir	1,8 km	mixte	débutant
La promenade de l'évêché	1,8 km	mixte	débutant
La promenade des villas	1,6 km	mixte	débutant
La promenade des congrégations	2,3 km	mixte	débutant

HORAIRE	De mai à octobre, du lever au coucher du soleil
TARIF	Gratuit
ACCÈS	Le départ de ces promenades se fait à partir du bureau d'information touristique, au centre-ville de Rimouski.
DOCUMENTATION	Carte (au bureau d'information touristique)
INFORMATION	418 723-2322 • 1 800 RIMOUSKI • www.tourisme-rimouski.org

21 LES RANDONNÉES DU PASSÉ

La municipalité de Cacouna, située sur les rives du fleuve Saint-Laurent, offre deux parcours permettant de découvrir son histoire et l'importance de la villégiature dans son développement. 28 panneaux d'interprétation, agrémentés de photographies et de gravures anciennes, sont dispersés le long des circuits. La petite randonnée arpente le cœur du village. On y verra, entre autres, des édifices religieux, le site du couvent des Sœurs de la Charité, l'ancien collège Saint-Georges devenu le bureau municipal, et la rue du Quai. Des panneaux portent sur la réserve des Malécites et sur le parc Fontaine Claire. La grande randonnée débute à l'église anglicane. On pourra voir des villas dont la villa néogothique Pine Cottage de William M. Molson et la première résidence d'été de Cacouna datant de 1863. On retrouve sur chaque circuit des hôtels ainsi que des maisons de ferme et ancestrales. Le poète Émile Nelligan est demeuré à la Cacouna House durant quelques étés, entre 1886 et 1896. Les maisons ayant été converties en résidences privées, il est impossible de les visiter.

RÉSEAU PÉDESTRE 2,5 km (Multi : 2,5 km)

SENTIERS ET PARCOURS	LONGUEUR	TYPE	NIVEAU
La petite randonnée	0,5 km	linéaire	débutant
La grande randonnée	2,0 km	linéaire	débutant

HORAIRE	D'avril à octobre, du lever au coucher du soleil
TARIF	Gratuit
ACCÈS	De l'autoroute 20 à Saint-Georges-de-Cacouna, prendre la sortie de la rue de l'Église. Suivre cette rue vers le nord. Tourner à droite sur la route 132 et continuer jusqu'à l'intersection de la rue Saint-Georges. Le point de départ est l'édifice municipal, au numéro 415.
DOCUMENTATION	Dépliant (à la municipalité)
INFORMATION	418 867-1781 • 418 867-5677 • mun.cacouna@bellnet.ca

22   LES SEPT LACS   🏕 SENTIER NATIONAL

Ce tronçon du Sentier national débute au camping Leblond à Saint-Cyprien, et se termine au rang des Sept-Lacs, à Sainte-Rita. On aura plusieurs accès à la rivière Plate, qu'on longe sur quelques centaines de mètres au début du sentier. Un chemin forestier conduit aux sept lacs à travers une forêt mixte. On traversera une érablière, dont une bonne partie est aménagée de tubulure, dans laquelle on verra une vieille cabane à sucre. En sortant de l'érablière, on arrive à un chantier forestier datant de 2002. On longera ensuite un ruisseau, qu'on franchira, à travers une cédrière. En quittant cette dernière, on passera par un jeune peuplement de résineux, une plantation de pins gris et une jeune plantation d'épinettes, tout en longeant un champ. On aura une vue sur le lac Rond, auquel on peut accéder. On atteindra un petit canal dont l'eau s'écoule vers le lac Rond et vers les Sept Lacs. Le sentier passe par le portage des Malécites, la ligne de séparation des eaux des bassins-versants du fleuve Saint-Laurent et de l'océan Atlantique via le fleuve Saint-Jean. Autrefois, les Amérindiens y portageaient leurs canots pour passer d'un bassin à l'autre. On grimpera une pente forte jusqu'à une cédrière. À la fin de ce tronçon, on aura un panorama sur la vallée formée par les Sept Lacs. 🚶

✸ P ⛺ (X ⛲ ▲ ⌂

RÉSEAU PÉDESTRE	11,3 km (linéaire, intermédiaire)

HORAIRE	Toute l'année, du lever au coucher du soleil La marche est interdite en période de chasse.
TARIF	Gratuit
ACCÈS	Du village de Saint-Cyprien, suivre la route 293 sud (Grande-Ligne). Quelques centaines de mètres après la sortie sud du village, tourner à droite sur un petit chemin de terre. Rouler jusqu'au stationnement du camping qui se trouve au bout.
DOCUMENTATION	Topo-guide et dépliants (aux bureaux de la Corporation P.A.R.C. Bas-Saint-Laurent et aux bureaux d'information touristique locaux)
INFORMATION	418 867-8882 • www.leterroirbasque.ca/sentiernational.htm
JCT	TOUPIKÉ ; LES ÉRABLES

23   LES SEPT-CHUTES

Ce sentier, situé à Saint-Pascal, est aménagé le long d'une falaise surplombant la rivière Kamouraska, sur laquelle on aura plusieurs points de vue. Cette rivière, parsemée de chutes et de cascades, longe en partie le sentier. On traversera une forêt comprenant des pins rouges et on passera par des champs. Un escalier permet d'accéder à une chute. On aura des points de vue sur les autres chutes grâce à un belvédère et une descente à la rivière. Le sentier aboutit à un bassin d'eau, à partir duquel on pourra revenir sur ses pas ou continuer vers les champs légèrement boisés et balisés. Ce sentier s'inscrit dans le circuit du Cœur du Kamouraska, un des axes du futur réseau de marche du sentier TransKamouraska. 🚶

✸ P ⛲ 🌲

RÉSEAU PÉDESTRE	5,0 km (boucle, débutant, dénivelé maximum de 50 m)

HORAIRE	De mi-mai à fin octobre, du lever au coucher du soleil
TARIF	Gratuit
ACCÈS	De la sortie 465 de l'autoroute 20, prendre la rue Rochette vers le sud. Tourner à gauche sur la rue Patry, puis à droite sur la rue Taché. Continuer vers le sud jusqu'au 4ᵉ rang ouest. Le sentier se trouve avant le pont.

DOCUMENTATION   Brochure « Entre Mer et Montagne » (aux bureaux d'information touristique de la région)

INFORMATION   418 492-2312 • 418 492-7753 poste 2 • www.villesaintpascal.qc.ca

24 MARAIS DE GROS-CACOUNA

Le marais de Gros-Cacouna est un étang d'eau saumâtre, bordé d'une digue pour marcher, situé près du port de mer de Cacouna. Le sentier de la Savane mène à deux tours d'observation, chacune offrant une vue d'ensemble du marais et de ses occupants. Le sentier de la Montagne serpente à travers celle-ci. On y aura des panoramas sur le parc marin et les îles des alentours. Une halte de repos permet d'avoir une vue sur le Fleuve. On pourra apercevoir différents oiseaux comme le bihoreau à couronne noire et le râle jaune, une espèce rare. En saison, on pourra cueillir des fraises des champs.

★P⼌♨ Autre : cache

RÉSEAU PÉDESTRE 6,9 km

SENTIERS ET PARCOURS	LONGUEUR	TYPE	NIVEAU	DÉNIVELÉ
Sentier de la Savane	3,0 km	boucle	débutant	
Sentier de la Montagne	3,9 km	boucle	intermédiaire	80 m

HORAIRE	D'avril à novembre, du lever au coucher du soleil
TARIF	Gratuit
ACCÈS	De l'autoroute 20 est, prendre la sortie 514. Continuer sur 2 km, soit jusqu'au village de Cacouna. Prendre ensuite la route 132 est sur 2,9 km, soit jusqu'à la route de l'Île.
DOCUMENTATION	Dépliant (au bureau d'information touristique de la région)
INFORMATION	418 898-2757 • 418 867-8882 • parc@parcbasstlaurent.com

25 MONTAGNE À FOURNEAU ⛰ SENTIER NATIONAL

Ce tronçon du Sentier national relie la halte Le Sauvage à la route Touristique. Ce secteur, tout en altitude, débute dans une jeune forêt de feuillus en régénération. On passe ensuite par une forêt d'érables. Le terrain devient plus vallonné et conduit à travers plusieurs types de forêts dont la forêt rare de la Montagne-à-Fourneau. Cette pinède rouge à pin blanc est extrêmement rare dans le Bas-Saint-Laurent. En la parcourant, on atteint le belvédère de la Montagne-à-Fourneau offrant un panorama sur le lac Témiscouata et la ville de Cabano. Plus loin, la bretelle d'accès au vieux quai du lac Témiscouata descend jusqu'au bord du lac. En continuant sur le Sentier national, on pénètre dans une forêt mixte clairsemée avant d'entamer une longue descente avec des vues sur le lac depuis des ouvertures dans le feuillage.

À la fin de la descente, on entre dans un des plus grands ravages de cerfs de Virginie de la région, occupant un territoire d'environ 150 km². On arrive ensuite à la route Touristique qui marque la fin du tronçon. La forêt rare de la Montagne-à-Fourneau a été classée « écosystème forestier exceptionnel » en 2003. 🐴

✶P👫🎋🛝

RÉSEAU PÉDESTRE	9,6 km (linéaire, intermédiaire, dénivelé maximum de 50 m)
HORAIRE	Toute l'année, du lever au coucher du soleil
	La marche est interdite en période de chasse.
TARIF	Gratuit
ACCÈS	De Squatec : suivre la route 232 ouest et tourner vers le sud sur le chemin Turcot. Le stationnement se situe 9 km plus loin.
	De Cabano : suivre la route 232 est jusqu'à l'intersection de la route 293. Toujours sur la route 232 est, rouler 3 km et tourner vers le sud sur le chemin Turcot. Le stationnement se situe 9 km plus loin.
DOCUMENTATION	Topo-guide et dépliants (aux bureaux de la Corporation P.A.R.C. Bas-Saint-Laurent et aux bureaux d'information touristique locaux)
INFORMATION	418 867-8882 • www.leterroirbasque.ca/sentiernational.htm

JCT   LES CASCADES SUTHERLAND ; RIVIÈRE TOULADI

26 PARC BEAUSÉJOUR

Ce parc, situé en bordure de la rivière Rimouski, a une superficie de 32 hectares. On y retrouve des zones de forêt mixte dominée par les feuillus. Un sentier fait le tour de la rivière Rimouski, sur laquelle on aura plusieurs points de vue grâce à des belvédères. Une passerelle permet de la traverser. 🐴 (sur une portion de 2 km)

🏛P👫(✕🎋🛝🚂

RÉSEAU PÉDESTRE	3,2 km (Multi : 3,2 km) (mixte, débutant)
HORAIRE	D'avril à novembre, de 8 h à 22 h
TARIF	Gratuit
ACCÈS	De la route 132 à Rimouski, prendre le boulevard de la Rivière.
INFORMATION	418 724-3167 • 418 724-3157 • www.tourisme-rimouski.org

JCT   SENTIERS DU LITTORAL ET DE LA RIVIÈRE RIMOUSKI

27 PARC DE LA POINTE DE RIVIÈRE-DU-LOUP

Ce parc est situé près du fleuve Saint-Laurent. Le sentier longe une ancienne voie ferrée, le Fleuve et la rivière du Loup. L'extrémité ouest de la Côte-des-Bains présente la Tête d'indien, une masse rocheuse ayant la forme d'un visage humain, rappelant la présence des Amérindiens. On arrive ensuite à un secteur bordé de résidences rappelant le passage de familles bien nanties et de personnages importants à la Pointe comme Louis-Alexandre Taschereau, premier ministre du Québec de 1920 à 1936. On pourra parfois apercevoir des bélugas et des phoques. On pourra observer les bateaux de plaisance et le passage du traversier. Au printemps et à l'automne, des oies blanches y font une halte migratoire. 🐴

⚿ P ♟ (X ⊼ ▲ ⌂ ⛺ 〓

RÉSEAU PÉDESTRE 5,0 km (Multi : 5 km) (boucle, débutant)

HORAIRE	De mai à octobre, du lever au coucher du soleil
TARIF	Gratuit
ACCÈS	À Rivière-du-Loup, suivre la route 132 est jusqu'à la Pointe-de-Rivière-du-Loup où l'entrée du parc est identifiée.
DOCUMENTATION	Dépliant, carte (à l'hôtel de ville et à l'office du tourisme)
INFORMATION	418 867-6700 • 418 862-0906 • www.ville.riviere-du-loup.qc.ca

28 PARC DES CHUTES

Ce parc, situé en plein centre-ville, possède un microclimat causé par le dénivelé par rapport au reste de la ville, ce qui lui confère une température plus chaude. En parcourant les sentiers, on passera par une forêt mixte dominée par l'épinette, aussi peuplée de sapin, de tremble, de peuplier, de frêne et de chêne. Le Sentier de la Nature traverse une cédrière. Le sentier Verger-Arboretum traverse un verger dans lequel on retrouve des plantations diverses. La Tournée fait le tour du parc et l'Étang passe à côté du marais. Le Haut Plateau est situé sur le plus haut palier du parc. Le sentier La Falaise mène à un barrage hydroélectrique sur lequel on passe. On y aura une vue sur le Fleuve et la ville. Une passerelle située un peu plus bas offre un meilleur point de vue sur la chute, provoquée par le barrage. Des panneaux d'interprétation renseignent sur la flore et sur les centrales hydroélectriques. 🐕

✶ P ♟ (⊼ ⛺ 🏛 〓 🌿 ⛷

RÉSEAU PÉDESTRE 9,1 km

SENTIERS ET PARCOURS	LONGUEUR	TYPE	NIVEAU
La Tournée	2,8 km	boucle	intermédiaire
La Falaise	0,9 km	mixte	intermédiaire
Le Sentier de la Nature	2,0 km	boucle	avancé
Le Sous-Bois	0,8 km	boucle	débutant
Les Talus	1,0 km	linéaire	débutant
Le Haut Plateau	0,7 km	linéaire	intermédiaire
Verger-Arboretum	0,4 km	linéaire	débutant
L'Étang	0,4 km	mixte	débutant
L'Évitement	0,2 km	linéaire	débutant

HORAIRE	Toute l'année, du lever au coucher du soleil
TARIF	Gratuit
ACCÈS	Du centre-ville de Rivière-du-Loup, prendre la rue Lafontaine et suivre les indications pour le « Parc des Chutes ».
DOCUMENTATION	Carte des sentiers (sur le site Web)
INFORMATION	418 867-6700 • 418 862-0906 • www.ville.riviere-du-loup.qc.ca

JCT CIRCUIT PATRIMONIAL RIVIÈRE-DU-LOUP

29 PARC DU MONT-COMI

Le parc du Mont-Comi, d'une altitude de 575 mètres, fait partie de la chaîne des Appalaches. On y trouve plusieurs sentiers serpentant à travers la forêt, le long des trois versants de la montagne. On passera aussi par une érablière. La boucle Lac des Frères se rend au lac du même nom. 🐕

 Autre : piste d'hébertisme

RÉSEAU PÉDESTRE 19,0 km (Multi : 19 km)

SENTIERS ET PARCOURS	LONGUEUR	TYPE	NIVEAU
Relais Indien – Début Guillaume-Leblanc	0,7 km	linéaire	intermédiaire
Les Cèdres	1,6 km	mixte	intermédiaire
T-Bar – Relais Indien	1,7 km	linéaire	intermédiaire
Plateau – Relais Indien	1,5 km	linéaire	intermédiaire
Début Guillaume-Leblanc – Croisée A	0,4 km	linéaire	intermédiaire
Croisée A – Relais Indien	0,9 km	linéaire	intermédiaire
Croisée A – Croisée C – Croisée A	2,5 km	mixte	intermédiaire
Relais Pain de Sucre	2,5 km	linéaire	intermédiaire
Détour – Pain de Sucre	0,8 km	linéaire	intermédiaire
Relais Pain de Sucre – Relais Sympathique	2,0 km	linéaire	intermédiaire
Boucle Lac des Frères	4,4 km	boucle	intermédiaire

HORAIRE	Toute l'année, du lever au coucher du soleil
TARIF	Gratuit
ACCÈS	De la route 132 à Sainte-Luce, emprunter la route 298 et poursuivre en suivant les indications.
DOCUMENTATION	Carte, dépliant (à l'accueil)
INFORMATION	418 739-4858 • 1 866 739-4859 • www.mont-comi.qc.ca

30   PARC LINÉAIRE INTERPROVINCIAL « PETIT TÉMIS »

Ce parc linéaire, divisé en deux sections, relie Rivière-du-Loup et la frontière du Nouveau-Brunswick. La première section passe par les villages de Saint-Antonin, Saint-Honoré et Saint-Louis-du-Ha-Ha. La deuxième commence à Cabano, puis traverse Notre-Dame-du-Lac et Dégelis, des villages de la vallée de la Madawaska. Le long de ce parc linéaire, une piste en gravier tassé, partagée avec les vélos, on retrouve des haltes, des parcs et des sites naturels. Le parc continue ensuite sa route jusqu'à Edmunston. 🐕

🏛P👫🦌🏹⛰🏕🚂🌲

RÉSEAU PÉDESTRE 131,0 km (Multi : 131 km)

SENTIERS ET PARCOURS	LONGUEUR	TYPE	NIVEAU
Section Nord	69,0 km	linéaire	intermédiaire
Section Sud	62,0 km	linéaire	intermédiaire

HORAIRE	De mi-juin à mi-octobre, du lever au coucher du soleil
	Prudence dans certains secteurs pendant la période de chasse
TARIF	Gratuit.
ACCÈS	La section Nord du sentier débute à Rivière-du-Loup. On y accède à partir du boulevard Fraserville près de l'hôpital de Rivière-du-Loup. Deux autres accès sont possibles par la Halte du Chemin Rivière Verte à Saint-Antonin ou par le Rang de la Station à St-Modeste.
DOCUMENTATION	Dépliant-carte (au bureau d'information touristique et à l'association touristique du Bas St-Laurent)
INFORMATION	1 800 563-5268 • 418 868-1869 • lepetit-temis@qc.aira.com

31   PARC NATIONAL DU BIC   🍁 Parcs Québec

Ce parc couvre une superficie de 33,2 km². Le sentier Les Murailles passe sur une crête rocheuse. On aura un panorama sur le paysage et une portion de l'estuaire. On atteindra le belvédère Raoul-Roy d'où on peut observer des oiseaux de proie au printemps. Le

Scoggan traverse la montagne à Michaud. Le Pic-Champlain grimpe vers le point le plus élevé du parc, à 346 mètres d'altitude, d'où on aura une vue sur les environs. La Citadelle emprunte un ancien chemin forestier. Le sentier Les Anses passe en paysage forestier et côtier pour conduire à l'anse aux Bouleaux Ouest qui permet d'observer le phoque commun, emblème du parc. La Pinède sillonne une forêt de pins gris et offre des points de vue sur la baie du Ha! Ha! et sur l'anse à l'Orignal. La Coulée offre un panorama sur le pic Champlain. La Pointe-aux-Épinettes se rend à un marais. La Grève passe par des anses et des barres rocheuses avant d'arriver au point le plus avancé de la péninsule du cap à l'Orignal. Six panneaux d'interprétation historique, le long du Sentier archéologique, rappellent l'occupation de ce lieu par des tribus amérindiennes, il y a 7 000 ans. Une partie de ces sentiers sont des aires de marche sur le littoral.

🏛 P 👫 🎐 🍴 🌲 🏠 ⛰ 🛖 🏚 ⛲ 🌲 📐

Autres : boutique, camp de vacances, 2 yourtes

RÉSEAU PÉDESTRE 40,7 km (Multi : 14,7 km)

SENTIERS ET PARCOURS	LONGUEUR	TYPE	NIVEAU	DÉNIVELÉ
Les Murailles	4,5 km	linéaire	avancé	225 m
Le Miquelon	1,9 km	linéaire	débutant	
Le Scoggan	2,9 km	linéaire	intermédiaire	95 m
Le Chemin du Nord	4,9 km	linéaire	débutant	
Le Pic-Champlain	3,0 km	linéaire	avancé	300 m
La Citadelle	4,2 km	linéaire	intermédiaire	150 m
Les Anses	1,4 km	mixte	intermédiaire	
Le Contrebandier	1,1 km	linéaire	débutant	
Les Escaliers	0,9 km	linéaire	avancé	
La Pinède	1,0 km	linéaire	avancé	100 m
Le Sentier archéologique	0,2 km	mixte	débutant	
La Coulée	5,0 km	linéaire	intermédiaire	
La Grève	5,0 km	linéaire	débutant	
La Pointe-aux-Épinettes	0,7 km	linéaire	débutant	
Le Portage	4,0 km	linéaire	débutant	

HORAIRE	Toute l'année, du lever au coucher du soleil
TARIF	Voir la tarification des Parcs nationaux du Québec à la page 15 de cet ouvrage.
ACCÈS	De Trois-Pistoles, suivre la route 132 est jusqu'à l'entrée principale identifiée « Parc du Bic – secteur Cap-à-l'Orignal » ou encore continuer jusqu'au secteur « Rivière-du-Sud-Ouest ».
DOCUMENTATION	Journal du parc (à l'accueil)
INFORMATION	418 736-5035 • 1 800 665-6527 • www.parcsquebec.com

32 POHÉNÉGAMOOK SANTÉ PLEIN AIR

Les trois boucles proposées sillonnent un territoire recouvert d'une forêt mixte dans laquelle on trouve des érables et des merisiers. On y rencontre deux ruisseaux et un lac sur lequel on aura une vue. Le sentier d'escalade permet de voir deux parois dédiées à cette activité. Le sentier des sommets mène au sommet de la montagne, d'où on a un panorama sur les environs et la frontière Québec-Maine.

Autre : centre de villégiature

RÉSEAU PÉDESTRE 7,5 km

HORAIRE	Toute l'année, de 8 h 30 à 17 h
TARIF	2,00 $ par personne
ACCÈS	De la sortie 488 de l'autoroute 20, emprunter la route 289 sud et continuer jusqu'à Pohénégamook.

SENTIERS ET PARCOURS	LONGUEUR	TYPE	NIVEAU	DÉNIVELÉ
Sentier écologique	2,5 km	boucle	débutant	
Sentier des sommets	3,0 km	boucle	intermédiaire	80 m
Sentier d'escalade	2,0 km	boucle	intermédiaire	80 m

| DOCUMENTATION | Dépliant, carte (à l'accueil) |
| INFORMATION | 1 800 463-1364 • 418 859-2405 • www.pohenegamook.com |

33 PROMENADE DE L'ANSE-AUX-COQUES

Cette promenade longe la plage de Sainte-Luce sur laquelle on peut voir un concours de sculptures de sable. On aura une vue sur les bâtiments de la municipalité d'un côté et sur la plage et l'anse de l'autre. On verra aussi le boisé bordant Sainte-Luce. La promenade est éclairée jusqu'à 3 heures du matin.

RÉSEAU PÉDESTRE 1,0 km (linéaire, débutant)

HORAIRE	De mai à décembre, du lever au coucher du soleil
TARIF	Gratuit
ACCÈS	Le sentier est situé en bordure de la route du Fleuve, à Sainte-Luce.
DOCUMENTATION	Dépliant (au bureau municipal)
INFORMATION	418 739-4317 • 418 739-3393 • municipalite.sainte-luce.qc.ca

34 RÉSERVE NATIONALE DE FAUNE DE LA BAIE DE L'ISLE-VERTE

L'Isle-Verte renferme le plus important marais à spartine du Québec méridional. Ce marais, dans lequel on trouve trois espèces d'épinoches dans les marelles formées par le retrait de la glace au printemps, est essentiel à la survie du canard noir. Les marelles sont des sites d'élevage et de couvée de ces canards. En parcourant cette réserve, longeant un rivage marécageux sur environ 15 kilomètres, on gravira une pente en passant par différents milieux naturels. On verra des algues marines et le marais intertidal dominé par la spartine, avant de passer par un marécage dominé par des aulnes en certains endroits. Sur les élévations rocheuses, on traversera une forêt composée d'épinette noire, de pin gris, de sapin baumier et de bouleau à papier. Chaque milieu possède sa faune particulière. Le milieu marin est peuplé de plusieurs poissons, mais aussi de phoques communs et gris qu'on pourra apercevoir sur des rochers. La marmotte est présente dans les champs en friche. Dans la forêt, on pourra apercevoir le lièvre, le porc-épic, l'écureuil roux, le raton laveur, le renard roux et le vison d'Amérique. En chemin, on pourra apercevoir quelques-unes des 224 espèces d'oiseaux présentes. Parmi elles, des espèces en péril comme le faucon pèlerin et la pie-grièche migratrice. 60 espèces d'oiseaux y nichent dont une en péril, le bruant de Nelson.

RÉSEAU PÉDESTRE 12,3 km

SENTIERS ET PARCOURS	LONGUEUR	TYPE	NIVEAU
Le sentier de la Digue	1,0 km	linéaire	débutant
Le Roitelet	2,2 km	boucle	débutant
La Spartine	0,8 km	linéaire	débutant
La Savane	3,0 km	boucle	débutant
La Montagne	3,9 km	boucle	intermédiaire
Le sentier de la Tourbière	1,4 km	linéaire	débutant

HORAIRE	D'avril à novembre, du lever au coucher du soleil
	Prudence pendant la période de chasse
TARIF	Gratuit
ACCÈS	De Rivière-du-Loup, prendre l'autoroute 20 est, puis la route 132 jusqu'à L'Isle-Verte. Suivre ensuite les indications pour le centre d'interprétation situé au cœur de la municipalité.
DOCUMENTATION	Dépliant-carte, guide d'interprétation (à l'accueil)
INFORMATION	418 898-2757 • 418 648-7138
	www.qc.ec.gc.ca/faune/faune/html/rnf_biv.html

35 RIVIÈRE DES TROIS PISTOLES SENTIER NATIONAL

Cette portion du Sentier national relie la passerelle Basque, située à la jonction des municipalités de Notre-Dame-des-Neiges et de Saint-Éloi, au pont des Trois-Roches, entre Saint-Éloi et Saint-Jean-de-Dieu. Ce pont a été construit à la fin des années 1800. On passera à travers des champs et des zones forestières composées de trembles, de hêtres, de sapins, d'érables et de thuyas. On verra aussi une plantation de jeunes épinettes et un bosquet d'if du Canada. On fera plusieurs montées et descentes. Des passerelles permettent de traverser plusieurs cours d'eau comme le ruisseau Décharge du Lac. On aura des accès et des points de vue sur la rivière, qu'on longe par moments. On verra une chute, une île, des trembles abattus par des castors et le site de la Grosse Roche, située au milieu de la rivière. Un point de vue donne sur l'embouchure de la rivière Boisbouscache, important affluant de la rivière.

RÉSEAU PÉDESTRE 13,2 km (linéaire, intermédiaire)

HORAIRE	Toute l'année, du lever au coucher du soleil
	La marche est interdite en période de chasse.
TARIF	Gratuit
ACCÈS	À Rivière-Trois-Pistoles, emprunter la route du Sault jusqu'au 2e Rang Ouest. Tourner à droite et continuer jusqu'au bout. Du stationnement, la passerelle Basque se situe à 130 mètres.
DOCUMENTATION	Topo-guide et dépliants (aux bureaux de la Corporation P.A.R.C. Bas-Saint-Laurent et aux bureaux d'information touristique locaux)
INFORMATION	418 867-8882 • www.leterroirbasque.ca/sentiernational.htm

JCT LE LITTORAL BASQUE ; SÉNESCOUPÉ

36 RIVIÈRE TOULADI SENTIER NATIONAL

Ce tronçon du Sentier national débute à la route Touristique, à Squatec, et se termine à l'extrémité est du chemin du Lac, à Saint-Juste-du-Lac. On aura accès à plusieurs petites plages de sable, la présence du lac Témiscouata étant importante dans ce secteur. On longera ou traversera plusieurs ruisseaux dont l'un se jette dans le lac à un endroit appelé l'anse à Prudent. On traversera des champs, dont certains offrent une vue sur le lac Témiscouata, les montagnes environnantes et les anciennes limites territoriales de

la seigneurie de Madawaska. De l'autre côté de la passerelle Touladi, permettant de franchir cette rivière, on retrouve un site archéologique qui permet d'en apprendre plus sur la présence amérindienne vieille de 3 000 ans. Plus loin, un escalier d'une dizaine de marches descend au ruisseau à Camillien qu'on franchit par une passerelle de bois. Après un autre passage en milieu forestier, on atteint la bretelle d'accès au camping municipal. Ce chemin se rend au camping en longeant un ruisseau sur une bonne partie du parcours. En continuant sur le Sentier national, on amorce une série de montées et de descentes. Une longue descente mène au chemin du Lac. Le stationnement situé plus loin sur ce chemin marque la fin du tronçon.

RÉSEAU PÉDESTRE 15,6 km (linéaire, intermédiaire)

HORAIRE	Toute l'année, du lever au coucher du soleil
	La marche est interdite en période de chasse.
TARIF	Gratuit
ACCÈS	De l'entrée ouest du village de Squatec via la route 295, prendre la route de la Seignerie, qui change de nom pour Route Touristique. Le stationnement se trouve à environ 30 km, juste avant d'arriver au lac Témiscouata.

DOCUMENTATION	Topo-guide et dépliants (aux bureaux de la Corporation P.A.R.C. Bas-Saint-Laurent et aux bureaux d'information touristique locaux)
INFORMATION	418 867-8882 • www.leterroirbasque.ca/sentiernational.htm

[JCT] MONTAGNE À FOURNEAU ; LA GRANDE BAIE ; PARC LINÉAIRE INTERPROVINCIAL « PETIT TÉMIS »

37 SECTEUR TOURISTIQUE DE LA MONTAGNE RONDE, FORÊT COMMUNALE SAINT-VALÉRIEN

En parcourant les différents sentiers, on longera la rivière Rimouski et la Petite Rivière Rimouski avant de passer en montagne où des belvédères offrent différents points de vue sur la campagne et les environs. 🐾

🏠 P 🛉 🏕 🛈 🚂

RÉSEAU PÉDESTRE	15,0 km (Multi : 15 km) (mixte, intermédiaire, dénivelé maximum de 100 m)
HORAIRE	De mai à fin octobre, du lever au coucher du soleil
	Le port du dossard est obligatoire durant la période de chasse.
TARIF	Gratuit
ACCÈS	De Trois-Pistoles, suivre la route 132 est et prendre la sortie pour la municipalité Le Bic. Emprunter ensuite l'avenue Saint-Valérien vers le sud. Plus loin, elle change de nom pour chemin Saint-Valérien et devient finalement route Centrale dans la paroisse de Saint-Valérien. Traverser le village au complet et rouler encore sur 3 km. Le stationnement se situe sur la gauche.
DOCUMENTATION	Carte (à l'hôtel de ville)
INFORMATION	418 736-5043 • 418 736-5047 • valerien@globetrotter.net

38 SÉNESCOUPÉ 🏔 SENTIER NATIONAL

Ce tronçon du Sentier national débute au pont des Trois-Roches, à la jonction des municipalités de Saint-Éloi et de Saint-Jean-de-Dieu. On traversera plusieurs groupements forestiers dont une frênaie à ormes, un groupement végétal peu commun, composé de peuplements à dominance de frêne noir et d'orme d'Amérique. Tôt au printemps, on peut voir, dans ce secteur, la sanguinaire du Canada et une espèce rare dans la région, l'érythrone d'Amérique. On longera à plusieurs reprises les rivières des Trois Pistoles et Sénescoupé, parfois du haut des écores, sur lesquelles on aura des points de vue et des accès. On verra un ruisseau coulant en cascades, le moulin Beaulieu bâti vers la fin des années 1800 et une petite plage appelée le Banc de Sable. Un belvédère en haut d'une falaise permet d'admirer une succession de trois chutes. Le tronçon se termine à la passerelle Sénescoupé d'où on a une vue sur la portion tumultueuse de la rivière. 🐾

Répertoire des lieux de marche au Québec

RÉSEAU PÉDESTRE 15,7 km (linéaire, intermédiaire, dénivelé maximum de 200 m)

HORAIRE	Toute l'année, du lever au coucher du soleil
	La marche est interdite en période de chasse.
TARIF	Gratuit
ACCÈS	Du village de Saint-Jean-de-Dieu, prendre la rue Gauvin ouest sur 4 km, soit jusqu'au pont des Trois-Roches.
DOCUMENTATION	Topo-guide et dépliants (aux bureaux de la Corporation P.A.R.C. Bas-Saint-Laurent et aux bureaux d'information touristique locaux)
INFORMATION	418 867-8882 • www.leterroirbasque.ca/sentiernational.htm

[JCT] RIVIÈRE DES TROIS PISTOLES ; TOUPIKÉ

39 SENTIER D'ORNITHOLOGIE

Ce sentier longe une partie du lac Saint-Jean à travers une forêt mixte. On passera par des aulnaies, des marais, une cédrière et une peupleraie. On aura des points de vue sur le lac et une partie de ses îles. En chemin, on pourra observer plusieurs oiseaux dont le grand pic, la gélinotte huppée, le butor d'Amérique, le jaseur des cèdres et le huart à collier.

RÉSEAU PÉDESTRE 3,0 km (linéaire, débutant)

HORAIRE	De mai à octobre, du lever au coucher du soleil
	Les sentiers sont fermés en période de chasse.
TARIF	Gratuit
ACCÈS	De Sainte-Rita, suivre la route 295 sud, puis emprunter le chemin du Lac-Saint-Jean à gauche. Tourner à droite sur un chemin forestier et se diriger vers la cabane à sucre Marcel-Gauvin. Garer la voiture en bordure du chemin.
INFORMATION	418 963-2967 • mun.ste-rita@globetrotter.net

40 SENTIER DU CABOURON

Ce sentier, situé à Saint-Germain, fait partie du circuit des Monadnocks, lui-même intégré au futur réseau pédestre Transkamouraska. Il serpente sur la montagne des Cabourons à travers une forêt boréale. Sur la zone rocheuse du sommet, on retrouve une forêt de pins gris âgés d'environ 70 ans. Poussant sur le roc, leur croissance est ardue et ils ressemblent plus à des bonsaïs. Un belvédère offre un panorama sur les battures, le Fleuve et les montagnes de Charlevoix. On pourra apercevoir, en chemin, des lièvres, des chevreuils, des rapaces et des traces de la présence d'une colonie de porcs-épics.

RÉSEAU PÉDESTRE 4,0 km (linéaire, intermédiaire, dénivelé maximum de 50 m)

HORAIRE	Toute l'année, du lever au coucher du soleil
TARIF	Gratuit
ACCÈS	Le sentier débute en face du cimetière de Saint-Germain. On peut aussi accéder au sentier par le rang Mississipi.
DOCUMENTATION	Guide du marcheur du Kamouraska (au bureau d'information touristique de la région)
INFORMATION	418 492-1295 • maisondurendez-vous@sympatico.ca

41 SENTIERS DU LITTORAL ET DE LA RIVIÈRE RIMOUSKI

Ce réseau de sentiers, aménagé en plein cœur de Rimouski, permet de découvrir le milieu maritime. Un petit circuit de mangeoires favorise l'information des oiseaux. Plus de 200 espèces ont pu être observées dont le grand héron et, en période migratoire, l'oie blanche et la bernache du Canada. Le sentier du Littoral mène au Rocher blanc, dédié à l'explorateur Bernard Voyer qui s'est initié à l'alpinisme sur les parois du lieu, en longeant le Fleuve et le marais salé. De la plage du Rocher blanc, la Côte-Nord, à une distance de 50 km, est visible. Les sentiers vallonnés Le Draveur et L'Éboulis permettent un circuit en boucle, étant reliés par une écluse au nord et une passerelle au sud. La partie sud du sentier Le Draveur, aussi appelée la Pulpe, se rend au barrage de la centrale électrique. Le sentier L'Éboulis tient son nom d'un amphithéâtre formé en 1950 par un important glissement de terrain. En parcourant les sentiers, on verra des aulnes, des petites chutes, un observatoire à castor et plusieurs points de vue. On peut voir un mélèze âgé de 250 ans. 🐎

✱P👪🛖🏠⌐🏛🚂🌿🎿 Autre : trottoirs de bois

RÉSEAU PÉDESTRE 25,0 km (Multi : 17,1 km)

SENTIERS ET PARCOURS	LONGUEUR	TYPE	NIVEAU
Sentier du Littoral	5,5 km	mixte	débutant
Sentier Le Draveur	5,1 km	mixte	débutant
Sentier L'Éboulis	5,7 km	mixte	débutant

HORAIRE	Toute l'année, du lever au coucher du soleil
	La chasse au canard est permise dans le secteur du marais salé. Cependant, la marche y est sécuritaire.
TARIF	Gratuit
ACCÈS	Les sentiers prennent leur départ à l'entrée ouest de Rimouski, par la route 132. En fait, il y a 20 accès possibles dont 11 avec des stationnements. Les deux accès principaux se trouvent au Parc Beauséjour (boul. de la Rivière) et à l'embouchure de la rivière Rimouski, à l'intersection de la route 132 (boul. René-Lepage Ouest) et de la rue des Berges.
DOCUMENTATION	Dépliant-carte (aux bureaux d'information touristique et sur le site Web)
INFORMATION	1 800 746-6875 • 418 724-3167
	www.tourisme-rimouski.org • www.rimouskiweb.com/espverts

JCT PARC BEAUSÉJOUR

42 TOUPIKÉ 🏔 SENTIER NATIONAL

Ce tronçon du Sentier national relie la passerelle Sénescoupé, à Saint-Clément, au camping Leblond, à Saint-Cyprien. Il est marqué par la présence de deux rivières, la Sénescoupé et la Toupiké. Avant de rejoindre la passerelle Sénescoupé, on passera par une bretelle d'accès à travers une forêt de thuyas et une autre de pins. Sur les hauts plateaux, on aura une vue sur les monts Notre-Dame. Le belvédère du Pont Rouge offre un panorama sur ce pont, la rivière et les environs. À côté, on trouve un petit gouffre, une ancienne veine de calcite qui se serait fendue au fil de plusieurs milliers d'années, créant ainsi ce trou. Une descente abrupte menant à la rivière offre une vue sur l'escarpement rocheux de l'autre côté. On longera ensuite la rivière jusqu'à la passerelle. Par la suite, on traversera plusieurs peuplements forestiers naturels ou de plantation : sapinière sèche à pins blancs et thuyas, cédrière, pins et différentes espèces d'épinettes. Différents belvédères et points de vue donnent sur la rivière Sénescoupé et ses escarpements, le pont Rouge, la campagne, les monts Notre-Dame et le village de Saint-Clément. On passera devant un camping municipal pour véhicules motorisés dont le chalet peut servir d'abri. On longera ensuite la rivière avant de la quitter définitivement. Plus loin, on arrivera à la rivière Toupiké, sur

laquelle il y a plusieurs accès. Une montée raide conduit à un champ qu'on suivra, avec une vue sur la rivière Toupiké en contrebas et le village de Saint-Cyprien. Après avoir traversé la rivière, on pénétrera sur le terrain de camping Leblond dont le stationnement marque la fin du tronçon. On passera aussi par une forêt naturelle de pins rouges, un type de forêt inhabituel dans cette région. 🦌

✴ P 👫 (X 🛒 ⛩ ⛰ 🏠 🪑 🛏

RÉSEAU PÉDESTRE	11,5 km (linéaire, intermédiaire)
HORAIRE	Toute l'année, du lever au coucher du soleil
	La marche est interdite en période de chasse.
TARIF	Gratuit
ACCÈS	De la sortie est du village de Saint-Clément, prendre la rue du Parc, qui mène au Parc de l'Âge d'Or. Tourner à gauche avant l'entrée du Parc. Le stationnement se situe au bout du champ, soit 200 mètres plus bas.
DOCUMENTATION	Topo-guide et dépliants (aux bureaux de la Corporation P.A.R.C. Bas-Saint-Laurent et aux bureaux d'information touristique locaux)
INFORMATION	418 867-8882 • www.leterroirbasque.ca/sentiernational.htm

JCT SÉNESCOUPÉ ; LES SEPT LACS

43 VILLAGE DU BIC

En parcourant le secteur de la route du Golf, on verra la chute de la rivière du Bic et le Parc national du Bic sous différents angles, avant d'arriver à une grève où on poursuivra notre promenade. Au cœur du village, le circuit patrimonial permet de découvrir l'histoire de la localité. 🦌

✴ P 👫 (X 🛒 ⛩ 🏠 🚻

RÉSEAU PÉDESTRE 4,9 km

SENTIERS ET PARCOURS	LONGUEUR	TYPE	NIVEAU
Route du Golf / Pointe aux Anglais .... 2,9 km .... linéaire ...... débutant			
Circuit patrimonial (rue Sainte-Cécile) .... 2,0 km .... linéaire ...... débutant			

HORAIRE	Toute l'année, du lever au coucher du soleil
TARIF	Gratuit
ACCÈS	On peut accéder à ces circuits à partir de la route 132, en plein cœur du village du Bic.
INFORMATION	418 736-5833 • 418 736-4833 • www.municipalitedubic.com

44 ZEC BAS-SAINT-LAURENT

Cette zec est située en bordure de la réserve Rimouski. Son territoire, d'une superficie de 1 017 km², est recouvert d'une forêt mixte parsemée de 112 lacs de pêche peuplés d'ombles de fontaine et de touladis, deux espèces de truites. On pourra interpréter les micro-paysages et on fera le tour du lac Chic-Choc. On accèdera au mont à la Lunette, un des plus hauts monts de la zec. En parcourant le territoire, on pourra apercevoir des lièvres, des cerfs de Virginie, des orignaux et des gélinottes.

RÉSEAU PÉDESTRE 10,2 km

SENTIERS ET PARCOURS	LONGUEUR	TYPE	NIVEAU
Sentier micro-paysage – rivière Rimouski Est .... 4,0 km .... boucle .... débutant			
Sentier du Lac Chic-Choc .... 6,2 km .... boucle .... débutant			

HORAIRE	De mai à septembre, de 7 h à 20 h
	Aucune randonnée pédestre n'est autorisée en période de chasse.
TARIF	8,63 $ par véhicule
ACCÈS	De Rimouski, suivre la route 232 ouest jusqu'à la jonction de la route 234. De là, continuer tout droit et suivre les indications pour le poste d'accueil de la zec Bas-Saint-Laurent sur 5 km. La zec se situe à environ 22 km de Rimouski.
DOCUMENTATION	Dépliant et carte de la zec (à l'accueil)
INFORMATION	418 735-2542 • 418 723-5766 • www.zecbsl.com

Cantons-de-l'Est

CANTONS-DE-L'EST

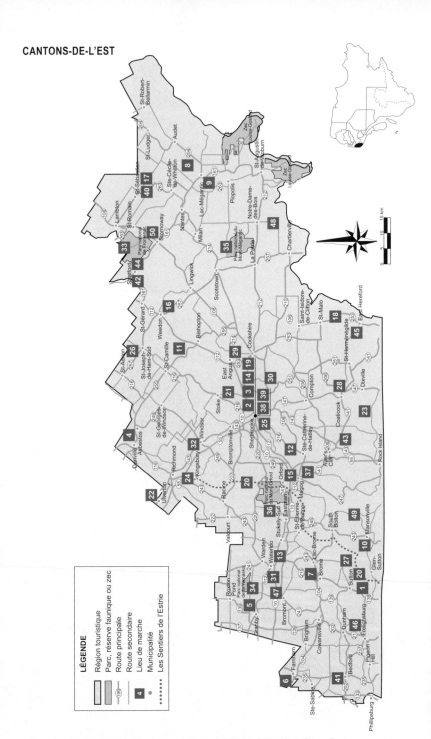

Photo page précédente : Parc d'environnement naturel de Sutton (LMI - Nadia Renaud)

Répertoire des lieux de marche au Québec

LIEUX DE MARCHE

1 AU DIABLE VERT, STATION DE MONTAGNE

Située dans les Appalaches, entre les monts Sutton et Jay Peak, cette station de montagne est perchée à 300 mètres d'altitude et couvre un territoire de 104 hectares. L'auberge servant d'accueil est une maison centenaire. Les sentiers, tous en montagne, sillonnent une forêt mixte dans laquelle les feuillus, dont l'érable, dominent. Des ponts de bois permettent de franchir des ruisseaux près desquels on trouve des peuplements de résineux. On verra des falaises, des cavernes et des cascades. Phénomène rare, un champ de montagne offre une vue de 360 degrés sur les Appalaches, les montagnes Vertes, les monts Sutton, Owl's Head et la vallée Missisquoi. Des panneaux d'interprétation sur la faune, la flore et le phénomène des bassins versants bordent les sentiers.

RÉSEAU PÉDESTRE 13,1 km

SENTIERS ET PARCOURS	LONGUEUR	TYPE	NIVEAU
Sentier des squatteurs	0,8 km	linéaire	intermédiaire
Sentier des falaises	1,6 km	linéaire	intermédiaire
Écho des bois	0,6 km	linéaire	intermédiaire
Montée de l'enfer	0,3 km	linéaire	avancé
Descente du paradis	0,8 km	linéaire	intermédiaire
Sentier de l'érablière	1,0 km	linéaire	intermédiaire
Le vieux chemin	0,8 km	linéaire	débutant
Sentier des coureurs des bois	2,8 km	linéaire	intermédiaire
Sentier des cascades	1,0 km	linéaire	intermédiaire
Sentier du pré	1,2 km	linéaire	débutant
Sentier du ruisseau	2,2 km	linéaire	intermédiaire

HORAIRE	Toute l'année, de 9 h à 21 h
TARIF	5,00 $ par personne
ACCÈS	À la sortie sud du village de Sutton sur la route 139, tourner à gauche sur le chemin Brookfall, à droite sur le chemin Scenic, puis à gauche sur le chemin de la Vallée Missisquoi et le suivre sur 1,5 km.
DOCUMENTATION	Dépliant, carte (à l'accueil et sur le site Web)
INFORMATION	450 538-5639 • www.audiablevert.qc.ca

JCT LES SENTIERS DE L'ESTRIE ; PARC D'ENVIRONNEMENT NATUREL DE SUTTON

2 BASE PLEIN AIR ANDRÉ-NADEAU

En parcourant le sentier, on arpentera un territoire au relief vallonné à travers une forêt principalement composée de sapins et d'épinettes dans laquelle on retrouve également quelques feuillus, essentiellement des bouleaux. Une zone marécageuse favorise la croissance d'aulnes. On pourra voir un petit ruisseau, un village amérindien et des tipis. On aura un point de vue sur le mont Orford depuis le chalet.

Autre : Tipis

RÉSEAU PÉDESTRE 3,5 km (Multi : 1 km) (boucle, débutant)

HORAIRE	De mi-mai à mi-octobre, de 8 h à 21 h
TARIF	Gratuit
ACCÈS	De la sortie 140 de l'autoroute 10, suivre la route 410, puis tourner à gauche sur le boulevard de l'Université. Tourner ensuite à droite sur le chemin Sainte-Catherine, et encore à droite sur le chemin Blanchette. La base se situe au numéro 5302.

DOCUMENTATION Dépliant (aux bureaux des arrondissements de Rock Forest et de
Saint-Élie, et à la ville de Sherbrooke)
INFORMATION 819 564-7444 • 819 864-1907 • www.basepleinair.ca

3 BOIS BECKETT

L'histoire de ce boisé urbain débute avec le major Henry Beckett, qui quitta l'Angleterre pour s'établir à Sherbrooke en 1820. Il ouvrit d'abord une carrière ainsi qu'une briqueterie dont les briques, les premières originaires de la région, servirent à ériger les premiers édifices de l'Université Bishop. À la suite de cela, en 1834, il se porta acquéreur des 40 premiers hectares du bois auquel il donna son nom. Le reste fut acheté quelques années plus tard. Les sentiers sillonnent cette forêt classée zone d'aménagement naturel. On circulera dans une érablière reconnue par le ministère des Ressources naturelles comme écosystème forestier exceptionnel, à titre de forêt ancienne. On verra les vestiges des fondations de la demeure de la famille Beckett. 🐕

✶P⛺♨🎿

RÉSEAU PÉDESTRE 6,5 km

SENTIERS ET PARCOURS	LONGUEUR	TYPE	NIVEAU
L'Érablière	1,8 km	mixte	débutant
Le Panache	1,8 km	linéaire	débutant
Le Bolet	0,8 km	linéaire	intermédiaire
L'Oriole	1,2 km	linéaire	intermédiaire
Le Verger	0,6 km	boucle	débutant
L'Ancêtre	0,3 km	linéaire	débutant

HORAIRE Toute l'année, du lever au coucher du soleil
TARIF Gratuit
ACCÈS De la route 112 à Sherbrooke, emprunter le boulevard Jacques-Cartier vers le nord et tourner à gauche sur la rue Beckett. L'entrée se trouve à environ 100 m.
DOCUMENTATION Carte (au bureau d'information touristique et à l'entrée des sentiers)
INFORMATION 819 565-5857 • www.boisbeckett.org

4 CENTRE D'INTERPRÉTATION DE LA NATURE DE L'ÉTANG BURBANK

Le site occupe un territoire d'une superficie de 1 km² dominé par un étang à brasénies dont l'envergure est unique dans la région. Un petit sentier permet d'admirer 1 500 plantes indigènes. On trouve sur le territoire des aulnaies, une île de sphaignes et des prairies de carex. Près des plans d'eau, on verra des scirpes et des myriophylles. En parcourant le territoire, on pourra apercevoir une vingtaine de mammifères dont le cerf de Virginie, la loutre et l'hermine, ainsi que des amphibiens et des reptiles. Parmi ces derniers, on trouve les 6 espèces de grenouilles du Québec et les tortues peinte et serpentine. Des aménagements facilitant l'observation de la faune ont été mis sur pied, comme des mangeoires d'oiseaux et un nichoir à chauve-souris. Deux tours d'observation sont accessibles. Une passerelle sur pilotis mène à la tour principale. De là, on aura une vue d'ensemble de l'étang et de sa végétation diversifiée, composée de nénuphars et d'une grande densité d'utriculaires et de brasénie de Schreber. On pourra observer un barrage et une hutte de castors. Plus d'une centaine d'oiseaux peuvent être aperçus. Au printemps, le centre est visité par près de 20 espèces de canards. En été, le butor d'Amérique et le grèbe à bec bigarré abondent, accompagnés d'hirondelles, de moucherolles des saules, de grands hérons, de parulines, de balbuzards et de hérons verts. Des conférences sont données sur des thèmes sélectionnés.

🏠👬✕⚘🏋🏛️🪑

RÉSEAU PÉDESTRE	3,6 km (mixte, débutant)

HORAIRE	D'avril à novembre, du lever au coucher du soleil
TARIF	Gratuit
ACCÈS	De la sortie 88 de l'autoroute 55, prendre la route 116 est jusqu'à Danville. Tourner à droite sur la rue Daniel-Johnson, à gauche sur la rue Grove, puis enfin à droite sur la rue Water.
DOCUMENTATION	Dépliant-carte (à l'hôtel de ville en bordure du lieu de marche)
INFORMATION	819 839-2771 • www.villededanville.com

5 CENTRE D'INTERPRÉTATION DE LA NATURE DU LAC BOIVIN (C.I.N.L.B.)

Des travaux d'aménagement dans la région de Granby ont fait en sorte que les rives du lac Boivin évoluent en marais. Ce dernier étant situé près d'un corridor de migration, il s'agit d'un arrêt d'importance pour des oiseaux comme la sauvagine. Aménagées près du lac, quatre boucles parcourent ce territoire d'une superficie de 289 hectares et conduisent à la découverte du marais et du boisé diversifié qui le borde. Un sentier permet d'observer les plantes aquatiques ayant envahi le marais. Sur le sentier Les Ormes, on apercevra des arbres rongés témoignant de la présence de castors. La Prucheraie est un sentier d'interprétation traversant différents milieux : le marais, une cédrière et des forêts de transition. Il mène à une des tours d'observation du site, d'une hauteur de 10 mètres. De là, on pourra observer les différents oiseaux présents dont des martins-pêcheurs, des hérons, des balbuzards, des butors, des busards et des mésanges. Au total, on pourra apercevoir plus de 200 espèces. On verra aussi des arbres courbés à la suite du verglas de 1998. Un labyrinthe nature et une aire de nidification sont présents sur le site.

🏠P👬🎵⚘🏛️🛤️🪑👬🦌🐾 Autre : boutique

RÉSEAU PÉDESTRE 9,7 km (Multi : 3 km)

SENTIERS ET PARCOURS	LONGUEUR	TYPE	NIVEAU
La Prucheraie	1,4 km	boucle	débutant
Le Marécage	0,9 km	boucle	débutant
Les Ormes	1,4 km	boucle	débutant
La Randonnée	6,0 km	boucle	débutant

HORAIRE	Toute l'année, de 8 h 30 à 16 h 30
	de 9 h à 17 h les fins de semaine
TARIF	Gratuit
ACCÈS	De la sortie 74 de l'autoroute 10, continuer sur environ 5 km en suivant les indications pour « Centre de la nature ».
DOCUMENTATION	Carte, liste des oiseaux (à l'accueil)
INFORMATION	450 375-3861 • vsenay@b2b2c.ca

6   CENTRE DE LA NATURE DE FARNHAM

Ce centre est un parc urbain, un îlot de nature situé dans la ville de Farnham. En parcourant les différents sentiers, on longera la rivière Yamaska et on aura différents points de vue, notamment depuis un belvédère. Le sentier Le Dortoir tire son nom des milliers d'oiseaux noirs qui s'y rendent pour dormir durant la saison estivale. 🏕

 Autres : observatoire, cache

RÉSEAU PÉDESTRE 2,4 km

HORAIRE	Toute l'année, du lever au coucher du soleil
TARIF	Gratuit
ACCÈS	De la sortie 55 de l'autoroute 10, prendre la route 235 vers le sud jusqu'à Farnham. Tourner à gauche sur la rue Yamaska Est et poursuivre sur 1,5 km, soit jusqu'au bout.

SENTIERS ET PARCOURS	LONGUEUR	TYPE	NIVEAU
La Yamaska	1,4 km	boucle	débutant
Le Dortoir	0,5 km	linéaire	débutant
L'Érablière	0,5 km	linéaire	débutant

INFORMATION 450 293-3178 • www.ville.farnham.qc.ca

7   CIRCUIT PÉDESTRE DE KNOWLTON (LAC-BROME)

Le village est situé au pied des montagnes, aux abords du lac Brome. Portant autrefois le nom de Coldbrook, il naquit en 1802, après l'arrivée des loyalistes. Le circuit, divisé en deux secteurs, part à la découverte de ce village à travers ses bâtiments de style victorien datant de la fin du XIXe siècle. Parmi ceux-ci, on retrouve l'hôtel de ville et une petite maison bleue, ainsi que deux écoles, l'une francophone et l'autre anglophone. Elles sont séparées par la rivière Coldbrook qu'on longera avant de la franchir grâce à un pont de bois. Un autre chemin longe l'étang Millpond. 🏕

RÉSEAU PÉDESTRE 4,2 km (mixte, débutant)

HORAIRE	Toute l'année, du lever au coucher du soleil
TARIF	Gratuit
ACCÈS	De la sortie 90 de l'autoroute 10, prendre la route 243 sud jusqu'à Lac Brome (Knowlton). Le circuit débute au 130, rue Lakeside, et le sentier au stationnement municipal sur la même rue.

8   CIRCUITS PÉDESTRES À LA DÉCOUVERTE DE LAC-MÉGANTIC

La ville de Lac-Mégantic propose deux circuits en boucle permettant de découvrir son histoire à travers ses bâtiments et lieux patrimoniaux. Le circuit Cœur de la ville débute à la marina. De cet endroit, on verra le lac et le mont Mégantic. Le circuit se poursuit jusqu'au parc des Vétérans où se trouvent un monument commémorant les guerres mondiales et une plaque souvenir de la campagne d'un colonel américain. En chemin, on verra un barrage, une voie ferrée, l'ancienne gare et des édifices religieux dont une église datant de 1890. Le circuit Agnès-Quartier Sud prolonge cette découverte, débutant près du pont de la rivière Chaudière et passant par des maisons, une ancienne beurrerie, des écoles et d'autres églises. On pourra aussi se rendre à d'autres sites comme au parc de la croix lumineuse, haute de près de 23 mètres, où on aura une vue sur la région.

RÉSEAU PÉDESTRE 5,6 km

SENTIERS ET PARCOURS	LONGUEUR	TYPE	NIVEAU
Circuit Cœur de la ville	3,0 km	boucle	débutant
Circuit Agnès-Quartier Sud	2,6 km	boucle	débutant

HORAIRE   Toute l'année, du lever au coucher du soleil
TARIF   Gratuit
ACCÈS   Les deux circuits débutent en plein cœur de la ville de Lac-Mégantic.
DOCUMENTATION   Dépliant-carte (au bureau d'information touristique à Lac-Mégantic)
INFORMATION   1 800 363-5515 • 819 583-5515 • tourisme-megantic.com

9   CLUB DE SKI ALPIN LAC-MÉGANTIC

Ce territoire couvre une superficie de 283 hectares. Les sentiers débutent le long de la rive du lac Mégantic et sillonnent une forêt mixte composée essentiellement de sapins, d'érables et de merisiers. Du sommet de la montagne, on aura une vue sur la forêt environnante.

RÉSEAU PÉDESTRE 8,5 km (Multi : 8,5 km)
                     (mixte, intermédiaire, dénivelé maximum de 100 m)

HORAIRE   Toute l'année, du lever au coucher du soleil
TARIF   Adulte : 3,00 $
                 Enfant : 1,00 $
ACCÈS   De Cookshire, suivre la route 108 en direction est jusqu'à Stornoway, puis la route 161 sud vers Lac-Mégantic. Tourner à droite sur la route 263. L'accès au club se situe sur la gauche.
INFORMATION   819 583-3965 • 819 583-3969 • baiedessables@lac-megantic.qc.ca

Les sentiers parcourent un territoire d'une superficie de près de 268 hectares, recouvert d'une forêt parsemée de ruisseaux et dans lequel on trouve également une montagne et des milieux humides. Les sentiers sont représentés par des pictogrammes d'animaux. Le sentier Ours passe dans une prucheraie humide et une érablière. Le Renard fait une boucle sur un plateau offrant un panorama sur la vallée. La Moufette passe dans une érablière et dans une forêt de conifères. Le Porc-épic sillonne une prucheraie recouvrant un plateau. Sur le sentier Cerf de Virginie, un pont permet de franchir le ruisseau Ruiter. La Chouette grimpe une pente abrupte à travers une érablière. L'Orignal passe près d'un ruisseau et fait un lien avec le secteur est des sentiers. Les sentiers Lynx, Écureuil et Raton laveur traversent une érablière alors que les sentiers Lièvre, Coyote et Buse arpentent une forêt mixte. On trouve également trois sentiers d'interprétation. On trouve le long du sentier représenté par un pictogramme d'Humain des panneaux d'interprétation et des aménagements forestiers. Castor ouest, un sentier d'interprétation des milieux naturels, passe par une érablière et une prucheraie pour mener à un étang de castors où on pourra observer leur digue et leur hutte. Cet étang, sur lequel donne un belvédère, est accessible aussi via le sentier Castor est. On pourra apercevoir le faucon pèlerin qui survole le territoire. 🐎

RÉSEAU PÉDESTRE 17,6 km

SENTIERS ET PARCOURS	LONGUEUR	TYPE	NIVEAU	DÉNIVELÉ
Lynx	0,8 km	linéaire	débutant	
Renard	0,4 km	linéaire	débutant	
Ours	1,3 km	linéaire	débutant	55 m
Humain	1,2 km	linéaire	débutant	
Moufette	0,5 km	linéaire	débutant	
Castor est	0,6 km	linéaire	débutant	
Orignal	0,8 km	linéaire	débutant	
Cerf de Virginie	0,5 km	linéaire	débutant	
Porc-épic	2,1 km	linéaire	débutant	
Chouette	0,8 km	linéaire	débutant	60 m
Raton laveur	0,5 km	linéaire	débutant	
Coyotte	2,2 km	linéaire	débutant	60 m
Lièvre	1,9 km	linéaire	débutant	
Castor ouest	1,5 km	linéaire	débutant	
Écureuil	0,3 km	linéaire	débutant	
Buse	2,2 km	linéaire	débutant	

HORAIRE	Toute l'année, du lever au coucher du soleil
	Éviter les sentiers durant la chasse au cerf de Virginie.
TARIF	Gratuit
	Des dons peuvent être mis dans la boîte de perception au stationnement du chemin Ruiter.
ACCÈS	De l'autoroute 10, prendre la route 245 sud puis la route 243 en direction sud jusqu'à Mansonville. Tourner à droite sur Ouest Chemin Hill et continuer jusqu'au bout. À la jonction du chemin Ruiter Brook, tourner à droite. Le stationnement se situe environ 2 km plus loin, le long du chemin, à gauche.
DOCUMENTATION	Carte des sentiers (sur le site Web et dans une boîte dans le stationnement)
INFORMATION	450 292-3454 • 450 292-0677 • www.valleeruiter.org

11 FORÊT HABITÉE DE DUDSWELL

Occupant un territoire de 400 hectares, cette forêt diversifiée comporte près de 700 espèces végétales. Une érablière et une cédrière sèche sont présentes sur les lieux. Le sentier du Ravage passe par le lac aux Castors et près d'une grosse roche. Celle-ci est située au sommet de la montagne et on ignore comment elle est arrivée là. Le sentier du Lac Adolphe longe celui-ci sur presque toute sa longueur. On y trouvera plusieurs plantes des milieux humides. Le sentier des Crêtes se rend à un sommet offrant un panorama sur le mont Mégantic et le lac d'Argent. Une tour d'observation, d'une hauteur d'environ 7 mètres, est accessible via le sentier de la Falaise. Cette tour fut érigée pour faciliter l'observation des cerfs qui se rendent à la prairie en contrebas. Le sentier de la Carrière permet d'admirer une ancienne carrière de marbre servant aujourd'hui de scène extérieure à des spectacles d'été et près de laquelle on peut apercevoir des vestiges de son exploitation. Une partie de la forêt porte des dommages visibles causés par le verglas de 1998. 🦌

★P👣⛺🏕️🏚️🎪🌲🎿🛶

RÉSEAU PÉDESTRE 10,1 km

SENTIERS ET PARCOURS	LONGUEUR	TYPE	NIVEAU	DÉNIVELÉ
Sentier du Ravage	2,5 km	mixte	intermédiaire	100 m
Sentier du Lac Adolphe	0,8 km	linéaire	débutant	
Sentier des Crêtes	3,0 km	mixte	intermédiaire	100 m
Sentier de la Falaise	2,8 km	mixte	intermédiaire	100 m
Sentier de la Carrière	1,0 km	mixte	débutant	

HORAIRE	Toute l'année, sauf de fin octobre à fin novembre, du lever au coucher du soleil. Le site est fermé aux randonneurs en période de chasse à la carabine.
TARIF	Gratuit
ACCÈS	De Sherbrooke, prendre la route 112 est jusqu'à Dudswell. Suivre les indications pour le secteur Marbleton. Le bureau d'information touristique se situe au 900, rue du Lac-Marbleton.

DOCUMENTATION   Dépliant-carte, cahier éducatif (au bureau d'information touristique, au 900 rue du Lac Marbleton)

INFORMATION   819 887-6093 • 1 888 848-3333 • www.tourismeculturedudswell.com

12   L'ÎLE DU MARAIS DE KATEVALE

Ce marais, contigu à d'autres, occupe un territoire d'une superficie de près de 150 hectares. Le sentier Typha est le chemin d'accès à l'île. Il s'agit d'une ancienne voie ferrée, en service à la fin des années 1800. D'un côté, on retrouve le lac Magog et, de l'autre, un marais peuplé de quenouilles, de reptiles dont les tortues peinte et serpentine qui y abondent, ainsi que d'oiseaux qui y nichent, comme le canard branchu et la bernache du Canada. Une tour d'observation donne sur le ruisseau Noir et sur Sainte-Catherine-de-Hatley. Un belvédère offre une vue d'ensemble de l'étendue du lac. Le sentier L'If passe dans une zone peuplée d'ifs du Canada. Le sentier Les Écureuils est agrémenté, au printemps, par des amélanchiers du Canada en fleurs. Ces essences forestières ne sont que deux des 35 que l'on trouve sur le site. En parcourant les différents sentiers, on verra un passage ayant été dynamité pour construire le chemin de fer qui continuait sur pilotis vers Katevale. On verra

aussi le ruisseau Noir ainsi que sa flore et sa faune. À une époque, le faible niveau d'eau permettait aux agriculteurs de s'y installer. Un barrage érigé en 1910 fit augmenter le niveau d'eau, poussant les agriculteurs à partir. On peut voir des vestiges de cette époque comme des traces des fondations des bâtiments et une voiture datant de cette période. On pourra observer plusieurs espèces d'oiseaux dont le balbuzard pêcheur. 🐾

✻P🏭🏛🌿

RÉSEAU PÉDESTRE   3,6 km

SENTIERS ET PARCOURS	LONGUEUR	TYPE	NIVEAU
L'If	1,0 km	boucle	débutant
La Salamandre	0,8 km	boucle	débutant
Les Écureuils	0,8 km	boucle	débutant
Typha	1,0 km	linéaire	débutant

HORAIRE   D'avril à novembre, du lever au coucher du soleil

TARIF   Contribution volontaire

ACCÈS   De la route 108 près de l'intersection de l'autoroute 55, emprunter le chemin du Ruisseau, puis la rue des Sapins sur environ 500 m. Le stationnement se situe à quelques mètres de l'entrée, à gauche.

DOCUMENTATION   Dépliant-carte (au bureau d'information touristique de Magog et au dépanneur Aux 4 vents dans le village de Sainte-Catherine-de-Hatley)

INFORMATION   819 868-0033

13   LA CAMPAGNARDE

Cette piste cyclable, partagée avec les marcheurs, est construite sur l'emprise d'une ancienne voie ferrée. Elle relie Foster à Drummondville, en passant par plusieurs municipalités. En parcourant cette piste sur fond de poussière de pierre, on passera à travers le parc national de la Yamaska, des zones rurales et des zones urbaines. Le long du chemin, on trouvera plusieurs petits fruits des champs dont on pourra se régaler. On pourra observer un barrage et des chutes. Des cerfs de Virginie, des ratons laveurs, des écureuils et des oiseaux pourront être aperçus. Le parcours est agrémenté de plusieurs points de vue. 🐎

🏛 P 👫 C X 🏇 🛬 ⌂ ▲ 🏠 🎖 🚂 🌿 🚣 🏊

RÉSEAU PÉDESTRE 81,0 km (Multi : 81 km) (linéaire, débutant)

HORAIRE	D'avril à décembre, en tout temps
TARIF	Gratuit
ACCÈS	Il existe une vingtaine d'accès tout le long de la piste, de Foster à Drummondville.
DOCUMENTATION	Carte (aux bureaux de tourisme de Drummondville, Acton Vale et Waterloo)
INFORMATION	450 546-7642 • 450 548-5568 www.estriade.com/campagnarde/campagnarde.html

14 LE CIRCUIT DU VIEUX NORD DE SHERBROOKE

Ce circuit débute au Centre d'interprétation de l'histoire de Sherbrooke qui présente des expositions sur l'histoire de la région. À l'aide d'une cassette audio et d'une carte, on partira à la découverte du secteur ayant marqué les débuts de la ville de Sherbrooke. On verra plusieurs maisons et bâtiments dont une église datant de 1851, un ancien hôtel de ville et une ancienne banque. La cassette et la carte renseignent sur l'architecture de ces édifices ainsi que sur la vie de personnages ayant marqué l'histoire de la ville, comme la famille Beckett qui dirigeait une briqueterie. En parcourant ce circuit au cœur de la ville, on passera près de la rivière Magog. 🐎

🏛 P 👫 C X ⌂ 🏠 🚣

RÉSEAU PÉDESTRE 3,0 km (boucle, débutant)

HORAIRE	Toute l'année, de 9 h à 15 h (mardi à vendredi) de 13 h à 15 h (samedi et dimanche)
TARIF	10,00 $ pour le magnétophone (pour 1 ou 2 personnes) 2,50 $ pour la carte
ACCÈS	De la route 112 en plein cœur de Sherbrooke, prendre la rue Belvédère en direction nord. Tourner à droite sur la rue Marquette qui devient rue Dufferin. Le Centre d'interprétation de l'histoire est situé au 275.
DOCUMENTATION	Magnétophone, carte (au centre d'interprétation)
INFORMATION	819 821-5406 • shs.ville.sherbrooke.qc.ca

15 LE MARAIS DE LA RIVIÈRE AUX CERISES

Ce marais a une superficie de 1,5 km². Des sentiers ont été aménagés de part et d'autre de la rivière aux Cerises. L'un d'eux, le sentier du Pionnier, traverse cette rivière et conduit à une cache d'observation. On passera aussi par une tour d'observation d'une hauteur de 6 mètres, érigée à la jonction de ce sentier et de celui de l'Aulnaie. Du haut de cette tour, on aura une vue sur le massif du mont Orford et sur le lac Memphrémagog. Les sentiers arpentent quatre milieux naturels. Des sentiers sur pilotis permettent de circuler dans des zones marécageuses, une tourbière et une forêt mixte sur sol humide. D'autres sentiers, en gravier, sillonnent une cédrière et une érablière. On verra aussi des friches arbustives et herbacées. Parmi les 200 espèces végétales présentes, on remarque l'aulne rugueux, le peuplier deltoïde, l'impatiente du Cap, le fraisier de Virginie, le petit houx et le chèvrefeuille du Canada. Des vestiges de l'époque de la première voie ferrée, à la fin du XIXe siècle, parsèment le territoire. Les sentiers sont agrémentés de plusieurs points de vue et de panneaux sur la flore et la faune. 🐎

P 👫 🎏 🏠 ⛲ 🛋 🚃 🌿

RÉSEAU PÉDESTRE 4,5 km

SENTIERS ET PARCOURS	LONGUEUR	TYPE	NIVEAU
Sentier du Pionnier	1,5 km	mixte	débutant
Sentier de l'Aulnaie	0,3 km	boucle	débutant
Sentier du Petit houx	1,1 km	linéaire	débutant
Sentier du Lièvre	0,6 km	linéaire	débutant
Sentier du Plateau	0,5 km	linéaire	débutant
Sentier du Gros Pin	0,5 km	linéaire	débutant

HORAIRE	Toute l'année, de 6 h à 23 h
TARIF	Gratuit
ACCÈS	Prendre la sortie 118 de l'autoroute 10 en direction de Magog et suivre les indications pour le marais.
DOCUMENTATION	Dépliant et carte des sentiers (à l'entrée des sentiers)
INFORMATION	819 843-8118 • www.lamrac.org

JCT   PARCS DE LA BAIE-DE-MAGOG ET DE LA POINTE MERRY

16   LE PARC DU VIEUX MOULIN

Dans ce parc, situé dans une vallée, un sentier sillonne une forêt mixte en longeant un ruisseau où on pourra observer des cascades et une chute créée par un petit barrage. Quatre petits ponts permettent de traverser le ruisseau. On pourra également accéder à une petite île où sont disposés des bancs et des tables de pique-nique. On arrivera à une grande roue, actionnée hydrauliquement. 🐎

⭐ P 🎏 🚃

RÉSEAU PÉDESTRE 2,0 km (boucle, débutant)

HORAIRE	D'avril à octobre, du lever au coucher du soleil
TARIF	Gratuit
ACCÈS	De Sherbrooke, suivre la route 112 est sur 60 km environ, soit jusqu'à Weedon Centre. Le parc est situé sur la rue Saint-Janvier.
INFORMATION	819 877-2727 • weedon@bellnet.ca

17   LE SENTIER DU MORNE

Débutant à proximité d'un centre d'interprétation du granit, le sentier grimpe sur le mont Saint-Sébastien. Le sentier mène au sommet, à 820 mètres d'altitude, où une tour d'observation offre un panorama de 360 degrés s'étendant sur un rayon de 150 kilomètres. On pourra interpréter le paysage qu'on y voit grâce à quatre tables de lecture gravées sur des plaques de granit. On pourra voir une mine de molybdène. Le sentier est bordé de panneaux traitant de la géologie, de la nature et de l'histoire des Abénakis. 🐎

✶P 🏕️🏛️🎒🌿⚘🔀

RÉSEAU PÉDESTRE 2,4 km (boucle, débutant, dénivelé maximum de 200 m)

HORAIRE	Toute l'année, du lever au coucher du soleil
TARIF	Gratuit
ACCÈS	De Lac-Mégantic, prendre la route 161 nord, puis la route 263 nord. Suivre les indications pour Lac-Drolet, puis celles pour la Maison du granit. On accède aux sentiers en face de celle-ci.
INFORMATION	418 483-5524 • 418 483-5646 • sentierdumorne@sogetel.net

JCT SENTIER DE L'ORATOIRE

18 LE SENTIER POÉTIQUE DE SAINT-VENANT-DE-PAQUETTE

Le chanteur Richard Séguin, avec l'aide de résidants et d'écoliers du village, a contribué à l'aménagement de ce sentier. En circulant dans une forêt peuplée d'arbres, d'arbustes et de fleurs, on découvrira des œuvres de poètes québécois comme Émile Nelligan. On pourra, entre autres, lire « Mes ormes dans la plaine » d'Alfred Desrochers ou encore « J'ai planté un chêne » de Gilles Vigneault. Des sculptures agrémentent la promenade. 🐕

✿P 👫🍴🍽️🌲🏕️🔀 Autre : boutique

RÉSEAU PÉDESTRE 3,0 km (boucle, débutant)

HORAIRE	De la fête des Patriotes à la fête de l'Action de grâce, de 10 h à 17 h
TARIF	5,00 $ par personne
	Carte de membre : 10,00 $
	Groupe en autocar : 4,00 $ par personne
ACCÈS	De Coaticook, suivre la route 206 vers l'est, puis prendre la route 253 vers le sud jusqu'à Saint-Venant-de-Paquette. Le sentier débute à la Maison de l'Arbre ou à l'église.
DOCUMENTATION	Dépliant, carte sentiers et plein air de la MRC de Coaticook (au bureau d'information touristique de Coaticook)
INFORMATION	819 658-1064 • 819 849-6669 • www.amisdupatrimoine.qc.ca

19 LES JARDINS DU DOMAINE HOWARD

Situé au cœur de la ville de Sherbrooke, ce site tient son nom du sénateur Charles Benjamin Howard, qui y fit installer des serres et trois imposantes résidences dans les années 20 et 30. On peut y visiter les serres de production pour la ville, dans lesquelles on trouve des plantes de collection. On fera le tour de l'étang, peuplé de truites et de poissons rouges, où on verra une végétation aquatique. Les jardins sont peuplés d'arbres indigènes et importés. Parmi ceux-ci, plusieurs conifères, des chênes dont le chêne des marais, le marronnier, le frêne arlequin, le mélèze japonais, le tulipier et le ginkgo biloba. On trouve aussi plusieurs arbustes, plusieurs variétés de plantes comme des graminées et des vivaces, ainsi que 2 000 chrysanthèmes. Les plantations d'annuelles varient d'une année à l'autre, les responsables expérimentent beaucoup avec les nouveautés horticoles. On accède aussi au sous-bois du bicentenaire, un boisé naturel parsemé de sculptures réalisées avec des troncs d'arbres. Lors de la journée Howard, en septembre, des visites guidées gratuites des serres et des bâtiments sont organisées. Chaque automne, durant deux semaines, on retrouve aux jardins une exposition florale regroupant 4 thématiques dans les serres : un jardin d'automne, un jardin tropical avec une collection de fougères, d'orchidées et de broméliacées, un jardin zen avec une collection de bonsaïs et un jardin mexicain avec des cactus et des plantes grasses. 🐕 (sauf lors d'événements spéciaux)

RÉSEAU PÉDESTRE 2,0 km (mixte, débutant)

HORAIRE	Toute l'année, du lever au coucher du soleil
TARIF	Gratuit sauf lors d'activités spéciales
ACCÈS	De l'autoroute 410 à Sherbrooke, prendre la sortie 2, puis tourner à gauche sur le boulevard de Portland. Poursuivre ensuite sur 3 km environ.
DOCUMENTATION	Dépliant (à l'hôtel de ville et au bureau touristique de Sherbrooke)
INFORMATION	819 821-1919 • 1 800 561-8331 • www.sders.com/tourisme

20 LES SENTIERS DE L'ESTRIE

Ce sentier de longue randonnée traverse les Cantons-de-l'Est sur plus de 100 kilomètres. C'est l'un des plus anciens au Québec. Il relie la frontière des États-Unis et le village de Kingsbury, en passant par une dizaine de sommets dont les monts Sutton et Orford. Il est possible aussi de faire des courtes randonnées grâce aux nombreux accès. Le sommet du mont Écho offre une vue sur les montagnes Vertes du Vermont. On pourra observer un ravin bouché par des rochers au fil de l'érosion de la montagne à la Passe du Diable. La zone Glen relie la Passe de Bolton, un passage autrefois utilisé par la Diligence des Cantons-de-l'Est, au centre de ski du mont Glen en passant par une forêt avec des éclaircies causées par le verglas de 1998. On passera par trois secteurs dans la zone Bolton. Le premier grimpe jusqu'à une tour d'observation au sommet du mont Foster. Le deuxième sillonne une forêt parsemée de marais et de plans d'eau.

Le dernier passe par le mont Chagnon à travers une forêt mixte âgée d'environ 75 ans. Les sommets les plus importants de la zone Brompton sont le mont Carré et celui des Trois-Lacs. On arpentera ces sommets après être passé par plusieurs collines, ponctuées de montées abruptes, qui sont situées entre le lac Brompton et les lacs Bowker et La Rouche.

RÉSEAU PÉDESTRE 139,5 km

SENTIERS ET PARCOURS	LONGUEUR	TYPE	NIVEAU	DÉNIVELÉ
Zone 1 : Sutton	24,1 km	linéaire	avancé	607 m
Zone 2 : Écho	16,2 km	linéaire	avancé	585 m
Zone 3 : Glen	14,8 km	linéaire	avancé	401 m
Zone 4 : Bolton	26,4 km	linéaire	avancé	368 m
Zone 5 : Orford	25,9 km	linéaire	avancé	557 m
Zone 6 : Brompton	14,6 km	linéaire	intermédiaire	204 m
Zone 7 : Kingsbury	17,5 km	linéaire	intermédiaire	203 m

HORAIRE	Toute l'année, du lever au coucher du soleil. Les sentiers sont fermés durant les deux premières semaines de novembre, à l'exception de la zone Orford. Les zones Sutton et Glen sont accessibles en partie. Il est préférable de téléphoner avant de s'y rendre.
TARIF	Carte de membre annuelle :

TARIF   Carte de membre annuelle :
Individu : 25,00 $
Famille : 40,00 $
Groupe : 125,00 $
Permis journalier : 5,00 $ par personne / jour
Forfait individuel incluant les cartes topo et le guide du randonneur 51,70 $
Forfait familial incluant les cartes topo et le guide du randonneur 66,70 $

ACCÈS   Extrémité nord : de l'autoroute 55 près de Richmond, emprunter la route 243 vers le sud sur environ 4 km, puis tourner à gauche sur le chemin Frank. Le sentier prend son départ dans le village de Kingsbury.
Extrémité sud : de Sutton, emprunter la route 139 vers le sud, tourner à gauche sur le chemin Brookfall, puis à droite sur le chemin Scenic. Continuer sur 10 km environ et tourner à gauche sur le chemin de la Vallée Missisquoi. L'entrée du sentier se situe non loin à gauche.
Note : une vingtaine d'accès sont possibles le long des Sentiers de l'Estrie et sont décrits dans le topo-guide.

DOCUMENTATION   Topo-guide avec cartes (à la Fédération québécoise de la marche ou sur le site Web des Sentiers de l'Estrie)

INFORMATION   819 864-6314 • www.lessentiersdelestrie.qc.ca

JCT   PARC NATIONAL DU MONT-ORFORD ; PARC D'ENVIRONNEMENT NATUREL DE SUTTON ; AU DIABLE VERT, STATION DE MONTAGNE ; MARAIS DE KINGSBURY

21 LES SENTIERS DE L'ESTRIE : PIC CHAPMAN

Ce sentier, retiré des autres secteurs des Sentiers de l'Estrie, se situe dans l'arc volcanique des monts Stoke. Son point culminant est le pic Chapman avec ses 625 mètres d'altitude. Du sommet, on aura une vue sur les montagnes Vertes et Blanches, la vallée de la haute Saint-François et la plate-forme appalachienne de la région. On arpentera la crête de la chaîne de montagnes. En descendant vers le sud-ouest, on aura accès à la grotte de l'Ours, une petite grotte au pied d'une paroi rocheuse. En effectuant le parcours, on longera un ruisseau et on sillonnera une forêt de feuillus ainsi qu'une forêt mixte avec des zones densément peuplées de conifères.

RÉSEAU PÉDESTRE 10,3 km

SENTIERS ET PARCOURS	LONGUEUR	TYPE	NIVEAU	DÉNIVELÉ
Zone 8 – Pic Chapman	10,3 km	linéaire	débutant	268 m

HORAIRE	Toute l'année, du lever au coucher du soleil. Les sentiers sont fermés durant les deux premières semaines de novembre.
TARIF	Même tarification que le lieu précédent
ACCÈS	Accès ouest : de Sherbrooke, prendre la route 216 vers l'est sur une distance d'environ 21 km. Tourner à droite sur le rang XI et poursuivre jusqu'au bout.

Répertoire des lieux de marche au Québec

Accès est : de Sherbrooke, suivre la route 216 vers l'est sur environ 27 km et tourner à droite sur le rang XIV. L'entrée du sentier se situe à 4 km.

DOCUMENTATION Topo-guide avec cartes (à la Fédération québécoise de la marche ou sur le site Web des Sentiers de l'Estrie)

INFORMATION 819 864-6314 • www.lessentiersdelestrie.qc.ca

22 LES SENTIERS DU MOULIN À LAINE D'ULVERTON

Le moulin d'Ulverton fut construit au milieu du XIXe siècle, à l'époque de l'arrivée massive de tisserands écossais, et a été reconnu monument historique en 1977. Les

sentiers débutent près du moulin et, au départ, on peut admirer une chute et un barrage près du pont couvert. On longera les berges de la rivière Ulverton à travers une forêt mixte et on franchira la rivière à plusieurs reprises grâce à des passerelles et des ponts suspendus. On passera par un jardin fleuri et on accèdera à un belvédère donnant sur la rivière et une chute. On pourra apercevoir des oiseaux grâce à des mangeoires et nourrir des moutons dans les deux enclos bordant les sentiers. Le centre d'interprétation permet de découvrir les méthodes, industrielles et artisanales, de production et de traitement de la laine. Le moulin opère une boutique spécialisée en produits fait en laine.

Autre : boutique

RÉSEAU PÉDESTRE 5,0 km

SENTIERS ET PARCOURS	LONGUEUR	TYPE	NIVEAU
Sentier de la Brebis	0,9 km	boucle	débutant
Sentier rustique	2,2 km	boucle	débutant
Sentier du Berger	1,9 km	boucle	débutant

HORAIRE Toute l'année, de 10 h à 17 h

TARIF Adulte : 3,00 $
Enfant de 12 ans et moins : gratuit
Âge d'or et étudiant : 2,50 $
Laissez-passer de saison : 15,00 $ (pour 2 adultes)

ACCÈS De la sortie 103 ou 88 de l'autoroute 55, suivre les indications pour le moulin.

DOCUMENTATION Dépliant (aux bureaux de tourisme de Princeville et de Drummondville)

INFORMATION 819 826-3157 • www.moulin.ca

Cantons-de-l'Est

23 LES SENTIERS DU PARC HAROLD-F.-BALDWIN

Cette réserve écologique, située près de la frontière du Vermont, occupe un territoire d'une superficie de près de 81 hectares comprenant le lac Lyster, le petit lac Baldwin et le mont Pinacle. Les sentiers sillonnent une forêt mixte, débutant dans une érablière pour aboutir dans un secteur peuplé de sapins et d'épinettes. On trouvera des merisiers, des bouleaux blancs et des hêtres ainsi que plusieurs plantes et fleurs dont des fougères, des plantes à baies, le thé du Canada et des espèces plus rares comme la verge d'or de Rand. Le sentier éducatif est situé au pied de la montagne. On y trouve une vingtaine d'arrêts permettant de découvrir la faune, la flore et les phénomènes naturels présents sur le site. La montagne offre une vue sur le lac Lyster et ses environs. On note la présence du papillon Mourning cloak. Ce site est une zone de nidification du faucon pèlerin. 🐴

✳️👫🧗🏹🐑🌾🏕️🌿

RÉSEAU PÉDESTRE 6,4 km

SENTIERS ET PARCOURS	LONGUEUR	TYPE	NIVEAU	DÉNIVELÉ
Sentier de l'érablière	2,0 km	linéaire	intermédiaire	70 m
Sentier des moulins	1,6 km	linéaire	débutant	
Sentier éducatif	0,4 km	boucle	débutant	
Sentier Mead	0,9 km	linéaire	intermédiaire	
Sentier de la rocheuse	0,5 km	linéaire	intermédiaire	
Sentier du petit lac	0,4 km	linéaire	intermédiaire	
Sentier Faucon Pèlerin	0,6 km	linéaire	intermédiaire	

HORAIRE	De mi-mai à mi-novembre, du lever au coucher du soleil
TARIF	Gratuit
ACCÈS	De Coaticook, prendre la route 141 et suivre les indications pour Baldwin Mills. Le stationnement se trouve derrière l'église sur le chemin May ou à la station piscicole au 2469, chemin Baldwin-Barnston.
DOCUMENTATION	Carte sentiers et plein air de la MRC de Coaticook, guide du sentier éducatif (au bureau d'information touristique et au dépanneur du village)
INFORMATION	819 849-2677 • 819 849-6669 • parchfbaldwin.regioncoaticook.qc.ca

24 MARAIS DE KINGSBURY

Ce marais est situé en bordure de la rivière au Saumon, au cœur d'un territoire de plus de 300 km². Un sentier, inauguré à l'automne 2005, en fait le tour à travers un boisé mixte dans lequel on retrouve environ 125 espèces végétales terrestres et aquatiques. Une passerelle au-dessus d'un barrage permet d'admirer une chute. Un pont permet de circuler dans un site de ponte de tortues serpentines. On verra aussi une ligne de nichoirs pour le canard branchu, le merle bleu et l'hirondelle bicolore. Outre ces oiseaux, on pourra également voir différentes espèces de grives, de bruants, de pics, de parulines et de viréos, dont le viréo mélodieux. Quelques mammifères peuvent aussi être aperçus comme le castor, le cerf de Virginie et la loutre de rivière. On note la présence du lynx roux sur le territoire. Le sentier, bordé de panneaux d'interprétation traitant de la flore et de la faune du marais, se rend à un belvédère offrant une vue sur les vallons et le village. 🐴

✳️🅿️🌾🏚️🚶🌿

RÉSEAU PÉDESTRE 2,0 km

SENTIERS ET PARCOURS	LONGUEUR	TYPE	NIVEAU
Sentier du marais de Kingsbury.................. 2,0 km .... boucle .... débutant			

HORAIRE	De mai à octobre, du lever au coucher du soleil
	Prudence pendant la période de chasse
TARIF	Gratuit
ACCÈS	De l'autoroute 55, prendre la sortie 85 et tourner à droite sur la route 243 sud. Tourner ensuite à gauche sur le chemin Frank et continuer jusqu'au village de Kingsbury. Suivre la rue Principale et tourner à gauche sur le chemin du Moulin. Le stationnement se situe à côté du terrain de jeu de la municipalité.
INFORMATION	819 826-1758 • claudegagnon@explornet.com

JCT LES SENTIERS DE L'ESTRIE

25 MONT BELLEVUE

Cette montagne, située au centre de la ville de Sherbrooke, est recouverte d'une forêt mixte. Au sommet, un belvédère a été aménagé près d'une croix lumineuse. On y aura un panorama sur la montagne, sur une portion de la ville et sur les environs. 🐴

🏠 P 👫 (🏃 ✕ ⛩ 🎑

RÉSEAU PÉDESTRE	12,0 km (Multi : 3,5 km)
	(boucle, intermédiaire, dénivelé maximum de 80 m)
HORAIRE	Toute l'année, de 6 h à 23 h
TARIF	Gratuit
ACCÈS	De la rue Galt Ouest à Sherbrooke, prendre la rue Brébeuf jusqu'à la rue Jogues. Le centre de ski alpin, situé au 1300, donne accès aux sentiers.
DOCUMENTATION	Carte (à l'accueil)
INFORMATION	819 821-5872
	www.ville.sherbrooke.qc.ca

26 MONT HAM

Étant l'un des plus hauts des Cantons-de-l'Est, le sommet du mont Ham offre une vue de 360 degrés sur la plaine environnante, le mont Mégantic et la frontière américaine. L'ascension se fait par un sentier d'interprétation renseignant, entre autres, sur la géologie et la géomorphologie du site. En parcourant les sentiers, on verra des caps rocheux. On pourra apercevoir des chevaux sur le sentier des Sources, ce dernier étant un sentier multifonctionnel.

🏠 P 👫 (✕ ⛩ ⛺ 🏠 🎑 Autres : piste d'hébertisme, tipis, marché public

RÉSEAU PÉDESTRE 25,5 km (Multi : 24,1 km)

SENTIERS ET PARCOURS	LONGUEUR	TYPE	NIVEAU	DÉNIVELÉ
Sentier l'Intrépide	1,7 km	linéaire	intermédiaire	360 m
Sentier du Button	5,5 km	linéaire	intermédiaire	150 m
Sentier des Bouleaux	1,4 km	linéaire	débutant	
Sentier des Cèdres	0,8 km	linéaire	intermédiaire	150 m
Sentier Panoramique	2,1 km	linéaire	intermédiaire	100 m
Sentier du Sommet	0,5 km	linéaire	intermédiaire	
Sentier Art Nature	1,0 km	boucle	débutant	
Sentier Boréal	0,5 km	linéaire	débutant	
Sentier des Sources	12,0 km	linéaire	débutant	

HORAIRE	Toute l'année, de 9 h à 17 h
TARIF	Adulte : 5,00 $
	Enfant (5 à 12 ans) : 2,50 $
	Famille : 15,00 $
	Prix de groupe disponible
ACCÈS	De Sherbrooke, prendre la route 216 vers l'est jusqu'à Saint-Camille. Poursuivre tout droit vers Ham-Sud, tourner à gauche sur la route 257 nord et continuer sur 4,2 km, soit jusqu'à l'accueil.
DOCUMENTATION	Dépliant-carte (à l'accueil)
INFORMATION	819 828-3608 • www.montham.qc.ca

27 PARC D'ENVIRONNEMENT NATUREL DE SUTTON

Des sentiers de randonnée pédestre font le tour de la station de ski des monts Sutton, offrant plusieurs points de vue panoramique. Le sentier Lac Spruce se rend à ce lac où une plate-forme permet de pique-niquer. Le sentier du Round Top, mène à ce point culminant du territoire, avec ses 968 mètres d'altitude, où un belvédère offre une vue sur les montagnes Vertes des États-Unis et la rivière Missisquoi qui coule en contrebas. Le sentier Dos d'Orignal grimpe jusqu'à ce sommet en passant par un plateau recouvert de fougères, une érablière à bouleau jaune et une zone peuplée d'arbres ayant perdu leur cime lors du verglas de 1998. On aura des points de vue sur les monts Écho et Orford, sur le versant du mont Sutton, sur la station de ski et sur le village. Le lac Mohawk est accessible par le sentier du même nom. On passera par une érablière, une pinède et une forêt de régénération. On verra des mousses, des escarpements rocheux, des falaises, et des plantations de sapins clôturées. On

emprunter un escalier d'environ 50 marches bordant un ruisseau qui s'écoule sur un fond de granit et qu'on traversera ensuite grâce à un pont permettant d'admirer les chutes. Au sommet s'ouvre un panorama sur Montréal, les Montérégiennes, les Adirondack et les montagnes Vertes. Un autre escalier permet de redescendre au niveau du lac. À cause de leur abondance dans la région, on pourra apercevoir des cerfs. 🦌

✦ P ⛹ ✕ ⛩ ⛰ 🏠 ⌂ ♨ ▭ ♠ 🗺 Autre : boutique

SENTIERS ET PARCOURS	LONGUEUR	TYPE	NIVEAU	DÉNIVELÉ
Lac Spruce	3,4 km	boucle	intermédiaire	350 m
Sentier du Round Top	3,8 km	boucle	avancé	568 m
Dos d'Orignal	6,0 km	boucle	intermédiaire	410 m
Lac Mohawk	4,0 km	linéaire	intermédiaire	332 m
Marmite des Sorcières	1,1 km	linéaire	débutant	100 m
Sentier des Caps	1,1 km	linéaire	débutant	
Village-montagne	4,0 km	linéaire	débutant	

HORAIRE Toute l'année, du lever au coucher du soleil. Le port du dossard ou des couleurs vives est obligatoire durant la période de chasse.

TARIF Adulte : 4,00 $
Enfant : 2,00 $
Enfant (0 à 5 ans) : gratuit
Famille : 10,00 $
Cartes de membres individuel et familial disponibles.

ACCÈS De la sortie 74 de l'autoroute 10, prendre la route 241 sud en direction de Cowansville. Prendre ensuite la route 139 sud jusqu'à Sutton. Emprunter le chemin Maple et suivre les indications pour ski Sutton, puis Val Sutton. Continuer jusqu'au bout du chemin Réal.

DOCUMENTATION Carte (à l'accueil)

INFORMATION 450 538-4085 • 1 800 565-8455 • www.parcsutton.com

JCT LES SENTIERS DE L'ESTRIE ; AU DIABLE VERT, STATION DE MONTAGNE

28 PARC DE LA GORGE DE COATICOOK

La rivière Coaticook se jette en rapides dans la Gorge, une vallée étroite d'une profondeur de plus de 50 mètres. On aura une vue sur le gouffre depuis une passerelle suspendue, classée la plus longue au monde avec ses 169 mètres. Cette passerelle est située dans la partie du parc où se retrouvent aussi une des deux tours d'observation, la grotte qui est, en fait, un ancien tunnel, le barrage hydroélectrique et la centrale, fonctionnelle depuis 1928, qu'on pourra visiter. Dans ce secteur, on longera la rivière et les falaises. L'autre secteur permet de voir une grange ronde, un pont couvert, des cascades et un autre poste d'observation. On passera aussi par une forêt mixte dans laquelle on pourra apercevoir des cerfs de Virginie. On pourra s'adonner à l'ornithologie et observer le phénomène de marmite.

RÉSEAU PÉDESTRE 14,3 km (Multi : 4 km)

SENTIERS ET PARCOURS	LONGUEUR	TYPE	NIVEAU	DÉNIVELÉ
Sentier des Cascades	0,8 km	linéaire	débutant	
Sentier de la Montagne	6,0 km	boucle	intermédiaire	80 m
Sentier de la Gorge	4,0 km	boucle	intermédiaire	40 m
Sentier de la Fermette	3,5 km	boucle	débutant	

HORAIRE De début mai à fin octobre, de 10 h à 17 h
Du 24 juin à début septembre, de 10 h à 19 h

TARIF	Adulte : 7,50 $
	Enfant (6 à 15 ans) : 4,50 $
	Enfants supplémentaires : 2,50 $ (de même famille)
ACCÈS	De la sortie 21 de l'autoroute 55, prendre la route 141 est jusqu'à Coaticook et suivre les indications.
DOCUMENTATION	Dépliant, guide d'interprétation (à l'accueil)
INFORMATION	819 849-2331 • 1 888 LA GORGE • www.gorgedecoaticook.qc.ca

29 PARC DES DEUX RIVIÈRES

Ce parc, d'une superficie de 27 hectares, est situé au confluent des rivières Saint-François et Eaton. Il s'agit du site d'un ancien barrage. Au total, le parc renferme 500 espèces horticoles. Le sentier Cascatelle traverse un territoire de 6 hectares recouvert d'épinettes noires. On y aperçoit des amas de « canes », œuvre des écureuils roux. Le sentier du Quatre rejoint l'ancien barrage de ce nom. On peut y apercevoir les vestiges d'une estacade servant à retenir le bois. Le sentier du Draveur est doté d'un belvédère offrant une vue sur le confluent des rivières. Sur le sentier des Merisiers, on trouve une pouponnière horticole contenant 200 variétés de vivaces et plus de 3 000 plants. Le sentier Riv-O-Bois passe par une plantation d'épinettes de Norvège et de pins rouges. De là, on accède au sentier Presqu'îles, formée de sédiments accumulés de la rivière Saint-François. On peut y apercevoir des castors et des rats musqués. Le sentier La Petite Échelle, quant à lui, mène au rivage de la rivière grâce à un escalier de près de cent marches. On y voit les anciennes sorties d'eau du barrage. Une tour d'observation de plus de 10 m offre une vue sur les alentours et sur une partie de la ville. 🐴

 Autre : piste d'hébertisme

RÉSEAU PÉDESTRE 4,1 km (Multi : 2,2 km)

SENTIERS ET PARCOURS	LONGUEUR	TYPE	NIVEAU
Riv-O-Bois	0,6 km	mixte	débutant
Du Draveur	0,2 km	linéaire	débutant
Des Merisiers	0,5 km	mixte	débutant
Cascatelle	0,4 km	mixte	débutant
Presqu'îles	0,1 km	linéaire	débutant
Abenakis	2,2 km	mixte	débutant

HORAIRE	Toute l'année, du lever du soleil jusqu'à 21 h 30
TARIF	Gratuit
ACCÈS	De Sherbrooke, emprunter la route 112 est puis la route 214 est. Tourner à droite sur l'avenue Saint-François et encore à droite sur la rue Willard. Le stationnement se situe au bout de la rue.
DOCUMENTATION	Dépliant (au CLD du Haut-Saint-François, à l'hôtel de ville East Angus et à la vieille gare)
INFORMATION	819 832-2868 • eastangus@biz.videotron.ca

30 PARC ÉCOFORESTIER DE JOHNVILLE

Ce parc occupe une superficie de 180 hectares. Sa tourbière et ses trois étangs ombrotrophes constituent des milieux rares pour cette région. En parcourant les sentiers, on traversera différents milieux : pessières à sphaignes, prucheraies et cédrières humides. On trouve des plantations de plus de 50 ans, des mousses, des essences fruitières, des fougères et des espèces moins fréquentes comme l'érable à épis, la menthe du Canada et le millepertuis. Le sentier de l'Étang permet de découvrir son écosystème. Le sentier de la Toubière passe par une forêt, une zone peuplée d'arbustes et une autre recouverte de mousses. Le sentier d'interprétation de la Faune offre des points de vue sur le grand lac Jenckes. On verra sur un autre sentier un esker et une marmite glaciaire. On pourra cueillir des mûres et des framboises sur le chemin des Lacs. La musaraigne pygmée pourrait être présente sur le site. ♞

★P♟♟❦

RÉSEAU PÉDESTRE 5,5 km

SENTIERS ET PARCOURS	LONGUEUR	TYPE	NIVEAU
Sentier de l'Étang	0,8 km	boucle	débutant
Sentier de la Tourbière	1,7 km	boucle	débutant
Sentier de la Faune	1,0 km	linéaire	débutant
Sentier de l'Esker et de la Marmite	0,3 km	linéaire	débutant
Sentier des Lacs	1,7 km	linéaire	débutant

HORAIRE	Toute l'année, de 8 h au coucher du soleil
TARIF	Gratuit
ACCÈS	De Sherbrooke, suivre la route 108 est, tourner à droite sur la route 251 sud et continuer jusqu'à Johnville. À l'entrée du village, tourner à gauche sur le chemin North. L'entrée du parc est située à environ 1 km.
DOCUMENTATION	Carte des sentiers (à l'entrée du parc et au bureau d'arrondissement de Lennoxville, au 150, rue Queen)
INFORMATION	819 569-9388 • www.parc-johnville.qc.ca

31 PARC ÉCOLOGIQUE JEAN-PAUL-FORAND

Ce parc tient son nom de l'ancien maire du Canton de Shefford. Son territoire est presque entièrement boisé. On y trouve plusieurs espèces d'arbres dont l'érable, le frêne et le bouleau, ainsi que des fougères. Les sentiers Côté Sud et Côté Nord longent les rives d'un ruisseau et ses chutes. On peut passer d'un sentier à l'autre en empruntant l'un des trois ponts qui enjambent le ruisseau. Le sentier Côté Nord longe le chemin Chenail et permet de voir un grand marécage et un étang de castor. Celui du Côté Sud donne accès à la Boucle Sud, en forme de fer à cheval, qui passe dans un territoire plus vallonné. Le sentier des Murmures, un chemin d'exploitation forestière, relie la rue du même nom au centre du parc. On peut apercevoir des orignaux et des cerfs de Virginie. Des panneaux d'interprétation sur la flore agrémentent le parcours. ♞

★P♟♟🏕🪑❦

RÉSEAU PÉDESTRE 9,7 km

SENTIERS ET PARCOURS	LONGUEUR	TYPE	NIVEAU
Côté Sud	2,2 km	linéaire	débutant
Côté Nord	2,0 km	linéaire	débutant
Boucle Sud	2,5 km	boucle	débutant
Des Murmures	3,0 km	linéaire	débutant

HORAIRE	Toute l'année, du lever au coucher du soleil
	Prudence en période de chasse
TARIF	Gratuit
ACCÈS	De l'autoroute 10, prendre la sortie 78. Emprunter le boulevard Bromont, puis la route 241 en direction nord. Tourner à gauche sur le chemin Picard. Le parc est situé 2 km plus loin.
INFORMATION	450 539-2258

32 PARC HISTORIQUE DE LA POUDRIÈRE DE WINDSOR

L'usine de poudre de Windsor fut mise sur pied durant la guerre de Sécession aux États-Unis, en 1864, et a fermé ses portes à la suite d'une explosion survenue en 1922. Aujourd'hui, un sentier longe la rivière Watopeka. En le parcourant, on pourra apercevoir plusieurs espèces d'oiseaux. En empruntant les autres sentiers, on verra les vestiges des 56 bâtiments de l'époque et une réplique de la machinerie de cette période. Le centre culturel expose des objets qui servaient à la fabrication de la poudre noire. Les sentiers sont bordés de panneaux d'interprétation traitant de l'histoire du site. 🏇

🏛 P 🏃 (X 🎋 ⛲ 🛏 🗡

Note : les services sont accessibles de mai à octobre, du mercredi au dimanche (de 13 h à 17 h) et de juin à août, tous les jours (de 10 h à 17 h).

RÉSEAU PÉDESTRE 5,0 km (mixte, débutant)

HORAIRE	Toute l'année, du lever au coucher du soleil
TARIF	4,00 $ par personne
ACCÈS	De la sortie 71 de l'autoroute 55, se diriger vers Windsor. On accède au parc par la rue Saint-Georges.
DOCUMENTATION	Dépliant-carte (à l'accueil)
INFORMATION	819 845-5284 • www.lapoudriere.qc.ca

33 PARC NATIONAL DE FRONTENAC Parcs Québec

Ce parc, d'une superficie de 155 km² dont une portion touche à la région de Chaudière-Appalaches, encadre le grand lac Saint-François. Ce lac est le troisième plus grand au sud du fleuve Saint-Laurent avec ses 51 km². En parcourant les sentiers, on accèdera à plusieurs cours d'eau. La Piste cyclable suit les abords du lac Saint-François, passe par un boisé de conifères et mène à une halte à la baie des Sables. Sur L'Érablière, on sillonnera une érablière et on gravira une colline. On verra aussi un étang de castors.

La Colline se rend à la baie Sauvage. Ces deux sentiers sont reliés entre eux par le sentier La Passerelle. Le Sous-bois se situe à l'embouchure de la rivière aux Bluets. On verra d'immenses pins blancs et de gros rochers le long du sentier des Grands Pins. On accèdera au lac Egan par le sentier des Vallons, à la rivière Felton par celui des Cascades et au lac Maskinongé par le sentier Le Massif. Les Trois Moulins circule à travers plusieurs peuplements forestiers sur un terrain au relief accidenté. Le Portage relie le lac des Îles et la rivière qui se jette dans le lac à la Barbue. Dans une forêt de conifères, on trouve une tourbière occupant une superficie de 1,5 km² dans laquelle on trouve des plantes carnivores, des orchidées, des sphaignes et des mousses. Une vingtaine de panneaux et deux tours d'observation permettent de découvrir cette tourbière datant de plus de 10 000 ans. Des sentiers sur pilotis facilitent l'exploration de ce milieu. On peut y voir des plantes insectivores, telles que la drosera et la sarracénie pourpre.

🏕 P ⛺ 🚻 🪑 ⛱ ▲ ▲ 🚂 🍴 🐾 ⛵ Autre : amphithéâtre extérieur

RÉSEAU PÉDESTRE 47,2 km (Multi : 28,6 km)

SENTIERS ET PARCOURS	LONGUEUR	TYPE	NIVEAU
L'Érablière	4,0 km	boucle	intermédiaire
La Colline	3,0 km	boucle	intermédiaire
La Tourbière	4,5 km	mixte	débutant
Le Sous-bois	1,6 km	linéaire	débutant
La Passerelle	1,0 km	linéaire	intermédiaire
Les Grands Pins	6,2 km	boucle	débutant
Les Vallons	0,5 km	linéaire	débutant
Des Cascades	4,0 km	linéaire	intermédiaire
Le Portage	0,4 km	linéaire	débutant
Les Trois Moulins	6,0 km	linéaire	intermédiaire
Le Massif	8,0 km	linéaire	intermédiaire
Piste cyclable	8,0 km	linéaire	débutant

HORAIRE	Toute l'année, de 6 h à 20 h 30
TARIF	Voir la tarification des Parcs nationaux du Québec à la page 15 de cet ouvrage.
ACCÈS	Secteur Saint-Daniel : de Thetford Mines, prendre la route 267 sud jusqu'à Saint-Daniel et suivre les indications. Secteur Sud: de Sherbrooke, suivre la route 108 vers l'est jusqu'à Saint-Romain, puis tourner à gauche sur la route 263 et continuer jusqu'à l'entrée du parc.
DOCUMENTATION	Journal du parc, dépliant (à l'accueil)
INFORMATION	1 800 665-6527 • 418 486-2300 • www.parcsquebec.com

34 PARC NATIONAL DE LA YAMASKA Parcs Québec

Ce parc, occupant un territoire d'une superficie de près de 13 km², est aménagé autour du réservoir Choinière dont la digue principale s'élève à plus de 20 mètres et offre un panorama sur les environs. L'aménagement de ce réservoir, bordé de prairies et de forêts, a favorisé la présence de plusieurs oiseaux. Certains y séjournent durant la migration comme la bernache du Canada, l'oie blanche et différents canards. La végétation du parc est composée de plus de 500 espèces d'arbres, d'arbustes et de plantes. On y trouve des forêts mixtes et conifériennes, des peuplements en régénération et des érablières comme l'érablière laurentienne. Les milieux plus humides renferment l'érable rouge, le sapin, le bouleau gris, la pruche du Canada, le peuplier faux-

tremble et l'orme d'Amérique. Certains arbres sont centenaires. Les boucles proposées sillonnent ce territoire au relief vallonné. La Digue offre une vue d'ensemble du réservoir et du paysage des basses terres appalachiennes. La Rivière traverse une forêt de pins gris et permet d'observer la rivière Yamaska Nord et les canards qui s'y trouvent.

🏠P🚶🏻🎣✕⛩🏠▲⛰🏕🚣

RÉSEAU PÉDESTRE 19,0 km (Multi : 18,9 km)

SENTIERS ET PARCOURS	LONGUEUR	TYPE	NIVEAU
La Digue	4,0 km	boucle	débutant
La Grande Baie	12,0 km	boucle	débutant
La Rivière	3,0 km	boucle	débutant

HORAIRE	Toute l'année, de 8 h au coucher du soleil
TARIF	Voir la tarification des Parcs nationaux du Québec à la page 15 de cet ouvrage.
ACCÈS	De l'autoroute 10, prendre la sortie 68, puis la route 139 nord qui deviendra le boulevard David-Bouchard. Le parc se situe au 1780, boulevard David-Bouchard.
DOCUMENTATION	Journal de parc, dépliants (à l'accueil et sur le site Web)
INFORMATION	450 776-7182 • www.parcsquebec.com

35 PARC NATIONAL DU MONT-MÉGANTIC Parcs Québec

Ce parc occupe un territoire d'une superficie de 55 km², composé de plusieurs sommets, de vallées, de crêtes et de collines. Les sentiers polyvalents sillonnent une érablière et longent par endroits un cours d'eau. Le sentier des Crêtes, situé dans le secteur du mont Saint-Joseph, passe par une sapinière à oxalide de montagne pour aboutir à un belvédère offrant un panorama de 360 degrés comprenant le mont Mégantic,

dominant le paysage avec ses 1 105 mètres d'altitude, et les Appalaches. Le sentier du Mont-Mégantic débute à la base pour se rendre au sommet. On grimpera à travers les différents étagements de végétation, de l'érablière à bouleau jaune aux sapinières et lichens, en passant par la forêt mixte de sapins et de bouleaux jaunes et blancs. On verra trois plantes arctiques-alpines, les seules à avoir été vues dans le sud du Québec, dont la gentiane amarelle. Au sommet, on retrouve deux observatoires astronomiques et on a un panorama sur le territoire du parc ainsi que sur la région et les montagnes du New Hampshire, du Maine et du Vermont. Le sentier du Mont-Saint-Joseph donne accès à la même expérience visuelle que celui du Mont-Mégantic et se rend à une chapelle centenaire. Des panneaux traitant de l'étagement de la végétation bordent ce sentier. Le sentier du Ruisseau-Fortier longe ce dernier avant de se rendre au sommet où un belvédère offre une vue de 180 degrés sur les montagnes américaines et le mont Orford. On verra des fougères et des cascades le long du parcours. Chaque niveau de végétation a sa faune particulière. Plus de 125 espèces d'oiseaux survolent le territoire, dont le mésangeai du Canada et des espèces rares comme le tétras du Canada, la paruline rayée et le pic à dos noir. Le sentier du Mont-Mégantic est aussi un parcours « de la terre aux étoiles », le long duquel des panneaux traitent de l'histoire de l'univers depuis le Big Bang. On peut se procurer un livret d'accompagnement à l'accueil. La salle Pluton sur Terre renseigne sur le phénomène géomorphologique à l'origine de la formation du mont Mégantic.

🏠 P 👫 (✗ ⛩ ⌂ ▲ ⛟ 🏢 ⛲ 🌿 🚌 💼 ♿

RÉSEAU PÉDESTRE 48,7 km (Multi : 27,6 km)

SENTIERS ET PARCOURS	LONGUEUR	TYPE	NIVEAU	DÉNIVELÉ
Sentiers polyvalents	27,6 km	mixte	intermédiaire	250 m
Sentier du Ruisseau-Fortier	3,7 km	linéaire	avancé	310 m
Sentier du Mont-Mégantic	5,6 km	linéaire	intermédiaire	320 m
Sentier du Col	4,6 km	linéaire	intermédiaire	160 m
Sentier des Crêtes	2,0 km	linéaire	débutant	
Sentier du Mont-Saint-Joseph	3,2 km	linéaire	intermédiaire	475 m
Sentiers Frontaliers	2,0 km	linéaire	débutant	

HORAIRE	Toute l'année, de 8 h 30 à 16 h 30
TARIF	Voir la tarification des Parcs nationaux du Québec à la page 15 de cet ouvrage.
ACCÈS	De l'extrémité est de l'autoroute 10, continuer sur la route 112 vers East-Angus, puis prendre la route 253 jusqu'à Cookshire. Emprunter ensuite la route 212 vers La Patrie et suivre les indications « Parc du Mont-Mégantic, sect. Observatoire ». Le parc se trouve au 189, route du Parc à Notre-Dame-des-Bois.
DOCUMENTATION	Carte du parc, journal du parc, dépliants, liste des oiseaux, livret d'accompagnement (à l'accueil)
INFORMATION	819 888-2941 • 1 800 665-6527 • www.parcsquebec.com

36   PARC NATIONAL DU MONT-ORFORD

Ce parc, d'une superficie de 58 km², est caractérisé par ses deux massifs, les monts Orford et Chauve. Le territoire est couvert à 80 % d'érables à sucre. Un sentier grimpe au sommet du mont Chauve. La Boucle des trois étangs sillonne une forêt et mène aux étangs Martin, du Milieu et de l'Ours. Deux belvédères permettent d'observer les oiseaux présents dans ce secteur comme le cardinal à poitrine rose. Le sentier des Crêtes a été relocalisé en partie. Le nouveau tracé ne passe plus par le sommet du mont Alfred-DesRochers, ni par le pic du Lynx. Le sentier de l'étang Fer-de-Lance sillonne une érablière. Un belvédère donne sur l'étang où on pourra apercevoir le canard branchu. Le moucherolle tchébek fait son nid dans ce secteur. Les sentiers parcourent des érablières, des bétulaies et des forêts de sapins et d'épinettes rouges. Fait exceptionnel pour la région, une chênaie boréale à érable à sucre est présente sur le site.

 Autres : salle d'exposition, parcours d'arbre en arbre

RÉSEAU PÉDESTRE 57,4 km

SENTIERS ET PARCOURS	LONGUEUR	TYPE	NIVEAU	DÉNIVELÉ
Sentier des Crêtes	9,8 km	linéaire	avancé	533 m
Sentier de l'étang Fer-de-Lance	2,2 km	boucle	débutant	50 m
Sentier du mont Chauve	9,1 km	boucle	avancé	330 m
Autres sentiers	31,3 km	mixte	intermédiaire	
Boucle des trois étangs	5,0 km	boucle	débutant	

HORAIRE	Toute l'année, du lever au coucher du soleil
TARIF	Voir la tarification des Parcs nationaux du Québec à la page 15 de cet ouvrage.
ACCÈS	De la sortie 118 de l'autoroute 10, prendre la route 141 nord et suivre les indications pour le secteur Stukely.
DOCUMENTATION	Journal du parc, carte (à l'accueil du site)
INFORMATION	819 843-9855 • 1 800 665-6527 • www.parcsquebec.com

JCT   LES SENTIERS DE L'ESTRIE

37   PARCS DE LA BAIE-DE-MAGOG ET DE LA POINTE MERRY

Un sentier longe le lac Memphrémagog par le parc de la Baie-de-Magog, presqu'au cœur de la ville de Magog. Une plage y est également aménagée. De cet endroit, on verra la grande étendue d'eau qu'est le lac, bordé par la chaîne des Appalaches.

RÉSEAU PÉDESTRE 5,0 km (boucle, débutant)

HORAIRE	Toute l'année, de 6 h à minuit
TARIF	Gratuit
	Stationnement (Cabana et Dumoulin) : 6,00 $

ACCÈS	Stationnement (Pointe Merry) : 2,00 $ / heure - max. de 8,00 $ par jour
	Accès 1 : à l'entrée ouest de Magog par la route 112, on peut accéder à la promenade à partir du stationnement de la rue Cabana.
	Accès 2 : de la rue Principale au centre-ville de Magog, prendre la rue Merry Sud et, juste avant le pont, tourner à droite.
INFORMATION	819 843-2744 • 1 800 267-2744 • www.tourisme-memphremagog.com

JCT   LE MARAIS DE LA RIVIÈRE AUX CERISES

38   PROMENADE DU LAC-DES-NATIONS

Situé au cœur de la ville de Sherbrooke, le lac des Nations est encerclé par cette promenade multifonctionnelle. On longera le lac d'un côté et, de l'autre, un boisé mixte dominé par des feuillus. On aura une vue constante sur le lac, que des passerelles permettent de franchir. On aura également des points de vue sur des chutes d'une hauteur d'environ 9 mètres, un barrage, le parc Jacques-Cartier, la ville et le mont Orford. Une gloriette située près de la passerelle des Draveurs permet d'observer les différentes espèces d'oiseaux survolant le périmètre. Le parcours est jalonné de panneaux d'interprétation et d'œuvres d'art. 🐕

RÉSEAU PÉDESTRE	3,5 km (Multi : 3,5 km) (mixte, débutant)
HORAIRE	Toute l'année, de 6 h à 23 h
TARIF	Gratuit
ACCÈS	De l'autoroute 10, prendre la sortie 146. Tourner à gauche sur le boulevard Saint-François, à droite sur la rue King Ouest et à gauche sur la rue Marchant. L'accès à la promenade est juste après avoir traversé le parc. Une navette gratuite fait le lien entre le centre-ville et le lac des Nations de mi-juin à début septembre.
DOCUMENTATION	Dépliant corporatif (à la ville de Sherbrooke, à la Cité des rivières et chez Tourisme Sherbrooke)
INFORMATION	819 560-4280 • www.citedesrivieres.com

39   RÉSEAU DES GRANDES-FOURCHES

Les sentiers de ce réseau cyclo-pédestre, qui relie entre elles quelques-unes des villes de la région de Sherbrooke, sont regroupés en axes. Ces axes traversent des milieux urbains, des parcs, des forêts et des marais. On arpentera les rives des rivières Saint-François, Massawippi et Magog. Le long de l'axe Magog, on retrouve la Maison de l'eau présentant des expositions. Sur l'axe Saint-François, on passera par une forêt de feuillus avant d'accéder à une tour d'observation offrant une vue d'ensemble des 30 hectares couverts par le marais, comportant un circuit d'auto-interprétation de la faune et de la flore. Le sentier passe dans le marécage puis, grâce à un trottoir de bois monté sur pilotis, circule dans une forêt inondée. Une partie du réseau, située au cœur de la ville, permet de voir la rivière Magog, encaissée dans une gorge escarpée, dévaler d'une chute à l'autre sur plus d'un kilomètre. Les sentiers permettent aussi d'accéder au parc Lucien-Blanchard, une des principales portes d'entrée du réseau, et de voir des vestiges archéologiques et la centrale Frontenac. 🐕

RÉSEAU PÉDESTRE 123,0 km (Multi : 123 km)

SENTIERS ET PARCOURS	LONGUEUR	TYPE	NIVEAU
Axe Saint-François	24,0 km	linéaire	débutant
Axe Massawippi	14,0 km	linéaire	débutant
Axe Magog	29,0 km	linéaire	débutant
Axe des Sommets	16,0 km	linéaire	débutant
Axe de la Clef	26,0 km	linéaire	débutant
Axe Dorman	14,0 km	linéaire	débutant

HORAIRE	Toute l'année, du lever au coucher du soleil
TARIF	Gratuit
ACCÈS	De la route 112 à Sherbrooke, prendre le boulevard Saint-François Sud jusqu'au stationnement public. Il est possible de stationner au parc Jacques-Cartier situé à l'angle des rues Jacques-Cartier et King. Il est possible aussi de stationner au parc Lucien-Blanchard. Plusieurs autres accès sont possibles le long du parcours.
DOCUMENTATION	Carte (au bureau d'information touristique et à la maison de l'eau de Sherbrooke)
INFORMATION	1 800 561-8331 • 819 821-1919 • www.sdes.ca/fr/index.html

40 SENTIER DE L'ORATOIRE

Le sentier de l'Oratoire débute dans une forêt mixte de conservation. Il fait pénétrer dans une carrière de granit. On verra des vestiges industriels. Le sentier se termine par un point de vue donnant sur la Maison du granit, le sommet du mont Saint-Sébastien et le bassin de la rivière Saint-François. Le sentier du Pic sillonne la forêt, située sur un affleurement granitique datant de plusieurs millions d'années. Il passe par neuf stations d'interprétation. La majorité traite de la flore. Grâce aux chicots et aux arbres morts, on pourra observer plusieurs oiseaux dont le pic, la sittelle et la crécerelle d'Amérique. Une des stations est située à l'intérieur d'une petite excavation dans le granit. C'est à cet endroit qu'on a exploité le granit ayant servi à construire l'oratoire Saint-Joseph du Mont-Royal.

P ♦♦ ⼤ 🏛️🏠🌿🥾

RÉSEAU PÉDESTRE 4,7 km

SENTIERS ET PARCOURS	LONGUEUR	TYPE	NIVEAU	DÉNIVELÉ
Sentier de l'Oratoire	4,0 km	linéaire	intermédiaire	200 m
Sentier du Pic	0,7 km	boucle	débutant	

HORAIRE	De juin à octobre, de 10 h à 17 h
TARIF	5,00 $ par personne, incluant la visite de la maison du Granit
ACCÈS	De Lac-Mégantic, prendre la route 161 nord, puis la route 263 nord. Tourner à droite sur la route de la Station. Tourner à gauche sur la route du Morne et continuer jusqu'au sommet de la montagne, où se trouve la Maison du granit.
DOCUMENTATION	Guide du sentier du Pic (à la Maison du granit)
INFORMATION	819 549-2566 • www.maisondugranit.ca

JCT   LE SENTIER DU MORNE

41 SENTIER DE LA NATURE KEITH-SORNBERGER

Ce sentier, autrefois connu sous le nom de centre d'interprétation de la rivière aux Brochets, est aménagé près des limites de la ville de Bedford. Il longe la rivière aux Brochets et permet de voir ses cinq barrages. Une partie du sentier traverse une plaine tandis que l'autre s'enfonce dans une forêt mixte. Un centre d'interprétation et des panneaux disposés le long du sentier renseignent le randonneur sur les plantes indigènes comestibles. 🐴

P 🎋 🪑 🌿

RÉSEAU PÉDESTRE 2,0 km (Multi : 2 km) (boucle, débutant)

HORAIRE	Toute l'année, du lever au coucher du soleil
TARIF	Gratuit
ACCÈS	Accès 1 : de la route 133, prendre la route 202 vers l'est. Au centre-ville de Bedford, tourner à gauche sur la rue du Pont, à gauche encore sur la rue Champagnat et continuer jusqu'au bout. Accès 2 : de Farnham, prendre la route 235 vers le sud. Au centre-ville de Bedford, prendre la rue Wheeler, tourner à droite sur la rue Champagnat et continuer jusqu'au bout.
DOCUMENTATION	Guide de l'interprétation des plantes comestibles (à la corporation de développement de Bedford)
INFORMATION	450 248-2440 • bertrand@ville.bedford.qc.ca

42 SENTIER DU MARAIS MASKINONGÉ

D'une superficie de 25 hecta-res, ce marais longe la rivière Maskinongé. Le sentier débute en forêt. Suite aux dégâts infligés aux arbres par le vent, on y trouve une plantation variée d'arbres feuillus, en attendant que la forêt se régénère. Le tout est expliqué sur un panneau d'interprétation. Le sentier passe dans un secteur doté d'une quarantaine d'espèces végétales propres à ce milieu ainsi que de plusieurs poissons, amphibiens et oi-seaux. On traverse cette zone

humide grâce à des trottoirs sur pilotis. Une tour d'observation de 8 mètres ainsi que deux belvédères permettent d'observer le cours de la rivière Maskinongé, la flore du marais et la faune aquatique composée de canards, de rats musqués et de grands hérons. On pourra parfois apercevoir des cerfs de Virginie dans une boucle située à l'extrémité du sentier principal, en pleine forêt. Plusieurs panneaux d'interprétation dispersés le long du parcours traitent de la composition géologique du marais, de sa faune et de sa flore. Depuis 1993, le marais est répertorié à titre d'habitat faunique protégé.

🏠 P 🚂 🪑 🌿

RÉSEAU PÉDESTRE 1,6 km (boucle, débutant)

HORAIRE	De mai à novembre, du lever au coucher du soleil
TARIF	Gratuit
ACCÈS	De Victoriaville, emprunter la route 161 en direction sud. Une fois le lac contourné, poursuivre sur la route 161 jusqu'au chemin du domaine Aylmer, situé à mi-chemin entre le chemin Rozon et le chemin Aylmer. Une immense affiche y annonce le marais. S'engager sur ce chemin jusqu'aux deux stationnements. Celui de droite est conseillé.

DOCUMENTATION   Dépliant (au bureau municipal et dans les kiosques d'information
                touristique de la région)
INFORMATION   418 443-2307

SENTIER ONÈS-CLOUTIER

Ce sentier traverse une forêt mixte, dans laquelle on trouve une plantation de pins. On longera la rivière Niger. À mi-parcours, on pourra admirer des chutes d'une hauteur de 2 mètres et des cascades. On pourra apercevoir la petite faune ainsi que des chevaux. Au début du parcours, un panneau renseigne sur l'historique de la création du sentier. 🐕

★P🎿

RÉSEAU PÉDESTRE   1,1 km (Multi : 1,1 km) (linéaire, débutant)

HORAIRE   Toute l'année, du lever au coucher du soleil
TARIF   Gratuit
ACCÈS   D'Orford, suivre l'autoroute 55 sud et prendre la route 141 sud. Passé
          la route 143, tourner à droite sur le chemin de Way's Mills. Continuer
          tout droit à l'intersection du chemin Holmes. Le sentier est situé 1 km
          plus loin.
INFORMATION   819 838-4334 • barnston.ca

SENTIER PÉDESTRE CAMBIOR

Ce sentier, qui relie le chemin Solbec au lac de la Héronnière, passe à travers une forêt composée en majorité de conifères. On y a plusieurs points de vue sur le lac, nommé ainsi en raison de la colonie de grands hérons s'étant établie dans le secteur. Au début du sentier, on peut voir des bassins d'assainissement se déversant les uns dans les autres, filtrant l'eau qui est ensuite retournée dans la nature. Des panneaux d'interprétation renseignent sur les efforts de la compagnie Cambior pour assainir ce milieu, notamment l'eau qui était très polluée et dans laquelle il y a maintenant de la vie. D'autres panneaux traitent de l'histoire de ce site, qui est une ancienne mine de cuivre. En parcourant ce sentier, on pourra voir un barrage et observer la faune diversifiée composée de chevreuils, d'orignaux, de castors et de canards, ainsi que de pygargues à tête blanche. 🐕

★P🏕🌿🎿

RÉSEAU PÉDESTRE   2,5 km (Multi : 2,5 km) (linéaire, débutant)

HORAIRE   De mai à mi-septembre, de 5 h à 21 h
          Prudence pendant la période de chasse
TARIF   Gratuit
ACCÈS   De Victoriaville, emprunter la route 161 sud jusqu'à Stratford. Tourner
          à gauche sur le chemin Solbec, situé 1 km plus loin. Continuer sur
          1 km, soit jusqu'aux deux stationnements sur la droite, à 500 m l'un
          de l'autre.

DOCUMENTATION   Dépliant (au bureau municipal et dans les kiosques d'information touristique de la région)

INFORMATION   418 443-2307

45   SENTIER PÉDESTRE NEIL-TILLOTSON

Ce sentier relie ses deux portes d'entrée, les municipalités de East Hereford et de Saint-Herménégilde, en parcourant le mont Hereford, une des plus hautes montagnes de la région avec ses 864 mètres d'altitude. Durant l'ascension, on sillonnera une forêt mixte dans laquelle prédomine le sapin baumier. On verra aussi un barrage de castors. Au sommet, on aura un panorama de 360 degrés sur les montagnes et les vallées américaines. À la descente, on pourra apercevoir des orignaux et une faune aviaire diversifiée composée du junco ardoisé, du tangara écarlate, du cardinal à poitrine rose et du viréo à tête bleue. Près de 15 espèces de parulines sont présentes, dont celle à tête cendrée. La maubèche des champs survolera parfois le territoire. ✧

✶P✬

RÉSEAU PÉDESTRE   12,0 km (linéaire, avancé, dénivelé maximum de 400 m)

HORAIRE   Toute l'année, du lever au coucher du soleil
          La randonnée est interdite pendant la période de chasse
TARIF   Gratuit
ACCÈS   De Coaticook, prendre la route 206 vers l'est et tourner à droite sur la rue Desrosiers. Continuer sur 30 km, soit jusqu'à East Hereford. Le stationnement est situé à droite, juste avant le chemin Lépine.
DOCUMENTATION   Carte du sentier (sur le site Web)
INFORMATION   819 844-2463 • 819 849-6669 • www.municipalite.easthereford.qc.ca

46   SENTIERS D'INTERPRÉTATION DU MONT PINACLE

Les sentiers de ce réseau ont été aménagés sur le versant nord de la montagne. La boucle La Saulaie longe un ruisseau et passe, en grande partie, à travers une plantation d'épinettes noires. Une portion du sentier est située dans une érablière à bouleau jaune. Cette portion est un tronçon commun avec le sentier de l'Érablière, qui grimpe à travers les érables. On trouve dans La Saulaie le thé du Canada, des fougères, le bouleau à feuilles de peuplier, le peuplier faux-tremble et le saule pétiolé, ainsi que plusieurs oiseaux dont l'hirondelle bicolore, le moqueur chat et le moucherolle des aulnes. Un panneau traite de la façon de repérer les animaux présents grâce aux traces laissées par leur passage. Un autre renseigne sur l'érosion du sol. Au total, plus de 40 panneaux d'interprétation bordent les sentiers. Des ponts en bois et en pierre permettent de franchir le ruisseau, peuplé de salamandres, et d'observer son écosystème forestier et faunique. Parmi les 69 espèces d'oiseaux survolant le territoire, 3 sont vulnérables : le pygargue à tête blanche, le tohi à flanc roux et la buse à épaulettes. Le sommet du mont Le Pinacle est situé sur une propriété privée et n'est pas accessible. ✧

✶P✦✬🌿🎿   Autres : ateliers éducatifs et culturels

RÉSEAU PÉDESTRE   3,5 km

SENTIERS ET PARCOURS	LONGUEUR	TYPE	NIVEAU	DÉNIVELÉ
Sentier La Saulaie	1,5 km	boucle	débutant	
Sentier de l'Érablière	2,0 km	mixte	débutant	100 m

HORAIRE   De fin avril à fin octobre, du lever au coucher du soleil
TARIF   Gratuit (contribution volontaire à Fiducie foncière mont Pinacle)

De Cowansville, prendre la route 202 ouest jusqu'à Dunham, puis la route 213 en direction sud. Avant d'arriver à Frelighsburg, tourner à gauche sur le chemin Pinacle. Suivre ensuite les indications sur 6 km.

Carte des sentiers, dépliant « chasse au trésor » (au bureau d'information touristique de Frelighsburg, Dunham et Sutton)

450 522-3367 • www.montpinacle.ca

47 SENTIERS DE BROMONT

On trouve plusieurs sommets sur ce site au relief montagneux. Le plus haut, avec une altitude de 565 mètres, est le mont Brome. La Villageoise passe dans un boisé et près de la rivière Yamaska sur laquelle on aura une vue. On traversera le centre commercial Carrefour champêtre, avant de terminer à l'Estriade. Le sentier du Village est plus urbain, il passe par l'église et le terrain de golf. Le Mont-Berthier grimpe jusqu'au sommet boisé de cette montagne. Une des ceintures de randonnée fait le tour du mont Brome et offre une vue sur le lac Bromont. En effectuant ces ceintures, dont la majorité est sous couvert forestier, on franchira quelques cours d'eau et on pourra voir un centre équestre. 🐎

✳ 🏛 P 👫 (✗ 🍴 🚻 ⛺ 🛏

RÉSEAU PÉDESTRE 27,4 km (Multi : 27,4 km)

SENTIERS ET PARCOURS	LONGUEUR	TYPE	NIVEAU	DÉNIVELÉ
La Villageoise	2,7 km	linéaire	débutant	
Mont-Berthier	1,6 km	linéaire	débutant	70 m
C1 (ceinture de randonnée)	14,9 km	boucle	intermédiaire	130 m
C2	0,6 km	linéaire	débutant	60 m
C3	0,6 km	mixte	débutant	
C4	1,5 km	linéaire	débutant	
C5	0,8 km	linéaire	débutant	
C6	2,2 km	mixte	débutant	140 m
Sentier du Village	2,5 km	mixte	débutant	

Toute l'année, du lever au coucher du soleil

Gratuit

Plusieurs accès sont possibles à Bromont. On peut stationner au bureau d'information touristique, à l'église, à l'aréna, à la station de ski alpin ou bien sur le versant du lac Bromont.

Dépliant « Ski Bromont » (à Ski Bromont, à l'hôtel de ville et au kiosque d'information touristique)

450 534-2021 • www.bromont.com

48 SENTIERS FRONTALIERS

Ces sentiers, divisés en deux secteurs, soit celui du mont Gosford et celui de la montagne de Marbre, débutent au sud du parc national du Mont-Mégantic et longent la frontière entre le Canada et les États-Unis jusqu'aux crêtes frontalières du mont Gosford. Ce dernier a une altitude de 1 193 mètres, ce qui le classe parmi les 10 plus hauts sommets du Québec. On y traversera des forêts inhabituelles comme la sapinière à oxalide des montagnes et la sapinière à épinette rouge. On pourra apercevoir des oiseaux comme le pic à dos noir, la mésange à tête brune et la grive de Bicknell, une espèce rare. On note la présence de plusieurs orignaux dans ce secteur.

Au sommet, une tour d'observation offre un panorama de 360 degrés sur le mont Mégantic, le lac Mégantic et les Appalaches. Le secteur de la montagne de Marbre est caractérisé par une forêt peuplée en partie d'érables. Le sentier des Sommets offre une vue sur la vallée et les montagnes avoisinantes, ainsi que sur le mont Washington et les montagnes Blanches, qu'on verra aussi depuis les sentiers. Dans les deux secteurs, il est possible de faire de petites boucles, mais également de la longue randonnée. 🏕 (sur une portion de 86 km)

✶ 🏛 P 👫 🏠 ⛰ 🛖 🚻 🏠 ♨ 🎋 🌲 💼

RÉSEAU PÉDESTRE 109,6 km

SENTIERS ET PARCOURS	LONGUEUR	TYPE	NIVEAU	DÉNIVELÉ
Sentier principal	83,0 km	linéaire	avancé	540 m
Sentier des Sommets (secteur Montagne de Marbre)	3,3 km	linéaire	intermédiaire	400 m
Sentier de la Chouette (secteur Montagne de Marbre)	1,0 km	linéaire	débutant	200 m
Chemin forestier (secteur Montagne de Marbre)	2,1 km	linéaire	débutant	
Sentier du Petit-Lac-Danger (secteur Montagne de Marbre)	2,2 km	linéaire	débutant	
Sentier du Ruisseau-Morin (secteur Mont Gosford)	9,4 km	linéaire	intermédiaire	
Sentier du Cap-Frontière (secteur Mont Gosford)	6,8 km	linéaire	intermédiaire	
Sentier du Col (secteur Mont Gosford)	1,8 km	linéaire	intermédiaire	

HORAIRE   Toute l'année, du lever au coucher du soleil
Randonnée interdite durant les deux semaines de la chasse à l'original pour le territoire du mont Gosford et de fin septembre à fin novembre pour le reste du réseau. Pour information : 819 544-9004

TARIF   Gratuit, sauf 5,00 $ par voiture pour la forêt habitée du mont Gosford (zec)

ACCÈS   Secteur montagne de Marbre : de Sherbrooke, prendre la route 108 vers l'est jusqu'à Cookshire, puis la route 212 jusqu'à Notre-Dame-des-Bois. Au cœur du village, tourner à droite en direction sud et poursuivre sur environ 7 km.
Secteur mont Gosford : de Notre-Dame-des-Bois, suivre la route 212 est sur 13 km. Tourner à droite sur le rang Tout-de-Joie, et faire 6 km. D'autres accès sont possibles, notamment dans les secteurs des monts Mégantic et Saddle.

DOCUMENTATION   Carte, topo-guide (au poste d'accueil du mont Gosford)
INFORMATION   819 544-9004 • 819 544-2027 • www.sentiersfrontaliers.qc.ca

49 STATION TOURISTIQUE MONT OWL'S HEAD

Cette station touristique, située en bordure du lac Memphrémagog et près des frontières du Vermont, propose des pistes de ski alpin servant à la marche durant la saison estivale. Les sentiers sillonnent une forêt mixte, peuplée de cerfs de Virginie, d'orignaux et de renards. On pourra parcourir la base de la montagne avant de grimper jusqu'à son sommet, d'une altitude d'environ 540 mètres. De là, on aura un panorama sur le lac et sur les montagnes ceinturant le site. Parmi celles-ci, on verra cinq monts connus dont les monts Jay Peak, Éléphant et Orford. On pourra apercevoir des oiseaux de proie survolant le territoire comme des urubus et des pygargues. En automne, durant la fin de semaine, la remontée mécanique est en service. 🐴

🏢 P � 🛏 🛋

RÉSEAU PÉDESTRE 6,0 km (mixte, intermédiaire, dénivelé maximum de 540 m)

HORAIRE De mai à octobre, du lever au coucher du soleil
TARIF Gratuit
ACCÈS De l'autoroute 10, emprunter la sortie 106 et prendre la route 245 sud jusqu'à South Bolton. Poursuivre vers le sud sur la route 243 jusqu'à Mansonville et suivre les indications pour Owl's Head sur environ 12 km.
DOCUMENTATION Carte (au pavillon administratif)
INFORMATION 450 292-3342 • 1 800 363-3342 • www.owlshead.com

50 ZEC SAINT-ROMAIN

Cette zec occupe un territoire d'une superficie de près de 2 000 hectares, recouvert d'une forêt mixte composée de sapins, d'épinettes, de pruches et de bouleaux. Une érablière est aussi présente. En parcourant le sentier, on longera la rivière Felton et ses huit fosses de pêche peuplées d'ombles de fontaine, de truites brunes et de ouananiches. On pourra admirer des petites cascades sur la rivière. Une passerelle permet de franchir un ruisseau. On pourra apercevoir des castors, des orignaux, des cerfs de Virginie et même des dindons sauvages ainsi que plusieurs autres espèces d'oiseaux. Le sentier est bordé de panneaux d'interprétation. L'un d'eux traite de l'histoire de la municipalité. 🐴

🏢 P ♦♦ ⌂ ▲ ⌂ 🎪 🎭 🌿 ⚡ 🚣

RÉSEAU PÉDESTRE 3,0 km

SENTIERS ET PARCOURS	LONGUEUR	TYPE	NIVEAU
Sentier de la rivière Felton	3,0 km	linéaire	débutant

HORAIRE De mai à septembre, du lever au coucher du soleil
Prudence pendant la période de chasse
TARIF 5,00 $ par personne
ACCÈS De Sherbrooke, emprunter la route 143 sud. Prendre ensuite la route 108 est. À l'intersection de la route 161, continuer sur la route 108. Le stationnement est situé 2 km plus loin, de long de la route, à droite.
DOCUMENTATION Dépliant (à l'accueil)
INFORMATION 418 486-7090 • 418 486-7320 • lyne.pelchat@tellambton.net

Centre-du-Québec

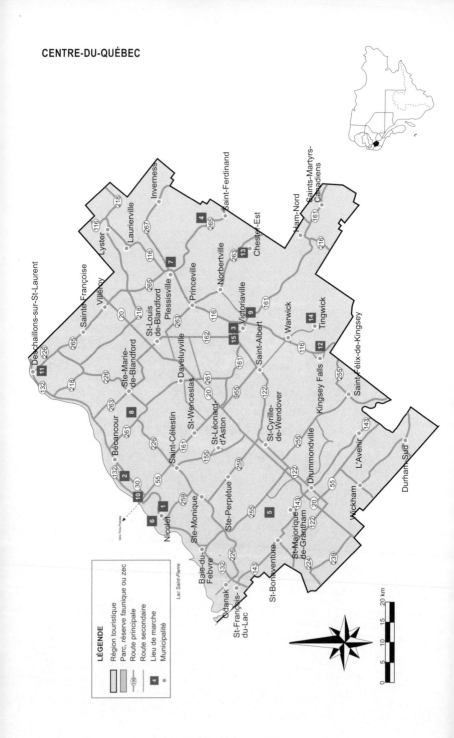

Photo page précédente : Parc du Mont Arthabaska (Tourisme Bois-Francs)

LIEUX DE MARCHE

1. BOISÉ DU SÉMINAIRE
2. CENTRE DE LA BIODIVERSITÉ DU QUÉBEC
3. CIRCUIT PATRIMONIAL DE VICTORIAVILLE
4. DOMAINE FRASER
5. FORÊT DRUMMOND
6. PARC DE L'ANSE-DU-PORT
7. PARC DE LA RIVIÈRE BOURBON
8. PARC DE LA RIVIÈRE GENTILLY
9. PARC DU MONT ARTHABASKA
10. PARC ÉCOLOGIQUE GODEFROY
11. PARC LINÉAIRE LE PETIT DESCHAILLONS/PARISVILLE
12. PARC MARIE-VICTORIN
13. SENTIER DES TROTTEURS
14. SENTIER LES PIEDS D'OR
15. VILLE DE VICTORIAVILLE

1 BOISÉ DU SÉMINAIRE

Ce boisé est constitué de deux parties, Séminaire et Saint-Joseph, séparées par le Boisé des Sœurs de l'Assomption. Il occupe un territoire d'une superficie de 10 hectares recouvert de hêtres à grandes feuilles, de bouleaux jaunes, d'érables à sucre, d'érables rouges et de pruches de l'est. Dans la partie Saint-Joseph, on trouve des pins sylvestres. En parcourant les sentiers, on verra des socles de statues ainsi que des clôtures, vestiges de l'ancienne Académie, société littéraire fondée par monsieur Gérin-Lajoie. On traversera aussi deux étangs tirant leur nom d'événements marquants pour ce lieu. Dans la partie du Séminaire, on retrouve un arbre notable, un pin âgé de plus de 200 ans et ayant une hauteur de plus de 34 mètres. Il est inscrit dans l'édition 1994 du répertoire de « Forêt conservation ».

RÉSEAU PÉDESTRE 1,0 km (boucle, débutant)

HORAIRE	Toute l'année, du lever au coucher du soleil
TARIF	Gratuit
ACCÈS	On accède à ce boisé à Nicolet, par la route 132. L'entrée principale est identifiée près de la cathédrale.
DOCUMENTATION	Dépliant (à l'hôtel de ville et au bureau d'information touristique)
INFORMATION	819 293-6158 • www.ville.nicolet.qc.ca

2 CENTRE DE LA BIODIVERSITÉ DU QUÉBEC

Les sentiers de ce centre passent à travers huit écosystèmes différents : la friche, le marais, le verger, la forêt de transition, la forêt de feuillus, la forêt de conifères, les mousses et l'orée des bois. On y trouve une prucheraie et une érablière, ainsi que l'ostryer, le frêne, le chêne, le bouleau et plusieurs fleurs. Des passerelles sont présentes dans les écosystèmes des mousses et du marais. On peut observer plusieurs  oiseaux et, avec de la chance, des chevreuils.

Autres : boutique, salle audio-visuelle, cueillette de pommes

RÉSEAU PÉDESTRE 4,0 km

SENTIERS ET PARCOURS	LONGUEUR	TYPE	NIVEAU
Petite Tournée	0,5 km	boucle	débutant
Mitoyen	1,5 km	boucle	débutant
La Grande Virée	2,0 km	boucle	débutant

HORAIRE	De mai à octobre, de 10 h à 17 h
TARIF	2,00 $ par personne
	Frais supplémentaires pour le centre d'interprétation
ACCÈS	De Trois-Rivières, prendre le pont Laviolette, puis la route 132 est. À Sainte-Angèle-de-Laval, prendre l'avenue des Jasmins.
DOCUMENTATION	Dépliant (à l'accueil et au bureau d'information touristique)
INFORMATION	819 222-5665 • 1 866 522-5665 • www.biodiversite.net

3 CIRCUIT PATRIMONIAL DE VICTORIAVILLE

Ce circuit, divisé en deux secteurs, passe dans les rues de la ville et fait découvrir plusieurs monuments historiques. Une interprétation est possible grâce à un dépliant et quelques panneaux dispersés le long du circuit. Le secteur Centre-ville permet de voir l'hôtel de ville. Le secteur Arthabaska passe par la maison Suzor-Coté, la maison Wilfrid-Pelletier et un musée. On pourra admirer des églises datant de la fin des années 1800. Durant l'été, la ville offre quatre visites guidées gratuites. Voir le site Web de la municipalité pour en connaître les dates. 🐴

🏛 P ⛹ (⛩ ✂

Note : le pavillon est accessible de mai à fin septembre

RÉSEAU PÉDESTRE 5,5 km (Multi : 5,5 km)

SENTIERS ET PARCOURS	LONGUEUR	TYPE	NIVEAU
Circuit patrimonial – secteur Centre-ville	3,8 km	boucle	débutant
Circuit patrimonial – secteur Arthabaska	1,7 km	linéaire	débutant

HORAIRE	D'avril à fin novembre, du lever au coucher du soleil
TARIF	Gratuit
ACCÈS	De la sortie 210 de l'autoroute 20, prendre la route 955. Tourner à gauche sur la route 122 est (boulevard Industriel) puis tourner à droite sur le boulevard des Bois-Francs Nord. Tourner encore à droite sur la rue de Bigarré. Le stationnement est situé à gauche, au numéro 20.
DOCUMENTATION	Circuit patrimonial de Victoriaville (à la vélo-gare du Grand Tronc, à l'hôtel de ville, au service de la vie active et culturelle, à la bibliothèque Charles-Édouard-Mailhot et au pavillon Arthabaska)
INFORMATION	819 357-8247 • 819 795-4323 • www.ville.victoriaville.qc.ca

4 DOMAINE FRASER

Le Domaine Fraser couvre un territoire de 200 hectares composé à parts égales de pré et de forêt. La majorité des arbres sont âgés. On y trouve le merisier, le hêtre, le sapin et l'épinette. Une érablière de 6 200 entailles est présente sur le site. Les deux sentiers sont en terrain montagneux et offrent une vue sur le lac William, mais seul le sentier Le Grand Nord se rend au sommet de la montagne. On pourra apercevoir des chevreuils, des ratons laveurs, des marmottes, des renards, des mouffettes et plusieurs autres animaux et oiseaux. Les animaux sont très faciles à approcher grâce à l'interdiction de chasse. 🐴

🏛 P ⛹ (⛩ 🏠 ⛴ 🏊

RÉSEAU PÉDESTRE 5,2 km (Multi : 5,2 km)

SENTIERS ET PARCOURS	LONGUEUR	TYPE	NIVEAU	DÉNIVELÉ
Le Lièvre	2,2 km	boucle	débutant	200 m
Le Grand Nord	3,0 km	boucle	intermédiaire	400 m

HORAIRE	Toute l'année, du lever au coucher du soleil
TARIF	5,00 $ par personne
ACCÈS	De la sortie 228 de l'autoroute 20, emprunter la route 165 en suivant les indications pour Thetford Mines. Tourner à gauche à Princeville sur la route 116, puis reprendre la route 165 à Plessisville vers le sud. Le Domaine se trouve à 15 km après Plessisville, sur la gauche.
INFORMATION	418 428-9551 • www.domainefraser.com

5 FORÊT DRUMMOND

Cette forêt est divisée en deux secteurs, Saint-Joachim et Saint-Majorique, séparés par l'autoroute 20. La rivière Saint-François serpente dans les deux secteurs. On trouve dans chacun de ceux-ci une forêt de plantation âgée d'environ 40 ans et une forêt naturelle. On pourra observer une centaine d'espèces d'oiseaux dont le geai bleu, la mésange, le canard et la paruline. La forêt offre des milieux naturels propices à l'habitat des pics et de la bécasse d'Amérique grâce aux chicots, aulnaies et milieux humides. Les sentiers du secteur Saint-Majorique traversent une forêt composée d'épinette blanche, de pin rouge, de pin blanc, d'érable rouge et de sapin. Certains sentiers longent la rivière. L'Empreinte se rend à sa rive pour ensuite mener à un observatoire à chevreuils, très présents dans la forêt. Le sentier L'Intermittent conduit à un observatoire permettant d'observer les castors sur l'étang. Le secteur Saint-Joachim recèle les mêmes arbres ainsi que plusieurs feuillus tels que le frêne, le bouleau jaune et l'érable à sucre. Le sentier La Rive longe la rivière, alors que La Panoramique permet d'admirer les rapides. On trouve également deux oiseaux au statut d'espèce vulnérable sur le territoire : le pygargue à tête blanche et la buse à épaulette. On peut visiter sur le territoire un écomusée de la forêt et de la rivière.

RÉSEAU PÉDESTRE 16,9 km (Multi : 8 km)

SENTIERS ET PARCOURS	LONGUEUR	TYPE	NIVEAU
Le Sylvicole	1,3 km	boucle	débutant
Les Ancêtres	1,3 km	boucle	débutant
L'intermittent	1,0 km	boucle	débutant
L'Empreinte	2,2 km	boucle	débutant
La Jonction	2,2 km	linéaire	débutant
La Plantation	2,6 km	linéaire	débutant
L'étang	0,9 km	linéaire	débutant
La Rive	3,2 km	linéaire	débutant
L'Héritage	1,0 km	boucle	débutant
La Panoramique	1,2 km	linéaire	débutant

HORAIRE	De mai à octobre, du lever au coucher du soleil
TARIF	Gratuit
ACCÈS	Secteur Saint-Majorique : prendre la sortie 179 de l'autoroute 20. Suivre le chemin du Golf en direction nord jusqu'au centre d'interprétation La Plaine (environ 10 km de l'autoroute 20). Secteur Saint-Joachim : prendre la sortie 181 de l'autoroute 20. Suivre le rang Sainte-Anne jusqu'au village de Saint-Joachim et stationner au parc Jean-Gamelin (environ 10 km de l'autoroute 20).
DOCUMENTATION	Carte des sentiers (au kiosque d'information touristique de Saint-Majorique)
INFORMATION	819 397-2885 • proformen@tlb.sympatico.ca

6 PARC DE L'ANSE-DU-PORT

Ce parc, situé sur les rives du fleuve Saint-Laurent, permet l'observation de phénomènes naturels. Le parcours débute au pavillon d'accueil et emprunte deux passerelles de bois surélevées au-dessus de la zone inondable du lac Saint-Pierre. La première, d'une longueur de 823 mètres, traverse une érablière argentée et mène à une tour d'observation d'une hauteur de 12,3 mètres offrant une vue sur le lac et le Fleuve. La deuxième, d'une longueur de 229 mètres, permet d'accéder aux rives du Fleuve. Des panneaux décrivant les différents écosystèmes jalonnent ces passerelles. On pourra accéder à la plage et observer une faune et une flore diversifiées. En saison, un programme d'interprétation avec guides est offert. 🐎

🏠P👫禾🛢️🚏🌿

RÉSEAU PÉDESTRE 1,5 km (linéaire, débutant)

HORAIRE Toute l'année, du lever au coucher du soleil
TARIF Gratuit
ACCÈS Du pont Laviolette à Trois-Rivières, suivre l'autoroute 55 sud et sortir à Saint-Grégoire. Prendre la route 132 ouest, tourner à droite sur la route du Port et continuer jusqu'au bout.
DOCUMENTATION Dépliant (à l'accueil, à l'hôtel de ville et au bureau d'information touristique)
INFORMATION 819 293-6901 • 819 293-6960 • www.ville.nicolet.qc.ca

7 PARC DE LA RIVIÈRE BOURBON

Ce parc, en plein cœur de la ville, permet de parcourir les deux rives de la rivière Bourbon, reliées au milieu du sentier par la passerelle Armand-Vaillancourt. De là, on a une vue sur l'île Louis-Philippe-Hébert. Cette passerelle est située dans un des trois secteurs du parc, le Carrefour de l'érable, où on peut voir le barrage Bertrand et une chute. Le sentier est à l'orée d'un boisé composé en majorité de feuillus et de fleurs. On apercevra des canards sur la rivière. 🐎

☆P🚶🏕⛵🏖🪑🚂🌿

RÉSEAU PÉDESTRE 2,0 km (Multi : 2 km) (mixte, débutant)

HORAIRE D'avril à octobre, du lever au coucher du soleil
TARIF Gratuit
ACCÈS De la route 116 à Plessisville, prendre la rue Saint-Calixte, puis tourner à droite sur l'avenue des Érables, et enfin à gauche sur la rue Trudelle.
INFORMATION 819 362-3284 • ville.plessisville.qc.ca

8 PARC DE LA RIVIÈRE GENTILLY

Les sentiers de ce parc sillonnent une forêt composée de pruches, d'épinettes, de sapins, de pins, de cèdres, d'érables, de bouleaux, de frênes et de chênes. On y apercevra des renards roux, des chevreuils, des ratons laveurs et des marmottes, ainsi

que plusieurs oiseaux dont le geai bleu, l'hirondelle, la mésange et le hibou. On peut voir un barrage de castors à l'entrée du parc. Le Grand Tronc passe par les rivières Beaudet et Gentilly, qu'on peut traverser grâce à des ponts. Les Cascatelles et Baies Sauvages passe par une zone où poussent des petits fruits comme la framboise, la fraise et le bleuet, et permet d'admirer un bassin naturel créé par la puissance du débit d'eau des cascatelles. Le Sublime donne sur les cascades de la rivière Gentilly, agrémenté d'un panneau d'interprétation. Les Découvertes est un sentier d'interprétation de la faune et de la flore. La Presqu'île mène à un emplacement de camping sauvage retiré, au bord de la rivière Gentilly. Le sentier L'Audacieux, très à pic, grimpe quelques collines. Il offre une vue sur la rivière Gentilly et sur un petit canyon. Le sentier d'Omer est un sentier d'interprétation avec sept panneaux racontant l'histoire de la famille Thibodeau à qui appartenait autrefois le terrain. Il mène à l'ancien site de la « mine de peinture », dont les seules traces encore visibles sont les pierres rouges qui étaient utilisées et qu'on retrouve tout le long de la rivière. La Petite Tournée fait le tour de certains sites de camping alors que la Grande Tournée est un ensemble de petits bouts reliant les sentiers entre eux. Les chevaux ne passent pas dans les sentiers pédestres, mais il est permis de marcher dans les sentiers équestres et ainsi admirer les chevaux. Le Parc de la rivière Gentilly offre à tous les membres de la Fédération québécoise de la marche, sur présentation de leur carte de membre en règle, un rabais de 10 % sur la tarification régulière de l'hébergement et un rabais de 25 % sur le tarif à l'entrée. 🐎

❁ P 👫 ⛩ ⛰ ⛰ ⛰ ⛱ 🏛 🚂 ⚜ ✀

RÉSEAU PÉDESTRE 15,0 km (Multi : 15 km)

SENTIERS ET PARCOURS	LONGUEUR	TYPE	NIVEAU
Le Grand Tronc	4,7 km	linéaire	débutant
Les Cascatelles et Baies sauvages	0,6 km	linéaire	débutant
Le Rustique	0,2 km	linéaire	débutant
La Panoplie	0,9 km	linéaire	débutant
Le Forestier	1,1 km	linéaire	débutant
La Grande Tournée	1,3 km	boucle	débutant
Le Sublime	1,1 km	linéaire	débutant
Les Découvertes	0,2 km	linéaire	débutant
La Croisée	1,1 km	linéaire	débutant
La Presqu'île	1,0 km	linéaire	débutant
L'Audacieux	0,9 km	linéaire	débutant
Le Pêcheur Intrépide	0,4 km	linéaire	débutant
La Petite Tournée	0,6 km	linéaire	débutant
Le Castor	0,4 km	linéaire	débutant
Le sentier d'Omer	0,5 km	linéaire	débutant

HORAIRE	Toute l'année
	Services : de début mai à fin octobre, du lever au coucher du soleil
TARIF	3,00 $ par personne
ACCÈS	De la sortie 235 de l'autoroute 20, prendre la route 263 jusqu'à Sainte-Marie-de-Blandford. Tourner à gauche sur la route 226 ouest et à droite sur la rue des Flamants. Continuer sur 4,5 km, jusqu'à l'accueil.
DOCUMENTATION	Dépliant (à l'accueil et au bureau d'information touristique)
INFORMATION	819 222-5665 • 1 866 522-5665 • www.rivieregentilly.com

9 PARC DU MONT ARTHABASKA

Depuis le pavillon, on peut voir une croix, et un belvédère offre un panorama sur la ville jusqu'à la plaine du Saint-Laurent. Par temps clair, on verra le pont Laviolette de Trois-Rivières, situé à 38 kilomètres de là. En regardant vers le réservoir Beaudet, on peut admirer, en saison, des envolées d'oies blanches. Ce parc, d'une superficie de 67 hectares, est presque entièrement

boisé. Il offre deux sentiers sillonnant une érablière et une forêt de conifères. On pourra y apercevoir des cerfs de Virginie. On trouve, le long du sentier Noir, trois mangeoires permettant l'observation des oiseaux ainsi que quelques nichoirs. Plus de 150 espèces ont été recensées, dont des parulines, des passereaux et des bruants. On peut aussi y voir une espèce très rare, la paruline du Kentucky. On y observe aussi des oiseaux de proie dont le pygargue à tête blanche et l'aigle royal. Des panneaux renseignent sur l'histoire de la ville, du mont et de sa croix. 🐾

🏠 P 🚶 (X ⛱ 🎿 ✍

RÉSEAU PÉDESTRE 7,2 km (Multi : 0,1 km)

SENTIERS ET PARCOURS	LONGUEUR	TYPE	NIVEAU	DÉNIVELÉ
Noir	6,2 km	mixte	débutant	150 m
Rouge	1,0 km	linéaire	débutant	100 m

HORAIRE	Toute l'année, du lever au coucher du soleil
TARIF	Gratuit
ACCÈS	<u>Bas de la montagne</u> : de Victoriaville, suivre la route 161 sud. Tourner à gauche sur la rue Laurier Est et tourner à droite sur la rue Girouard. Le stationnement se situe au bout.
	<u>Haut de la montagne</u> : de Victoriaville, suivre la route 161 sud puis continuer sur le boulevard des Bois-Francs Sud. Tourner ensuite à gauche sur le chemin du Mont-Saint-Michel et se rendre au pavillon.
DOCUMENTATION	Carte des sentiers du mont Arthabaska (à l'accueil)
INFORMATION	819 357-1756 • 819 357-8247 • www.montarthabaska.com

10 PARC ÉCOLOGIQUE GODEFROY

Ce parc en régénération comporte un marais et une zone inondable. Le point fort de ce parc est sa flore diversifiée, composée de chênes, d'érables et de quelques hêtres. On y retrouve aussi l'iris versicolore et le caryer ovale, avec son écorce en forme de lambeaux retroussés. Un sentier passe à travers une érablière. Le sentier de la Sauvagine longe la rivière Godefroy et mène à une tour d'observation offrant une vue sur la rivière. On apercevra des écureuils, des ratons-laveurs et des marmottes, ainsi que quelques oiseaux. Des panneaux d'interprétation renseignent sur la faune et la flore présentes. 🐾

⭐ P 🚶 ⛱ 🎿 🗼 🪑 🌿

RÉSEAU PÉDESTRE 2,7 km (Multi : 1,5 km)

SENTIERS ET PARCOURS	LONGUEUR	TYPE	NIVEAU
Sentier de l'Érablière	1,5 km	linéaire	débutant
Sentier de la Sauvagine	1,2 km	linéaire	débutant

HORAIRE	De mai à décembre, du lever au coucher du soleil
TARIF	Gratuit
ACCÈS	De Trois-Rivières, emprunter l'autoroute 55 en direction sud. Prendre ensuite la route 132 en direction est. Le stationnement se situe 1 km plus loin, à l'intersection de l'avenue Godefroy, à droite.
INFORMATION	819 294-6500

11 PARC LINÉAIRE LE PETIT DESCHAILLONS/PARISVILLE

Ce parc linéaire débute à la vieille gare de Parisville et emprunte l'ancienne voie ferroviaire, qui a marqué l'histoire de la ville. On y transportait autrefois le bois de la seigneurie. Il passe dans une forêt mixte, dans une prairie et coupe un rang où on peut voir plusieurs érablières. Un pont traverse la rivière du Chesne. On pourra apercevoir des chevreuils et plusieurs oiseaux. On peut découvrir l'histoire de la voie ferroviaire en visitant la gare-musée, à Parisville.

🏛P👥🚶🎣⛺🏠🚂🪑🌿♿🎿

RÉSEAU PÉDESTRE	5,3 km (Multi : 5,3 km) (linéaire, débutant)
HORAIRE	Toute l'année, du lever au coucher du soleil
TARIF	Gratuit
ACCÈS	De la sortie 253 de l'autoroute 20, emprunter la route 265 nord sur environ 22 km, soit jusqu'à Parisville. On peut accéder à ce parc en d'autres points le long du parcours.
DOCUMENTATION	Dépliant (à l'accueil et au bureau municipal)
INFORMATION	819 292-2222 • municipalite.parisville.qc.ca

12 PARC MARIE-VICTORIN

Ce parc est situé en bordure de la rivière Nicolet, au cœur de la ville de Kingsey Falls. Il a été inauguré en 1985 pour célébrer le centenaire et l'œuvre du frère Marie-Victorin (1885-1944), originaire de l'endroit. Ce lieu permet de découvrir neuf mosaïques florales géantes en trois dimensions. On peut également admirer cinq jardins thématiques répartis sur un territoire de plus de 11 hectares. On trouve plusieurs particularités et nouveautés dans ce parc dont un aménagement de vignes, une plante vivace, la paulownia, pouvant atteindre près de 4 mètres de hauteur, avec des feuilles de 1 mètre de diamètre, et l'aménagement d'un nid de guêpes géant. La chute de la rivière Nicolet est visible depuis un belvédère.

🏛P👥✖⛺🏭🪑🌳♿

Autres : boutique, chapiteau champêtre

RÉSEAU PÉDESTRE	3,0 km (boucle, débutant)
HORAIRE	De juin à septembre, de 9 h 30 à 18 h
TARIF	Adulte : 10,00 $
	Âge d'Or : 9,00 $
	Étudiant (6 ans à 17 ans) : 7,50 $
	Famille (2 adultes/2 enfants) : 26,00 $
ACCÈS	De l'autoroute 20, prendre la sortie 185 et emprunter la route 255 sud jusqu'à Kingsey. Suivre ensuite les indications pour Kingsey Falls où l'entrée du parc est identifiée.
DOCUMENTATION	Dépliant, plan du parc (à l'accueil)
INFORMATION	819 363-2528 • 1 888 753-PARC • www.parcmarievictorin.com

13 SENTIER DES TROTTEURS

Le sentier des Trotteurs est divisé en deux parties, le sentier des Cascades et le sentier du Pic. Ceux-ci traversent différents groupements forestiers. On y retrouve une érablière à bouleau jaune, typique de la région, et une cédrière. Les différentes espèces présentes sont le cerisier, l'ostryer de Virginie, le noyer cendré, l'érable à sucre, le chêne rouge et le pin blanc. On y voit aussi des épinettes rouge, blanche et de Norvège. Le sentier des Cascades longe deux petits ruisseaux, formant des cascades, qui rejoignent la rivière Bulstrode. Le sentier du Pic, quant à lui, passe aussi par une zone de pessière. Au point culminant de ce sentier, on peut voir des éricacées comme des bleuets. L'érablière offre des points de vue sur la rivière et sur le village de Trottier. Une portion monte en pente raide sur 50 mètres et permet de voir la roche mère. Un câble a été installé pour faciliter la montée. En parcourant ces sentiers, on peut apercevoir des cerfs, des lièvres, des renards roux et beaucoup d'oiseaux dont l'urubu et le pic-bois. 🐴

✳P👫🛏🎣⛰🏊

RÉSEAU PÉDESTRE 11,0 km

SENTIERS ET PARCOURS	LONGUEUR	TYPE	NIVEAU	DÉNIVELÉ
Sentier des Cascades	5,0 km	boucle	débutant	90 m
Sentier du Pic	6,0 km	boucle	intermédiaire	250 m

HORAIRE	Toute l'année, du lever au coucher du soleil Demeurer dans le sentier. Le port du dossard est conseillé de mi-septembre à fin novembre.
TARIF	Gratuit Une boîte de perception volontaire se trouve à l'accueil.
ACCÈS	De Victoriaville, suivre la route 161 sud et tourner à gauche sur la rue Laurier Est. Tourner à droite sur la route 263 sud et continuer sur 12 km environ. Le stationnement est situé sur le long de la route, à l'intersection de la rue Guillemette, un peu avant la municipalité de Chester-Est.
DOCUMENTATION	Dépliant (à l'accueil)
INFORMATION	819 758-5480 • soixante@ivic.qc.ca

14 SENTIER LES PIEDS D'OR

Débutant à l'arrière de la salle municipale, ce sentier sillonne un boisé composé en majorité de feuillus tels que le hêtre, l'érable rouge, le peuplier et plusieurs arbres à fruits. Quelques pins et sapins sont présents. On pourra admirer une chute. Une croix et une statue de la Sainte Vierge bordent le sentier. Grâce à l'installation de mangeoires, de nichoirs et d'un kiosque d'ornithologie, on pourra observer des oiseaux et se renseigner à leur sujet. On peut se reposer en admirant le paysage, des bancs étant dispersés le long du sentier. 🐴

✳P👫🛏🏠🌿

RÉSEAU PÉDESTRE 1,5 km (Multi : 1,5 km) (boucle, débutant)

HORAIRE	Toute l'année, du lever au coucher du soleil
TARIF	Gratuit
ACCÈS	De Victoriaville, emprunter la route 116 en direction ouest jusqu'à Warwick. Suivre le chemin de Warwick jusqu'à Tingwick. Le sentier débute à l'arrière de la salle municipale, au 1266, rue Saint-Joseph.
DOCUMENTATION	Dépliant (au bureau municipal et à la caisse populaire)
INFORMATION	819 359-2443

Répertoire des lieux de marche au Québec

15 VILLE DE VICTORIAVILLE

Différents parcours font découvrir le cœur de la ville. L'un d'eux contourne le réservoir Beaudet, dans lequel se jette la rivière Bulstrode. On pourra y observer des oies blanches. La promenade des Aînés passe dans un boisé de feuillus et mène à la fromagerie Victoria, qui fabrique du fromage en grains depuis 25 ans. Le parc Terre des Jeunes est un parc urbain couvert d'un boisé de feuillus. On y longera en partie la rivière Nicolet. Dans une grande clairière, il y a deux foyers pour faire du feu.

RÉSEAU PÉDESTRE 28,5 km (Multi : 28,5 km)

SENTIERS ET PARCOURS	LONGUEUR	TYPE	NIVEAU
Lac du réservoir Beaudet	8,5 km	boucle	débutant
Promenade des Aînés	3,0 km	linéaire	débutant
Parc Terre des Jeunes	6,5 km	mixte	débutant
Promenade Jutras-Lavergne	4,0 km	linéaire	débutant
Promenade Girouard-L'Abbé	6,5 km	linéaire	débutant

HORAIRE	De mai à novembre, du lever au coucher du soleil
TARIF	Gratuit
ACCÈS	Les principaux accès se trouvent au cœur de Victoriaville, via la vélo-gare.
DOCUMENTATION	Carte des sentiers (à la vélo-gare de Victoriaville)
INFORMATION	819 357-1756 • 819 357-8247 • www.ville.victoriaville.qc.ca

Charlevoix

CHARLEVOIX

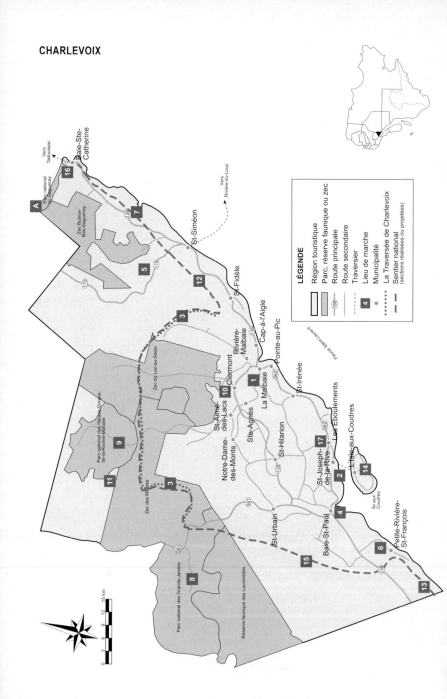

Photo page précédente : Parc des Hautes-Gorges-de-la-Rivière-Malbaie (LMI - Daniel Pouplot)

Répertoire des lieux de marche au Québec

LIEUX DE MARCHE

1   CENTRE DE PLEIN AIR LES SOURCES JOYEUSES
2   DOMAINE CHARLEVOIX
3   LA TRAVERSÉE DE CHARLEVOIX
4   LE BOISÉ DU QUAI
5   LES PALISSADES, PARC D'AVENTURE EN MONTAGNE
6   LES SENTIERS À LIGUORI
7   PARC MUNICIPAL DE LA BAIE-DES-ROCHERS
8   PARC NATIONAL DES GRANDS-JARDINS
9   PARC NATIONAL DES HAUTES-GORGES-DE-LA-RIVIÈRE-MALBAIE
10   PARCOURS DES BERGES DE LA RIVIÈRE MALBAIE
11   POURVOIRIE DU LAC MOREAU
12   SENTIER DE L'ORIGNAC
13   SENTIER DES CAPS DE CHARLEVOIX
14   SENTIER DES CHOUENNEUX
15   SENTIER DES FLORENT
16   SENTIERS DE BAIE-SAINTE-CATHERINE
17   SENTIERS PÉDESTRES LES ÉBOULEMENTS

A   PARC NATIONAL DU SAGUENAY
    (RÉGION SAGUENAY – LAC-SAINT-JEAN)

Tourisme
Charlevoix
www.tourisme-charlevoix.com

1   CENTRE DE PLEIN AIR LES SOURCES JOYEUSES

Le centre de plein air, aménagé au cœur du cratère de Charlevoix, bénéficie d'un terrain d'une superficie de 125 hectares. Le seul sentier accessible durant la période estivale permet d'atteindre la tour d'observation Le Mirador. Cette construction de bois, d'une hauteur de 8 mètres, offre une vue de 360 degrés sur une distance de plus de 40 km à la ronde. On pourra apercevoir les montagnes avoisinantes, les vallées et les villages de l'arrière-pays, ainsi que le fleuve Saint-Laurent. Le territoire est recouvert d'une forêt de pins gris et d'épinettes blanches.

★P⅌ℐ❀

RÉSEAU PÉDESTRE 2,0 km (linéaire, débutant)

HORAIRE	Toute l'année, de 8 h à 18 h
TARIF	Gratuit
ACCÈS	De La Malbaie, suivre les indications pour l'aéroport, près duquel se trouve le Centre.
DOCUMENTATION	Dépliant et carte des sentiers (au kiosque d'information touristique de La Malbaie.)
INFORMATION	418 665-4858 • 418 665-4503 • lessourcesjoyeuses.site.voila.fr

2   DOMAINE CHARLEVOIX

Ce centre récréo-touristique et de plein air propose trois sentiers sillonnant une forêt mixte peuplée de cerfs de Virginie et de tamias rayés. Le sentier musical porte ce nom car de la musique classique joue tout au long du chemin. Le sentier de la Pénombre passe par une aire de pique-nique et une maison de thé en bordure du lac Laure-Conan. On y verra aussi un jardin anglais, aménagé à l'intérieur des ruines d'un ancien manoir. Le chemin René-Richard offre des points de vue sur le Fleuve et descend jusqu'à sa rive. On verra deux chutes, hautes de 22 et 30 mètres, ainsi que des cascades. À la terrasse Félix-Antoine-Savard, on pourra se reposer et contempler le panorama sur l'ensemble du domaine, de Petite-Rivière-Saint-François jusqu'aux Éboulements, avec l'île aux Coudres en face. 🐾

🏛P👫✕⅌🚰🚌■ Autre : maison de thé

RÉSEAU PÉDESTRE 5,7 km

SENTIERS ET PARCOURS	LONGUEUR	TYPE	NIVEAU	DÉNIVELÉ
Sentier musical	0,7 km	linéaire	débutant	
Chemin René-Richard	4,0 km	linéaire	avancé	390 m
Sentier de la Pénombre	1,0 km	linéaire	débutant	

HORAIRE	Du 24 juin à la fête du Travail, de 10 h à 17 h
TARIF	Adulte : 10,00 $ Enfant (6 à 12 ans) : 5,00 $ Enfant (moins de 6 ans) : gratuit Les prix incluent la navette
ACCÈS	De Baie-Saint-Paul, suivre la route 362 vers l'est sur 7 km, soit jusqu'au Domaine.
DOCUMENTATION	Dépliant, carte (à l'accueil)
INFORMATION	418 435-2626

Réservé aux randonneurs expérimentés, ce sentier de longue randonnée, qui s'effectue en sept jours, relie le parc national des Grands-Jardins au mont Grand-Fonds à travers l'arrière-pays de Charlevoix. Ce parcours, sillonnant la forêt semi-boréale typique de la région, est ponctué de nombreuses pentes parfois abruptes à cause des sommets

environnants atteignant jusqu'à 850 mètres d'altitude. On traversera plusieurs cours d'eau grâce à des ponts. On aura une vue sur les vallées du parc national des Hautes-Gorges-de-la-Rivière-Malbaie, ainsi que sur les rivières du Gouffre et Malbaie que le parcours surplombe en partie. Le sentier du Mont du Lac à l'Empêche est jalonné de panneaux traitant de la flore, de la faune et de la géologie du territoire. On pourra passer la nuit dans un des refuges et chalets bordant le trajet. Il est obligatoire de s'enregitrer au poste d'accueil avant de parcourir le sentier.Le sentier étant peu entretenu et sommairement balisé, on doit être autonome à tous les points de vue : sécurité, premiers soins, orientation. 🐕 (les chiens sont admis au mont du Lac à l'Empêche et sur les 30 premiers kilomètres de la Traversée de Charlevoix)

🏛 P 👫 🏠 🏕 🌲 🚌 💼

RÉSEAU PÉDESTRE 120,0 km (Multi : 75 km)

SENTIERS ET PARCOURS	LONGUEUR	TYPE	NIVEAU	DÉNIVELÉ
La Traversée de Charlevoix	100,0 km	linéaire	avancé	400 m
Mont du Lac à l'Empêche	20,0 km	boucle	intermédiaire	250 m

HORAIRE	Toute l'année, du lever au coucher du soleil
	En période de chasse, le port du dossard et de la casquette orange est obligatoire.
TARIF	Tarification pour la traversée
	Contribution volontaire (boîte de perception) pour le mont du Lac à l'Empêche
ACCÈS	De Baie-Saint-Paul, suivre la route 138 est, puis la route 381 nord jusqu'au poste d'accueil au km 10,6. Ce dernier, une maison blanche, est situé à droite, derrière l'ancien musée. Le départ du sentier est au km 27 de la roue 381.
DOCUMENTATION	Carte de La Traversée, dépliant, carte des Hauts Monts, livre L'autre nature de Charlevoix. (à l'accueil)
INFORMATION	418 639-2284 • www.charlevoix.net/traverse

JCT   PARC NATIONAL DES GRANDS-JARDINS ; SENTIER DE L'ORIGNAC

4   LE BOISÉ DU QUAI

À proximité du quai de Baie-Saint-Paul, on trouve ce sentier longeant le littoral du Saint-Laurent. En le parcourant, on traversera un boisé mixte et une pinède, on aura accès à la plage et on gravira des dunes. Dans un champ, une tour d'observation offre une vue sur l'ensemble d'un marais aménagé par Canards Illimités. On pourra apercevoir plusieurs espèces d'oiseaux. Une habitation construite pour l'émission du « rebut global » est présente sur le territoire. 🐴

⚲P🌲🛏🚂🎒🌿🎿

RÉSEAU PÉDESTRE   2,5 km (Multi : 2,5 km)

HORAIRE   Toute l'année, du lever au coucher du soleil

TARIF   Gratuit

SENTIERS ET PARCOURS	LONGUEUR	TYPE	NIVEAU
Sentier de la Tour	2,5 km	mixte	débutant

ACCÈS   On accède à ce lieu à partir du centre-ville de Baie-Saint-Paul. Prendre la rue Sainte-Anne, près de l'église, et faire 2 km pour se rendre au quai.

DOCUMENTATION   Carte des sentiers (à l'entrée du site)

INFORMATION   418 435-2205 • www.baiestpaul.com/nature_pleinair.php

5   LES PALISSADES, PARC D'AVENTURE EN MONTAGNE

Le nom « Palissades » provient des escarpements rocheux qu'on y retrouve. En parcourant les sentiers, on longera et surplombera des falaises reconnues comme les plus hautes parois en montagne au Québec, avec une hauteur de plus de 400 mètres. L'Aigle mène à des belvédères situés dans une zone rocheuse recouverte de lichens. Le Sylvain passe par une sapinière, une pessière et une pinède grise, et permet d'admirer une cascade. Du haut d'un button, on aura un panorama de 360 degrés sur les environs. Le Sabot passe près de blocs erratiques et mène à un belvédère donnant sur le marais et le lac à Jean, d'origine glaciaire. Le Rocher perdu traverse différents milieux : pinède grise, bétulaie, érablière, cédrière et sapinière. On verra des espèces rares comme le sabot de la Vierge. 🐴 (sur une portion de 6 km)

🌟⚲👫🧗🍴🌲🏠🛏🚂🎒🌿🛶

Autres : via ferrata, spa, sauna et bain nordique

SENTIERS ET PARCOURS	LONGUEUR	TYPE	NIVEAU	DÉNIVELÉ
L'Aigle	4,4 km	boucle	intermédiaire	200 m
Le Sylvain	3,0 km	linéaire	débutant	140 m
Le Sabot	1,9 km	boucle	débutant	100 m
Les Grandes Dalles et Amphithéatre	3,4 km	mixte	avancé	150 m
Le Refuge et paroi école	1,5 km	linéaire	intermédiaire	140 m
Le Rocher perdu	2,9 km	boucle	intermédiaire	50 m

HORAIRE	Les fins de semaine : du 1er mai au 1er novembre Tous les jours : du 15 juin au 1er septembre, de 8 h au coucher du soleil
TARIF	Adulte (18 ans et plus) : 5,00 $ Aîné (60 ans et plus) : 3,00 $ Jeune (6 à 17 ans) : 3,00 $ Enfant (moins de 6 ans) : gratuit
ACCÈS	De Saint-Siméon, suivre la route 170 sur environ 12 km.
DOCUMENTATION	Dépliant, carte, guide d'interprétation de la nature (à l'accueil)
INFORMATION	418 647-4422 • 418 638-3833 • www.rocgyms.com

[JCT] SENTIER DE L'ORIGNAC

6 LES SENTIERS À LIGUORI

Ces sentiers arpentent un territoire ayant été la propriété de la famille Simard du XVIIIe siècle jusqu'en 1976. Ce réseau a été nommé ainsi par Liguori Simard, un des derniers propriétaires. Représentatif de son époque, on trouve, sur ce site, un verger, une érablière et des champs. La diversité des habitats favorise la présence de mammifères comme l'orignal, le cerf de Virginie et le lièvre. On pourra admirer une chute le long de la rivière et on aura des points de vue sur le village côtier.

RÉSEAU PÉDESTRE	31,0 km (mixte, débutant)
HORAIRE	Toute l'année, De mi-avril à mi-décembre : de 8 h à 16 h
TARIF	3,00 $ par personne Enfant (12 ans et moins) : gratuit
ACCÈS	À partir de la route 138, tourner sur la route qui mène à Petite-Rivière-Saint-François. Traverser le village. Le sentier est indiqué à droite de la route, une dizaine de kilomètres plus loin.
DOCUMENTATION	Dépliant-carte (à l'accueil)
INFORMATION	418 632-5551 • 418 632-5831 • liguori@charlevoix.net

[JCT] SENTIER DES CAPS DE CHARLEVOIX

7 PARC MUNICIPAL DE LA BAIE-DES-ROCHERS

Ce parc se caractérise par la présence de deux milieux, marin et forestier, cohabitant. Il s'agit en fait d'un lieu de transition, les sentiers étant tous en forêt mais comprenant de nombreuses ouvertures sur le Fleuve. Des bancs permettent de se reposer et d'observer le niveau de la marée ainsi que les oiseaux marins et forestiers présents. On pourra parfois apercevoir des mammifères marins comme des phoques, des bélugas et des rorquals. Le sentier Chute à ma Grand-Mère mène à cette chute haute d'environ 6 mètres. À marée basse, les visiteurs peuvent se rendre sur une île au territoire escarpé, accessible depuis le quai. En octobre, des biologistes viennent étudier les spécimens des fonds marins comme les vers de mer, oursins, algues, etc. 🐴

★ P 👥 🎋 ⌂ ▲ 🚠 🚞 Autre : quai

RÉSEAU PÉDESTRE 6,4 km

SENTIERS ET PARCOURS	LONGUEUR	TYPE	NIVEAU	DÉNIVELÉ
Anse de Sable	3,5 km	mixte	débutant	150 m
Coulée des Mâts	1,6 km	linéaire	débutant	175 m
Chute à ma Grand-Mère	1,3 km	boucle	débutant	125 m

HORAIRE	De mai à novembre, du lever au coucher du soleil
	Prudence pendant la période de chasse
TARIF	Gratuit
ACCÈS	De Saint-Siméon, suivre la route 138 vers l'est sur une distance d'environ 16 km. À Baie-des-Rochers, tourner à droite sur la rue de la Chapelle et poursuivre sur 2,5 km, soit jusqu'au quai.
INFORMATION	418 638-2451 • 418 638-2691 • munvstsimeon@hotmail.com

8 PARC NATIONAL DES GRANDS-JARDINS

Ce parc, d'une superficie de 310 km², a été créé en 1981 pour préserver la taïga et les caribous du territoire. Le nom du parc évoque sa végétation : toundra, végétation alpine et sub-arctique, lichens et arbustes, ainsi que forêts de feuillus, de conifères et boréale qui sont parsemées de lacs. Au sommet du mont du Lac des Cygnes, d'une altitude de 980 mètres, un belvédère donne sur le Fleuve, la vallée du Gouffre,  le cratère de Charlevoix et les sommets du parc. Le Gros Pin offre une vue sur le contrefort. Le Pionnier parcourt les rives de la Petite rivière Malbaie. La Pinède, qui traite des peuplements forestiers et de l'habitat du caribou, est l'un des deux sentiers d'interprétation du parc. Des feux de forêt ont contribué à l'apparition d'une faune ailée distinctive, comme le pic à dos noir.

🏠P🚶🛏🍴⛱⛰🛖🏬🏕🎒🎏🌾🏊💼

RÉSEAU PÉDESTRE 27,8 km

SENTIERS ET PARCOURS	LONGUEUR	TYPE	NIVEAU	DÉNIVELÉ
Mont du Lac des Cygnes	2,6 km	linéaire	intermédiaire	470 m
Le Boréal	1,9 km	boucle	débutant	
La Pinède	5,3 km	boucle	débutant	
De la Chute	2,5 km	linéaire	débutant	
Le Pommereau	1,0 km	linéaire	débutant	
Le Gros Pin	1,8 km	boucle	débutant	
Le Pionnier	2,8 km	linéaire	débutant	
Lac Pioui	9,9 km	boucle	intermédiaire	470 m

HORAIRE	De fin-mai à l'Action de grâce (secteur des Plateaux)
	Toute l'année (secteur Mont du Lac des Cygnes), du lever au coucher du soleil
TARIF	Voir la tarification des Parcs nationaux du Québec à la page 15 de cet ouvrage.
ACCÈS	De Baie-Saint-Paul, suivre la route 138 est, puis la route 381 jusqu'au parc.
DOCUMENTATION	Carte, journal du parc (à l'accueil)
INFORMATION	418 439-1277 • 1 800 665-6527 • www.parcsquebec.com

JCT　LA TRAVERSÉE DE CHARLEVOIX

9　PARC NATIONAL DES HAUTES-GORGES-DE-LA-RIVIÈRE-MALBAIE

Ce parc, d'une superficie de près de 225 km², a été nommé ainsi en raison de ses vallées situées entre de hautes montagnes dont les sommets peuvent atteindre plus de

1 000 mètres. La rivière Malbaie serpente à travers ce territoire couvert de presque tous les milieux forestiers du Québec, de l'érablière à la toundra alpine en passant par les forêts de feuillus, mixte et boréale. L'Acropole des Draveurs mène au plus haut sommet du parc, d'une altitude de 1 048 mètres. L'Érablière traverse une érablière à ormes et frênes d'Amérique, des peuplements inhabituels dans ce milieu boréal. La Martre est l'emblème du parc. On pourra apercevoir des caribous et des visons ainsi que deux espèces rares, le pygargue à tête blanche et l'aigle royal. On trouve en haute altitude la végétation rabougrie des krummholz. Le parc renferme les falaises les plus hautes à l'est des Rocheuses. La chute des Martres n'est accessible que par la pourvoirie du lac Moreau.

RÉSEAU PÉDESTRE 8,7 km

SENTIERS ET PARCOURS	LONGUEUR	TYPE	NIVEAU	DÉNIVELÉ
L'Acropole des Draveurs	4,5 km	linéaire	avancé	800 m
Le Belvédère	0,1 km	linéaire	débutant	
L'Érablière	0,9 km	linéaire	débutant	
Le Pied des sommets	0,6 km	boucle	débutant	
La Chute du Ruisseau blanc	0,5 km	linéaire	débutant	
Sentier de la Chute des Martres (portion du parc)	0,3 km	linéaire	intermédiaire	
Le Riverain	1,8 km	linéaire	débutant	

HORAIRE	De mi-mai à mi-octobre, de 8 h à 18 h
TARIF	Voir la tarification des Parcs nationaux du Québec à la page 15 de cet ouvrage.
ACCÈS	De la route 138, prendre la direction de Saint-Aimé-des-Lacs et poursuivre sur la rue Principale. Continuer en suivant les indications, sur une distance de 27 km, soit jusqu'à l'entrée du parc.
DOCUMENTATION	Carte, journal du parc, dépliant (à l'accueil)
INFORMATION	418 439-1227 • www.sepaq.com

10 PARCOURS DES BERGES DE LA RIVIÈRE MALBAIE

Ce parc linéaire, débutant près du pont Menaud, longe les berges de la rivière Malbaie. À son point de départ, on trouve une scène extérieure présentant des spectacles durant la saison estivale. En effectuant le parcours, agrémenté de panneaux sur les origines de la municipalité, on gravira une colline d'où on aura un panorama sur les montagnes environnantes et la région. On verra aussi des fosses destinées à la pêche au saumon.

 Autre : boutique

RÉSEAU PÉDESTRE	4,0 km (Multi : 4 km) (linéaire, débutant)
HORAIRE	Toute l'année, du lever au coucher du soleil

TARIF	Gratuit
ACCÈS	De la route 138 (boul. Notre-Dame) à Clermont, tourner sur la rue Saint-Philippe. Faire 0,6 km et tourner à droite avant le pont Menaud sur la rue de la Rivière. Le parcours débute à quelques mètres du pont.
DOCUMENTATION	Dépliants (à l'accueil, au bureau de l'ATR de Charlevoix et à l'hôtel de ville de Clermont)
INFORMATION	418 439-3773 • 418 439-3931 • villedeclermont@qc.aira.com

11 POURVOIRIE DU LAC MOREAU

Son territoire couvre une superficie de 81 km² et comprend 32 lacs. La pourvoirie est délimitée par la rivière Malbaie et le parc national des Hautes-Gorges-de-la-Rivière-Malbaie, et est situé juste à l'est du parc national des Grands-Jardins. Le sentier de la Loutre débute à l'auberge du Ravage, passe entre les lacs Moreau et de la Loutre, et va rejoindre le sentier de la Chute des Martres. Ce dernier longe une rivière flanquée de deux palissades rocheuses. Il mène au pied de la chute des Martres, composée de trois bassins et haute de 150 mètres. Cette chute se trouve sur le territoire du parc national des Hautes-Gorges-de-la-Rivière-Malbaie. Un stationnement est aménagé au départ du sentier de la Chute des Martres.🐕

RÉSEAU PÉDESTRE 12,0 km (Multi : 7 km)

SENTIERS ET PARCOURS	LONGUEUR	TYPE	NIVEAU	DÉNIVELÉ
Sentier de la Chute des Martres	5,0 km	linéaire	intermédiaire	200 m
Sentier de la Loutre	7,0 km	linéaire	intermédiaire	

HORAIRE	Toute l'année, du lever au coucher du soleil
	Prudence pendant la période de chasse.
TARIF	Gratuit
	Sentier de la Chute des Martres : 5,00 $ (comprenant 3,50 $ pour le parc national et 1,50 $ pour la pourvoirie)
	Frais de stationnement : 8,00 $
ACCÈS	De Baie-Saint-Paul, suivre la route 138 est sur 10 km, puis prendre la route 381 nord. Continuer sur 55 km, puis tourner à droite sur un chemin forestier. Le stationnement de l'accueil est à 8 km, tandis que celui de l'auberge du Ravage est à 14 km. De la route 138, des écriteaux indiquent le chemin pour la pourvoirie.
DOCUMENTATION	Carte (à l'accueil et à l'auberge du Ravage)
INFORMATION	418 665-4400 • 1 888 766-7328 • www.lacmoreau.com

12 SENTIER DE L'ORIGNAC 🅰 SENTIER NATIONAL

Ce sentier se distingue par son caractère sauvage. En le parcourant, on sillonnera une diversité d'écosystèmes, passant de l'érablière à la toundra. Le sentier de L'Orignac-Est débute au lac McLeod, chemine dans une plantation de pins gris et grimpe vers ses premiers points de vue. On pourra apercevoir le mont Grand-Fonds, la vallée de la rivière Noire ainsi que Les Palissades. Plus loin, on croisera le Petit lac Noir. Au sommet de la montagne des Taillis se trouve une pessière ouverte à cladina. De cet endroit, on pourra contempler le fleuve Saint-Laurent et la vallée de la faille géologique Les Palissades. Prévoir une distance de 5 km supplémentaires pour se rendre au camp Arthur-Savard depuis le sentier principal. 🐕

RÉSEAU PÉDESTRE 29,0 km

Charlevoix

SENTIERS ET PARCOURS	LONGUEUR	TYPE	NIVEAU	DÉNIVELÉ
Sentier de L'Orignac-Est	11,7 km	linéaire	intermédiaire	365 m

HORAIRE Toute l'année, du lever au coucher du soleil
On suggère de ne pas randonner durant la période de chasse.

TARIF Gratuit

ACCÈS Accès mont Grand-Fonds : de Québec, emprunter la route 138 est jusqu'à La Malbaie. Tourner à gauche sur le chemin des Loisirs. Le mont Grand-Fonds est situé au 1000, chemin des Loisirs.
Accès lac McLeod : de Québec, emprunter la route 138 est jusqu'à Port-au-Persil. Tourner à gauche sur le chemin Breton et continuer sur 10 km. Suivre la signalisation du sentier jusqu'au stationnement.
Accès Camp Arthur-Savard : de Québec, emprunter la route 138 est jusqu'à Saint-Siméon. Tourner à gauche sur le chemin Saint-Léon. Suivre la signalisation du sentier jusqu'au stationnement. Le départ s'effectue à l'arrière de l'hôtel Saint-Siméon

DOCUMENTATION Carte (au bureau de Sentiers de la Capitale, au 14, rue Saint-Amand, à Loretteville)

INFORMATION 418 840-1221 • amarcoux@qc.aira.com

JCT LA TRAVERSÉE DE CHARLEVOIX ; LES PALISSADES , PARC D'AVENTURE EN MONTAGNE

13 SENTIER DES CAPS DE CHARLEVOIX SENTIER NATIONAL

Ce sentier de longue randonnée relie Cap Tourmente et Petite-Rivière-Saint-François en passant par Saint-Tite-des-Caps. On peut faire aussi de courtes randonnées dans trois secteurs. La majeure partie du parcours longe la falaise bordant le fleuve Saint-Laurent et offre différents panoramas sur ce dernier ainsi que sur l'archipel de Montmagny et l'île aux Coudres. Le sentier de la Chute traverse une forêt désignée écosystème forestier exceptionnel à titre de forêt ancienne par le MRN pour ses arbres âgés d'environ 400 ans. Un belvédère donne sur une chute d'une hauteur de 7 mètres. Le sentier du Cap-Rouge, peuplé de fleurs, de bouleaux jaunes et de sorbiers, passe par une érablière et aboutit à la base d'une falaise. Au début du sentier, un belvédère donne sur Saint-Tite-des-Caps. Le sentier du Cap-Brûlé sillonne une forêt de pins gris. Le sentier de l'Anse de la Montée du Lac passe par différents peuplements forestiers dont une prucheraie, une bétulaie et une forêt de pins blancs. Le sentier descend en bordure du Fleuve avant de remonter. Le sentier du Lac à Thomas recèle une faune et une flore diversifiées, comprenant le lynx et le thé du Labrador. 🐕 (Les chiens sont acceptés sur une portion de 56,9 km dans le cadre de randonnées d'un jour mais sont interdits en longue randonnée.)

🏠 P 👬 🍵 🍴 🏕 🏘 🎣 🌿 🚫 🚌 💼 Autre : déplacement de véhicule

RÉSEAU PÉDESTRE 107,9 km

SENTIERS ET PARCOURS	LONGUEUR	TYPE	NIVEAU	DÉNIVELÉ
Sentier des Caps	51,0 km	linéaire	avancé	750 m
Sentier de la Chute	5,0 km	mixte	intermédiaire	250 m
Sentier du Cap-Rouge	6,2 km	boucle	intermédiaire	200 m
Sentier du Cap-Brûlé	6,0 km	linéaire	intermédiaire	
Sentier de l'Anse de la Montée du Lac	9,5 km	boucle	avancé	450 m
Sentier du Lac à Thomas	8,7 km	boucle	débutant	
Sentier de la Grande Ligori	7,5 km	boucle	intermédiaire	
Sentier de la Chouette	3,0 km	boucle	débutant	
Sentier de L'Abattis	11,0 km	boucle	intermédiaire	

HORAIRE	Toute l'année (fermé de mi-avril à mi-mai), de 8 h 30 à 17 h
TARIF	6,84 $ par personne
	10 ans et moins : gratuit
ACCÈS	De Québec, suivre la route 138 en direction est jusqu'à la municipalité de Saint-Tite-des-Caps. Tourner à gauche entre l'auberge des Caps et la station d'essence. L'accueil se situe au 2, rue Leclerc sur le coin de la route 138.
DOCUMENTATION	Carte, dépliant (à l'accueil)
INFORMATION	418 823-1117 • 1 866 823-1117 • www.sentierdescaps.com

JCT   LES SENTIERS À LIGUORI ; RÉSERVE NATIONALE DE FAUNE DU CAP TOURMENTE (QUÉBEC)

14   SENTIER DES CHOUENNEUX

En parcourant ce sentier, on traversera un boisé mixte dans lequel on pourra apercevoir la petite faune. On atteindra une tour d'observation offrant une vue sur la côte des Éboulements. Un pont couvert, d'une longueur de 6 mètres, permet de franchir un ruisseau, tandis qu'un pont suspendu, long de 23 mètres, traverse un autre cours d'eau. On en apprendra sur les us et coutumes de l'époque ainsi que sur la manière dont les gens interprétaient les signes de la nature grâce à des lutrins d'interprétation dispersés le long du sentier. 🐴

★ 🎋 🏛 🚩🌉 💧🌿🚣 Autre : pont couvert

RÉSEAU PÉDESTRE   3,0 km (mixte, débutant)

HORAIRE	Toute l'année, du lever au coucher du soleil
TARIF	Gratuit
ACCÈS	De Baie-Saint-Paul, prendre la route 362 jusqu'à Saint-Joseph-de-la-Rive où on prend le traversier pour l'île aux Coudres. Sur l'île, le sentier débute immédiatement après la Maison Croche, au 808, chemin des Coudriers. On peut également prendre le sentier par l'auberge de la Coudrière, au 2891, chemin des Coudriers.
DOCUMENTATION	Guide séjour de l'Isle-aux-Coudres (au 1024, chemin des Coudriers)
INFORMATION	418 438-2583 • municipaliteiac@charlevoix.qc.ca

15   SENTIER DES FLORENT   SENTIER NATIONAL

Le nom de ce sentier vient du fait qu'il arpente la montagne des Florent. Reliant Baie-Saint-Paul à Saint-Urbain, ce sentier traverse des prairies et conduit près des montagnes de l'arrière-pays de Charlevoix. En le parcourant, on aura neuf points de vue donnant, entre autres, sur Saint-Urbain, Baie-Saint-Paul, la vallée du Gouffre et la rivière du même nom, le Saint-Laurent, les montagnes du parc national des Grands-Jardins et un ancien site minier. 🐴

★P🚶🏕(✕🛏 ▲🏠🏛🌉🌿

RÉSEAU PÉDESTRE	18,2 km (linéaire, intermédiaire, dénivelé maximum de 348 m)
HORAIRE	Toute l'année, du lever au coucher du soleil
	Prudence pendant la période de chasse

TARIF	Gratuit
ACCÈS	<u>Accès ouest</u> : de Baie-Saint-Paul, suivre la route 138 est (boulevard Monseigneur-De Laval) sur 4 km environ. Le stationnement se situe au camping Le Génévrier, au 1175, boulevard Monseigneur-De Laval.
	<u>Accès est</u> : de Baie-Saint-Paul, suivre la route 138 est (boulevard Monseigneur-De Laval) sur 9 km. Le stationnement se situe à l'arrière du restaurant-motel Chez Laurent, au 1493, boulevard Monseigneur-De Laval, à l'intersection de la route 138 et de la route 381.
	On peut également accéder au sentier à partir de Saint-Urbain, en face du gîte Chez Gertrude, au 706 rue Saint-Édouard, à l'angle de la route 381.
DOCUMENTATION	Dépliant-carte du sentier (au bureau de la MRC de Charlevoix et sur le site Web)
INFORMATION	418 435-2639 • www.mrc-charlevoix.com

16 SENTIERS DE BAIE-SAINTE-CATHERINE

Ce réseau, situé à l'embouchure du fjord du Saguenay, est composé de sentiers se rejoignant pour former une boucle. Une bonne partie du parcours se fait à travers un boisé mixte à dominance de conifères dans lequel on pourra apercevoir des renards. On aura des points de vue sur le fleuve Saint-Laurent et sur des montagnes. On contournera le lac Roger et on marchera sur un barrage de castors. On pourra aussi admirer une chute et des cascades.

✳P👫🎋🛋

RÉSEAU PÉDESTRE	10,0 km (Multi : 10 km)
HORAIRE	De mi-juin à fin octobre, du lever au coucher du soleil Prudence pendant la période de chasse
TARIF	Gratuit

SENTIERS ET PARCOURS	LONGUEUR	TYPE	NIVEAU	DÉNIVELÉ
Sentier des chutes	3,0 km	linéaire	intermédiaire	50 m
Sentier des castors	7,0 km	linéaire	intermédiaire	50 m

ACCÈS	De La Malbaie, suivre la route 138 est jusqu'à Baie-Sainte-Catherine. Tourner à gauche sur la rue Leclerc et continuer sur 500 m, soit jusqu'au stationnement se situant à droite.
DOCUMENTATION	Carte (à la municipalité Baie-Sainte-Catherine)
INFORMATION	418 237-4241 • www.quebecweb.com/hmbsc

17 SENTIERS PÉDESTRES LES ÉBOULEMENTS

Le sentier Le Paysan sillonne une forêt de résineux, puis grimpe sur une montagne. Un belvédère, au sommet, offre une vue sur les champs agricoles, le village et le fleuve Saint-Laurent. L'ours noir est présent sur le territoire. Le sentier Louis-Charles-Audet passe parfois en forêt, mais plus souvent à travers champs. Il grimpe un peu au départ, puis descend ensuite vers le Fleuve. À la fin du sentier, un belvédère, aménagé de bancs, donne une vue sur le Fleuve. 🐕

★ P X 🏛 Autres : ferme agrotouristique et kiosque de vente

RÉSEAU PÉDESTRE 8,0 km

SENTIERS ET PARCOURS	LONGUEUR	TYPE	NIVEAU	DÉNIVELÉ
Sentier Louis-Charles-Audet	3,0 km	Linéaire	débutant	248 m
Sentier Le Paysan	5,0 km	Linéaire	débutant	220 m

HORAIRE	Toute l'année, du lever au coucher du soleil
	Prudence pendant la période de chasse
TARIF	Gratuit
ACCÈS	De Baie-Saint-Paul, emprunter la route 362 en direction est jusqu'au village Les Éboulements. Le départ es sentiers se trouve à la ferme Éboulmontaise, soit 1,3 km après l'église, le long de la route, à gauche.
DOCUMENTATION	Carte des sentiers (sur le site Web)
INFORMATION	418 435-2639 • www.mrc-charlevoix.com/foret/foret.php

Chaudière-Appalaches

CHAUDIÈRE-APPALACHES

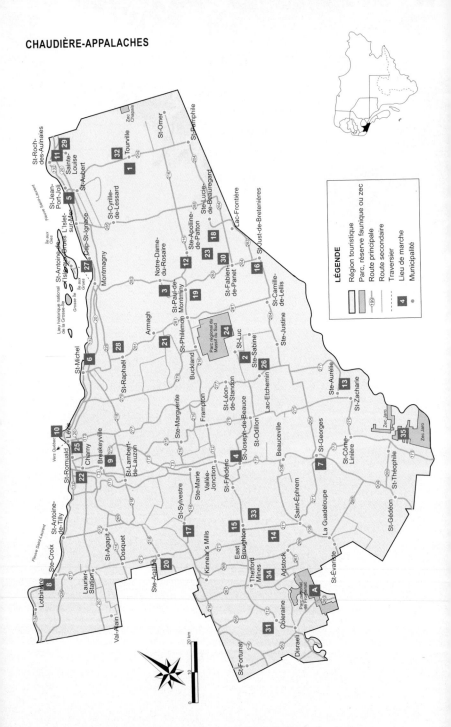

Photo page précédente : Parc régional des Appalaches (LMI - Nicole Blondeau)

Répertoire des lieux de marche au Québec

LIEUX DE MARCHE

1 BRAS DE LA RIVIÈRE OUELLE

Ces sentiers sillonnent un boisé composé en grande majorité de conifères comme le sapin et l'épinette. On y retrouve quelques feuillus dont le bouleau, l'érable et le tremble. On pourra apercevoir, parmi les oiseaux, le huard, le martin-pêcheur, le canard et la gélinotte huppée. On trouve aussi une héronnière. Chaque sentier a une tour d'observation à mi-parcours. Celle du sentier du Castor offre une vue sur la cabane et le barrage de cet animal. Celle du sentier de l'Orignal permet de voir son habitat naturel, que ce sentier traverse. On y verra donc beaucoup d'orignaux, qui peuvent aussi être présents sur le sentier du Castor. Les sentiers sont agrémentés de panneaux d'interprétation sur les orignaux, les oiseaux et le petit gibier présent sur le territoire. 🐾

⚹P🚻⛺🏕🌿

RÉSEAU PÉDESTRE 4,0 km

SENTIERS ET PARCOURS	LONGUEUR	TYPE	NIVEAU
Castor	1,5 km	mixte	intermédiaire
Orignal	2,5 km	mixte	intermédiaire

HORAIRE	De mi-mai à mi-septembre, du lever au coucher du soleil
	Les sentiers sont fermés durant la période de chasse.
TARIF	Gratuit
ACCÈS	De Saint-Jean-Port-Joli, emprunter la route 204 en direction est jusqu'à Tourville. Tourner à droite sur la rue des Merisiers et continuer jusqu'au lac Therrien, 12 km plus loin. Le stationnement est le long de la route, à droite.
INFORMATION	418 359-2106 • municipal.tourville@globetrotter.net

2 CAMP FORESTIER DE SAINT-LUC

Répertoire des lieux de marche au Québec

Ce camp est un site d'interprétation de la forêt et de la vie des bûcherons de jadis. On y trouve un camp de bûcherons reconstitué. Les sentiers sillonnent une forêt de sapins avec des éclaircies. Un sentier d'interprétation renseigne sur la forêt, entre le moment où les arbres sont plantés et leur usage final en industrie. Le sentier des Mornes relie le Camp forestier au Saint-Abdon, le premier rang du village, en passant par les monts Giroux et Mathias qui offrent des panoramas sur l'état du Maine et les environs. On pourra apercevoir des oiseaux de proie ou de petits animaux sauvages.

🏛️P⛺✕⛩️⛰️🏠🏕️🍴🎏🚶

Note : L'horaire d'accès du restaurant pour les mois de juillet et août est de 8 h à 16 h du lundi au samedi, et le dimanche de 10 h à 14 h. Pour le reste de l'année, le restaurant n'est ouvert que le samedi de 10 h à 19 h, et le dimanche de 10 h à 18 h.

RÉSEAU PÉDESTRE 22,7 km

SENTIERS ET PARCOURS	LONGUEUR	TYPE	NIVEAU	DÉNIVELÉ
Le Camp	2,7 km	mixte	débutant	
Le sentier des Mornes	20,0 km	mixte	intermédiaire	600 m

HORAIRE	Toute l'année, de 8 h à 16 h
TARIF	Gratuit
ACCÈS	De l'autoroute 73 (autoroute de la Beauce), emprunter la route 276 vers l'est jusqu'à la route 277. De là, suivre les indications pour Saint-Luc. Les sentiers débutent au 100, rue Fortin.
DOCUMENTATION	Dépliant-carte (à l'accueil)
INFORMATION	418 636-2626 • 1 877 436-2626 • www.campforestier.qc.ca

JCT PARC RÉGIONAL DU MASSIF DU SUD

3 CASCADES DE LA LOUTRE (PARC RÉGIONAL DES APPALACHES)

Cette boucle emprunte en partie un ancien chemin de ferme et longe un champ jusqu'à un abri au toit rouge. Elle longe ensuite, sous couvert forestier, la rivière à la Loutre, ensemencée d'ombles de fontaine. On aura une vue constante sur la rivière et ses cascades. On pourra apercevoir des orignaux, des cerfs de Virginie et plusieurs oiseaux. On peut se reposer, casser la croûte ou admirer le paysage grâce à des bancs et des tables à pique-nique dispersés le long du sentier. 🪑

⭐P⛺⛩️🏠🍴🚌🚂🛶🚐🗑️

Note : les services sont disponibles de 8 h 30 à 17 h.

RÉSEAU PÉDESTRE 2,0 km

SENTIERS ET PARCOURS	LONGUEUR	TYPE	NIVEAU
Sentier des Cascades de la Loutre	2,0 km	boucle	débutant

HORAIRE	Toute l'année, du lever au coucher du soleil
	Prudence pendant la période de chasse
TARIF	Gratuit
ACCÈS	De la sortie 378 de l'autoroute 20, prendre la route 283 sud et traverser le village de Notre-Dame-du-Rosaire. Continuer sur 1 km et tourner à droite sur la rue Principale en direction de Sainte-Euphémie. Le sentier débute au stationnement en bordure de la route.
DOCUMENTATION	Voir à « Parc régional des Appalaches »
INFORMATION	418 223-3423 • 1 877 827-3423 • www.parcappalaches.com

4 CIRCUIT DE LA GORGENDIÈRE

On trouve dans les rues de Saint-Joseph-de-Beauce deux circuits menant à la découverte de cette ville, située en bordure de la rivière Chaudière, à travers ses rues et ses bâtiments à caractère historique. Ces circuits débutent au musée Marius-Barbeau. Selon le parcours emprunté, on verra plusieurs églises. L'une d'elles, érigée entre 1865 et 1876, possède des cloches provenant de Londres. Une autre, de l'autre côté de la rivière Chaudière, est la première chapelle. Elle fut construite en 1738 et est dominée par une croix commémorative installée 200 ans plus tard. Fait particulier, lorsque les corps du cimetière attenant furent déplacés lors de la construction de la deuxième chapelle, on y retrouva un géant mesurant 2,3 mètres. On verra aussi le palais de justice, le presbytère, l'orphelinat devenu centre communautaire et le couvent des Sœurs de la Charité reconverti en maison de la culture. Les bâtiments datent en majorité de la fin des années 1800. Le parc commémoratif du 250ᵉ anniversaire de la ville est aussi une aire d'interprétation agrémentée de textes et de photographies. 🐎

🏛P👫✕🍳🚂🛶

RÉSEAU PÉDESTRE 5,5 km

SENTIERS ET PARCOURS	LONGUEUR	TYPE	NIVEAU
Circuit 1	2,5 km	boucle	débutant
Circuit 2	3,0 km	boucle	débutant

HORAIRE	Toute l'année, du lever au coucher du soleil
TARIF	Gratuit
	Brochure du circuit : 3,00 $
ACCÈS	Le circuit débute au musée Marius-Barbeau, près de l'église, sur la rue Sainte-Christine, en plein cœur de la ville de Saint-Joseph-de-Beauce.
DOCUMENTATION	Brochure « Circuit de la Gorgendière » (au musée Marius-Barbeau)
INFORMATION	418 397-4039 • www.museemariusbarbeau.com

5 DOMAINE DE GASPÉ

Ce domaine est situé le long du fleuve Saint-Laurent et de la rivière Trois Saumons. Le sentier longe celle-ci à travers une forêt mixte et conduit à un promontoire faisant partie du site historique Philippe-Aubert-de-Gaspé. De là, on aura une vue sur le Fleuve. En chemin, on pourra apercevoir des lièvres et des oiseaux. 🐎

★P👫🛝🎋🏊 Autre : piscine

RÉSEAU PÉDESTRE 1,5 km (linéaire, débutant)

HORAIRE	De juin à octobre, du lever au coucher du soleil
TARIF	Gratuit
ACCÈS	De la jonction des routes 204 et 132 à Saint-Jean-Port-Joli, suivre la route 132 ouest sur environ 7 km.
INFORMATION	418 598-3084

6 DOMAINE DE LA RIVIÈRE BOYER

Ce domaine est un sanctuaire d'oiseaux migrateurs, situé en bordure du fleuve Saint-Laurent. Un sentier écologique, dont une partie se fait sur un trottoir de bois, offre une vue sur le Fleuve. 🐎

RÉSEAU PÉDESTRE 0,8 km (linéaire, débutant)

HORAIRE De mai à fin octobre, du lever au coucher du soleil
TARIF Gratuit
ACCÈS De Lévis, prendre la route 132 vers Saint-Vallier. Le sentier se trouve en bordure de la route, à l'ancienne halte routière.
INFORMATION 418 884-2559 • svallier@globetrotter.net

7 DOMAINE DE LA SEIGNEURIE

Les sentiers de ce domaine font circuler sur trois parcs : le Parc des 7 Chutes, le Parc Veilleux et le Parc de l'île Pozer. En tout, le territoire couvre une superficie de 70 hectares. On découvrira une à une les sept chutes par un sentier longeant la rivière Pozer. Un pont suspendu se retrouve à 25 mètres au-dessus de cette rivière. Le sentier Ile Pozer longe la rivière Chaudière, qu'on peut franchir sur deux passerelles. On atteindra ainsi l'île. Le sentier Optimiste sillonne un boisé mixte dominé par les feuillus. Un étang est situé à mi-parcours. Un barrage rétractable, unique au Québec, sert à des fins récréatives. 🐎 (sur une portion de 8 km)

Autre : piscine

RÉSEAU PÉDESTRE 10,0 km (Multi : 6,9 km)

SENTIERS ET PARCOURS	LONGUEUR	TYPE	NIVEAU
Sentier Île Pozer	0,5 km	linéaire	débutant
Sentier Seigneurial	1,5 km	linéaire	débutant
Sentier Optimiste	1,0 km	boucle	débutant
Sentier de l'O.T.J.	1,0 km	linéaire	débutant
Sentier des Gorges de la rivière Pozer	2,8 km	boucle	avancé
Sentier des Pins	2,6 km	boucle	intermédiaire
Sentier de la J.O.C.	0,6 km	boucle	intermédiaire

HORAIRE De mai à octobre, en tout temps
TARIF Gratuit
ACCÈS De la route 173 à Saint-Georges, emprunter la 1re avenue sur la gauche jusqu'au centre sportif Lacroix-Dutil. Le départ s'effectue depuis le stationnement.
DOCUMENTATION Dépliant (au service des Loisirs et de la Culture)
INFORMATION 418 228-8155 • carole.paquet@ville.sg-bce.qc.ca

8 DOMAINE JOLY-DE LOTBINIÈRE

Ce parc-jardin a été aménagé à la fin du XIXe siècle. Le boisé de plantation est composé de plusieurs essences peu fréquentes. La famille De Lotbinière et la Fondation du Domaine y ont planté, entre autres, l'épinette bleue du Colorado, le pin d'Écosse, le chêne à gros fruits, le noisetier de Byzance, le ginkgo bilobé, le marronnier de l'Ohio et l'arbre de Katsura. Cette forêt renferme des arbres centenaires et bicentenaires. Le sentier L'Érable circule dans un secteur reconnu comme « Forêt exceptionnelle du

Québec », alors que Le Chêne traverse une sapinière à bouleau jaune. Un autre sentier se rend aux battures, d'où on aura un panorama sur le Fleuve. À marée basse, ce sentier s'allonge de 4 kilomètres. Le sentier Manoir et jardins permet de voir des demeures dont les terrains sont aménagés de plates-bandes florales. On peut consommer sur place la pomme de terre bleue, originaire d'Amérique du Sud et introduite par Alain Joly-De Lotbinière. Le magazine britannique Essentially America a reconnu le site comme « l'un des plus merveilleux jardins de l'Amérique du Nord ». 🐎

🏛 P ♿ ⛲ X 🪑 ═ 🍴 ♨ 🚫 ♿ Autres : boutique, galerie d'art

RÉSEAU PÉDESTRE 7,6 km

SENTIERS ET PARCOURS	LONGUEUR	TYPE	NIVEAU
L'Érable	1,2 km	boucle	intermédiaire
Le Chêne	1,2 km	boucle	intermédiaire
Manoir et jardins	1,2 km	boucle	débutant
Les Battures	4,0 km	linéaire	intermédiaire

HORAIRE	De mai à mi-octobre, de 10 h à 17 h
TARIF	Adulte : 13,50 $
	Aîné (65 ans et plus) : 12,00 $
	Étudiant : 8,00 $
	Famille (1 adulte + enfant 7 à 17 ans) : 19,00 $
	Famille (2 adultes + enfant 7 à 17 ans) : 24,00 $
ACCÈS	De la sortie 278 de l'autoroute 20, suivre la route 271 nord jusqu'à Sainte-Croix. Prendre la route 132 ouest, et après 7 km, emprunter la route de Pointe-au-Platon sur 3 km.
DOCUMENTATION	Dépliant-carte, brochure d'interprétation sur les arbres rares et les végétaux (à l'accueil)
INFORMATION	418 926-2462 • www.domainejoly.com

9 ÉCO-PARC DE LA CHAUDIÈRE

Cette piste cyclable, sur fond de poussière de pierre, est aussi accessible aux marcheurs. Dans un environnement principalement forestier, on longera la rivière Chaudière jusqu'à un parc naturel à la fin du parcours. En chemin, on trouvera des aires de repos et d'observation et on verra les ruines de l'ancien moulin des Breakey. 🐎

⭐ P ♿ ⛲ 🪑 ═ 🚣

RÉSEAU PÉDESTRE 3,5 km (Multi : 3,5 km) (linéaire, débutant)

HORAIRE	De mai à octobre, du lever au coucher du soleil
TARIF	Gratuit
ACCÈS	De l'autoroute 73, prendre la sortie Sainte-Hélène-de-Breakeyville. Le parcours débute via la rue Saint-Augustin.
INFORMATION	418 831-4488 • 418 838-6026 • www.ville.levis.qc.ca

10 JE MARCHE MA VILLE, JE MARCHE MON QUARTIER

Chacun des trois arrondissements de Lévis comprend cinq parcours de 5 kilomètres. Il s'agit d'une initiative visant à encourager la population à marcher régulièrement. Certains parcours peuvent être combinés pour marcher 10 kilomètres. Le départ de chaque circuit est indiqué par une affiche et des pas peints en blanc montrent la route à suivre. Une carte permet de s'autoguider. On visitera des quartiers résidentiels, industriels et historiques, ainsi que quelques espaces verts. 🐎

⌂ P ⋔⋔ (⅊ ✂

RÉSEAU PÉDESTRE 75,0 km (Multi : 75 km) (mixte, débutant)

HORAIRE Toute l'année, du lever au coucher du soleil
TARIF Gratuit
ACCÈS Les circuits prennent leur départ dans des différents quartiers de la ville, bien indiqués sur les plans des parcours.
DOCUMENTATION Brochure, dépliant, carte (au centre culturel)
INFORMATION 418 835-4960 poste 4652 • 418 838-4154 • www.ville.levis.qc.ca

11 LA SEIGNEURIE DES AULNAIES

Ce centre d'interprétation du régime seigneurial, situé où les eaux des rivières Le Bras et Ferrée se rejoignent, propose deux visites de son site, une courte et une complète. Ces visites débutent au moulin banal, construit en 1842 et ayant repris ses activités en 1975, avant d'enjamber une chute sur la rivière Le Bras grâce à une passerelle. La visite courte permet de voir la cabane à sucre et le manoir datant de 1853. En plus, la visite complète ceinture le domaine en longeant un boisé mixte et

les rivières qu'on peut traverser grâce à plusieurs passerelles. On verra un potager, un verger, une pinède, un jardin de fleurs d'inspiration française, une roseraie historique et des plantations d'arbres et d'essences fruitières de l'époque encore présentes aujourd'hui. Les jardins entourant le manoir comprennent plus de 1 700 espèces d'arbustes et de plantes, dont la plupart étaient présentes en 1853 et sont identifiées sur des plaquettes d'ardoise. On passera par un étang. Un poste d'observation donne sur le barrage de la rivière Ferrée et sur sa chute. On trouve au moulin la plus grande roue à godets en service au Québec. L'année 2006 a marqué le 350e anniversaire de la concession de la seigneurie.

⌂ P ⋔⋔ (X ⋕ ⊞ ⊞ ⋔ ✂
Autre : café-terrasse

RÉSEAU PÉDESTRE 3,0 km

SENTIERS ET PARCOURS	LONGUEUR	TYPE	NIVEAU
Jardins de la Seigneurie	3,0 km	linéaire	débutant

HORAIRE D'avril à novembre, de 9 h à 18 h
TARIF Tarification de juin à la fête du Travail et les fins de semaine jusqu'à l'Action de grâce. En dehors de cette période, l'accès est gratuit.
Adulte (13 ans et plus) : 10,00 $
Étudiant et Âge d'or : 9,11 $
Enfant (12 ans et moins) : 6,27 $
Enfant (moins de 6 ans) : gratuit
Famille : 23,93 $

ACCÈS	De l'autoroute 20, prendre la sortie 430 et suivre les indications sur la route 132.
DOCUMENTATION	Dépliant, circuit de visite (à l'accueil)
INFORMATION	418 354-2800 • 1 877 354-2800
	www.laseigneuriedesaulnaies.qc.ca

12 LAC CARRÉ (PARC RÉGIONAL DES APPALACHES)

Le sentier les Collines débute au centre de plein air du lac Carré, situé en bordure de ce lac. On le contournera en partie avant de rejoindre trois autres lacs : le lac Couture, le lac du Curé et le Petit lac des Vases. Des panneaux d'interprétation, des ponts et des passerelles agrémentent ce parcours offrant une vue sur les collines appalachiennes.

Autres : aire de jeux pour adultes et modules pour enfants.

Note : les services sont disponibles de 8 h 30 à 17 h.

RÉSEAU PÉDESTRE 11,7 km

SENTIERS ET PARCOURS	LONGUEUR	TYPE	NIVEAU
Sentier les Collines	11,0 km	linéaire	intermédiaire
Sentier le Retour au lac	0,7 km	linéaire	débutant

HORAIRE	De mi-avril à fin novembre, du lever au coucher du soleil
	Prudence pendant la période de chasse
TARIF	Gratuit
ACCÈS	De la sortie 378 de l'autoroute 20, prendre la route 283 sud. 10 km après Notre-Dame-du-Rosaire, tourner à gauche sur la route 216 et continuer jusqu'à Sainte-Apolline-de-Patton. Suivre ensuite les indications pour le lac Carré ou le centre de plein air.
DOCUMENTATION	Voir à « Parc régional des Appalaches »
INFORMATION	418 223-3423 • 1 877 827-3423 • www.parcappalaches.com

13 LE DOMAINE DES SPORTIFS DE SAINTE-AURÉLIE

Ce domaine est situé près de la frontière du Maine. Deux sentiers sillonnent une forêt mixte. On aura quelques points de vue sur le lac Giguère, dont l'un depuis une pergola. Le long du sentier d'auto-interprétation, on trouvera des panneaux traitant des différentes plantes bordant le chemin. On y trouve en grande quantité le sabot de la Vierge, en trois coloris différents. On pourra apercevoir des traces du passage d'orignaux et de chevreuils, ainsi que des oiseaux grâce à un vieux clocher d'église leur servant de nichoir.

Autre : piste d'hébertisme

SENTIERS ET PARCOURS	LONGUEUR	TYPE	NIVEAU
Sentier d'auto-interprétation	2,0 km	boucle	débutant
Sentier des Fleurs	1,0 km	boucle	débutant

HORAIRE	Toute l'année, de 9 h à 17 h
TARIF	3,42 $ par personne
ACCÈS	De Saint-Georges, emprunter la route 204 est sur 19 km. Tourner à droite sur la route 275 et poursuivre sur 12 km. Prendre ensuite la route 277 jusqu'à Sainte-Aurélie, puis suivre les indications.
INFORMATION	418 593-3786 • 418 593-3886 • www.domainesportif.8k.com

14 LE MONT GRAND MORNE – PARC D'AVENTURES

Les sentiers de cette montagne portent tous des noms représentatifs de ce qu'on peut y retrouver. Le relief étant accidenté, les sentiers ont tous des pentes moyennes ou fortes. Seuls les sentiers de la Petite Caverne et du Crescendo ont des pentes plus douces. Les sentiers font le tour de la montagne et la grimpent à travers une forêt mixte dominée par les conifères. Au sommet, d'une altitude de 608 mètres, on aura un panorama sur la région. Certains sentiers mènent à des grottes. Le chemin de gravier, le sentier de la Dégringolade et le sentier de la Tour conduisent à différents points de vue sur les environs. Des panneaux traitant de la géologie, de la flore et de la faune sont dispersés le long des sentiers. Une carte de positionnement est située à chaque jonction des sentiers. 🐕

✳P👫⛩🏕🏚⛲🛏🪑🌿🖊

Autre : un abri de cuisine est disponible avec poêle à bois et bois fourni.

RÉSEAU PÉDESTRE 5,9 km (Multi : 0,8 km)

SENTIERS ET PARCOURS	LONGUEUR	TYPE	NIVEAU	DÉNIVELÉ
Sentier de la Dégringolade	0,7 km	linéaire	débutant	140 m
Sentier du Crescendo	2,1 km	boucle	débutant	110 m
Chemin de gravier	0,8 km	linéaire	débutant	150 m
Sentier de la Petite Caverne	0,3 km	linéaire	débutant	
Sentier de la Grotte	0,4 km	linéaire	débutant	130 m
Sentier de la Coulée	0,7 km	linéaire	débutant	120 m
Sentier des Failles	0,5 km	linéaire	débutant	70 m
Sentier du Cap	0,3 km	linéaire	débutant	
Sentier de la Tour	0,1 km	linéaire	débutant	
Sentier du Petit Rocher	0,2 km	linéaire	débutant	

HORAIRE	De mai à octobre, du lever au coucher du soleil
TARIF	Gratuit
ACCÈS	De Thetford Mines, emprunter la route 112 est sur 11 km. Tourner à droite sur la route 271 puis, à Sainte-Clotilde-de-Beauce, prendre la route en face de l'église jusqu'au bout. Tourner à droite sur le rang 11 et faire 4,9 km.
DOCUMENTATION	Dépliant (à la halte routière à l'angle des routes 112 et 27, au bureau municipal et au bureau de Tourisme Amiante)
INFORMATION	418 427-2637 • www.ste-clotilde.com

15   LE SENTIER DES MINEURS

Ce réseau de sentiers, situé dans la municipalité de Sacré-Coeur-de-Jésus, explore le patrimoine de deux anciennes mines d'amiante, Boston et Carey. On passera près de deux immenses cratères qui sont maintenant des lacs dont l'eau est de couleur turquoise. Il s'agit des anciens puits à ciel ouvert de ces mines. L'un d'eux compte aussi une chute. On aura un panorama sur le puit de la mine Carey depuis un belvédère. Un autre belvédère, situé sur un monticule, offre une vue sur les sommets et les villages environnants. Les sentiers passent par une forêt de feuillus au centre de laquelle on retrouve une montagne créée par l'homme. Cette montagne est composée des résidus de l'excavation effectuée autrefois pour atteindre le minerai d'or blanc. Un petit sentier mène au sommet de cet amas rocailleux. On verra aussi des arbres sculptés et un poème permanent dans la forêt. Le sol est jonché de minéraux. Des panneaux agrément le parcours, certains traitant des méthodes de travail des mineurs de l'époque.

RÉSEAU PÉDESTRE   7,8 km

SENTIERS ET PARCOURS	LONGUEUR	TYPE	NIVEAU
Boucle du 1er plateau	1,5 km	boucle	débutant
Boucle de l'aire de jeux	3,7 km	boucle	intermédiaire
Sentier du promontoire	0,7 km	linéaire	débutant
Sentier des puits Carey	1,9 km	mixte	débutant

HORAIRE	Toute l'année, du lever au coucher du soleil
TARIF	Gratuit
ACCÈS	De Thetford Mines, suivre la route 112 jusqu'à East Broughton. Tourner à gauche sur le rang 5 Nord et se rendre au numéro 511.
DOCUMENTATION	Dépliant (dans les commerces des alentours et au bureau de Tourisme-Amiante)
INFORMATION	418 427-3447 • sacrecoeurjesus@bellnet.ca

16   LES TOURBIÈRES (PARC RÉGIONAL DES APPALACHES)

Ce site, sur lequel on retrouve, en plus des sentiers, une petite plage, est situé sur le plateau appalachien, en bordure de la rivière Daaquam. Les sentiers, sur fond de poussière de pierre, sillonnent une forêt mixte. Le sentier le Trappeur passe à travers un peuplement de conifères. Le sentier des Tourbières permet de découvrir ce milieu et ses plantes carnivores, comme la sarracénie pourpre, grâce à un trottoir de bois. Le sentier le Frontalier mène à la frontière entre le Canada et les États-Unis. On y verra une borne frontalière. Il est conseillé de s'enregistrer à la Pourvoirie Daaquam avant d'aller en randonnée.

Note : les services sont disponibles de 8 h 30 à 17 h

SENTIERS ET PARCOURS	LONGUEUR	TYPE	NIVEAU
Sentier des Tourbières	5,0 km	boucle	débutant
Sentier le Trappeur	4,0 km	boucle	débutant
Sentier le Frontalier	4,0 km	boucle	débutant
Sentier le Petit Maine	16,5 km	linéaire	débutant

HORAIRE Toute l'année, du lever au coucher du soleil
À l'accueil, les randonneurs sont orientés vers des sentiers où il n'y a pas de chasseurs.

TARIF Gratuit

ACCÈS De la sortie 348 de l'autoroute 20, prendre la route 281 sud sur 68 km. Tourner à gauche sur la route 204 et, 10 km plus loin, à Saint-Just-de-Bretenières, tourner à droite après l'église. Faire 1 km et, après le pont de la rivière Daaquam, tourner à gauche et faire encore 400 mètres.

DOCUMENTATION Voir à « Parc régional des Appalaches »

INFORMATION 418 223-3423 • 1 877 827-3423 • www.parcappalaches.com

17 MONT RADAR

Cette montagne est le site d'une ancienne base militaire dont il ne reste que les ruines. À l'entrée, on trouve un lac ensemencé de truites. Les sentiers de ce réseau sillonnent une forêt mixte centenaire, composée en majorité d'une érablière. On y trouve plusieurs champignons ainsi que des arbres fruitiers. En grimpant vers le sommet de la montagne, on aura une vue sur les sommets environnants. Au sommet, on trouve un gros bunker ainsi qu'un écovillage, le premier au Québec. Une ancienne fondation où se trouvait un radar sert de belvédère. On y a une vue de 360 degrés sur la région de Québec et de Chaudières-Appalaches, ainsi que sur le pont Pierre-Laporte. En saison, on peut voir des bernaches sur le lac. Sur réservation, on a accès à un sentier au pied de la montagne, de 'autre côté, où on trouve une chute, des cascades et un barrage. Toujours sur réservation, on peut accéder au site la nuit; il s'agit d'un lieu d'astronomie. 🐎

🏠 P 🚶 ⛩ 🏕 ⛺ 🏔 🚤 🎣 🎿
Autre : site historique militaire

RÉSEAU PÉDESTRE 10,0 km (Multi : 10 km)
(mixte, intermédiaire, dénivelé maximum de 200 m)

HORAIRE Toute l'année, du lever au coucher du soleil

TARIF Adulte : 5,00 $
Adolescent (12 à 17 ans) : 2,00 $
Enfant (moins de 12 ans) : gratuit

ACCÈS Du pont Pierre-Laporte, emprunter l'autoroute 73 sud jusqu'à Sainte-Marie-de-Beauce. Tourner à droite sur la route 216, puis à gauche sur le boulevard Vachon nord. Tourner à droite pour reprendre la route 216 et continuer jusqu'au village de Saint-Sylvestre.

DOCUMENTATION Dépliant (à l'accueil)

INFORMATION 418 596-1250 • 418 596-3055 • www.leradar.org

18 MONT SUGAR LOAF (PARC RÉGIONAL DES APPALACHES)

Ce mont, situé à proximité de la frontière du Maine, a une altitude de 650 mètres. Le sentier du Garde-Feu grimpe à travers une forêt de feuillus, une érablière et une forêt de conifères pour mener au sommet de la montagne, d'où on aura un panorama de 360

degrés sur les villages des alentours et les collines appalachiennes. Sur le sentier du Pont Brûlé, on franchira la rivière Noire grâce à un pont suspendu d'une longueur de 30 mètres. Un autre pont enjambe cette rivière sur le sentier les Castors, un sentier au relief vallonné passant par une érablière, un esker, un ancien barrage de castors et un escarpement rocheux recouvert d'un peuplement de résineux. 🏕

🏵 P 👬 🛖 🏕 ⌂ ⛰ 🏚 🪜 🍴 🚉 🌿 ⛷ 🎣 🚌 💼

Note : les services sont disponibles de 8 h 30 à 17 h.

RÉSEAU PÉDESTRE 24,5 km

SENTIERS ET PARCOURS	LONGUEUR	TYPE	NIVEAU	DÉNIVELÉ
Sentier du Pont Brûlé	6,0 km	mixte	intermédiaire	250 m
Sentier du Garde-Feu	3,0 km	mixte	intermédiaire	250 m
Sentier le Beauregard	6,5 km	mixte	débutant	
Sentier les Castors	6,0 km	mixte	intermédiaire	
Sentier des Défricheurs	3,0 km	linéaire	débutant	

HORAIRE	Toute l'année, du lever au coucher du soleil
	Prudence pendant la période de chasse
TARIF	Gratuit
ACCÈS	De Montmagny, prendre la route 283 sud jusqu'à Saint-Fabien-de-Panet, puis la rue Principale sur 12 km, soit jusqu'à Sainte-Lucie-de-Beauregard. Tourner à gauche sur la route des Chutes, puis à gauche encore à l'indication « Langue de Chatte » et se rendre jusqu'au stationnement.
DOCUMENTATION	Voir à « Parc régional des Appalaches »
INFORMATION	418 223-3423 • 1 877 827-3423 • www.parcappalaches.com

JCT SENTIERS PÉDESTRES DE SAINT-FABIEN-DE-PANET

Répertoire des lieux de marche au Québec

19 MONTAGNE GRANDE COULÉE – RIVIÈRE AUX ORIGNAUX
(PARC RÉGIONAL DES APPALACHES)

Cette montagne, d'une altitude de 853 mètres, est le plus haut sommet de Montmagny-Sud. Le sentier de la Montagne Grande Coulée grimpe jusqu'au sommet de la montagne en traversant une vingtaine de fois le ruisseau de la Coulée grâce à des ponts. En haut de la montagne, on rejoindra le sentier des Orignaux, qui relie la montagne au circuit pédestre de Saint-Fabien. On circulera dans un territoire au relief vallonné à travers une forêt mixte parsemée de rivières et de lacs. On longera le lac Long et la rivière aux Orignaux. En chemin, on aura plusieurs points de vue sur le village au pied de la montagne, l'ancienne station de ski et les montagnes de Charlevoix et du Maine. 🥾

Note : les services sont disponibles de 8 h 30 à 17 h.

RÉSEAU PÉDESTRE 24,7 km

SENTIERS ET PARCOURS	LONGUEUR	TYPE	NIVEAU	DÉNIVELÉ
Sentier des Orignaux	17,0 km	mixte	avancé	363 m
Sentier des Versants	6,0 km	mixte	avancé	
Sentier le Lien	0,1 km	linéaire	débutant	
Sentier le Raccourci	0,6 km	linéaire	intermédiaire	
Sentier le Serpentin	1,0 km	linéaire	avancé	

HORAIRE	Toute l'année, du lever au coucher du soleil
	Prudence pendant la période de chasse
TARIF	Frais de 5,00 $ par personne à la montagne Grande Coulée
ACCÈS	De la sortie 378 de l'autoroute 20, prendre la route 283 sud. Emprunter ensuite la route 216 ouest et contourner le village de Saint-Paul-de-Montminy. Tourner ensuite à gauche sur la route Sirois, puis à droite sur le rang 5. Poursuivre jusqu'au chemin Grande-Coulée et tourner à gauche au stationnement.
DOCUMENTATION	Voir à « Parc régional des Appalaches »
INFORMATION	418 223-3423 • 1 877 827-3423 • www.parcappalaches.com

20 PARC DE LA CHUTE SAINTE-AGATHE-DE-LOTBINIÈRE

Le sentier, en sous-bois, suit la falaise d'un canyon d'une vingtaine de mètres dans lequel s'insèrent une chute et plusieurs cascades. On aura plusieurs points de vue sur la rivière Palmer. Un pont suspendu surplombe les chutes, offrant un panorama sur ces dernières. En certains endroits, le sentier est sur trottoir de bois. On pourra apercevoir plusieurs espèces d'oiseaux. Le canyon est situé à proximité d'un pont couvert enjambant la rivière Palmer. Ce pont, datant de 1937, est classé monument historique. 🥾

Note : le restaurant est ouvert de 10 h à 20 h

RÉSEAU PÉDESTRE 3,0 km (linéaire, débutant)

HORAIRE	De mai à octobre, de 9 h à 22 h
TARIF	4,00 $ par personne

ACCÈS	De l'autoroute 20, prendre la sortie 278 et suivre la route 271 sud jusqu'à Sainte-Agathe. Tourner à droite sur le chemin Gosford Ouest, vers Inverness, et continuer jusqu'à l'entrée du parc.
DOCUMENTATION	Dépliant (au bureau d'information touristique et à la municipalité de Sainte-Agathe-de-Lotbinière)
INFORMATION	418 599-2661 • 418 599-2392

21 PARC DES CHUTES D'ARMAGH

À travers une forêt mixte, on longera la rivière Armagh sur laquelle on aura plusieurs points de vue. Une passerelle permet de franchir le canyon tout en offrant une vue sur les chutes. L'une d'elles, d'une hauteur de 28 mètres, est visible depuis un belvédère. Elle est créée par un des deux anciens barrages hydroélectriques, qui ne sont plus en activité, présents sur le territoire. On passera aussi sous le pont de la route 281. 🐎

🏯P👫⛩️🏛️🚃

RÉSEAU PÉDESTRE	5,0 km (mixte, débutant)
HORAIRE	De mai à la fête de l'Action de grâce, lundi et mardi – 11 h à 18 h, mercredi à dimanche – 10 h à 19 h
TARIF	Adulte : 5,00 $ Adolescent (7 à 17 ans) : 3,00 $ Enfant (6 ans et moins) : gratuit Prix spéciaux pour les groupes et les familles Laissez-passer saisonnier disponible
ACCÈS	De la sortie 348 de l'autoroute 20, continuer sur la route 281 vers le sud. Le Parc des Chutes d'Armagh est situé environ 2 km passé la municipalité d'Armagh.
DOCUMENTATION	Dépliant (à l'accueil)
INFORMATION	418 466-2874 • 418 466-2409 • www.parcdeschutes.ca

22 PARC DES CHUTES-DE-LA-CHAUDIÈRE

Les sentiers longent la rivière, sur laquelle on pourra voir des canards. Certaines zones sillonnent un boisé composé de pins, de trembles, d'érables, de sapins et d'épinettes. On aura plusieurs points de vue sur les chutes, d'une hauteur de 35 mètres, notamment depuis une passerelle suspendue, d'une longueur de 113 mètres et à près de 23 mètres au-dessus de la rivière. Le sentier La Presqu'île longe la rivière sur sa rive ouest et conduit à une petite centrale hydroélectrique où s'effectue de l'interprétation. Le sentier Le Marais circule par endroits dans un marécage grâce à un trottoir de bois. Des escaliers ont été aménagés sur ce sentier. 🐎

🏯P👫(✗⛩️🏛️🚃👫🌿

RÉSEAU PÉDESTRE 4,3 km

SENTIERS ET PARCOURS	LONGUEUR	TYPE	NIVEAU
Les Belvédères	0,6 km	boucle	débutant
La Passerelle	0,4 km	linéaire	intermédiaire
Le Boisé	0,4 km	linéaire	débutant
La Presqu'île	0,8 km	boucle	débutant
Le Marais	2,0 km	boucle	intermédiaire

HORAIRE	Du 1er mai au 15 octobre, de 7 h au coucher du soleil
TARIF	Gratuit

ACCÈS	Du pont Pierre-Laporte à Québec, suivre l'autoroute 73 sud. Prendre la sortie Chutes de la Chaudière, puis la route 116. Suivre par la suite les indications.
DOCUMENTATION	Dépliant-carte (à l'accueil et au bureau de la ville de Lévis)
INFORMATION	418 835-4932 • chutes.chaudiere.com

23 PARC RÉGIONAL DES APPALACHES

Le parc régional des Appalaches, créé en 1997, est situé au cœur de cette chaîne de montagnes. Il est divisé en dix sections étalées sur huit municipalités constituant le territoire de Montmagny-Sud. En parcourant les sentiers de ce réseau, on passera par différents milieux forestiers dont des érablières, des tourbières, des plages, des lacs, des rivières, des chutes et des ruisseaux. On verra plusieurs phénomènes naturels comme des eskers et des laves sous-marines. On pourra apercevoir une faune diversifiée composée d'orignaux,

de cerfs de Virginie, de coyotes, de renards, de lièvres et de castors, ainsi que de plusieurs oiseaux dont le grand héron, la petite buse, le huard, le martin-pêcheur, le pic mineur, le pic chevelu et la perdrix. Quelques amphibiens sont présents dans les milieux humides. On pourra aussi observer la flore composée, outre la forêt, d'arbustes, de mousses, de champignons et de plantes dont le monotrope uniflore, une plante sans chlorophylle. Les sentiers sont agrémentés de plusieurs installations dont des panneaux d'interprétation, des belvédères, des ponts, des passerelles et des escaliers. 🚶

RÉSEAU PÉDESTRE	115,4 km (Multi : 13 km)
	Ce réseau se compose de plusieurs réseaux et sentiers. Se reporter aux lieux suivants :

CASCADES DE LA LOUTRE (3)
LAC CARRÉ (12)
LES TOURBIÈRES (15)
MONT SUGAR LOAF (17)
MONTAGNE GRANDE COULÉE – RIVIÈRE AUX ORIGNAUX (18)
SENTIERS PÉDESTRES DE SAINT-FABIEN-DE-PANET (29)

HORAIRE	Toute l'année, du lever au coucher du soleil
	Pendant la période chasse, certaines sections du réseau peuvent être inaccessibles, ou comporter des restrictions, ou faire l'objet de conseils spécifiques. Vous reporter à la page de description de chacun des lieux faisant partie du Parc régional des Appalaches.
DOCUMENTATION	Carte, dépliants, journal et affiches (au bureau d'information touristique de Sainte-Lucie, à l'Association touristique régionale de Chaudière-Appalaches et de Saint-Nicolas et au Café du randonneur situé sur la route 283, à 5 km de saint-Fabien-de-Panet, à la jonction du chemin des Limites)
INFORMATION	418 223-3423 • 1 877 827-3423 • www.parcappalaches.com

Ce parc, d'une superficie de 119 km², comporte 20 sommets. On passera par différents groupements forestiers. On trouve des forêts anciennes composées en majorité de bouleaux jaunes, dont plusieurs sont tricentenaires, et de résineux. Le sentier de la Vieille Forêt mène à une bétulaie jaune, désignée « écosystème exceptionnel », située dans la vallée du ruisseau Beaudoin. Le sentier du mont Chocolat comporte l'exposition Montagnes et cultures traitant de la vie en montagne dans le monde. Son sommet, à 717 mètres d'altitude, offre une vue sur la vallée survolée par des oiseaux de proie. On passera par une forêt d'épinettes rouges de 200 ans avant d'atteindre un canyon creusé par la rivière du Pin dans le sentier des Portes de l'Enfer. Le canyon est également accessible par le sentier de la Traverse. Sur le site de la Slousse, des panneaux traitent des vestiges de barrages forestiers datant de près de 100 ans, autrefois présents sur la rivière du Milieu. Au sommet du mont du Midi, d'une altitude de 915 mètres, une tour d'observation offre une vue s'étendant jusqu'aux Laurentides comprenant Québec, le Fleuve et sa plaine, les villages des environs et l'île d'Orléans. Au mont Saint-Magloire, un panorama de 360 degrés permet de voir les Appalaches américaines, incluant le mont Katahdin atteignant 1 700 mètres. Les sentiers des Dryades et des Abris sous Roches permettent d'observer des parois rocheuses moussues et des failles. Le sentier de la Crête des Grives porte ce nom car il est un des deux endroits du massif où on a repéré la grive de Bicknell, une espèce rare. Le repérage de cet oiseau est un défi pour les ornithologues. 🦅

Autre : piste d'hébertisme

RÉSEAU PÉDESTRE 95,2 km (Multi : 35 km)

HORAIRE De juin à octobre, de 8 h 30 à 17 h
Prudence en période de chasse. Certaines sections du réseau sont alors fermées.

TARIF	Adulte : 4,00 $		
	Enfant / adolescent (7 à 17 ans) : 2,00 $		
	Famille : 8,00 $		
ACCÈS	De la sortie 337 de l'autoroute 20, suivre la route 279 sud jusqu'à la route 216. Tourner à gauche et suivre les indications sur les panneaux bleus « Massif du Sud ».		
DOCUMENTATION	Dépliant-carte (à l'accueil)		
INFORMATION	418 469-2228 • www.massifdusud.com		

SENTIERS ET PARCOURS	LONGUEUR	TYPE	NIVEAU	DÉNIVELÉ
Sentier de la Crête des Grives	4,2 km	mixte	avancé	170 m
Sentier des Passerelles	1,5 km	linéaire	intermédiaire	
Sentier des Sources	3,9 km	linéaire	avancé	260 m
Sentier du mont Chocolat	2,1 km	linéaire	avancé	190 m
Sentier des Portes de l'Enfer	3,7 km	boucle	intermédiaire	50 m
Sentier de la Slousse	1,5 km	linéaire	intermédiaire	90 m
Sentier de la Vieille Forêt	2,7 km	boucle	intermédiaire	120 m
Sentier des Abris sous Roches	1,6 km	linéaire	avancé	120 m
Sentier de la Traverse	4,7 km	linéaire	avancé	220 m
Sentier des Mornes	2,5 km	linéaire	débutant	
Sentier du Plateau	2,0 km	boucle	intermédiaire	
Sentier du Milieu	3,7 km	boucle	intermédiaire	70 m
Sentier de la Vallée	3,0 km	boucle	intermédiaire	
Sentier Beaudoin	3,4 km	boucle	avancé	100 m
Sentier du Versant	5,5 km	linéaire	avancé	220 m
Sentier du mont du Midi	7,0 km	linéaire	avancé	120 m
Sentier du mont Saint-Magloire	6,4 km	linéaire	avancé	150 m
Sentier des Collines du Nord	3,5 km	linéaire	avancé	130 m
Sentier du Sommet	4,1 km	linéaire	avancé	380 m
Sentier de la Bretelle	0,4 km	linéaire	débutant	50 m
Sentier du Versant Sud	14,8 km	linéaire	avancé	300 m
Sentier des Dryades	3,0 km	linéaire	avancé	210 m
Le chemin des Parcs	10,0 km	linéaire	avancé	350 m

JCT   CAMP FORESTIER DE SAINT-LUC

25   PARCOURS DES ANSES

Ce parcours asphalté est aménagé sur une ancienne voie ferrée. On longera le fleuve Saint-Laurent, en face du château Frontenac. La rive permet de voir la ville de Québec et ses fortifications éclairées en soirée, les ponts et l'île d'Orléans. Ce site est un ancien chantier maritime où étaient construits des bateaux. On verra des vestiges de cette époque comme l'écurie et les installations pour sortir les bateaux de l'eau. Des panneaux d'interprétation fournissent plus d'informations sur cette époque. Certaines sections du parcours sont éclairées le soir. 🐴

P 👫 (🎏 🏠 ⛽ 🖊

RÉSEAU PÉDESTRE	15,0 km (Multi : 15 km) (linéaire, débutant)
HORAIRE	De mi-avril à fin novembre, de 7 h à 23 h
TARIF	Gratuit
ACCÈS	De la sortie 318 de l'autoroute 20, suivre les indications pour le traversier de Québec/Lévis. Il y a plusieurs accès possibles entre Saint-Romuald et le quartier Lauzon.
INFORMATION	418 835-4932 • 418 835-4960 poste 4652 • www.tourismelevis.com

26   SENTIER DE LA HAUTE ETCHEMIN

Ce sentier longe la rivière Etchemin sous couvert forestier. Le boisé est composé, entre autres, de thuyas, de sapins, d'épinettes, de peupliers, de bouleaux jaunes et d'arbustes. On pourra apercevoir des oiseaux dont des canards, et des traces de la présence de castors et de ratons laveurs. On trouve des panneaux sur les différentes essences forestières et sur les oiseaux observables le long de ce sentier d'interprétation de la nature. On pourra voir de petits rapides sur la rivière.

RÉSEAU PÉDESTRE	3,5 km (linéaire, débutant)
HORAIRE	De mai à octobre, de 8 h à 20 h Prudence pendant la période de chasse
TARIF	Gratuit
ACCÈS	À Lac-Etchemin, prendre la 2ᵉ Avenue et tourner sur la rue du Sanctuaire. Le sentier se trouve à la décharge.
INFORMATION	418 625-4521 • munetchemin@sogetel.net

27   SENTIER DU PETIT-CAP

Le sentier sillonne un boisé composé d'arbres et d'arbustes comme l'érable de Pennsylvanie, l'amélanchier, le frêne d'Amérique, le bouleau à papier, l'aubépine, le cerisier de Pennsylvanie, le sorbier, le thuya occidental, l'orme d'Amérique et l'ostryer de Virginie. On y trouve aussi des fleurs d'été telles que l'impatiente du Cap, la julienne des dames, la spirée à larges feuilles et la verge d'or. En tout, on y retrouve 65 espèces végétales. L'abondance d'arbres et de plantes à fruits et à graines favorise la présence d'une faune ailée diversifiée. On pourra apercevoir, entre autres, quatre espèces de canards, le faucon pèlerin, le merle bleu, le grand héron et les sarcelles à ailes bleues et à ailes vertes. Le sentier se rend à deux points de vue donnant sur le fleuve Saint-Laurent, l'archipel de l'Île aux Grues et les montagnes à l'horizon. Le parcours est agrémenté de panneaux d'interprétation traitant de l'histoire du lieu, de la faune et de la flore. Le Petit-Cap est l'endroit où les premiers habitants se sont installés en 1672.

RÉSEAU PÉDESTRE	1,5 km (linéaire, débutant)
HORAIRE	D'avril au 4e samedi de septembre, du lever au coucher du soleil Accès interdit en période de chasse
TARIF	Gratuit
ACCÈS	De la sortie 388 de l'autoroute 20, suivre la route du Petit-Cap Nord jusqu'à l'intersection de la route 132. Au nord de la route 132, suivre

le prolongement de la route du Petit-Cap. Cette route de gravier n'a pas de nom; un panneau de signalisation en marque l'entrée et conduit vers le stationnement.

DOCUMENTATION Carte touristique de Cap-Saint-Ignace (à l'office du tourisme de la Côte-du-Sud, tourisme Chaudière-Appalaches, tourisme Cap-Saint-Ignace)

INFORMATION 418 246-5390 • www.capsaintignace.ca

28 SENTIER DU ROCHER BLANC

Ce sentier longe la rivière du Sud. Depuis le stationnement, au centre, on peut emprunter la partie nord ou la partie sud du sentier. La partie sud passe dans un secteur peu boisé. On y a un accès à la rivière et à l'une de ses chutes, ainsi qu'à une plage située dans l'élargissement de la rivière. La partie nord passe à travers une forêt composée de peupliers faux-tremble, âgés de 80 à 100 ans, d'érables, de bouleaux jaunes et de frênes blancs. Il s'agit d'un peuplement de 2e génération. Un belvédère offre une vue sur un canal intermittent, où l'eau passe uniquement lorsqu'il y a une crue. Des accès à la rivière permettent d'admirer les chutes et les rapides. On accède ensuite au cap à Misaël, un promontoire naturel clôturé sur une falaise de près de 20 mètres. On y trouve un belvédère offrant une vue sur la centrale électrique ainsi que sur la plus grosse chute, d'une hauteur d'environ 4 mètres. En se dirigeant vers ce promontoire, on passe par une zone boisée composée de pins blancs matures, de cèdres et de bouleaux blancs. En revenant vers le stationnement, on trouve une végétation plus jeune composée de feuillus. On y apercevra plusieurs oiseaux tels que le martin-pêcheur, des bruants et des parulines. 🐎

RÉSEAU PÉDESTRE 1,2 km (mixte, débutant)

HORAIRE De mai à octobre, de 7 h à 21 h
TARIF Gratuit
ACCÈS De l'autoroute 20, prendre la sortie 348 et suivre la route 281 sud. À Saint-Raphaël, prendre le chemin Sainte-Catherine, puis la route du Pouvoir. Le sentier est situé à côté de la centrale.
INFORMATION 418 243-3424 • marsi@globetrotter.net

29 SENTIERS DE RANDONNÉE DE SAINTE-LOUISE

En parcourant les sentiers, on passera par différents peuplements forestiers dont l'érablière et la cédrière. Au total, il y a 25 espèces d'arbres et arbustes de sous-bois dont certains sont identifiés par des panneaux d'interprétation. Deux petits sentiers sont accessibles depuis le sentier du Lac. L'un conduit au lac de la Haute-Ville, dans lequel on trouve des canards. L'autre se rend à un belvédère donnant sur ce lac. Sur le sentier des Champignons et du belvédère, on trouve des champignons ayant été inoculés dans les bûches. Le sentier du Coteau Blanc passe par plusieurs belvédères offrant des vues sur le Fleuve et sur les Appalaches, entre autres. On atteindra le sommet, d'où on aura un panorama sur la plaine du Saint-Laurent et le Fleuve. Des panneaux traitant des produits de la forêt autres que les arbres sont dispersés sur le territoire. Une chouette lapone a été observée sur le site. Le long d'un sentier, on trouve un dolmen d'une hauteur de plus de 2 mètres. Ce rocher peut servir d'abri. 🐎

RÉSEAU PÉDESTRE 8,3 km

SENTIERS ET PARCOURS	LONGUEUR	TYPE	NIVEAU	DÉNIVELÉ
Sentier des Champignons et du belvédère	0,9 km	Boucle	Débutant	
Sentier du Lac	3,3 km	Mixte	Débutant	
Sentier du Coteau Blanc	4,1 km	Linéaire	Intermédiaire	180 m

HORAIRE	Toute l'année, du lever au coucher du soleil
TARIF	Gratuit
ACCÈS	De la sortie 430 de l'autoroute 20, emprunter la route 132 ouest. Tourner à gauche sur la route de l'Église, puis encore à gauche sur le rang de la Haute-Ville. Tourner à droite sur la route Gaspard et à gauche sur le rang Bonnet. Le stationnement est situé environ 2 km plus loin.
DOCUMENTATION	Plan du sentier (sur le site Web)
INFORMATION	418 354-2509 • www.saintelouise.qc.ca

30 SENTIERS PÉDESTRES DE SAINT-FABIEN-DE-PANET
(PARC RÉGIONAL DES APPALACHES)

Grâce à un trottoir de bois, le sentier du Lac Talon traverse une tourbière dans laquelle on verra plusieurs plantes dont le cornouiller du Canada, le sorbier d'Amérique, quatre espèces de trilles et le monotrope uniflore, une plante sans chlorophylle. Le sentier mène à ce lac peuplé de nénuphars dont les orignaux se nourrissent. Des cerfs de Virginie, des coyotes, des renards, des lièvres, des castors et des grands hérons sont présents dans le secteur. Le sentier des Chutes du ruisseau des Cèdres traverse une érablière et passe sur des crêtes avant de se terminer à une chute d'une hauteur d'environ 30 mètres, accompagnée de cascades et d'un bassin à remous. On pourra circuler autour des chutes grâce à un parcours en boucle. Le sentier des Chutes de la Devost est, en majeure partie, situé sur la crête d'un esker, où on pourra apercevoir des pics. Près des chutes, on pourra observer des affleurements de lave coussinée datant de 600 millions d'années. On pourra passer de l'autre côté de la chute grâce à une passerelle. Sur le sentier de l'Érablière, on traversera une érablière jusqu'à un sommet offrant une vue sur le lac Talon et le mont Sugar Loaf. Le sentier Le Portage, sur lequel on trouve deux ponts suspendus, permet de voir des vestiges d'un ancien barrage de drave. Un refuge est situé au pied des Cascades noires. Sur Les Parois, on sillonne une forêt dans laquelle de gros rochers sont dispersés et on monte au sommet où on rejoint le sentier de l'Érablière. 🐎

🏛️P🚶‍♂️🚻♿🎋⛰️▲▲♿🏠⛺🚂🐕‍🦺🌿🚌🧳💼

Note : les services sont disponibles de 8 h 30 à 17 h

RÉSEAU PÉDESTRE 23,0 km

SENTIERS ET PARCOURS	LONGUEUR	TYPE	NIVEAU	DÉNIVELÉ
Sentier du Lac Talon	6,0 km	mixte	débutant	
Sentier des Chutes du ruisseau des Cèdres	3,5 km	mixte	débutant	
Sentier du Petit lac des Vases	4,0 km	linéaire	débutant	
Sentier des Chutes de la Devost	2,5 km	mixte	débutant	
Sentier de L'Érablière	2,0 km	mixte	intermédiaire	75 m
Sentier le Portage	2,5 km	mixte	débutant	
Sentier les Parois	2,5 km	mixte	intermédiaire	100 m

HORAIRE   De mi-avril à mi-décembre, du lever au coucher du soleil
                 Prudence pendant la période de chasse
TARIF   Gratuit
ACCÈS   De la sortie 378 de l'autoroute 20, suivre la route 283 sud jusqu'à
                 Saint-Fabien-de-Panet, soit sur 56 km.
DOCUMENTATION Voir à « Parc régional des Appalaches »
INFORMATION   418 223-3423 • 1 877 827-3423 • www.parcappalaches.com

JCT   MONT SUGAR LOAF

31 SENTIERS PÉDESTRES DES 3 MONTS DE COLERAINE

Ce lieu est, en fait, la Réserve écologique de la Serpentine-de-Coleraine, la 67e réserve écologique au Québec et la première à être accessible au public. On y trouve environ 300 espèces végétales, dont certaines pouvant être désignées menacées ou vulnérables, dont une fougère de petite taille assez rare au Québec. Ce territoire de 396 hectares comprend plusieurs parcours dont une bou-cle passant par les monts Oak, Kerr et Caribou, dont la hauteur varie entre 465 et 557 mètres. Au mont Oak, on sillonnera une forêt de chênes rouges et de pins rouges avant d'atteindre un belvédère offrant une vue sur les environs de Coleraine et Disraeli, le lac Aylmer et le mont Mégantic. Sur le mont Caribou, on passera par un massif de serpentine. Cette roche ignée, riche en magnésium, se retrouve sur moins de 1 % de la superficie de la planète. On y aura un panorama sur la région. Depuis les belvédères de la colline Kerr, on aura une vue sur Thetford Mines et sur le cratère d'une mine, ainsi que sur le grand lac Saint-François et les lacs Caribou et Aylmer. En effectuant les différents parcours, on pourra apercevoir des orignaux, des chevreuils et plusieurs espèces d'oiseaux dont l'urubu à tête rouge qui niche en colonie sur le territoire. On verra aussi des vestiges miniers datant du début du XXe siècle.

Autre : douche

Note : il se peut que le pavillon d'accueil soit fermé en semaine pendant la basse saison.

RÉSEAU PÉDESTRE 32,0 km

SENTIERS ET PARCOURS	LONGUEUR	TYPE	NIVEAU	DÉNIVELÉ
Mont Oak (Boucle courte)	4,0 km	boucle	débutant	
Mont Caribou	4,0 km	boucle	intermédiaire	
Colline Kerr	8,0 km	boucle	avancé	450 m
Mont Oak (Boucle longue)	6,0 km	boucle	débutant	
Lac Johnston	10,0 km	boucle	intermédiaire	

HORAIRE	Toute l'année, du lever au coucher du soleil
TARIF	Adulte : 4,00 $
	Étudiant : 3,50 $
	Enfant (6 à 10 ans) : 1,50 $
	Enfant (5 ans et moins) : gratuit
	Famille : 10,00 $
	Des cartes annuelles sont disponibles
	Note : veuillez utiliser la boîte d'auto-perception s'il n'y a personne à l'accueil
ACCÈS	De Thetford Mines, emprunter la route 112 jusqu'à Coleraine où le sentier est indiqué en bordure de la route, en face de l'aréna.
DOCUMENTATION	Dépliant-carte (à l'accueil et au bureau d'information touristique)
INFORMATION	418 423-3351 • www.3monts.ca

32 SITE D'OBSERVATION DES OISEAUX DU LAC NOIR

Le lac est entouré d'un marais favorable à la reproduction de la flore et de la faune, surtout celle des oiseaux. On trouve sur le territoire environ 75 espèces d'oiseaux, en plus des espèces migratoires et des rapaces. Parmi eux, on pourra apercevoir le canard noir, la sarcelle à ailes bleues, le butor d'Amérique et le grand héron. Les sentiers, agrémentés de panneaux d'interprétation, parcourent ce territoire et mènent à des tours d'observation offrant des vues sur les environs.

RÉSEAU PÉDESTRE 1,8 km (mixte, débutant)

HORAIRE	De mai à octobre, du lever au coucher du soleil
TARIF	Gratuit
ACCÈS	De Saint-Jean-Port-Joli, suivre la route 204 sud sur environ 25 km. L'entrée du site est identifiée en bordure de la route.
DOCUMENTATION	Liste des oiseaux observés, dépliant (au bureau de la municipalité)
INFORMATION	418 359-2106 • municipal.tourville@globetrotter.net

33 SITE DE LA MINE BOSTON

Ce lieu est le site d'une ancienne mine, fermée en 1923. Le sentier qui y a été tracé sillonne une forêt mixte pour mener à un belvédère offrant une vue s'étendant jusqu'aux montagnes du Maine. En chemin, on verra deux anciens puits de mine d'amiante, un lac et une petite chute. Dispersés le long du parcours, des panneaux d'interprétation traitent de l'histoire de la mine, de la régénération de la forêt après l'exploitation minière, de la flore ainsi que de la faune composée en partie de chevreuils, d'orignaux, de renards et de lièvres. 🏕

🎯 P ⛹ ⛷ X 🎣 ⛺ 🏡 ⚒ 🌿 🎿

RÉSEAU PÉDESTRE 7,8 km

SENTIERS ET PARCOURS	LONGUEUR	TYPE	NIVEAU
Sentier des Mineurs	7,8 km	mixte	débutant

HORAIRE	Toute l'année, du lever au coucher du soleil
TARIF	Gratuit
ACCÈS	De Thetford Mines, emprunter la route 112 vers l'est. À 1,5 km de la sortie du village d'East Broughton, prendre le rang 5 Nord à gauche.
DOCUMENTATION	Dépliant (au 245, 13ᵉ Rue Ouest, à East Broughton)
INFORMATION	418 427-3412 • 418 427-3897 • michel_groleau@sympatico.ca

34 STATION RÉCRÉOTOURISTIQUE DU MONT ADSTOCK

Deux sentiers de raquette servent à la randonnée pédestre l'été. Ils sillonnent une forêt mixte bicentenaire, parsemée de lacs, et mènent au sommet de la montagne. À cet endroit, les sentiers se rejoignent pour former une boucle. Un belvédère offre une vue de 360 degrés sur les lacs et la région. En chemin, on pourra apercevoir des chevreuils et plusieurs oiseaux. 🏕

🎯 P ⛹ ⛷ X 🎣 ⚒ 🌿

RÉSEAU PÉDESTRE 2,6 km

SENTIERS ET PARCOURS	LONGUEUR	TYPE	NIVEAU	DÉNIVELÉ
Grands Arbres	1,0 km	linéaire	avancé	275 m
Pics Bois	1,6 km	linéaire	avancé	275 m

HORAIRE	Toute l'année, du lever au coucher du soleil
TARIF	Gratuit
ACCÈS	De Thetford Mines, prendre la route 267 sud, puis la route du Mont-Adstock. Le centre se trouve au 120, route du Mont-Adstock. Des panneaux indicateurs bleus annoncent le site depuis Thetford Mines.
DOCUMENTATION	Carte des sentiers (au chalet d'accueil et au bureau d'information touristique)
INFORMATION	418 422-2242 • www.montadstock.com

35 ZEC JARO

Cette zec, située à proximité de la ville de Saint-Georges, occupe un territoire d'une superficie de 155 km². Le relief vallonné est recouvert en partie de forêt, mature et en régénération, composée d'érables, de bouleaux et de résineux. On pourra y apercevoir la gélinotte huppée, le lièvre et l'orignal. Un sentier mène à la chute du lac Portage.

L'autre passe par le lac des Cygnes, puis par la montagne à Feu, un promontoire offrant une vue, par temps clair, sur 15 municipalités. 🐎

🏠 P 🚶 (X 🎣 ⛰ ⛺ 🏁 🎿 🪑

RÉSEAU PÉDESTRE 6,0 km (Multi : 6 km)

SENTIERS ET PARCOURS	LONGUEUR	TYPE	NIVEAU	DÉNIVELÉ
Lac des Cygnes	3,0 km	linéaire	débutant	60 m
Chute du lac Portage	3,0 km	linéaire	débutant	

HORAIRE	D'avril à novembre, du lever au coucher du soleil
	Les randonneurs doivent porter le dossard à partir du 15 septembre.
TARIF	6,93 $ par véhicule
ACCÈS	De Saint-Georges, prendre la route 173 sud jusqu'à Saint-Théophile, puis suivre les indications pour la Zec Jaro.
DOCUMENTATION	Carte de la zec (à l'accueil)
INFORMATION	418 597-3622 • 418 226-5276 • www.zecjaro.qc.ca

Duplessis

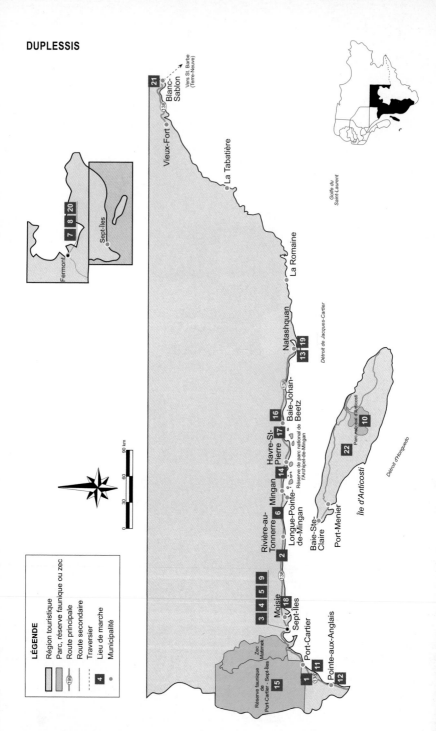

Photo page précédente : Réserve de parc national du Canada de l'Archipel-de-Mingan (LMI - Daniel Pouplot)

LIEUX DE MARCHE

1. BASE DE PLEIN AIR LES GOÉLANDS
2. CHUTES MANITOU
3. ÎLE GRANDE BASQUE
4. LES JARDINS DE L'ANSE
5. LES SENTIERS DE LA NATURE
6. MAGPIE
7. MONT DAVIAULT
8. MONTS SEVERSON
9. PARC AYLMER-WHITTOM
10. PARC NATIONAL D'ANTICOSTI
11. PARC TAÏGA JARDIN INDIGÈNE
12. PLAGE DE POINTE-AUX-ANGLAIS
13. PLAGE DES GALETS
14. RÉSERVE DE PARC NATIONAL DU CANADA DE L'ARCHIPEL-DE-MINGAN
15. RÉSERVE FAUNIQUE DE PORT-CARTIER – SEPT-ÎLES
16. SENTIER DE LA CHUTE QUETACHOU
17. SENTIER DE LA MINE CAP FELDSPATH
18. SENTIER DU PETIT-HAVRE DE MATAMEC
19. SENTIER PÉDESTRE LE PAS DU PORTAGEUR
20. SENTIER TOUR DE VILLE
21. SENTIERS DE BLANC-SABLON
22. SÉPAQ ANTICOSTI

1   BASE DE PLEIN AIR LES GOÉLANDS

Cette base de plein air, située à proximité de la ville de Port-Cartier, propose des sentiers multifonctionnels dont la plupart mènent à la plage. En les parcourant, on s'enfoncera à travers une forêt d'épinettes, de sapins et de bouleaux où des ouvertures offrent des panoramas sur le golfe du Saint-Laurent. Les sentiers sont bordés de bleuets, de framboises et de thé des bois qu'on pourra cueillir. Le pygargue à tête blanche survole le territoire. Il faut prévoir une distance de 2,5 km

avant d'atteindre le sentier La Rivière depuis le départ. 🐴

🏠 P 👫 🛶 🎣 🌲 🏚 🏕 🏊

RÉSEAU PÉDESTRE 7,8 km (Multi : 7,8 km)

SENTIERS ET PARCOURS	LONGUEUR	TYPE	NIVEAU
La Bélouga / Le Lièvre	3,2 km	boucle	débutant
La Rivière	2,3 km	linéaire	débutant
La Croussette	2,3 km	linéaire	débutant

HORAIRE	Toute l'année, du lever au coucher du soleil
TARIF	Gratuit
ACCÈS	La base de plein air est accessible par la route 138, à 10 km à l'ouest de Port-Cartier, entrée S.
DOCUMENTATION	Carte (à l'accueil)
INFORMATION	418 766-8706 • baselesgœlands.com

2   CHUTES MANITOU

La rivière Manitou est flanquée de chaque côté d'un sentier la longeant à travers la forêt boréale. Le sentier La Chute, qui descend jusqu'au pied de celle-ci, est facilité par endroits grâce à des escaliers de bois. Des paliers offrent des vues de différents niveaux sur les chutes, dont une d'une hauteur de près de 40 mètres. Une petite portion du sentier passe sur une plage de granit rouge. 🐴

☆P⛺🚻🏕

RÉSEAU PÉDESTRE 1,3 km

SENTIERS ET PARCOURS	LONGUEUR	TYPE	NIVEAU	DÉNIVELÉ
Les Cascades	0,6 km	linéaire	débutant	
La Chute	0,7 km	linéaire	débutant	50 m

HORAIRE	De mai à novembre, du lever au coucher du soleil
TARIF	2,00 $ par personne (16 ans et plus)
ACCÈS	De Sept-Îles, suivre la route 138 est sur environ 80 km. L'entrée du sentier se situe en bordure de la route, près du pont, au kiosque d'information touristique.
INFORMATION	418 538-2732 • info@mrc.minganie.org

3 ÎLE GRANDE BASQUE

Cette île, à vingt minutes de Sept-Îles par voie maritime, offre différents points de vue sur le golfe et l'archipel des îles. Les sentiers La Mouette et La Perdrix mènent à des belvédères, situés sur des sommets dénudés ayant une altitude respective de 80 et 150 mètres, d'où on aura des panoramas sur la ville. Le Rorqual permet de voir des failles naturelles. Ce sentier et celui de L'Épaulard se rendent à la pointe sud où des dalles de rochers affleurent à la surface du sol couvert par la pessière. On y verra des remparts de pierre, une grotte et une tourbière. Depuis les six plages près des sentiers, on pourra apercevoir des baleines et des oiseaux aquatiques. Les sentiers sont agrémentés de panneaux dont certains renseignent sur la végétation. Les sentiers L'Épaulard et Le Rorqual font partie du certificat du randonneur émérite québécois.

☆P⛺🚻🍴🏕▲⛰🏠🧗🚂🌿🥾🏊🛶🚌 Autres : bois à vendre, foyer de cuisson
Note : certains services ne se trouvent qu'au quai de la marina.

RÉSEAU PÉDESTRE 10,9 km

SENTIERS ET PARCOURS	LONGUEUR	TYPE	NIVEAU	DÉNIVELÉ
L'Épaulard	1,0 km	linéaire	débutant	
Le Rorqual	2,7 km	linéaire	intermédiaire	
L'Hirondelle	0,8 km	linéaire	intermédiaire	80 m
La Perdrix	0,2 km	linéaire	avancé	150 m
La Corneille	1,5 km	linéaire	intermédiaire	
La Moyac	1,9 km	linéaire	intermédiaire	
La Mouette	0,2 km	linéaire	avancé	80 m
Le Cormoran	2,1 km	linéaire	intermédiaire	
Le Kakawi	0,5 km	linéaire	débutant	

HORAIRE	De mi-juin à mi-septembre, de 8 h à 18 h
TARIF	Coût du traversier : Adulte : 20,00 $ Enfant (13 ans et moins) : 12,00 $
ACCÈS	À Sept-Îles, rejoindre la rue Arnaud, en bordure de la mer. Le traversier est accessible à partir du quai de la marina.
DOCUMENTATION	Dépliant-carte, brochure de l'Île (à l'accueil et au bureau d'information touristique)
INFORMATION	418 962-1238 • 1 888 880-1238 • www.ville.sept-iles.qc.ca

4   LES JARDINS DE L'ANSE

On trouve dans ce parc six jardins thématiques et éducatifs, dont un jardin minéralogique. Ces parcs sont destinés à la mise en valeur des attraits naturels de la baie des Sept Îles. Les sentiers traversent ces jardins et suivent le littoral. On aura accès à une tour d'observation offrant une vue sur les environs et on verra un étang doté d'une fontaine d'une hauteur de 7 mètres.

 Autre : kiosque

RÉSEAU PÉDESTRE	4,2 km (Multi : 1,2 km) (mixte, débutant)
HORAIRE	D'avril à octobre, du lever au coucher du soleil
TARIF	Gratuit
ACCÈS	Les jardins se situent près de la Maison du tourisme, à l'entrée ouest de Sept-Îles par la route 138.
INFORMATION	418 964-3341 www.ville.sept-iles.qc.ca

5   LES SENTIERS DE LA NATURE

Ce sentier multifonctionnel relie le secteur Ferland et le parc Aylmer-Whittom. Tout d'abord, on longera en partie la baie des Sept Îles à travers un boisé mixte où les épinettes dominent. On atteindra deux tours d'observation dont l'une offrant une vue sur la baie, puis une passerelle flottante. Des panneaux traitant de l'écosystème forestier particulier de la Côte-Nord agrémentent le parcours. 🐎

✶P🜖🔔⛵ Autre : passerelle flottante

RÉSEAU PÉDESTRE 5,5 km (Multi : 5,5 km) (linéaire, débutant)

HORAIRE D'avril à octobre, du lever au coucher du soleil
TARIF Gratuit
ACCÈS De la route 138 ouest à la sortie de Sept-Îles, prendre la rue des Chanterelles. Continuer jusqu'à la rue des Marguerites, puis tourner à droite sur celle-ci et se rendre jusqu'à son extrémité.
INFORMATION 418 964-3341 • www.ville.sept-iles.qc.ca

[JCT] PARC AYLMER-WHITTOM

6 MAGPIE

Ce village de la Minganie offre trois sentiers sillonnant une forêt mixte dominée par les trembles, les peupliers, les bouleaux et les mélèzes. Chaque sentier mène à un belvédère offrant une vue sur la forêt, la rivière Magpie, le Fleuve, le village et la région. Le sentier de l'Anse à Willie se rend à la rivière Magpie, où on pourra apercevoir des oiseaux et la faune locale. Le sentier de l'Anse à Zoël longe le littoral, puis une paroi rocheuse tout en restant en forêt. 🐎

✶P👫🜖🏠🎏

RÉSEAU PÉDESTRE 10,0 km

SENTIERS ET PARCOURS	LONGUEUR	TYPE	NIVEAU
Sentier de l'Anse à Zoël	3,0 km	boucle	débutant
Sentier de l'Anse à Willie	4,5 km	boucle	débutant
Sentier de l'Anse du Vieux Quai	2,5 km	boucle	débutant

Toute l'année, du lever au coucher du soleil
Le port du dossard est obligatoire durant la période de chasse.

TARIF Gratuit

ACCÈS De la route 138, entrer dans le village de Magpie. Un sentier se trouve près du quai et un autre à l'extrémité est du village.

INFORMATION 418 949-2927 • 418 949-2462

7 MONT DAVIAULT

Le territoire de la région passe de la forêt boréale, à la taïga puis à la toundra. Cette végétation borde aussi les sentiers du mont Daviault, une colline située aux abords du lac du même nom, au sud de la ville de Fermont. En parcourant les sentiers, on verra des caps rocheux et un ruisseau qu'une passerelle permet de franchir. Le sentier de la Flore

se rend jusqu'au sommet où un belvédère offre une vue sur la ville de Fermont, le lac et les environs. Des panneaux traitant de la faune, de la flore et de la géologie du territoire agrémentent le parcours. On pourra apercevoir des lynx, trois espèces de renards et des caribous. Le carcajou est présent sur le territoire. 🐾

RÉSEAU PÉDESTRE 3,2 km

SENTIERS ET PARCOURS	LONGUEUR	TYPE	NIVEAU
Sentier du Ruisseau	1,0 km	linéaire	débutant
Sentier du Centenaire	0,7 km	linéaire	débutant
Sentier de la Flore	1,5 km	linéaire	débutant

HORAIRE Toute l'année, du lever au coucher du soleil

TARIF Gratuit

ACCÈS On accède aux sentiers à partir de la rue Duchesneau, située au sud-ouest de la ville de Fermont.

DOCUMENTATION Dépliant-carte (au bureau d'information touristique et au service des loisirs)

INFORMATION 418 287-5822 • 1 888 211-2222 • www.caniapiscau.net

Les monts Severson créent une zone de transition entre la forêt boréale, la taïga et la toundra alpine des sommets. On y trouve des plantes vivaces et des fruits sauvages. On verra d'immenses blocs rocheux sur le sentier du Piton, qui donne accès au sentier de la Faille. Ce dernier mène à la faille des monts Severson, d'une longueur de 15 mètres et d'une profondeur de 4 mètres, où on

pourra entrer pour voir plusieurs espèces de mousses dont les formes et les couleurs varient. Accessible depuis ces sentiers, le sentier des Cairns passe dans un milieu alpin peuplé de lichens et offre des panoramas sur le massif des monts Severson, dont les sommets atteignent près de 900 mètres d'altitude. Il donne accès au sentier du Lacreux, qui mène au lac de montagne du même nom. On aura accès à la Roff, passant par des tourbières. Le sentier Severson Fermont se rend à l'ancienne « mine des Chinois » et à une sablière à la base de la montagne avant de continuer jusqu'à Fermont. L'Approche donne accès à tous les sentiers et permet de voir des traces de la présence de castors. Des caribous sont présents sur le territoire. La distance de chacun de ces parcours est calculée depuis le stationnement. 🏕

✳ P ❦

RÉSEAU PÉDESTRE   40,0 km

SENTIERS ET PARCOURS	LONGUEUR	TYPE	NIVEAU	DÉNIVELÉ
Sentier Severson Fermont	15,0 km	linéaire	intermédiaire	120 m
Sentier du Piton	2,0 km	boucle	débutant	85 m
Sentier de la Faille	2,5 km	boucle	débutant	85 m
Sentier des Cairns	3,3 km	boucle	intermédiaire	100 m
Sentier du Lacreux	4,0 km	boucle	intermédiaire	115 m
Sentier la Roff	5,2 km	boucle	intermédiaire	120 m
Sentier L'Approche	0,5 km	linéaire	débutant	
Sentier Pierrier-Moiré	7,5 km	boucle	intermédiaire	

HORAIRE	De mai à novembre, du lever au coucher du soleil
	Le port du dossard est obligatoire durant la période de chasse.
TARIF	Gratuit
ACCÈS	De Fermont, prendre la route 389 et faire 6 km vers le sud. Le stationnement se trouve à gauche de la route.
DOCUMENTATION	Dépliant-carte (au bureau de tourisme ou au service des loisirs)
INFORMATION	418 287-5471 • 1 888 211-2222 • www.caniapiscau.net

9 PARC AYLMER-WHITTOM

Ce parc est situé à l'embouchure de la rivière des Rapides dans le Saint-Laurent, à l'ouest de la ville. Les sentiers sillonnent ce boisé mixte naturel, dominé par les épinettes et les lichens, et mènent à deux tours d'observation. L'une donne sur la baie, tandis que l'autre offre une vue sur la rivière et le Fleuve. Les sentiers, bordés de panneaux d'interprétation de la nature, permettent d'observer des oiseaux. Pour les petits, on a édifié un village miniature.

★P👭🎋🗄🌿

RÉSEAU PÉDESTRE 3,5 km (Multi : 3,5 km)

SENTIERS ET PARCOURS	LONGUEUR	TYPE	NIVEAU
Le Grand Rapide	2,0 km	linéaire	débutant
Le Petit Rapide	1,5 km	linéaire	débutant

HORAIRE	D'avril à octobre, du lever au coucher du soleil
TARIF	Gratuit
ACCÈS	Le parc se situe à 6 km à l'ouest de Sept-Îles par la route 138, à l'embouchure de la rivière des Rapides.
INFORMATION	418 964-3341 • www.ville.sept-iles.qc.ca

JCT   LES SENTIERS DE LA NATURE

10 PARC NATIONAL D'ANTICOSTI Parcs Québec

Ce parc a un territoire de 572 km² comprenant une forêt coniférienne, des tourbières peuplées de plantes rares et des fougères. On y trouve des peuplements de pins blancs, fait inhabituel à cette latitude. On verra des canyons, plusieurs centaines d'espèces de fossiles, des falaises, des chutes et des grottes. La grotte à la Patate est une des plus grandes crevasses naturelles au Québec. On verra aussi des phénomènes karstiques comme des cours d'eau disparaissant dans les fissures du sous-sol calcaire de l'île qui, après avoir passé sous terre sur plusieurs kilomètres, jaillissent hors du sol. C'est le cas de la chute Vauréal, d'une hauteur de 76 mètres, qui se précipite dans un canyon. Parfois, on entend ces cours d'eau sans les voir. On pourra apercevoir plus de 130 oiseaux dont le pygargue à tête blanche ainsi que des phoques gris et commun sur les rochers. Aucun chien n'est autorisé à débarquer sur l'île.

🏕P👫✕⛩⚠🏠🚠🌿🏊

RÉSEAU PÉDESTRE 37,0 km

SENTIERS ET PARCOURS	LONGUEUR	TYPE	NIVEAU	DÉNIVELÉ
La vallée de Vauréal	12,0 km	linéaire	intermédiaire	75 m
La grotte à la Patate	1,5 km	linéaire	débutant	
Le brûlé de 1955	6,0 km	linéaire	débutant	
Observation-la-mer	2,0 km	linéaire	débutant	
Des cerisiers	2,0 km	linéaire	débutant	
Le canyon	3,5 km	linéaire	débutant	
Les Pins blanc	3,0 km	linéaire	débutant	
Des télégraphes	2,0 km	linéaire	débutant	
La chute Natiscotec	1,5 km	linéaire	débutant	
Les aigles	0,5 km	linéaire	débutant	
Des falaises	3,0 km	boucle	débutant	

HORAIRE   De juin à mi-septembre, du lever au coucher du soleil
TARIF   Voir la tarification des Parcs nationaux du Québec à la page 15 de cet ouvrage.
ACCÈS   De Havre-Saint-Pierre ou de Rimouski, prendre le traversier « Relais-Nordik » vers Port-Menier, unique village de l'île d'Anticosti. Il existe également des liens aériens.
DOCUMENTATION   Dépliant-carte, carte (à l'accueil)
INFORMATION   418 535-0156 • 1 800 665-6527 • www.parcsquebec.com

[JCT]   SÉPAQ ANTICOSTI

11   PARC TAÏGA JARDIN INDIGÈNE

Ce parc est situé au cœur de la ville de Port-Cartier, sur les îles Patterson et McCormick, au confluent des rivières aux Rochers et Dominique. À travers la forêt boréale et une zone recouverte de mousses et de lichens, le sentier longe la rivière aux Rochers qu'une passerelle permet de franchir, et offre une vue sur une chute. On verra aussi des fosses à saumon, un jardin de végétaux et des formations de dalles rocheuses sur la rive. On apercevra de loin une épave de navire échoué. 🪧

✶P⛩🛏🌿

RÉSEAU PÉDESTRE 1,6 km (Multi : 1,6 km) (boucle, intermédiaire)

HORAIRE   Toute l'année, du lever au coucher du soleil
TARIF   Gratuit
ACCÈS   De la route 138 à Port-Cartier, emprunter la rue Shelter Bay vers le sud, puis tourner à gauche sur le boulevard des Îles. Le stationnement du parc se trouve entre le pont des Rochers et le pont Chenel. Un autre accès, après le pont Chenel, mène aux sentiers de l'île McCormick.
INFORMATION   418 766-4414 • 1 888 766-6944 • www.tourisme50parallele.com

Duplessis

12   PLAGE DE POINTE-AUX-ANGLAIS

Cette plage tient son nom de la flotte anglo-américaine, dirigée par l'amiral Walker, qui s'y rendit en 1711 dans le but de conquérir la colonie française. La majorité des 60 navires dut repartir, 16 d'entre eux ayant fait naufrage sur l'île aux Œufs. Cette plage fait partie de la portion de la Côte-Nord comprenant les plus belles plages naturelles du Québec. Plusieurs rochers sont dispersés le long du chemin longeant le golfe Saint-Laurent, offrant une vue constante sur ce dernier. En juin, des milliers de petits poissons viennent s'échouer sur la plage. 🐎

🏠 P 🕴 🎋 ▲ 🌊

RÉSEAU PÉDESTRE   11,0 km

SENTIERS ET PARCOURS	LONGUEUR	TYPE	NIVEAU
Plage de la Pointe-aux-Anglais	10,0 km	linéaire	débutant
Sentier Rivière-Pentecôte	1,0 km	boucle	débutant

HORAIRE	De mai à novembre, du lever au coucher du soleil
TARIF	Gratuit
ACCÈS	La plage est accessible à partir de la route 138, à Pointe-aux-Anglais.
INFORMATION	418 799-2262 • 418 799-2212

13   PLAGE DES GALETS

Cette plage, parsemée de grandes roches plates, est située en bordure du Saint-Laurent et du village natal de Gilles Vigneault. On accèdera à une presqu'île s'avançant dans le golfe où on verra les « galets », le symbole de Natashquan. Il s'agit de hangars servant autrefois pour les activités reliées à la pêche. De la trentaine présents à l'époque, il n'en subsiste que douze. On pourra y écouter un texte de Gilles Vigneault intitulé « Le Galet ». Quelques fois durant l'année, cette presqu'île devient une île lors des grandes marées. Ces bâtiments, les galets, ont été désignés « bien culturel » par le gouvernement du Québec pour leur caractère patrimonial. 🐎

🏠 P 🕴 (X ▲ 🏕 🔔 🎐 🌊

RÉSEAU PÉDESTRE   8,0 km (linéaire, débutant)

HORAIRE	De mai à décembre, du lever au coucher du soleil
TARIF	Gratuit
ACCÈS	La plage se situe entre le village de Natashquan et celui de Pointe-Parent.
DOCUMENTATION	Carte du village, dépliant touristique (au pôle d'accueil touristique, au 24 chemin d'en Haut, à Natashquan)
INFORMATION	418 726-3054 • 418 726-3060 • www.copactenatashquan.net

Près de la rive nord du golfe du Saint-Laurent, on retrouve environ 40 îles calcaires accompagnées de nombreux îlots, créant l'archipel de Mingan. C'est là qu'est située cette réserve, d'une superficie de 110 km², qui propose plusieurs sentiers pédestres aménagés sur quatre îles. En les parcourant, on traversera plusieurs milieux : forêt boréale, lande,

falaises, tourbières et marais salés. La lande, qui couvre moins de 10 % du territoire de l'archipel, offre une végétation similaire à celle de la toundra et des sommets alpins. On verra, sur certaines îles, des monolithes créés par l'érosion des falaises calcaires. On pourra apercevoir des mammifères, environ 200 espèces d'oiseaux forestiers dont des rapaces et des oiseaux marins, ainsi que les phoques commun, gris et du Grœnland. Fait particulier, l'orignal est présent sur certaines îles. En plus des sentiers, plus de 100 km de marche peut être pratiquée sur les plages du littoral des îles de l'archipel. Il faudra se montrer prudent avec les marées qui pourraient empêcher le passage dans des secteurs plus difficiles; il est suggéré de bien se renseigner au préalable.

Note : certains services ne sont disponibles qu'au quai d'embarquement.

RÉSEAU PÉDESTRE 36,0 km

SENTIERS ET PARCOURS	LONGUEUR	TYPE	NIVEAU
Randonnée des Gentianes (Île du Havre)	15,3 km	boucle	intermédiaire
Sentier à Samuel (Île Niapiskau)	4,3 km	linéaire	intermédiaire
Sentier des Falaises (Île Quarry)	1,4 km	boucle	débutant
Randonnée des Cypripèdes (Île Quarry)	9,0 km	boucle	intermédiaire
Randonnée du Petit Percé (Île Quarry)	4,0 km	boucle	intermédiaire
Randonnée de la Lumière (Petite île au Marteau)	1,0 km	linéaire	débutant
Sentier Anse aux Érosions	0,6 km	linéaire	débutant
Sentier des Bonnes Femmes (Niapiskau)	0,4 km	boucle	débutant

HORAIRE
De mi-juin à la fête du Travail, de 8 h 30 à 20 h
l'horaire du transport maritime est variable

TARIF
Adulte (plus de 16 ans) : 5,45 $
Aîné (65 ans et plus) : 4,70 $
Jeune (6 à 16 ans) et étudiant avec carte : 2,70 $
Enfant (moins de 6 ans) : gratuit
Famille (2 adultes, 5 enfants max) : 13,60 $
Groupe scolaire : 1,95 $ par étudiant
Des frais de traversée s'ajoutent

ACCÈS	Les services de transport maritime permettant l'accès aux îles ont comme principaux points de départ : Havre-Saint-Pierre, Mingan et Longue-Pointe de Mingan.
DOCUMENTATION	Brochure promotionnelle, carte topographique, cahier d'activités et services et guide de découverte (centre d'accueil et d'interprétation, au kiosque d'information touristique et au centre de recherche et d'interprétation de la Minganie)
INFORMATION	418 538-3285 • 1 800 463-6769 • www.parcscanada.gc.ca/mingan

15 RÉSERVE FAUNIQUE DE PORT-CARTIER – SEPT-ÎLES

Le territoire de cette réserve, d'une superficie de 6 423 km², est recouvert d'une forêt boréale parsemée de plusieurs lacs, rivières et ruisseaux dont un lac glaciaire d'une longueur de 30 kilomètres, le lac Walker. L'accueil, la plage et le camping sont situés à la pointe sud de ce lac. On y trouve trois sentiers menant chacun à une chute et à un point de vue. La chute du Carlos se trouve près de la rivière aux Rochers. On pourra apercevoir des orignaux et des lynx ainsi que plusieurs oiseaux dont des rapaces survolant le territoire.

RÉSEAU PÉDESTRE 4,0 km

SENTIERS ET PARCOURS	LONGUEUR	TYPE	NIVEAU
Chute MacDonald	1,0 km	linéaire	débutant
Chute du Carlos	1,5 km	linéaire	débutant
De la Montagne	1,5 km	linéaire	débutant

HORAIRE	De fin mai à mi-septembre, de 7 h à 19 h La marche est interdite durant la période de chasse.
TARIF	Gratuit
ACCÈS	De la route 138 à Port-Cartier, suivre les indications pour la réserve.
DOCUMENTATION	Dépliant-carte (à l'accueil)
INFORMATION	418 766-2524 • 418 766-4743 • www.sepaq.com

16   SENTIER DE LA CHUTE QUETACHOU

Ce sentier commence à proximité de la rivière et aboutit à une chute en cascade. En le parcourant, on traversera une forêt d'épinettes noires ainsi que des zones où on retrouve la végétation de type toundra, ainsi que des bleuets et de la chicoutai.

RÉSEAU PÉDESTRE   1,0 km (linéaire, intermédiaire)

HORAIRE   Toute l'année, du lever au coucher du soleil
Prudence pendant la période de chasse

TARIF   Gratuit

ACCÈS   De Havre-Saint-Pierre, suivre la route 138 est sur 65 km jusqu'à Baie-Johan-Beetz. Laisser le véhicule à l'est de la rivière Quetachou, sur l'accotement de la route 138. Le sentier se trouve du côté sud-est du pont en suivant l'aval de la rivière.

INFORMATION   418 539-0125 • 418 539-0188 • www.baiejohanbeetz.com

17   SENTIER DE LA MINE CAP FELDSPATH

Ce sentier traverse une forêt dominée par les conifères, dans laquelle on trouve des arbustes et plusieurs petits fruits dont la chicoutai, et conduit au site de l'ancienne mine de feldspath, de laquelle subsistent quelques vestiges. Une petite portion du sentier se fait sur une plage de sable blanc d'où on aura un panorama sur le golfe du Saint-Laurent. Le parcours est agrémenté de nombreux cristaux blancs sur le sol, signe que le milieu est riche en silice. On pourra apercevoir des oiseaux migrateurs.

RÉSEAU PÉDESTRE   2,5 km (linéaire, débutant)

HORAIRE   Toute l'année, du lever au coucher du soleil
Prudence pendant la période de chasse

TARIF   Gratuit

ACCÈS   De Havre-Saint-Pierre, suivre la route 138 est jusqu'à la borne kilométrique 66. Continuer sur 500 mètres et tourner à droite. Suivre alors les indications pour le sentier. Le stationnement se situe en haut de la première colline. Le site est environ à 5 km à l'est de Baie-Johan-Beetz

INFORMATION   418 539-0125 • 418 539-0188 • www.baiejohanbeetz.com

18 SENTIER DU PETIT-HAVRE DE MATAMEC

Ce sentier traverse différents écosystèmes : sapinière, marais salé, pessière noire, littoral et zone rocheuse. La sapinière comprend des épinettes blanches et des peupliers de grande taille, ainsi que plusieurs signes montrant que cette forêt est vierge et âgée. La pessière est peuplée de lichens, d'épinettes noires et d'éricacées comme le kalmia à feuilles étroites. On se rendra jusqu'au bord de la mer où on pourra apercevoir un phare. Le parcours est agrémenté de sept panneaux d'interprétation dont certains traitant de la géologie du site comme les stries et cannelures sur les rochers, traces du passage des glaciers. En 1994, le gouvernement du Québec a octroyé le titre de réserve écologique à la portion sud du bassin-versant de la rivière Matamec. Les rochers du site proviennent de formations géologiques datant de plus d'un milliard d'années.

✹P🛏🚻

RÉSEAU PÉDESTRE	2,0 km (linéaire, débutant)
HORAIRE	Toute l'année, du lever au coucher du soleil
TARIF	Gratuit
ACCÈS	De Sept-Îles, emprunter la route 138 jusqu'au pont de la rivière Moisie. Continuer sur 6 km et prendre l'entrée au sud de la route, indiquée par un panneau d'accueil.
DOCUMENTATION	Dépliant (dans les kiosques d'information touristique de la Côte-Nord)
INFORMATION	418 962-1238 • www.cagm.org

19 SENTIER PÉDESTRE LE PAS DU PORTAGEUR

Ce sentier circule majoritairement dans une forêt de conifères et une zone peuplée d'arbres rabougris comme des épinettes rouges et des mélèzes. On passera aussi par une plaine d'affleurements rocheux recouverts de mousses. Le sentier longe la rivière Petite-Natashquan, qu'une passerelle permet de franchir, et offre des vues sur ses cinq chutes. 🐾

✹🛏🏠▦

RÉSEAU PÉDESTRE 15,0 km

SENTIERS ET PARCOURS	LONGUEUR	TYPE	NIVEAU
Sentier Petite Rivière	15,0 km	boucle	intermédiaire

HORAIRE	De juin à octobre, du lever au coucher du soleil
TARIF	Gratuit
ACCÈS	L'accès aux sentiers se trouve le long de la route 138, à 3 km à l'ouest de Natashquan. L'accès peut aussi se faire près du poste d'Hydro-Québec, à la sortie ouest du village de Natashquan. Il y a un panneau indicateur.

20 SENTIER TOUR DE VILLE

Cette promenade, située dans la ville de Fermont, a un paysage où les monts Daviault et Severson dominent avec leur végétation de toundra. Elle longe le lac Daviault, offrant un panorama sur ce dernier, et donne accès à tous les parcs de la ville, au ruisseau Perchard et à la marina. L'attrait principal de la ville est le mur-écran, construit pour protéger la ville des vents nordiques. Ce bâtiment, d'une longueur de 1,3 kilomètres et d'une hauteur de cinq étages, abrite des logements et des services communautaires reliés par un mail piétonnier. 🐴

★P🚶‍♂️🏛🏕✗🍴🏕🛏

RÉSEAU PÉDESTRE 4,0 km (Multi : 4 km) (boucle, débutant)

HORAIRE	De mai à novembre, du lever au coucher du soleil
TARIF	Gratuit
ACCÈS	Le sentier fair le tour de la ville de Fermont. On peut stationner au chalet de service.
DOCUMENTATION	Dépliant-carte (au bureau d'information touristique et au service des loisirs)
INFORMATION	418 287-5822 • 1 888 211-2222 • www.caniapiscau.net

21 SENTIERS DE BLANC-SABLON

La municipalité de Blanc-Sablon est située à proximité de la frontière du Labrador. Son territoire est composé de la mer, de zones rocheuses et de la végétation typique de la toundra. On y trouve plusieurs oiseaux dont des colonies de sternes, de macareux et de marmettes. Les sentiers sillonnent les coins les plus reculés de ce secteur. Le sentier des Chutes de Bradore mène aux chutes du même nom. Le sentier de la Rive du mont Parent offre un panorama sur la mer. On atteindra un belvédère offrant une vue sur le village et la baie au sanctuaire de la Vierge Marie. Le sentier de la Plage permet d'observer les icebergs qui circulent dans la mer jusqu'au milieu du mois de juillet. 🐴

★P🚶‍♂️🏛✗🍴🪜

RÉSEAU PÉDESTRE 11,8 km (Multi : 11,8 km)

SENTIERS ET PARCOURS	LONGUEUR	TYPE	NIVEAU	DÉNIVELÉ
Sentier des Chutes de Bradore	1,5 km	linéaire	intermédiaire	90 m
Sentier de la Rive du mont Parent	3,0 km	boucle	intermédiaire	
Sentier du Sanctuaire de la Vierge Marie	0,5 km	linéaire	débutant	
Sentier de la Plage	5,0 km	linéaire	débutant	
Sentier de la Grande Coulée	1,8 km	linéaire	débutant	

HORAIRE	De mai à novembre, du lever au coucher du soleil
TARIF	Gratuit
ACCÈS	On peut accéder à Blanc-Sablon à partir de Natashquan par le bateau « Nordik Express », ou à partir de Sainte-Barbe, à Terre-Neuve, par le traversier. Il existe également un lien aérien.
INFORMATION	418 461-2707 • mbsablon@globetrotter.net

22 SÉPAQ ANTICOSTI

Avec son territoire de plus de 4 500 km², la Sépaq Anticosti est la plus grande pourvoirie de l'île, située dans l'embouchure du Saint-Laurent. Grâce aux nombreux fossiles qu'on y trouve, ce lieu constitue un attrait au niveau géologique. Les sentiers sillonnent ce territoire faunique peuplé de plus de 120 000 cerfs de Virginie, de castors, d'orignaux, de renards et de lièvres. Les cours d'eau sont peuplés de saumons. Cette diversité s'explique par le fait que l'île fut achetée en 1895 par le Français Henri Menier, le « Roi du chocolat », qui en fit son territoire de chasse privé. On pourra apercevoir des mammifères marins comme les phoques gris et commun. Aucun chien n'est autorisé à débarquer sur l'île.

❀P✱✶X☷▲⌂♨☀☇⛵

RÉSEAU PÉDESTRE 24,5 km (Multi : 18 km)

SENTIERS ET PARCOURS	LONGUEUR	TYPE	NIVEAU
Le mésengeai	5,0 km	linéaire	débutant
La sauvagesse	7,0 km	linéaire	débutant
Le sentier des Caps	0,5 km	linéaire	débutant
La vallée de l'Aube	6,0 km	linéaire	débutant
Le petit canyon	1,0 km	linéaire	débutant
Les échoueries	3,0 km	linéaire	débutant
Les iris	2,0 km	linéaire	débutant

HORAIRE	De juin à fin août, du lever au coucher du soleil
	Prudence pendant la période de chasse
TARIF	Gratuit
ACCÈS	De Havre-Saint-Pierre ou de Rimouski, prendre le traversier « Relais-Nordik » vers Port-Menier, unique village de l'île d'Anticosti. De là, prendre la route de gravier vers l'est sur une distance d'environ 115 km, soit jusqu'au secteur Carleton où se situent la majorité des sentiers. Il y a également des vols à partir de Mont-Joli, Sept-Îles et Havre-Saint-Pierre.
DOCUMENTATION	Dépliant-carte, carte (à l'accueil)
INFORMATION	418 535-0156 • www.sepaq.com

JCT   PARC NATIONAL D'ANTICOSTI

Gaspésie

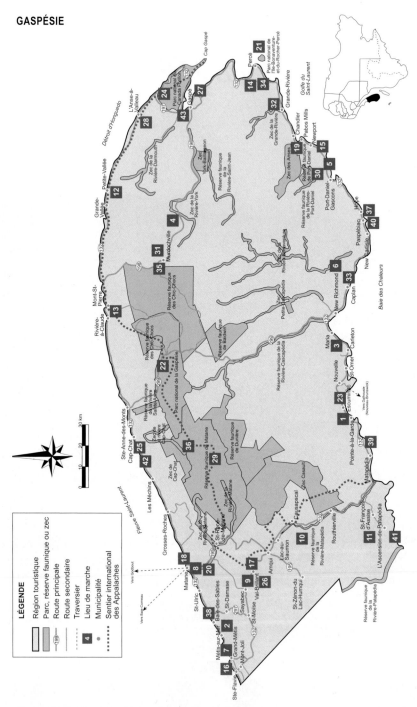

Photo page précédente : Parc national de la Gaspésie (LMI - Nicole Blondeau)

LIEUX DE MARCHE

1 AUBERGE DU CHÂTEAU BAHIA
2 AUBERGE UNE FERME EN GASPÉSIE
3 CARLETON-MARIA
4 CENTRE DE PLEIN AIR DU LAC YORK
5 CENTRE PLEIN AIR LA SOUCHE DE GASCONS
6 DOMAINE DES CHUTES DU RUISSEAU CREUX
7 JARDINS DE MÉTIS
8 LA PROMENADE DES CAPITAINES, LA BALADE, LE PARC DES ÎLES
9 LE PARC RÉGIONAL DE LA SEIGNEURIE DU LAC MATAPÉDIA
10 LES SENTIERS DE CAUSAPSCAL
11 LES SENTIERS PANORAMIQUES
12 MONT DIDIER
13 MONT SAINT-PIERRE
14 MONT SAINTE-ANNE ET MONT-BLANC
15 PARC COLBORNE
16 PARC DE LA RIVIÈRE MITIS
17 PARC DES BOIS ET DES BERGES
18 PARC DES CASTORS
19 PARC DU BOURG DE PABOS
20 PARC GRAND-DÉTOUR
21 PARC NATIONAL DE L'ÎLE-BONAVENTURE-ET-DU-ROCHER-PERCÉ
22 PARC NATIONAL DE LA GASPÉSIE
23 PARC NATIONAL DE MIGUASHA
24 PARC NATIONAL DU CANADA FORILLON
25 PARC RÉCRÉOTOURISTIQUE DU ROCHER CAP-CHAT
26 PARC RÉGIONAL DE VAL-D'IRÈNE
27 PLAGE HALDIMAND
28 POINTE À LA RENOMMÉE
29 RÉSERVE FAUNIQUE DE MATANE
30 RÉSERVE FAUNIQUE DE PORT-DANIEL
31 SENTIER À MARIUS
32 SENTIER DE LA FABRIQUE
33 SENTIER DES CAPS DE LA HALTE
34 SENTIER DES RIVIÈRES
35 SENTIER DU MONT-PORPHYRE
36 SENTIER INTERNATIONAL DES APPALACHES
37 SENTIER PÉDESTRE DE LA POINTE-AUX-CORBEAUX
38 SENTIER PÉDESTRE DES ROSIERS
39 SENTIERS ORNITHOLOGIQUES DE POINTE-À-LA-CROIX
40 SITE HISTORIQUE DU BANC-DE-PÊCHE-DE-PASPÉBIAC
41 SITE PANORAMIQUE LE SOLEIL D'OR
42 SITE RÉCRÉO-TOURISTIQUE DE CAPUCINS
43 VILLE DE GASPÉ

1 AUBERGE DU CHÂTEAU BAHIA

Ce sentier, situé derrière l'auberge, fait passer à travers un champ avant de plonger dans une forêt mixte. En traversant un ruisseau, on pourra apercevoir des castors. Le sentier mène à une tour d'observation offrant une vue sur la forêt et sur la baie des Chaleurs. Le parcours est agrémenté de panneaux avec des extraits de poèmes de poètes québécois. On pourra voir des cerfs de Virginie.

RÉSEAU PÉDESTRE 5,0 km (boucle, débutant)

HORAIRE	De mi-mai à mi-octobre, de 10 h à 16 h
TARIF	Gratuit
ACCÈS	De Matapédia, emprunter la route 132 en direction est jusqu'à Pointe-à-la-Garde. Le stationnement de l'auberge se situe 2 km après le chemin Saint-Antoine, à gauche.
INFORMATION	418 788-2048

2 AUBERGE UNE FERME EN GASPÉSIE

Cette auberge propose deux sentiers sillonnant son territoire de 101 hectares. Le sentier du Phare passe en forêt et sur des terres agricoles. Il porte ce nom car une ouverture offre un panorama sur le Fleuve, ainsi que sur la pointe et le phare de Métis-sur-Mer. Le sentier l'Érablière traverse une forêt mixte ainsi qu'une érablière. On franchira quelques ruisseaux grâce à de petits ponts. On aura une vue sur les collines et vallées environnantes. On pourra apercevoir des orignaux, ainsi que des castors et leurs barrages.

RÉSEAU PÉDESTRE 9,0 km

SENTIERS ET PARCOURS	LONGUEUR	TYPE	NIVEAU
Sentier du Phare	1,0 km	linéaire	débutant
Sentier l'Érablière	8,0 km	boucle	avancé

HORAIRE	Toute l'année, du lever au coucher du soleil
TARIF	Gratuit
ACCÈS	De Métis-sur-Mer, suivre la route McNider et tourner à gauche sur le 5e Rang. L'auberge se situe au 540.
INFORMATION	418 936-3544 • 1 877 936-3544 • www.aubergegaspesie.com

3 CARLETON-MARIA

Ce réseau pédestre reliant les villes de Carleton et Maria offre de nombreux points de vue sur la baie des Chaleurs et les côtes du Nouveau-Brunswick. Le sentier Le Grand Sault longe la rivière Glenburnie jusqu'au mont Carleton. On peut apercevoir, sur la première partie du parcours, des blocs erratiques provenant de la dernière glaciation. Le sentier mène ensuite vers Le Grand

Répertoire des lieux de marche au Québec

Sault et des cascades. Un peu plus haut en altitude, il sera possible d'observer une végétation subarctique unique dans le secteur. Le Cap Ferré et Le Valentin mènent tous deux vers le sommet du mont Saint-Joseph d'où on peut voir l'oratoire du mont Saint-Joseph, un lieu de culte et de pèlerinage depuis 1935. Le Mont Carleton mène à la montagne du même nom, le plus haut sommet du réseau avec 613 mètres d'altitude. On trouve sur le sentier Les Rescapés un panneau thématique sur l'écrasement d'un petit avion qui a eu lieu tout près en 1989.

RÉSEAU PÉDESTRE 32,8 km

SENTIERS ET PARCOURS	LONGUEUR	TYPE	NIVEAU	DÉNIVELÉ
L'Éperlan	2,8 km	boucle	débutant	75 m
Le Taguine	2,4 km	linéaire	intermédiaire	360 m
Le Cap Ferré	1,1 km	linéaire	débutant	160 m
Les Rescapés	2,5 km	linéaire	intermédiaire	375 m
Le Mont Carleton	2,5 km	linéaire	intermédiaire	500 m
Le Grand Sault	2,5 km	linéaire	débutant	240 m
Le Chikanki	3,6 km	linéaire	intermédiaire	340 m
Le Mius	4,0 km	linéaire	intermédiaire	
Le Monti	1,5 km	linéaire	débutant	
Les Pionniers	6,0 km	linéaire	intermédiaire	
Le Trécarré	1,3 km	linéaire	débutant	
Le Valentin	2,6 km	linéaire	débutant	

HORAIRE	Du 15 mai au 15 novembre, du lever au coucher du soleil
TARIF	Gratuit
ACCÈS	<u>Accès Carleton</u> : de la route 132, à l'ouest de Carleton, emprunter la route de l'Éperlan sur 2,5 km, soit jusqu'au stationnement. <u>Accès Maria</u> : de la route 132 à Maria, emprunter la route des Geais et tourner à gauche au 2e Rang. Prendre ensuite la route Francis-Cyr jusqu'au 3e Rang Ouest. Poursuivre sur celui-ci sur 1,5 km, soit jusqu'au stationnement du sentier du Grand Sault.
DOCUMENTATION	Dépliant-carte (au bureau d'information touristique)
INFORMATION	418 364-7073 • 418 759-3883
	www.carletonsurmer.com • mariaquebec.com

4 CENTRE DE PLEIN AIR DU LAC YORK

Ce centre de plein air est aménagé en bordure du lac York. Ce dernier, d'une longueur de près de 5 kilomètres, est peuplé d'ombles de fontaine et d'ombles chevalier. Le sentier fait le tour du lac à travers une forêt mixte et offre une vue constante sur ce dernier et sur les montagnes qui l'entourent. On aura aussi une vue sur des éoliennes. Des passerelles permettent de traverser des ruisseaux. On pourra apercevoir des orignaux et des lièvres, ainsi que plusieurs espèces d'oiseaux aquatiques. 🐎

RÉSEAU PÉDESTRE 15,0 km (Multi : 15 km) (boucle, débutant)

HORAIRE	De juin à septembre, du lever au coucher de soleil
TARIF	Gratuit
ACCÈS	De Murdochville, emprunter la route 198 en direction est. Le stationnement est situé le long de la route 198, 2 km passé la route du Dépotoir, à gauche.
DOCUMENTATION	Dépliant (à la ville de Murdochville)
INFORMATION	418 784-2536 • www.murdochville.com

5   CENTRE PLEIN AIR LA SOUCHE DE GASCONS

Le nom des différents sentiers est représentatif de l'environnement du site. En les parcourant, on sillonnera une forêt mixte à travers laquelle serpente un ruisseau. Le parcours débute dans un secteur plat et grimpe ensuite dans la montagne, où on aura un point de vue sur la mer. Des bancs dispersés le long des sentiers permettent de se reposer et d'apercevoir la faune présente composée de cerfs de Virginie et de plusieurs espèces d'oiseaux.

🏠 P 👭 (X 🏠

RÉSEAU PÉDESTRE   13,0 km

SENTIERS ET PARCOURS	LONGUEUR	TYPE	NIVEAU
Cédrière	4,0 km	linéaire	débutant
Érablière	4,0 km	linéaire	débutant
Sapinière	5,0 km	linéaire	débutant

HORAIRE	Toute l'année, du lever au coucher du soleil
TARIF	Gratuit
ACCÈS	De la route 132 à Gascons-Ouest, suivre la route Morin Nord jusqu'au centre.
INFORMATION	418 396-2141

6   DOMAINE DES CHUTES DU RUISSEAU CREUX

On accède à ce site, situé à Saint-Alphonse, par une passerelle suspendue d'une longueur de 81 mètres qui enjambe la rivière Bonaventure. Deux des sentiers longent cette dernière. On sillonnera une forêt boréale et on atteindra trois chutes. La chute du ruisseau Creux s'écoule entre des parois rocheuses, semblables à un petit canyon. Sur son site, des panneaux d'interprétation traitent de la drave et de la vie des bûcherons de cette époque. Celle du ruisseau Blanc est une chute à paliers plus imposante, mais on ne peut pas trop s'en approcher, les alentours étant très escarpés. On verra aussi la chute Falls Gully. On grimpera jusqu'au sommet du mont Chauve, d'où on aura un panorama sur les sommets de la Gaspésie. D'autres points de vue, dont des belvédères et une tour d'observation près de la rivière Bonaventure, permettent d'observer les oiseaux survolant le territoire.

🏠 P 👭 🔺 🏠 ⛴ 🎋 🎋 🎋

RÉSEAU PÉDESTRE   37,2 km

SENTIERS ET PARCOURS	LONGUEUR	TYPE	NIVEAU	DÉNIVELÉ
Sentier du Mont Chauve	23,9 km	linéaire	avancé	600 m
Sentier du Sommet	0,9 km	linéaire	avancé	300 m
Sentier de la Chute Falls Gully	0,9 km	linéaire	avancé	300 m
Sentier des Archers	1,0 km	linéaire	débutant	50 m
Sentier de la Rivière	3,6 km	linéaire	débutant	100 m
Sentier le Bûcheron	2,6 km	linéaire	intermédiaire	300 m
Sentier du Ruisseau Blanc	1,1 km	linéaire	intermédiaire	200 m
Sentier du Ruisseau Creux	3,2 km	linéaire	intermédiaire	300 m

HORAIRE	Toute l'année, du lever au coucher du soleil
	Prudence pendant la période de chasse
TARIF	Gratuit
ACCÈS	De Caplan, prendre la route Saint-Alphonse sur 10 km. Au bout de la route, tourner à droite sur la rue Principale et rouler 4,5 km. Tourner ensuite à gauche sur la route de la Rivière et se rendre jusqu'au stationnement du Domaine, 2,5 km plus loin.
DOCUMENTATION	Dépliant (aux kiosques touristiques de New Richmond et de Bonaventure, et à la Municipalité de Saint-Alphonse)
INFORMATION	418 388-5502

7   JARDINS DE MÉTIS

Ce site, d'une superficie de 21 hectares, est situé au confluent de la rivière Mitis et du fleuve Saint-Laurent. Les jardins de Métis sont l'initiative de madame Elsie Reford qui y a mit tous ses efforts durant plusieurs années. Le gouvernement du Québec s'en porta acquéreur en 1961. En parcourant les sentiers proposés, on traversera une multitude de jardins dont l'Allée Royale, inspirée des plates-bandes anglaises, et le jardin des plantes alpines. Au total, on dénombre 1 000 espèces de plantes et d'arbustes. Les experts considèrent ces jardins comme étant les plus grands au monde. On passera par un étang où on pourra apercevoir des grands hérons. Près de là, des jardins d'oiseaux ont été aménagés. Il s'agit d'un secteur peuplé d'une végétation attirant les oiseaux. Un sentier traverse une forêt de pins pour atteindre un belvédère offrant une vue sur la rivière Mitis et une croix située sur une île près de l'autre rive. On verra des œuvres d'art dispersées le long du parcours. Depuis 1996, les Jardins sont désignés lieu historique national. Le travail et les réalisations d'Elsie Reford sont honorés par une plaque commémorative. On y trouve la plus grande concentration de pavot bleu (*Meconopsis betonicifolia*), originaire de l'Himalaya, au Canada. Des imperméables, des parapluies et des fauteuils roulants sont disponibles gratuitement sur le site, en quantité limitée.

🏠 P ♙ (X ⛩ 🚻 ♦ ✍ ♿ Autres : musée, boutique

RÉSEAU PÉDESTRE 3,1 km

SENTIERS ET PARCOURS	LONGUEUR	TYPE	NIVEAU
Circuit des jardins	1,6 km	boucle	débutant
Circuit à la mer	1,5 km	boucle	débutant

HORAIRE	De 8 h 30 à 17 h (juin – septembre)
	De 8 h 30 à 18 h (juillet et août)

TARIF	Adulte : 16,00 $
	Aîné : 15,00 $
	Étudiant : 14,00 $
	Jeune : 8,00 $
	Enfant (13 ans et moins) : gratuit
ACCÈS	À environ 10 km à l'est de Sainte-Flavie par la route 132, un panneau indique l'entrée.
DOCUMENTATION	Brochure (à la billetterie des Jardins et au bureau d'information touristique)
INFORMATION	418 775-2222 • www.jardinsmetis.com

8 LA PROMENADE DES CAPITAINES, LA BALADE, LE PARC DES ÎLES

Ces sites sont situées en plein centre-ville de Matane. La Promenade des Capitaines longe la rivière Matane, le long de laquelle on trouve une plage, pour se rendre à la route ceinturant la Gaspésie. On verra des kiosques d'interprétation traitant de l'histoire de la ville et de son évolution maritime. On verra une imitation de voilier. En hommage aux familles des capitaines ayant  sillonné le Fleuve à l'époque des goélettes, on trouve des plaques commémoratives relatant la vie de personnages marquants. Au barrage Mathieu-D'Amours, on aura accès au poste d'observation de la montée du saumon. On pourra également circuler au parc des Îles de la rivière Matane, où se trouve une plage naturelle. On pourra apercevoir des castors ainsi que plusieurs oiseaux. Des lampadaires à l'ancienne permettent la promenade à la nuit tombée.

Autre : observatoire du saumon

RÉSEAU PÉDESTRE 8,5 km (Multi : 8,5 km)

SENTIERS ET PARCOURS	LONGUEUR	TYPE	NIVEAU
Promenade des Capitaines	2,3 km	linéaire	débutant
La Balade	5,0 km	linéaire	débutant
Parc des Îles	1,2 km	boucle	débutant

HORAIRE	Toute l'année, en tout temps
TARIF	Gratuit
ACCÈS	Un accès se situe à l'embouchure de la rivière Matane, sur la route 132. Un autre se trouve à la halte routière, dans le centre-ville de Matane.
INFORMATION	418 562-2333 • www.ville.matane.qc.ca

9 LE PARC RÉGIONAL DE LA SEIGNEURIE DU LAC MATAPÉDIA

La seigneurie occupe un territoire d'une superficie de 133 km², en bordure du lac Matapédia. Située au cœur de la vallée, elle présente un territoire au relief accidenté représentatif du milieu matapédien. Les sentiers débutent à la route Soucy et longent le lac, offrant une vue constante sur celui-ci, à travers un paysage forestier. 🏕

RÉSEAU PÉDESTRE 19,1 km (Multi : 2,1 km)

SENTIERS ET PARCOURS	LONGUEUR	TYPE	NIVEAU	DÉNIVELÉ
Le Promontoire	1,3 km	boucle	débutant	70 m
Le Lac Caché	1,8 km	boucle	débutant	
Les 3 Sœurs	5,9 km	boucle	intermédiaire	190 m
La Héronnière	6,1 km	boucle	intermédiaire	60 m
Les Crêtes	1,9 km	linéaire	intermédiaire	200 m
La Coulée	2,1 km	linéaire	débutant	

HORAIRE	De juin à novembre, du lever au coucher du soleil
	Les randonneurs doivent porter des couleurs vives durant la période de chasse.
TARIF	Gratuit
ACCÈS	De la route 132 à Amqui, emprunter le pont de l'Anse-Saint-Jean. Après celui-ci, prendre à droite le rang Saint-Jean-Baptiste, puis à gauche la route Labrie et poursuivre jusqu'au moment de tourner à gauche sur la route Soucy. Le site est à une dizaine de kilomètres plus loin.
DOCUMENTATION	Carte (aux bureaux d'information touristique d'Amqui et de Causapscal)
INFORMATION	418 629-5715 • 418 629-4212 • mrcmatap@globetrotter.net

[JCT] SENTIER INTERNATIONAL DES APPALACHES

10 LES SENTIERS DE CAUSAPSCAL

Ces sentiers d'interprétation débutent en bordure de la rivière Causapscal et longent cette dernière. L'un d'eux traverse la rivière grâce à une passerelle. Le sentier Les Berges traite de la faune et de la flore locale, notamment le saumon. En parcourant le sentier Les Mémoires, on découvrira l'histoire d'un tracé militaire qui reliait deux municipalités, Métis et Restigouche. On connaîtra aussi l'origine des Appalaches. 🏕

RÉSEAU PÉDESTRE 6,7 km

SENTIERS ET PARCOURS	LONGUEUR	TYPE	NIVEAU
Les Berges	4,3 km	linéaire	débutant
Les Mémoires	2,4 km	linéaire	débutant

HORAIRE	De juin à mi-octobre, du lever au coucher du soleil
TARIF	Gratuit
ACCÈS	On laisse sa voiture au kiosque d'information touristique de Causapscal, sur la route 132. Le départ des sentiers se situe au bout de la rue Blanchard, le long de la rivière Causapscal.
DOCUMENTATION	Brochure d'interprétation (au bureau d'information touristique)
INFORMATION	418 756-5999 • 418 756-6048 • www.causapscal.net

11 LES SENTIERS PANORAMIQUES

Ce réseau de sentiers a vu le jour grâce à un programme visant à mettre en valeur le milieu forestier. En parcourant les différents sentiers proposés, tous en forêt, on sillonnera, entre autres, une érablière et une peupleraie. À environ 300 mètres d'altitude, on aura un panorama sur la région, ainsi que sur la rivière Ristigouche et le Nouveau-Brunswick. On accède à ce point de vue par un trottoir de bois. 🐎

RÉSEAU PÉDESTRE 9,2 km

HORAIRE	Du 15 juin au 15 octobre, du lever au coucher du soleil. Le port du dossard est obligatoire durant la période de chasse.
TARIF	Gratuit

SENTIERS ET PARCOURS	LONGUEUR	TYPE	NIVEAU	DÉNIVELÉ
Sentier du Chamberland	2,6 km	linéaire	intermédiaire	190 m
Sentier des Peupliers	1,0 km	linéaire	débutant	
Sentier du Platin	1,8 km	linéaire	intermédiaire	200 m
Sentier du Versant	2,4 km	linéaire	intermédiaire	100 m
Sentier de l'Érablière	1,4 km	linéaire	débutant	
Les trottoirs de bois	0,1 km	linéaire	débutant	

ACCÈS	De Matapédia, prendre la route 132 en direction de Causapscal et parcourir une vingtaine de kilomètres. Tourner à gauche et se rendre à Saint-François-d'Assise. Traverser le village et continuer sur le chemin de la Chaîne de Roches jusqu'au rang Saint-Jean. Tourner à gauche sur ce dernier et poursuivre sur 8 km.
DOCUMENTATION	Dépliant (à l'hôtel de ville)
INFORMATION	418 299-2066 • munstfrs@globetrotter.net

12 MONT DIDIER

Un sentier grimpe jusqu'au sommet de cette montagne. De ce promontoire naturel, on aura un panorama du village de Petite-Vallée et de la région. 🐎

RÉSEAU PÉDESTRE 1,0 km
(linéaire, intermédiaire, dénivelé maximum de 120 m)

HORAIRE   De mai à octobre, du lever au coucher du soleil
TARIF   Gratuit
ACCÈS   De la route 132, au centre du village de Petite-Vallée, prendre la rue
                 Côté jusqu'au cul-de-sac.
INFORMATION   418 393-2949 • bibliopv@globetrotter.qc.ca

13 MONT SAINT-PIERRE

Le mont Saint-Pierre, d'une altitude de 430 mètres, est caractérisé par ses versants abrupts et par les phénomènes géomorphologiques qui s'y trouve et dont la végétation dépend. Le sentier de la Montagne grimpe à travers une forêt mixte dominée par les sapins baumiers, suivie d'une zone rocheuse où la végétation est quasi inexistante. Le sommet offre un panorama sur le village, la vallée de la rivière à Pierre, le Saint-Laurent et son golfe. De là, on a accès au Sentier partagé, qui permet aux marcheurs de se promener sur d'autres sommets avant de redescendre à la rivière à Pierre. Un troisième sentier, celui de la Rivière, débute au carrefour Aventure. 🐕

RÉSEAU PÉDESTRE 16,0 km

SENTIERS ET PARCOURS	LONGUEUR	TYPE	NIVEAU	DÉNIVELÉ
Sentier de la Montagne	2,5 km	linéaire	avancé	430 m
Sentier de la Rivière	1,5 km	linéaire	débutant	
Sentier partagé	12,0 km	linéaire	intermédiaire	

HORAIRE   De mai à novembre, du lever au coucher du soleil
                 Le port du dossard est recommandé durant la période de chasse.
TARIF   1,00 $ par personne
ACCÈS   Les sentiers prennent leur départ en bordure de la route 132, à Mont-
                 Saint-Pierre.
DOCUMENTATION   Dépliant (à l'accueil)
INFORMATION   418 797-2222 • 418 797-2898 • montstpierre@globettroter.net

JCT   SENTIER INTERNATIONAL DES APPALACHES

14 MONT SAINTE-ANNE ET MONT-BLANC

D'une altitude de 375 mètres, le mont Sainte-Anne compte plusieurs phénomènes géologiques. La plus importante est la formation Bonaventure, située sur sa calotte. La montagne en entier est composée de roches érodées, d'éboulis et de fissures résultant des phénomènes climatiques comme le gel et le dégel. Le mont Blanc, voisin

du mont Sainte-Anne, est un peu plus élevé. Sa végétation est divisée en plusieurs strates selon l'altitude. Ainsi, on passera d'une cédrière à la base à une forêt d'épinettes au sommet. Ce dernier est aussi recouvert de plantes rares dont des plantes arctiques-alpines. En parcourant les sentiers sillonnant ces deux sommets, on aura plusieurs points de vue sur la région dont un donnant sur Percé et le rocher du même nom. On pourra admirer une cascade dévalant dans une gorge. On atteindra aussi une crevasse d'une profondeur de 60 mètres, une autre formation spéciale. 🐕

RÉSEAU PÉDESTRE 13,2 km

SENTIERS ET PARCOURS	LONGUEUR	TYPE	NIVEAU	DÉNIVELÉ
Chemin du Mont Sainte-Anne	2,5 km	linéaire	intermédiaire	375 m
Route du Mont Blanc	2,0 km	linéaire	intermédiaire	400 m
Sentier de la Crevasse	0,5 km	linéaire	débutant	
Sentier des Sources	1,7 km	linéaire	débutant	
Sentier Sainte-Bernadette	1,3 km	linéaire	débutant	
Sentier des Pieds Croches	1,5 km	linéaire	débutant	
Sentier de la Falaise	0,4 km	linéaire	débutant	
Sentier des Belvédères	0,4 km	linéaire	débutant	
Chemin de la Grande Coupe	1,2 km	linéaire	débutant	
Chemin de la Grotte	1,7 km	linéaire	débutant	

HORAIRE	De mi-mai à novembre, du lever au coucher du soleil
	Prudence pendant la période de chasse
TARIF	Gratuit
ACCÈS	Du village de Percé, on accède au mont Sainte-Anne et à la Grotte par le chemin situé derrière l'église Saint-Michel. De la route 132 à l'est du village, vis-à-vis l'hôtel du Pic de l'Aurore, prendre la route du Mont-Blanc pour atteindre la montagne du même nom. On atteint la Crevasse par le sentier situé derrière l'auberge Le Gargantua, sur la route des Failles.
DOCUMENTATION	Dépliant-carte (au bureau d'information touristique)
INFORMATION	418 782-5448 • www.perce.info

JCT   SENTIER DES RIVIÈRES

15   PARC COLBORNE

Ce parc commémoratif tient son nom du bateau qui fit naufrage en frappant les rochers de La Maraîche, à Pointe-aux-Maquereaux. Durant la nuit du 16 octobre 1838, 38 personnes perdirent la vie lors de cet accident. En parcourant ce sentier, le long duquel on pourra voir des fossiles, on passera par la côte à Chouinard, constituée de falaises en bordure de la mer. On pourra ensuite accéder à une plage et on se rendra sur le site du naufrage du Colborne. 🐕

RÉSEAU PÉDESTRE	10,0 km (Multi : 6 km)
	(linéaire, intermédiaire, dénivelé maximum de 200 m)
HORAIRE	De juin à octobre, du lever au coucher du soleil
	Le port du dossard est conseillé pendant la période de chasse.
TARIF	5,00 $ par personne
ACCÈS	De Port-Daniel, prendre la route 132 est et suivre les indications sur la droite. Le parc se situe à environ 1 km avant d'entrer à Newport.

DOCUMENTATION Dépliant (à la municipalité de Port-Daniel-Gascons)
INFORMATION   418 396-5400 • 418 396-5225 poste 23
               municipalitedeport-daniel@globetrotter.net

16 PARC DE LA RIVIÈRE MITIS

Ce parc est situé à Sainte-Flavie, dans la baie de Mitis. Il était nommé jadis Centre d'interprétation du saumon atlantique. Comme son ancien nom l'indique, ce site vise à sensibiliser les visiteurs à l'importance de la conservation du saumon atlantique par le biais de plusieurs activités. Le sentier mène à des points de vue sur le Saint-Laurent et l'embouchure de la rivière Mitis. On atteindra une tour d'observation d'une hauteur de 15 mètres. Le bois la composant provient d'essences présentes sur le territoire comme le thuya et le sapin. Ce point de vue de 360 degrés offre un panorama de la baie et des environs. Un belvédère permet d'observer un milieu humide. On verra différentes espèces mousses et on pourra apercevoir des oiseaux aquatiques. Un peuplier baumier à trois troncs, âgé d'environ 100 ans, est présent sur le site.

❀ P ♟ (🎋 ⛏ 🍴 ⚑ Autre : boutique

RÉSEAU PÉDESTRE 2,4 km (boucle, débutant)

HORAIRE   De mi-juin à septembre, de 9 h à 17 h
TARIF   Adulte : 5,70 $
               Âge d'or et étudiant : 4,56 $
               Enfant (6 à 13 ans) : 3,42 $
               Enfant (moins de 6 ans) : gratuit
ACCÈS   Ce parc est situé à 7 km à l'est de Saint-Flavie, par la route 132.
DOCUMENTATION Dépliant (à l'accueil)
INFORMATION   418 775-2969 • 418 775-2221 • www.parcmitis.com

17 PARC DES BOIS ET DES BERGES

Ce parc est aménagé en bordure du lac Matapédia. En parcourant le sentier, on sillonnera un boisé composé en majorité de trembles et dans lequel on trouve aussi des arbres fruitiers et plusieurs fleurs. Un embranchement mène à un belvédère, constitué d'un ancien quai de pierre, qui offre une vue sur le lac et les canards qui y nagent. On aura accès à une plage. Des bancs dispersés le long du parcours permettent de se reposer et d'observer les différents oiseaux présents. On peut voir une église de style gothique, désignée bâtiment patrimonial, à 300 mètres des sentiers. 🐕

✶ P ♟ (🎋 ⛺ ⛏ 🏊

RÉSEAU PÉDESTRE 1,0 km (Multi : 1 km) (linéaire, débutant)

HORAIRE   De mai à décembre, du lever au coucher du soleil
TARIF   Gratuit
ACCÈS   On accède au parc à partir de la route 132, dans l'agglomération urbaine de Val-Brillant.
INFORMATION   418 742-3212 • 418 742-3711 • www.valbrillant.ca

18 PARC DES CASTORS

En plein centre-ville de Matane, ce parc sauvage est situé sur une des nombreuses îles de l'étang créé par le barrage Mathieu-D'Amours. Celle-ci est nommée l'île du Castor, du fait qu'elle attire plusieurs familles de castors qui entretiennent leurs propres barrages. Les sentiers passent par cinq écosystèmes et sillonnent une forêt dominée par les sapins et les peupliers, dans laquelle on pourra apercevoir la petite faune, des lièvres et des hiboux. On aura accès au îles du delta de la rivière Matane qui sont reliées par des passerelles. Un sentier longe la rivière hors du sous-bois. On atteindra une tour d'observation offrant une vue d'ensemble des étangs de castors. Les sentiers sont développés par l'Association Pêcheurs et Chasseurs de la région de Matane dans le but de permettre au public d'explorer cette ressource sans nuire aux formes de vie qui s'y trouvent. 🐴

⭐P🎋🏗️🏛️🚃🌿🎿

RÉSEAU PÉDESTRE 1,8 km (mixte, débutant)

HORAIRE	Toute l'année, du lever au coucher du soleil
TARIF	Gratuit
ACCÈS	Du centre-ville de Matane, prendre la rue Henri-Dunant sur environ 1 km. Le sentier débute au stationnement du camp de l'Association Chasseurs et Pêcheurs.
DOCUMENTATION	Dépliant (au bureau d'information touristique)
INFORMATION	418 562-2050

19 PARC DU BOURG DE PABOS

Les sentiers de ce réseau se joignent maintenant à ceux de la base de plein air Bellefeuille. Le balisage y a été refait entièrement afin de le rendre uniforme. Un sentier de 10 kilomètres ceinture les deux endroits, tandis que d'autres sont tracés à l'intérieur. Plusieurs possibilité de parcours s'offrent au marcheur. On sillonnera un boisé mixte, dominé par les conifères, peuplé de cerfs de Virginie, de lièvres et de perdrix. Des ouvertures ainsi qu'un belvédère offrent une vue sur la baie et la diversité des oiseaux qui la survolent. On atteindra une tour d'observation située sur une élévation naturelle. De là, on aura un panorama de 360 degrés sur la baie du grand Pabos, la baie des Chaleurs et la forêt. On traversera une tourbière grâce à un ponceau d'une longueur d'environ 100 mètres et on longera des lacs. Un autre parcours passe sur la plage. On longera la mer et les deux baies. On pourra observer plusieurs oiseaux dont des canards et des hérons grâce à la présence d'une héronnière sur une île au milieu d'une baie. Cette dernière se situe à l'embouchure de deux rivières à saumons. Le Bourg de Pabos est reconnu comme site archéologique et historique depuis 1975. On y trouve un centre d'interprétation traitant des recherches qui furent effectuées sur le site. Lors de fouilles, on y découvrit des artéfacts témoignant de la vie des pêcheurs du XVIIIe siècle et de l'adaptation du système seigneurial au milieu maritime. 🐴

🏵️P👫🏼🍴🎋🏠🔺🔺🏗️🏛️🚃🏘️🎿🛶

RÉSEAU PÉDESTRE 20,0 km (Multi : 20 km)

SENTIERS ET PARCOURS	LONGUEUR	TYPE	NIVEAU
Sentier de la Pointe de Pabos	20,0 km	mixte	débutant

HORAIRE	De mai à novembre, du lever au coucher du soleil
TARIF	Gratuit
ACCÈS	À environ 7 km au sud de Chandler par la route 132, suivre les panneaux indiquant « Bourg de Pabos ». Deux autres accès sont aussi possibles.
DOCUMENTATION	Dépliant, carte (à l'accueil)
INFORMATION	418 689-6043 • www.bourgdepabos.com

20 PARC GRAND-DÉTOUR

Ce sentier longe la rivière Matane, où on pourra voir des fosses à saumons destinées à la pêche. Un belvédère est aménagé au début du parcours, à proximité des fondations d'un ancien barrage. Le sentier s'enfonce ensuite dans une forêt mixte peuplée, entre autres, de mélèzes. Des secteurs plus dégagés offrent une vue sur le golf et le camping de l'autre côté de la rivière. On verra quelques petits rapides sur la rivière et on pourra apercevoir plusieurs oiseaux avant d'atteindre le pont routier Durette qui marque la fin du parcours. 🦮

RÉSEAU PÉDESTRE 1,0 km (linéaire, débutant)

HORAIRE	De mai à octobre, du lever au coucher du soleil
TARIF	Gratuit
ACCÈS	De Matane, emprunter la route 195 jusqu'à l'entrée du parc.
INFORMATION	418 562-2333

21 PARC NATIONAL DE L'ÎLE-BONAVENTURE-ET-DU-ROCHER-PERCÉ

Ce parc, d'une superficie de 5,8 km², est divisé en deux secteurs : l'île Bonaventure et le rocher Percé. Les sentiers arpentent le secteur de l'île Bonaventure. En les parcourant, on passera par différents milieux naturels : prairie, friche, forêts mixte et boréale, tourbière, plage, falaise et une zone de mousses et lichens. L'île compte plus de 500 espèces végétales dont des plantes arctiques-alpines. Les sentiers mènent tous à une colonie de fous de Bassan, la plus importante en Amérique du Nord. Des panneaux traitent de cet oiseau. On verra aussi un groupement d'environ 300 000 oiseaux de milieu marin comme les guillemots et les petits pingouins. Près de là, une tour d'observation, agrémentée d'un panneau sur la baleine, permet d'apercevoir ce mammifère au loin. Le sentier Chemin-du-Roy longe la falaise, passe par la baie des Marigots et permet d'admirer les maisons ancestrales et le paysage. Sur le littoral, on pourra apercevoir des crabes et des étoiles de mer ou encore des phoques et des dauphins au loin. Le secteur du rocher Percé permet d'accéder à ce dernier, d'une longueur de 471 mètres, lors de la marée basse. On dénombre cinq formations géologiques sur la côte de Percé, dont deux se trouvant sur le territoire du parc. Le rocher Percé ne peut se rejoindre à pied qu'à marée basse.

RÉSEAU PÉDESTRE 14,9 km

SENTIERS ET PARCOURS	LONGUEUR	TYPE	NIVEAU	DÉNIVELÉ
Sentier des Colonies	2,8 km	linéaire	intermédiaire	135 m
Sentier des Mousses	3,5 km	linéaire	intermédiaire	120 m
Sentier Paget	3,7 km	linéaire	intermédiaire	90 m
Sentier Chemin-du-Roy	4,9 km	linéaire	intermédiaire	75 m

HORAIRE De juin à mi-octobre, de 9 h à 17 h

TARIF Voir la tarification des Parcs nationaux du Québec à la page 15 de cet ouvrage.

ACCÈS Secteur Île Bonaventure : on y accède par la rue du Quai où se trouvent les billetteries pour les bateaux.
Secteur Rocher Percé : via la rue du Mont-Joli.

DOCUMENTATION Journal du parc (à l'accueil)

INFORMATION 418 782-2240 • www.parcsquebec.com

22 PARC NATIONAL DE LA GASPÉSIE

Le parc national de la Gaspésie est un territoire protégé de 802 km², situé au cœur de la péninsule gaspésienne. Il contient 25 sommets dépassant 1 000 mètres, dont 7 des 10 plus hauts sommets du Québec, répartis parmi les monts Chic-Chocs et le massif des McGerrigle. Les Chic-Chocs sont constitués de roches provenant des fonds marins. Le mont Albert est un peu particulier puisqu'il est composé de serpentine, un phénomène plutôt rare à la surface de la croûte terrestre. Les monts McGerrigle ont, quant à eux, été formés à partir d'une intrusion de roche en fusion qui s'est insérée au centre du massif. En refroidissant, le magma est devenu du granite et a ensuite été mis à découvert par des millions d'années d'érosion. Les sommets des monts Jacques-Cartier et Comte sont couverts de ces blocs de granite. Le parc est principalement peuplé de conifères et on y trouve la grande majorité des forêts anciennes de la Gaspésie. On reconnaît ces peuplements par la présence de

lichens arboricoles et par les nombreux conifères de grand diamètre. Sur les sommets de plus de 1 100 mètres, on trouve une végétation arctique-alpine. La flore qui recouvre le mont Albert est quelque peu différente du reste du parc. En effet, dû à la présence de serpentine, le sol est très riche en magnésium et bien peu d'espèces tolèrent des taux aussi élevés. Les arbres sont donc plutôt rares et rabougris. Il est possible d'apercevoir des caribous sur les monts Albert et Jacques-Cartier. Le sentier Mont Xalibu mène au lac aux Américains qui a été creusé par l'action des glaciers. Le Sentier international des Appalaches traverse le parc d'ouest en est. Le mont Jacques-Cartier (1 268 m) est le plus haut sommet du Québec méridional.

🏛️P👫🏻〔✕🔱🌲⛰️▲▲🏠⛺🏕️🏚️🏮🌿🚌🧳

Autres : boutique, location d'équipement

RÉSEAU PÉDESTRE 140,0 km

SENTIERS ET PARCOURS	LONGUEUR	TYPE	NIVEAU	DÉNIVELÉ
Mont Jacques-Cartier	4,1 km	linéaire	intermédiaire	450 m
Mont Xalibu	5,4 km	linéaire	intermédiaire	540 m
Mont Albert (le tour)	17,2 km	boucle	avancé	870 m
Lac aux Américains	1,3 km	linéaire	débutant	80 m
Mont Ernest-Laforce	4,5 km	boucle	débutant	150 m
Pic du Brûlé	13,2 km	boucle	avancé	330 m
La chute du Diable	3,5 km	linéaire	intermédiaire	200 m
La Rivière	1,1 km	linéaire	débutant	
La Saillie	1,6 km	linéaire	débutant	150 m
La Sapinière	1,4 km	linéaire	débutant	
Le Caribou	1,0 km	linéaire	débutant	
Mont Joseph-Fortin	5,0 km	linéaire	avancé	480 m
Mont Albert (la montée)	5,7 km	linéaire	avancé	870 m
Rivière Cascapédia	0,6 km	linéaire	intermédiaire	
Mont Richardson	8,0 km	linéaire	avancé	600 m
Mont du Milieu	5,4 km	linéaire	intermédiaire	
La Serpentine	6,3 km	linéaire	intermédiaire	300 m
Les Rabougris	5,6 km	linéaire	intermédiaire	
Mont Olivine	8,6 km	linéaire	avancé	350 m
La chute Sainte-Anne	0,8 km	linéaire	débutant	
La Lucarne	1,9 km	boucle	débutant	

HORAIRE	Toute l'année, du lever au coucher du soleil
TARIF	Voir la tarification des Parcs nationaux du Québec à la page 15 de cet ouvrage.
ACCÈS	<u>De Sainte-Anne-des-Monts</u> : emprunter la route 299 sud. L'entrée du parc se situe à 19 km, et le centre d'interprétation et de services, à 40 km. <u>De New Richmond</u> : emprunter la route 299 nord. L'entrée du parc est à 93 km et le centre d'interprétation, à 101 km.
DOCUMENTATION	Carte topographique, journal « En coulisses » (à l'accueil ou commander par téléphone au 1 866 727-2427)
INFORMATION	1 800 665-6527 • 1 866 727-2427 • www.sepaq.com

JCT   RÉSERVE FAUNIQUE DE MATANE ; SENTIER INTERNATIONAL DES APPALACHES

23   PARC NATIONAL DE MIGUASHA

Ce parc, d'une superficie de 0,8 km², est situé dans la baie des Chaleurs, sur la rive nord de l'estuaire de la rivière Ristigouche. Son territoire compte une forêt mixte variée, dominée par le peuplier faux-tremble et le bouleau jaune, des espèces inhabituelles à cette latitude. On trouve aussi des zones de friche et d'anciens champs. C'est à travers ces milieux que passe le sentier l'Évolution de la vie. Son nom provient de la présence de douze panneaux d'interprétation le long du parcours. Ces derniers traitent de l'histoire de la vie sur Terre. On atteindra un escalier de 214 marches permettant d'accéder à la plage, parsemée de fossiles. On longe ensuite la falaise jusqu'au musée. Une portion représentative de ce site fossilifère fut achetée par

le gouvernement du Québec au début des années 70. Il reçut le statut de parc en 1985 puis fut inscrit au Patrimoine mondial de l'Unesco en 1999. À l'échelle mondiale, peu de sites fossilifères présentent une si grande concentration de spécimens d'une telle qualité de conservation. Il y a 370 millions d'années, cet écosystème était un estuaire grouillant de vie et entouré d'une végétation équatoriale.

🏕 P ♀♀ (✗ 📶 🏠 🛏 ♨ ⚡ Autre : boutique

RÉSEAU PÉDESTRE 2,0 km

SENTIERS ET PARCOURS	LONGUEUR	TYPE	NIVEAU
L'évolution de la vie.................................2,0 km .... boucle ......débutant			

HORAIRE	De juin à mi-octobre, du lever au coucher du soleil
TARIF	Voir la tarification des Parcs nationaux du Québec à la page 15 de cet ouvrage.
ACCÈS	À partir de la route 132, de Nouvelle ou d'Escuminac, suivre les indications pour « Parc de Miguasha » sur 6,3 ou 9 km.
DOCUMENTATION	Journal du parc (à l'accueil)
INFORMATION	418 794-2475 • www.parcsquebec.com

24 PARC NATIONAL DU CANADA FORILLON

Ce parc, bordé par le golfe Saint-Laurent et la baie de Gaspé, possède une territoire de 244 km². Le sentier d'interprétation « Une tournée dans les parages », débutant près du havre de pêche de Grande-Grave, raconte l'histoire de ce secteur patrimonial. On pourra y voir les bâtiments Hyman et l'Anse-Blanchette, ainsi que plusieurs maisons et granges anciennes. Le sentier Les Graves est tracé à flanc de coteau et prend fin au bout de la presqu'île de Forillon. Il fait découvrir plusieurs anses et plages de galets. On pourra également observer les phoques et les baleines dans la baie de Gaspé. La boucle du Mont Saint-Alban prend son départ à la plage Petit-Gaspé et contourne la montagne sans jamais atteindre son sommet. Une tour d'observation, situé à 283 m d'altitude, offre une vue de 360 degrés sur les falaises, le golfe et la baie. Le sentier Les Lacs est la porte d'entrée du SIA sur le territoire du parc. Il permet de se rendre sur les sommets de Forillon et d'offrir des vues, entre autres, sur la vallée de la rivière Morris. Comme son nom l'indique, plusieurs petits lacs, dont le lac au Renard, sont reliés par ce sentier de longue randonnée. Le sentier d'interprétation « Prélude à Forillon » est accessible aux personnes avec une déficience physique ou visuelle. Il présente, sous formes sensorielles, l'harmonie entre l'homme, la terre et la mer. 🐴

🏠 P ♙ ⸿ ⟨ X 🎏 ⌂ ▲ ▲ 🏛 🏮 🌿 🏄 ⛰ ♿

RÉSEAU PÉDESTRE 67,7 km (Multi : 17,8 km)

SENTIERS ET PARCOURS	LONGUEUR	TYPE	NIVEAU	DÉNIVELÉ
Une tournée dans les parages	3,0 km	boucle	débutant	
Prélude à Forillon	0,6 km	boucle	débutant	
Les Graves	7,6 km	linéaire	intermédiaire	
Mont Saint-Alban	7,8 km	boucle	intermédiaire	280 m
Les Crêtes	16,3 km	linéaire	avancé	400 m
Les Lacs	16,8 km	linéaire	avancé	500 m
La Chute	1,0 km	boucle	débutant	
Le Portage	10,0 km	linéaire	intermédiaire	
La Vallée	4,6 km	linéaire	intermédiaire	

HORAIRE	De mai à novembre, du lever au coucher du soleil
TARIF	Adulte : 6,90 $
	Aîné (65 ans et plus) : 5,90 $
	Enfant (6 à 16 ans) : 3,45 $
	Famille : 17,30 $
ACCÈS	De la route 132, suivre les indications pour les secteurs nord ou sud.
DOCUMENTATION	Carte, guide de référence (au bureau administratif du parc et dans les centres d'accueil)
INFORMATION	418 368-5505 • 1 888 773-8888 • www.pc.gc.ca/forillon

[JCT] SENTIER INTERNATIONAL DES APPALACHES

25 PARC RÉCRÉOTOURISTIQUE DU ROCHER CAP-CHAT

Ce réseau de sentiers est en majorité situé dans une forêt mixte dominée par les conifères. On passera aussi par une zone florale où les fleurs sont disposées de façon à ce que les randonneurs voient de nouvelles espèces s'ouvrir selon la période de l'année. On pourra accéder à une plage. Les sentiers passent par trois belvédères en bois, ainsi que par des points de vue donnant sur le littoral et la mer. On verra aussi des éoliennes, le phare et le rocher de Cap-Chat. Ce dernier est nommé ainsi car il a la forme d'un chat. Des panneaux traitent des histoires et légendes entourant le site. On atteindra une sorte de cache servant autrefois à dissimuler l'alcool de contrebande. Moyennant un supplément, deux activités sont offertes : un labyrinthe dans le bois et une chasse au trésor. 🐴

☆P👬🏃🎾🏕⚙🚣

Autres : musée, boutique, maison de thé, visite du phare, parcours d'arbre en arbre

RÉSEAU PÉDESTRE 2,0 km

SENTIERS ET PARCOURS	LONGUEUR	TYPE	NIVEAU	DÉNIVELÉ
Jardin des Brumes	2,0 km	mixte	débutant	50 m

HORAIRE	De mai à octobre, de 9 h à 17 h
TARIF	2,00 $ par personne
ACCÈS	À l'ouest de Cap-Chat, l'entrée du parc se situe le long de la route 132, en face du restaurant La Maison d'Éole.
DOCUMENTATION	Dépliants (à l'accueil et au bureau d'information touristique)
INFORMATION	418 786-2112 • 1 866 786-2112 • www.parccapchat.com

26 PARC RÉGIONAL DE VAL-D'IRÈNE

Le territoire de ce parc est parsemé de ruisseaux et de lacs dont le lac Joram. Le sentier de la Montagne grimpe jusqu'au sommet à travers une forêt de conifères dans laquelle on pourra apercevoir des perdrix. Une tour d'observation offre un panorama englobant la forêt, les sommets avoisinants et les éoliennes de Matane. 🐎

☆P👬(X⛺🏠🏡🏠🎇

RÉSEAU PÉDESTRE 9,0 km (Multi : 9 km)

SENTIERS ET PARCOURS	LONGUEUR	TYPE	NIVEAU	DÉNIVELÉ
La Montagne	5,0 km	boucle	intermédiaire	275 m
Le Lac Joram	4,0 km	boucle	débutant	50 m

HORAIRE	Toute l'année, du lever au coucher du soleil
TARIF	Gratuit
ACCÈS	De Sainte-Flavie, prendre la route 132 est jusqu'à Val-Brillant. Tourner à droite sur la route Lauzier, cette dernière change de nom plus loin pour la route de Val-d'Irène. Suivre ensuite les indications pour le parc.
DOCUMENTATION	Carte (au bureau touristique d'Amqui)
INFORMATION	418 629-3450 • 418 629-3550 • www.val-direne.com

27 PLAGE HALDIMAND

La plage Haldimand est située à l'embouchure de la rivière Saint-Jean, dans la baie de Gaspé. D'une longueur de 2 km, elle s'étend jusqu'à Douglastown. Le marcheur pourra apercevoir des goélands et des baleines.

P👬(X⛺🪑🏊

RÉSEAU PÉDESTRE 2,0 km (linéaire, débutant)

HORAIRE	De juin à octobre, du lever au coucher du soleil
TARIF	Gratuit
ACCÈS	Du centre-ville de Gaspé, emprunter la route 132 est sur 8 km.
INFORMATION	418 368-8523 • 418 368-2104 • vilgaspe@globetrotter.qc.ca

28 POINTE À LA RENOMMÉE

Ce réseau de sentiers, dont certains sont situés en montagne, est aménagé en bordure du Saint-Laurent. Il s'agit d'un site historique où s'est implantée la première station radio-maritime du continent. On arpentera les caps, d'où on aura une vue sur la mer. On pourra y apercevoir des phoques et des baleines. On aura également un panorama sur le golfe Saint-Laurent depuis un promontoire. Le phare qui avait été déménagé en 1977 dans le Vieux-Port de Québec a repris sa place en 1997.

🏠 P 🕴 ⛩ ♨ ⚓ Autre : phare

RÉSEAU PÉDESTRE 13,8 km

HORAIRE De juin à mi-octobre
De 9 h à 17 h

TARIF Gratuit

SENTIERS ET PARCOURS	LONGUEUR	TYPE	NIVEAU	DÉNIVELÉ
La Découverte	0,8 km	linéaire	débutant	
Les Pionniers	5,0 km	linéaire	débutant	
Ascah	1,7 km	linéaire	débutant	270 m
Les Opérateurs	0,7 km	linéaire	débutant	
S.I.A.	3,0 km	linéaire	débutant	
La Révolte	2,6 km	linéaire	débutant	

ACCÈS À environ 5 km à l'ouest de l'Anse-à-Valleau par la route 132, prendre la route secondaire sur une distance de 4 km jusqu'au poste d'accueil.

DOCUMENTATION Dépliant-carte (à l'accueil)

INFORMATION 418 269-3310 • cldans@hotmail.com

29 RÉSERVE FAUNIQUE DE MATANE

Cette réserve, d'une superficie de 1 282 km², se caractérise par la densité d'orignaux qu'on y retrouve. En effet, on compte de deux à trois individus au kilomètre carré. On a même consacré un centre d'interprétation à ce cervidé. Le territoire est recouvert

d'une forêt mixte dominée par les résineux, parsemée de plans d'eau dont les rivières Matane et Cap-Chat. Cette forêt regorge de cerfs de Virginie, de renards et de plus de 150 espèces d'oiseaux dont le pygargue à tête blanche et l'aigle royal. Le sentier du mont Blanc mène à ce sommet, le plus haut du site avec ses 1 065 mètres d'altitude. Ce sentier permet de traverser différents étages de végétation. Les sentiers Étang à la Truite et Vasière Thibeault comprennent des tours d'observation de l'orignal. Ils passent par des vasières, un phénomène inusité au Québec. Le Sentier international des Appalaches traverse la réserve en passant par le mont Blanc et quelques autres sommets.

🏕P🚶‍♂️🎣🍖🏕🛏️🚻♿

RÉSEAU PÉDESTRE 117,0 km

SENTIERS ET PARCOURS	LONGUEUR	TYPE	NIVEAU	DÉNIVELÉ
Sentier du mont Blanc	8,0 km	linéaire	intermédiaire	765 m
Étang à la Truite	1,5 km	linéaire	débutant	
Vasière Thibeault	1,0 km	linéaire	débutant	
Sentier international des Appalaches	106,5 km	linéaire	intermédiaire	1000 m

HORAIRE	De juin à début octobre, de 7 h à 22 h (été), de 9 h à 16 h (automne)
	Le port du dossard est recommandé pendant la période de chasse.
TARIF	Gratuit
ACCÈS	De Matane, suivre la route 195 sud sur environ 40 km. On accède à la réserve par l'accueil John qui est située à 40 km au sud-est de Matane.
DOCUMENTATION	Carte et dépliant (à l'accueil)
INFORMATION	418 224-3345 • 418 562-3700 • www.sepaq.com

JCT   PARC NATIONAL DE LA GASPÉSIE ; SENTIER INTERNATIONAL DES APPALACHES

30 RÉSERVE FAUNIQUE DE PORT-DANIEL

Cette réserve, d'une superficie de 57 km², a été mise sur pied en 1953 afin de protéger le saumon peuplant la rivière Port-Daniel. Le sentier longe cette dernière à travers une forêt dominée par la sapinière à bouleau blanc, mais aussi composée d'essences telles que le bouleau jaune et le peuplier. Cette dissemblance est causée par la rivière et l'estuaire. On sillonnera un sous-bois comptant plusieurs fougères. On ver-

ra des cascades, des fosses à saumons ainsi que des gorges. La forêt, parsemée de plans d'eau et de milieux humides, attire une faune diversifiée comptant le cerf de Virginie, la loutre et une espèce inhabituelle, le loup-cervier aussi appelé lynx du Canada. On pourra apercevoir plusieurs oiseaux dont le grand héron et des canards. Il est possible de cueillir des framboises, des cerises et des noisettes. 🐾

🏕P🚶‍♂️🎣🛶🍖🏕🛏️🚂🚻🎿

RÉSEAU PÉDESTRE 5,0 km (linéaire, débutant, dénivelé maximum de 90 m)

HORAIRE	De juin à fin septembre, de 7 h à 17 h
TARIF	Gratuit

De la route 132 à Port-Daniel, suivre les indications. Un chemin asphalté, long de 8 km, mène au poste d'accueil.
DOCUMENTATION Dépliant-carte, dépliant (à l'accueil)
INFORMATION 418 396-2789 • 1 800 665-6527 • www.sepaq.com

31 SENTIER À MARIUS

Débutant près du centre de ski alpin, ce sentier tient son nom de celui qui l'a entièrement créé. Atteint d'une maladie, il a quand même œuvré à aménager ce sentier grimpant jusqu'au sommet de la montagne par son versant sud. En le parcourant, on traversera une forêt mixte peuplée de lièvres, de renards et de perdrix. Un lynx est aussi présent. Une passerelle permet de franchir un petit ruisseau. Le sommet, à une altitude de 822 mètres, offre un panorama sur la ville, sur les McGerrigle et sur la mer. On verra aussi les éoliennes du mont Miller, auxquelles on aura accès. 🐕

RÉSEAU PÉDESTRE 4,7 km (mixte, avancé, dénivelé maximum de 210 m)

HORAIRE Toute l'année, du lever au coucher du soleil
TARIF Gratuit
ACCÈS Du centre-ville de Murdochville, le sentier débute à la jonction de la 5e Rue et de la route 198.
DOCUMENTATION Pochette promotionnelle (à la chambre de commerce et de tourisme)
INFORMATION 418 784-2577 • 418 784-2596 • www.ccmurdochville.com

32 SENTIER DE LA FABRIQUE

Ce réseau propose trois sentiers qui serpentent à travers une forêt comptant presque toutes les essences d'arbres présentes sur le territoire de la Gaspésie, ainsi qu'une espèce florale rare, l'aster d'Anticosti. Le sentier Terreux tient son nom du milieu plus humide qu'il traverse et de la présence de terre noire. Une passerelle permet de franchir un petit ruisseau. Le sentier Forêt Noire circule dans une section très dense de la forêt. Les sentiers mènent tous à un belvédère offrant un panorama sur la rivière en contrebas, près de laquelle on pourra apercevoir des cerfs de Virginie, et sur des sommets de la région.

RÉSEAU PÉDESTRE 3,5 km

SENTIERS ET PARCOURS	LONGUEUR	TYPE	NIVEAU
Sentier de la Fabrique	2,5 km	linéaire	débutant
Sentier Terreux	0,5 km	linéaire	débutant
Sentier Forêt Noire	0,5 km	linéaire	débutant

HORAIRE Toute l'année, du lever au coucher du soleil
TARIF Gratuit
ACCÈS De Percé, suivre la route 132 en direction ouest. À Grande-Rivière, tourner à droite sur la rue du Carrefour. À la fourche, bifurquer à droite. Le stationnement est situé à l'arrière de l'école polyvalente.
INFORMATION 418 385-2282 • 418 385-2258 • villegr@globetrotter.net

33 SENTIER DES CAPS DE LA HALTE

De l'observatoire de la halte routière de la municipalité de Caplan, un sentier pédestre longe les caps du littoral de la baie des Chaleurs. Quatre belvédères et des aires de repos sont aménagés pour permettre l'observation des oiseaux, de la flore et de la baie. Le sentier de poussière de pierre passe dans un forêt composée principalement de feuillus dont le bouleau. On pourra voir des fleurs sauvages à plusieurs endroits le long du sentier.

⚹ P 👫 ⛱ 🏛 🛋

RÉSEAU PÉDESTRE 1,0 km (linéaire, débutant)

HORAIRE	De mai à novembre, du lever au coucher du soleil
TARIF	Gratuit
ACCÈS	Le sentier débute dans la municipalité de Caplan, au 400, boulevard Perron Ouest.
INFORMATION	418 388-5020 • 418 388-2075 • municipalitecaplan.tripod.com

34 SENTIER DES RIVIÈRES

Ce réseau compte deux sentiers qui se rejoignent au point de départ. Le sentier des Rivières tient son nom du fait qu'il côtoie trois rivières : du Portage, Murphy et de l'Anse à Beaufils. On pourra admirer une chute sur la rivière du Portage. En parcourant ce sentier reliant Bridgeville à L'Anse-à-Beaufils, on passera aussi à travers une érablière, une cédrière et une forêt mixte. On verra un barrage de castor, une plage de galets près de la chute et des bassins dont l'eau est de couleur émeraude. Des nacelles permettent de traverser la rivière de l'Anse à Beaufils. Le sentier des Montagnes consiste en une succession de montées et de descentes. On sillonnera une forêt de conifères dans laquelle on pourra apercevoir des cerfs de Virginie, des orignaux et des renards. On franchira un ruisseau grâce à une passerelle. Certaines pentes sont facilitées par des escaliers. Un des sommets offre un panorama de 360 degrés englobant Cap d'Espoir, le parc Forillon, le barachois de Malbaie et le paysage de mer. 🐴

⚹ P 👫 ⛱ ⌂ 🏠 🏛 🛋 🌿 🏊 Autre : nacelles

RÉSEAU PÉDESTRE 48,0 km

SENTIERS ET PARCOURS	LONGUEUR	TYPE	NIVEAU	DÉNIVELÉ
Sentier des Rivières	28,0 km	linéaire	intermédiaire	
Sentier des Montagnes	20,0 km	linéaire	avancé	153 m

HORAIRE	De juin à novembre, du lever au coucher du soleil
	La prudence est de mise de la mi-septembre à la fin octobre, durant la période de chasse.
TARIF	Gratuit
ACCÈS	De Percé, emprunter la route 132 en direction est. Continuer jusqu'à la deuxième jonction de la rue à Bonfils. Un chemin sans nom se trouve sur la droite. Suivre ce chemin jusqu'au stationnement.

DOCUMENTATION Carte touristique (au bureau d'information touristique de Percé)
INFORMATION 418 782-5448 • 418 782-2933 • www.perce.info

JCT MONT SAINTE-ANNE ET MONT-BLANC

35 SENTIER DU MONT-PORPHYRE

Ce sentier débute à l'arrière du bâtiment de la station de ski alpin du mont Miller. Il grimpe jusqu'au sommet de la montagne à travers une forêt mixte. Bien que cette montagne soit située au cœur de la ville, on pourra parfois y apercevoir des cerfs de Virginie. Au sommet, on aura un panorama de 360 degrés englobant les sommets des McGerrigle, les éoliennes des monts Copper et Miller, la ville de Murdochville, un bassin dont l'eau est de couleur bleu-vert et une ancienne mine à ciel ouvert. Il y a une coutume pour ceux qui effectuent ce sentier pour la première fois : il faut ramasser une pierre de porphyre, dont la montagne est constituée, pour la mettre ensuite sur la pile. 🐕

RÉSEAU PÉDESTRE 4,1 km (linéaire, avancé, dénivelé maximum de 228 m)

HORAIRE Toute l'année, du lever au coucher du soleil
TARIF Gratuit
ACCÈS De la 5ᵉ rue à Murdochville, tourner à gauche sur la route 198. Le stationnement est celui du centre de ski alpin, situé 500 mètres plus loin.
DOCUMENTATION Pochette promotionnelle (à la chambre de commerce et de tourisme)
INFORMATION 418 784-2577 • 418 784-2596 • www.ccmurdochville.com

36 SENTIER INTERNATIONAL DES APPALACHES (SIA)

Ce sentier débute dans l'état du Maine, au mont Katahdin, et est le prolongement de l'Appalachian Trail. En parcourant ce sentier, on passera par plusieurs sommets et quelques secteurs agroforestiers. On partira de Matapédia pour se rendre à Amqui à travers la vallée. On atteindra ensuite la rivière Matane, faisant office de limite naturelle de la réserve faunique de Matane qu'on traversera d'un bout à l'autre. On longera aussi la réserve écologique Fernald. Le sentier conduit au mont Logan avant d'entamer la traversée du parc national de la Gaspésie dans lequel on grimpera les monts Albert et Jacques-Cartier. Après être descendu vers Mont-Saint-Pierre, on se rendra d'un village à l'autre, entre la montagne et la mer, jusqu'à Rivière-au-Renard. Le parcours se termine à Cap-Gaspé, la pointe du parc Forillon, après avoir traversé ce dernier. 🐕 (les chiens sont interdits dans le parc national de la Gaspésie et dans la réserve faunique de Matane)

RÉSEAU PÉDESTRE 644,2 km

SENTIERS ET PARCOURS	LONGUEUR	TYPE	NIVEAU	DÉNIVELÉ
Matapédia	50,5 km	linéaire	intermédiaire	220 m
La Vallée de la Matapédia	132,8 km	linéaire	débutant	250 m
Réserve faunique de Matane – Secteur Ouest	72,0 km	linéaire	avancé	800 m
Réserve faunique de Matane – Secteur Est	34,5 km	linéaire	avancé	800 m
Parc national de la Gaspésie	103,1 km	linéaire	avancé	900 m
Haute-Gaspésie	83,7 km	linéaire	avancé	900 m
Côte-de-Gaspé	122,6 km	linéaire	avancé	240 m
Parc national du Canada Forillon	45,0 km	linéaire	avancé	300 m

HORAIRE Du 20 juin au 30 octobre, du lever au coucher du soleil
En dehors des lieux traversés où la chasse ne se pratique pas (ex. : parc national de la Gaspésie), des limitations ou interdictions peuvent s'appliquer durant la période de chasse.

TARIF Gratuit (sauf dans le parc national de la Gaspésie où le tarif des parcs nationaux s'applique)

ACCÈS Accès La Vallée de la Matapédia : le début du sentier se trouve à proximité du bureau d'information touristique.
Accès Cap-Chat : à partir de la route 132, emprunter la route qui longe la rivière Cap-Chat et la suivre sur environ 38 km. L'accès au sentier se trouve à environ 100 mètres passé le ruisseau Bascon. Voir aussi les voies d'accès dans les réseaux traversés. Il existe plus de 20 autres points d'accès.

DOCUMENTATION Cartes : Vallée de la Matapédia, Réserve faunique de Matane, Haute-Gaspésie, Côte-de-Gaspé et Le Compagnon (au bureau du SIA de Matane, dans différentes boutiques de plein air de Montréal et de Québec)

INFORMATION 418 562-7885 • www.sia-iat.com

JCT MONT SAINT-PIERRE ; PARC NATIONAL DE LA GASPÉSIE ; PARC NATIONAL DU CANADA FORILLON ; RÉSERVE FAUNIQUE DE MATANE ; LE PARC RÉGIONAL DE LA SEIGNEURIE DU LAC MATAPÉDIA

37 SENTIER PÉDESTRE DE LA POINTE-AUX-CORBEAUX

En parcourant ce sentier qui longe la falaise, on aura des points de vue sur la baie des Chaleurs et sur le site historique de Paspébiac. Le parcours est bordé, entre autres, de rosiers, de cormiers et de pommiers. On pourra apercevoir quatre espèces d'oiseaux marins, dont le grand cormoran qui pourrait être à l'origine du nom de la pointe. Un belvédère offre une vue sur l'étape finale du parcours, la Pointe-aux-Corbeaux. Ce trou à la base d'une saillie rocheuse lui a valu le surnom de « bébé du rocher Percé ». Lors de la marée basse, on pourra passer par la plage pour atteindre ce trou. Le parcours est agrémenté de panneaux d'interprétation. 🐾

★⛩🚂♨

RÉSEAU PÉDESTRE 1,5 km (linéaire, débutant)

HORAIRE	D'avril à novembre, du lever au coucher du soleil
TARIF	Gratuit
ACCÈS	De Carleton, suivre la route 132 en direction est jusqu'à Hope. Tourner à droite sur la route du Quai-À-Mann. Le stationnement est situé moins de 200 mètres plus loin.
DOCUMENTATION	Dépliant (à l'entrée du sentier)
INFORMATION	418 752-3212 • mun.hope@globetrotter.net

38 SENTIER PÉDESTRE DES ROSIERS

Ce sentier, partagé avec les cyclistes, a été construit sur l'ancienne route 132. Une portion est asphaltée, l'autre est sur fond de poussière de pierre. En le parcourant, on se rendra du village de Baie-des-Sables, à la halte provinciale, en longeant le littoral du Saint-Laurent, sur lequel on aura une vue constante. Des bancs installés le long du parcours permettent de se reposer et d'observer les oiseaux présents dont le goéland. 🚩

★P👫⛩♨

RÉSEAU PÉDESTRE 2,5 km (Multi : 2,5 km) (linéaire, débutant)

HORAIRE	Toute l'année, du lever au coucher du soleil
TARIF	Gratuit
ACCÈS	À environ 32 km à l'est de Sainte-Flavie par la route 132. Le sentier débute au village de Baie-des-Sables et se termine à la halte provinciale.
DOCUMENTATION	Guide touristique de la Gaspésie (au bureau de l'association touristique régionale de Sainte-Flavie)
INFORMATION	418 772-6218 • municipalitebds@globetrotter.net

39 SENTIERS ORNITHOLOGIQUES DE POINTE-À-LA-CROIX

Ces sentiers, agrémentés de panneaux d'interprétation, sont aménagés en bordure d'un vaste marais. En les parcourant, on circulera à travers un boisé diversifié comprenant, entre autres, une cédrière. On pourra observer plus d'une centaine d'espèces d'oiseaux depuis les sentiers et les tours d'observation. Le sentier Monier longe le ruisseau du même nom et le traverse grâce à une passerelle. Une espèce rare, la sagittaire dressée, est présente sur le territoire. 🚩

🏛P👫⛩🏕🚂🎣🚌♨🎿

RÉSEAU PÉDESTRE 8,0 km (Multi : 7,2 km)

SENTIERS ET PARCOURS	LONGUEUR	TYPE	NIVEAU
L'Orée du Bois	0,5 km	linéaire	débutant
Sentier du Lac	0,5 km	linéaire	débutant
Sentier des Ormes / Sentier du Ruisseau	0,9 km	linéaire	débutant
Sentier de la Montagne / Sentier des Marais	2,3 km	linéaire	débutant
Sentier Monier	0,8 km	linéaire	débutant
Sentier Rivière-du-Loup	0,9 km	linéaire	débutant
Sentier du Belvédère	0,8 km	linéaire	débutant
Promenade Riveraine	0,4 km	linéaire	débutant
Sentier La Tourbière	0,9 km	linéaire	débutant

HORAIRE	Du 15 mai au 15 novembre, du lever au coucher du soleil
TARIF	Gratuit
ACCÈS	Le sentier est accessible à Pointe-à-la-Croix, à partir de la halte routière qui est situé sur la rue Gaspésienne. Il est accessible aussi par la rue de l'École et la rue du Quai.
DOCUMENTATION	Carte des sentiers (au centre d'information touristique et à l'hôtel de ville)
INFORMATION	418 788-3222 • 418 788-2011 • www.pointe-a-la-croix.com

40 SITE HISTORIQUE DU BANC-DE-PÊCHE-DE-PASPÉBIAC

Ce site historique vit le jour en 1766 avec l'arrivée de Charles Robin, un entrepreneur venu de l'île Jersey. Il mit sur pied une compagnie visant à commercialiser la morue séchée et exploita des bâtiments avec les frères Le Bouthillier. On pourra visiter les onze bâtiments présents, désignés historiques. L'un d'eux, érigé entre 1838 et 1840, est le plus gros bâtiment de structure de bois en Amérique du Nord. La randonnée s'effectue ensuite sur la plage et les grèves. 🐕

🏛️P👫✕⛩️▲🚽🐾🏊♿ Autre : boutique

RÉSEAU PÉDESTRE 10,0 km

SENTIERS ET PARCOURS	LONGUEUR	TYPE	NIVEAU
Sur le site	1,5 km	mixte	débutant
Sentier de la Grève	2,0 km	linéaire	débutant
Sentier de la Halte routière	2,0 km	linéaire	débutant
Sentier du Barachois	4,5 km	linéaire	débutant

HORAIRE	De juin à mi-octobre, de 9 h à 17 h
TARIF	Adulte : 5,50 $
	Aîné et étudiant : 4,50 $
	Enfant (moins de 6 ans) : gratuit
	Famille : 12,00 $
ACCÈS	De la route 132 à Pasbébiac, tourner à la 3ᵉ Rue en direction de la mer.
DOCUMENTATION	Dépliant (à l'accueil)
INFORMATION	418 752-6229 • www.shbp.ca

41 SITE PANORAMIQUE LE SOLEIL D'OR

Ce réseau est juché à 335 mètres d'altitude. Au début du parcours, un belvédère offre une vue plongeante sur la rivière Ristigouche. Cette dernière fait office de frontière naturelle entre le Québec et le Nouveau-Brunswick. On s'enfonce ensuite dans une forêt mixte dans laquelle on pourra apercevoir la petite faune, comme des ratons laveurs, ainsi que plusieurs oiseaux. On atteint ensuite l'observatoire des Pins. Il s'agit d'un escalier de 230 marches bordé de chaque côté par des pins, d'où son nom. Après avoir descendu ces marches, on atteint un deuxième belvédère offrant une vue de la rivière sous un autre angle. Des panneaux d'interprétation, dont certains traitent des arbres présents, agrémentent le parcours. 🐾

✶P👥⛩🏕🏠🚉🌿

RÉSEAU PÉDESTRE 2,0 km (Multi : 2 km)

SENTIERS ET PARCOURS	LONGUEUR	TYPE	NIVEAU
Sentier des Pins	2,0 km	mixte	débutant

HORAIRE	Toute l'année, du lever au coucher du soleil
TARIF	Gratuit
ACCÈS	De la route 132 près de la frontière du Nouveau-Brunswick, suivre les indications pour les plateaux de L'Ascension-de-Patapédia. Ensuite, tourner à droite sur le rang de l'Église Sud vers le site « Soleil d'Or ».
DOCUMENTATION	Brochure « Matapédia » (au premier belvédère et au bureau municipal)
INFORMATION	418 299-2024 • 418 299-3263 • 418 299-2684 munic@globetrotter.qc.ca

42 SITE RÉCRÉO-TOURISTIQUE DE CAPUCINS

On trouve sur ce site le seul marais salé situé dans la portion nord de la péninsule. Le centre d'interprétation y est consacré. Les sentiers permettent d'observer la flore et la faune de cette baie, point de rencontre entre l'eau douce et l'eau salée. L'un d'eux, agrémenté de panneaux, est un sentier d'interprétation de ce milieu qu'est la baie. 🐾

🏛P👥✕⛩🏠🌿

RÉSEAU PÉDESTRE 6,0 km

SENTIERS ET PARCOURS	LONGUEUR	TYPE	NIVEAU
Sentier d'interprétation de la Baie	2,0 km	linéaire	débutant
Sentier du Fleuve, du Kiosque et de la Cédrière	2,0 km	boucle	débutant
Sentier des Ponceaux et de la 132	2,0 km	boucle	débutant

HORAIRE	De juin à octobre, du lever au coucher du soleil
TARIF	Gratuit
	Frais pour le centre d'interprétation
ACCÈS	On accède au site récréo-touristique à partir de la route 132, à une douzaine de kilomètres à l'ouest de Cap-Chat.
INFORMATION	418 786-5977 • pages.globetrotter.net/carrefourcapucins

43 VILLE DE GASPÉ

Le secteur de la ville encadré par le bassin du sud-ouest et le havre de Gaspé est très fréquenté par les marcheurs. On s'y promènera en longeant la marina. Une aire de pique-nique permet de casser la croûte et d'admirer le paysage offert par la mer. On pourra aussi apercevoir plusieurs oiseaux survolant le site ainsi que des canards. 🐾

✿P♖⚓X⛴🎣🏠

RÉSEAU PÉDESTRE 4,0 km (boucle, débutant)

HORAIRE	Toute l'année, du lever au coucher du soleil
TARIF	Gratuit
ACCÈS	On y accède en plein centre-ville, en bordure de la route 198.
INFORMATION	418 368-2104 • 418 368-8523 • vilgaspe@globetrotter.qc.ca

Îles-de-la-Madeleine

ÎLES-DE-LA-MADELEINE

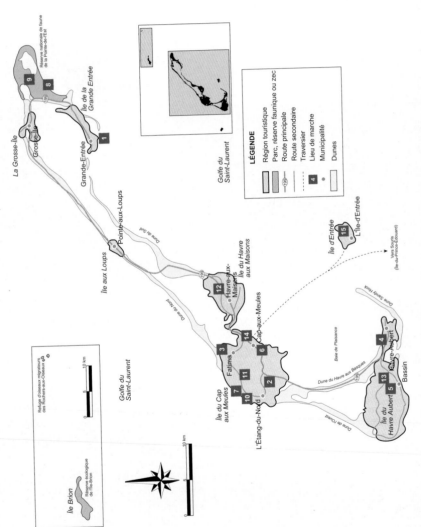

Photo page précédente : Panorama des Îles (LMI - Daniel Pouplot)

LIEUX DE MARCHE

1 ÎLE BOUDREAU
2 LA BOUILLÉE DE BOIS
3 LE BARACHOIS
4 LES BUTTES DES DEMOISELLES
5 PARC DES BOIS-BRÛLÉS
6 PARC DES BUCK
7 PISTE CYCLABLE ET PÉDESTRE DE LA BELLE-ANSE
8 PLAGE DE LA GRANDE ÉCHOUERIE
9 RÉSERVE NATIONALE DE FAUNE DE LA POINTE DE L'EST
10 SENTIER DE L'ANSE DE L'ÉTANG DU NORD
11 SENTIER DE LA BUTTE DU VENT
12 SENTIER DU CAP-ROUGE
13 SENTIER DU LAC SOLITAIRE
14 SENTIER DU LITTORAL
15 SENTIER IVAN QUINN

Pour information sur les Îles de la Madeleine
www.tourismeilesdelamadeleine.com
1-877-624-4437

Tourisme
ÎLES DE LA MADELEINE

1 ÎLE BOUDREAU

Cette île est la propriété de la
Société de Conservation des Îles. On
l'atteindra en marchant à partir de la
plage de l'île de la Grande Entrée.
D'un côté du sentier, on aura une
vue sur le golfe du Saint-Laurent et
de l'autre, sur le bassin aux Huîtres.
Au bout de l'île, on peut observer une
formation de roches fossiles appelée
stromatolithe. Elles sont parmi les
plus anciennes roches fossiles
d'origine biologique connues.

RÉSEAU PÉDESTRE 1,6 km (linéaire, débutant)

HORAIRE	Toute l'année, du lever au coucher du soleil
TARIF	Gratuit
ACCÈS	De Grande-Entrée, prendre le chemin Bassin Ouest jusqu'au bout. Marcher 500 m sur la plage afin d'atteindre l'île.
DOCUMENTATION	Plan du site (à la municipalité des Îles-de-la-Madeleine)
INFORMATION	418 986-5534 • 418 986-6644 • societedeconservationdesiles@yahoo.ca

2 LA BOUILLÉE DE BOIS

Ce site est situé dans la municipalité de l'Étang-
du-Nord, sur l'île du Cap aux Meules. Les sentiers
d'interprétation sont reliés entre eux. En les
parcourant, on sillonnera une forêt dominée par
l'épinette noire, témoignant des 18 % du territoire
madelinot encore sous couvert forestier. Cette faible
quantité d'arbres s'explique par les rudes conditions
naturelles causées par les vents salins et l'acidité du
sol. Les sentiers tiennent leur nom de la végétation
qu'on y trouver : kalmias et conifères rabougris
près de la lagune du Havre-aux-Basques, lichens,
sphaignes et éricacées.

✶P

RÉSEAU PÉDESTRE 7,0 km

SENTIERS ET PARCOURS	LONGUEUR	TYPE	NIVEAU
Le Kalmia	0,5 km	boucle	débutant
Les Lichens	1,5 km	boucle	débutant
Les Sphaignes	1,8 km	boucle	débutant
Les Éricacées	3,2 km	boucle	débutant

HORAIRE	Toute l'année, du lever au coucher du soleil
	Prudence pendant la période de chasse
TARIF	Gratuit
ACCÈS	De Cap-aux-Meules, emprunter la route 199 ouest jusqu'au camping La Martinique.
DOCUMENTATION	Revue Mer nature (au bureau de l'Association touristique)
INFORMATION	418 986-6644 • www.attentionfragiles.org

3 LE BARACHOIS

Ce sentier d'interprétation est situé à l'extrémité sud de la Dune du Nord. Il mène à une tour d'observation du haut de laquelle on aura une vue sur les milieux humides des îles de la Madeleine : marais d'eau douce, marais saumâtre et marais d'eau salée, ainsi qu'un pré humide dans lequel on pourra observer plusieurs espèces de plantes. On pourra voir différents oiseaux survolant le territoire.

✶P🎋🏺🌿

RÉSEAU PÉDESTRE	2,5 km (linéaire, débutant)
HORAIRE	Toute l'année, du lever au coucher du soleil
	Prudence pendant la période de chasse
TARIF	Gratuit
ACCÈS	À Fatima, emprunter le chemin de l'Hôpital en direction de la plage de la Dune du Nord.
DOCUMENTATION	Revue Mer nature (au bureau de l'Association touristique)
INFORMATION	418 986-6644 • www.attentionfragiles.org

4 LES BUTTES DES DEMOISELLES

Ces collines, dégarnies et arrondies, surplombent la mer. Au sommet, on pourra apercevoir le site historique de La Grave, l'île d'Entrée, la baie de Plaisance, les collines de Bassin, l'île du Cap aux Meules, l'île du Havre aux Maisons et même le bateau provenant de l'Île-du-Prince-Édouard. Par temps clair, il est possible de voir jusqu'à 15 kilomètres à la ronde. Le sentier longe les falaises sur une courte partie. Propriété de la Société de conservation des îles de la Madeleine, ce territoire naturel est protégé jusqu'à perpétuité de tout développement pouvant survenir. 🐴

✶P

RÉSEAU PÉDESTRE	0,9 km (linéaire, débutant, dénivelé maximum de 30 m)
HORAIRE	Toute l'année, du lever au coucher du soleil
TARIF	Gratuit
ACCÈS	De Havre-Aubert, suivre la route 199 sud et emprunter le chemin d'En-Haut jusqu'au stationnement.
INFORMATION	418 986-2245 • 1 877 624-4437
	societedeconservationdesiles@yahoo.ca

5 PARC DES BOIS-BRÛLÉS

Ce parc est situé sur l'île du Havre Aubert. Le sentier, agrémenté de panneaux d'interprétation, débute à la jonction du chemin du Bassin et du chemin de la Montagne. En le parcourant, on traversera une zone de marais et on verra un ruisseau. 🐕

🏚 P ♀♂ (X ≋

RÉSEAU PÉDESTRE 2,3 km (mixte, débutant)

HORAIRE	De mai à octobre, du lever au coucher du soleil
TARIF	Gratuit
ACCÈS	À Havre-Aubert, emprunter le chemin du Bassin jusqu'au Centre multifonctionnel, derrière le terrain de balle-molle.
INFORMATION	418 937-5245

6 PARC DES BUCK

Situé au bout du chemin de la Mine, le parc des Buck offre des sentiers sillonnant une des rares zones forestières des îles. Quelques ruisseaux, qu'on franchira grâce à des passerelles, et un lac sont dispersés sur le territoire. Les sentiers conduisent à des points de vue sur les îles de l'archipel, plus spécifiquement sur celle du Cap aux Meules. À l'entrée principale, on trouve un belvédère et un abreuvoir permet de se ravitailler en eau. Le long des sentiers, on trouve des panneaux d'interprétation renseignant sur la flore et sur les oiseaux survolant le territoire. 🐕

★ P 🪑 ♿ ══ ≋ 🖊

RÉSEAU PÉDESTRE 5,5 km

SENTIERS ET PARCOURS	LONGUEUR	TYPE	NIVEAU
Boucle du Lac	1,4 km	boucle	débutant
Boucle du Ruisseau et de la Mine	1,0 km	boucle	débutant
Sentier du Marécage	0,6 km	boucle	débutant
Sentier de la montagne du loup	2,5 km	boucle	débutant

HORAIRE	Toute l'année, du lever au coucher du soleil
TARIF	Gratuit
ACCÈS	Du chemin Principal à Cap-aux-Meules, prendre le chemin de la Mine jusqu'au bout où se trouve le stationnement.
DOCUMENTATION	Dépliant-carte (au bureau d'information touristique et à la mairie)
INFORMATION	418 986-3321 poste 29 • 418 986-2460 • lparseneau@muniles.ca

7 PISTE CYCLABLE ET PÉDESTRE DE LA BELLE-ANSE

Ce sentier, reliant La Belle Anse au chemin Philippe-Thorne, est recouvert de gravier et partagé entre les marcheurs et les cyclistes. Depuis la falaise, on longera le bord de la mer et on aura une vue sur la plage. Par endroits, le sentier s'enfonce dans un milieu boisé. Au Cap au Trou, une halte aménagée permet d'admirer le littoral sculpté par les vagues. 🐾

RÉSEAU PÉDESTRE 4,5 km (Multi : 4,5 km) (linéaire, débutant)

HORAIRE	Toute l'année, du lever au coucher du soleil
TARIF	Gratuit
ACCÈS	De Fatima, prendre le chemin des Caps vers l'ouest, puis le chemin de la Belle-Anse sur 700 m.
INFORMATION	418 986-3321 poste 29 • 418 937-8758 • lparseneau@muniles.ca

8 PLAGE DE LA GRANDE ÉCHOUERIE

En parcourant cette plage, qui fait partie des plus belles des îles de la Madeleine, on aura une vue constante sur la mer et sur les falaises de grès rouge qui la bordent. On aura également une vue sur un port de pêche. On pourra observer des canards et plusieurs autres oiseaux. Les véhicules à 4 roues ont accès aux sentiers de septembre à juin. 🐾

RÉSEAU PÉDESTRE 20,0 km

SENTIERS ET PARCOURS	LONGUEUR	TYPE	NIVEAU
De Old Harry à la Pointe de l'Est	9,0 km	linéaire	débutant
De la Pointe de l'Est à Grosse-Île	11,0 km	linéaire	débutant

HORAIRE	Toute l'année, du lever au coucher du soleil
TARIF	Gratuit
ACCÈS	De Grosse-Île, prendre la route 199 sur une distance d'environ 12 km. Tourner à gauche sur le chemin Head où un panneau indique le site.
INFORMATION	418 985-2510 • mun.gi@tlb.sympatico.ca

JCT   RÉSERVE NATIONALE DE FAUNE DE LA POINTE DE L'EST

9 RÉSERVE NATIONALE DE FAUNE DE LA POINTE DE L'EST

Cette réserve, créée en 1978, occupe un territoire d'une superficie de 974 hectares dont 748 ont le statut de Réserve nationale de faune. On y retrouve les éléments caractéristiques du paysage des îles : un noyau rocheux rougeâtre, des cordons littoraux remaniés par le vent en dunes, des lagunes, des landes, des prés salés, des marais, d'immenses plages et des étangs d'eau douce, salée ou saumâtre. Cette réserve est un des derniers lieux au Québec où le pluvier siffleur, une espèce menacée, niche.encore. On y trouve également d'autres espèces en danger dont le grèbe esclavon. C'est aussi une halte importante lors de la migration des oiseaux, surtout pour les oiseaux de rivage. Les boucles proposées permettent de découvrir ce territoire majoritairement constitué de sable, peuplé d'une végétation maritime comme une forêt de conifères rabougris, de conifères, des spartines, des laîches des étangs salés, des éricacées, des plantes carnivores et plusieurs autres. Une des plantes vedettes de la réserve est l'ammophile à ligule courte. La faune aviaire, très diversifiée, est composée en partie du roitelet à couronne rubis, de la sittelle à poitrine rousse, du junco ardoisé et de quelques espèces de goélands et de parulines. Le renard roux est l'un des six mammifères présents. On trouve, le long de la plage, plusieurs coquillages d'invertébrés comme l'oursin. À certaines périodes de l'année, on pourra apercevoir les phoques gris et commun et le phoque du Groënland. 🐾

RÉSEAU PÉDESTRE 8,0 km

SENTIERS ET PARCOURS	LONGUEUR	TYPE	NIVEAU
L'Échouerie	2,0 km	boucle	débutant
Les Marais salés	2,0 km	boucle	débutant

HORAIRE	Toute l'année, du lever au coucher du soleil
	Prudence pendant la période de chasse
TARIF	Gratuit
ACCÈS	De Grosse-Île, prendre la route 199 sud jusqu'au point d'accueil situé sur la gauche.
DOCUMENTATION	Dépliant-carte, brochure « Attention Frag'Îles » (au bureau d'information touristique et au bureau de la municipalité)
INFORMATION	418 985-2833 • 418 648-7138
	www.qc.ec.gc.ca/faune/faune/html/rnf_pe.html

JCT   PLAGE DE LA GRANDE ÉCHOUERIE

10 SENTIER DE L'ANSE DE L'ÉTANG DU NORD

Ce sentier multifonctionnel débute au parc du site de la Côte, traverse un petit boisé et mène au phare du Borgot, situé à Cap Hérissé. Ce sentier, entièrement découvert, offre une vue quasi-constante sur le golfe du Saint-Laurent. On pourra observer des falaises de grès de couleur rouge ainsi qu'un quai de pêche. 🐾

✶P✗⍐⌂▦🪑 Autre : boutique

RÉSEAU PÉDESTRE 2,4 km (Multi : 2,4 km) (linéaire, débutant)

HORAIRE	Toute l'année, du lever au coucher du soleil
TARIF	Gratuit
ACCÈS	De Cap-aux-Meules, emprunter le chemin de l'Étang-du-Nord et suivre les indications jusqu'au site de la Côte.
DOCUMENTATION	Plan du site (à la municipalité des Îles-de-la-Madeleine)
INFORMATION	418 986-3321 • 418 986-3100 • mleblanc@muniles.ca

11 SENTIER DE LA BUTTE DU VENT

Dans la municipalité de Fatima, sur l'île du Cap aux Meules, on trouve la butte du Vent, parmi les plus élevées de l'archipel des îles de la Madeleine. Du haut de cette butte, on aura une vue panoramique sur les îles et la mer. 🐕

RÉSEAU PÉDESTRE	2,0 km (Multi : 2 km) (linéaire, débutant)
HORAIRE	Toute l'année, du lever au coucher du soleil
TARIF	Gratuit
ACCÈS	De Fatima, prendre le chemin de l'Église jusqu'à la jonction du chemin Cormier. Tourner à droite et continuer sur environ 100 m.
DOCUMENTATION	Dépliant-carte de l'île du Cap aux Meules (au bureau d'information touristique et au bureau de la municipalité)
INFORMATION	418 986-3321 • lparseneau@muniles.ca

12 SENTIER DU CAP-ROUGE

Ce sentier passe en grande partie dans un milieu boisé, la pessière à kalmia. On y retrouve, entre autres, une abondance d'éricacées, des épinettes noires et quelques bouleaux blancs. On aura un point de vue sur la lagune. L'autre portion du sentier est un marécage, sur lequel on peut circuler grâce à un barachois. On grimpera une pente abrupte d'environ 50 mètres pour redescendre de l'autre côté. On pourra apercevoir des oiseaux forestiers comme les parulines et des oiseaux de bord de mer comme le cormoran à aigrettes.

P

RÉSEAU PÉDESTRE   1,8 km (linéaire, débutant, dénivelé maximum de 50 m)

HORAIRE	Toute l'année, du lever au coucher du soleil
TARIF	Gratuit
ACCÈS	Du village de Havre-aux-Maisons, emprunter le chemin du Cap-Rouge, puis le chemin des Bas. Le stationnement se situe au bout de ce chemin.
DOCUMENTATION	Plan du site (à la municipalité)
INFORMATION	418 986-3100 poste 605 • 418 986-3321 poste 28 • www.muniles.ca

13 SENTIER DU LAC SOLITAIRE

L'île du Havre Aubert, située au sud, est la plus grande des îles de l'archipel. Ce court sentier est tracé dans une forêt composée principalement de bouleau blanc, d'épinette noire, d'épinette blanche et de sapin baumier. Le sentier se termine au pied du lac Solitaire, d'une superficie de 0,4 hectare. On aura une vue sur une petite colline située en face du lac.

RÉSEAU PÉDESTRE   0,3 km (linéaire, débutant)

HORAIRE	Toute l'année, du lever au coucher du soleil
TARIF	Gratuit
ACCÈS	De Havre-Aubert, prendre le chemin du Bassin, tourner à droite sur le chemin de la Montagne et continuer sur 2 km. Tourner à gauche sur le chemin du P'tit-Bois Nord et poursuivre sur le chemin du P'tit-Bois Sud sur 300 m.
INFORMATION	418 986-3100 poste 605 • bboudreau@muniles.ca

14 SENTIER DU LITTORAL

Ce sentier asphalté, partagé avec les cyclistes, est situé à Cap-aux-Meules. Il débute à la marina et termine sa course à la limite sud de la municipalité. Du haut de la falaise, on longera le village d'un côté et la mer de l'autre. Des plates-bandes florales bordent par endroits le sentier dont une petite partie, environ 10 %, passe dans un boisé de

Répertoire des lieux de marche au Québec

conifères. On aura une vue sur le quai commercial et sur la municipalité. On aura accès à un escalier panoramique de 185 marches sur le cap, d'où on aura une vue d'ensemble des îles. Escalier panoramique de 185 marches sur le cap. ☂

✳ P ✕ ⛩ ⌂ ⚘ 🏊

RÉSEAU PÉDESTRE 2,0 km (Multi : 2 km) (linéaire, débutant)

HORAIRE	Toute l'année, du lever au coucher du soleil
TARIF	Gratuit
ACCÈS	La piste est accessible à partir du chemin du Quai, ainsi qu'à partir d'un stationnement public sur le chemin Gros-Cap à Cap-aux-Meules.
INFORMATION	418 986-3321 poste 29 • 418 986-2460 • lparseneau@muniles.ca

15 SENTIER IVAN-QUINN

L'île d'Entrée est la seule à ne pas être reliée aux autres par la route principale. C'est sur cette île que l'on trouve le sentier Ivan-Quinn, dans un paysage de collines entièrement recouvertes de friches herbacées. Cette friche est composée de marguerites, de boutons

d'or, d'iris versicolores et de graminées. Le sentier a été nommé ainsi en l'honneur de l'ancien maire. Un panneau d'interprétation nous raconte cet homme. Le long du sentier, on trouve un petit musée. Un autre sentier, Big Hill, se rend à la colline qui est la plus élevée des îles avec ses 174 mètres d'altitude. Du sommet, on a un panorama sur toutes les îles de la Madeleine, le fleuve Saint-Laurent et l'île d'Entrée. On verra aussi un pâturage communautaire, des chevaux et des vaches. On pourra apercevoir des oiseaux nichant dans la falaise. Les oiseaux présents sont le goéland, le guillemot à miroir et le cormoran. On pourra voir l'église All Saints, une église anglicane datant de 1948, sur une colline au centre du village. Sur son toit, on trouve un petit clocher agrémenté de détails ornementaux. ☂

RÉSEAU PÉDESTRE 1,5 km

SENTIERS ET PARCOURS	LONGUEUR	TYPE	NIVEAU	DÉNIVELÉ
Sentier Ivan-Quinn	0,6 km	linéaire	débutant	
Big Hill	0,9 km	linéaire	intermédiaire	120 m

HORAIRE	De mai à octobre, du lever au coucher du soleil
TARIF	Gratuit
ACCÈS	On atteint l'Île d'Entrée par un bateau-traversier. Du port, marcher sur le chemin de la Lighthouse vers le sud et tourner à gauche sur le chemin Main. Tourner ensuite à gauche sur le chemin Post Office et suivre les indications.
DOCUMENTATION	Plan du sentier (à la municipalité des Îles-de-la-Madeleine)
INFORMATION	418 986-3100 • www.muniles.ca

Lanaudière

LANAUDIÈRE

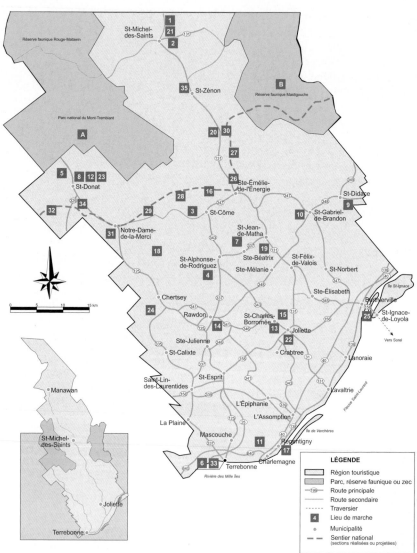

Photo page précédente : Parc régional des Chutes Dorwin (LMI - Leslie Gravel)

LIEUX DE MARCHE

1. AUBERGE DU LAC TAUREAU
2. AUBERGE MATAWINIE
3. AUBERGE VAL-SAINT-CÔME
4. CAMP MARISTE
5. CAP DE LA FÉE
6. CIRCUIT TRANS-TERREBONNE
7. HAVRE FAMILIAL
8. LE SENTIER DES ÉTANGS
9. LES JARDINS DU GRAND-PORTAGE
10. LES SENTIERS BRANDON
11. LES SENTIERS DE LA PRESQU'ÎLE
12. MONT SOURIRE
13. PARC BOIS-BRÛLÉ
14. PARC DES CHUTES DORWIN
15. PARC LOUIS-QUERBES
16. PARC RÉGIONAL CHUTE À BULL
17. PARC RÉGIONAL DE L'ÎLE LEBEL
18. PARC RÉGIONAL DE LA FORÊT OUAREAU
19. PARC RÉGIONAL DES CHUTES-MONTE-À-PEINE-ET-DES-DALLES
20. PARC RÉGIONAL DES SEPT-CHUTES DE SAINT-ZÉNON
21. PARC RÉGIONAL DU LAC TAUREAU
22. PARC RIVERAIN BASE-DE-ROC
23. RAPIDES DES NEIGES
24. SANCTUAIRE MARIE-REINE-DES-COEURS
25. SENTIER D'INTERPRÉTATION DE LA NATURE DE LA COMMUNE DE BERTHIER
26. SENTIER DE L'OURS
27. SENTIER DE LA MATAWINIE
28. SENTIER DE LA RIVIÈRE SWAGGIN
29. SENTIER DES CONTREFORTS
30. SENTIER DES NYMPHES
31. SENTIER DU MONT-OUAREAU
32. SENTIER INTER-CENTRE
33. SITE HISTORIQUE DE L'ÎLE-DES-MOULINS
34. VILLÉGIATURE LA RÉSERVE – HÔTEL MONTCALM
35. ZEC LAVIGNE

A. PARC NATIONAL DU MONT-TREMBLANT *(RÉGION LAURENTIDES)*
B. RÉSERVE FAUNIQUE MASTIGOUCHE *(RÉGION MAURICIE)*

Prenez l'air de **Lanaudière**

Pour planifier vos randonnées, visitez notre site Internet ou communiquez avec nous au 1 800 363-2788

www.pleinairlanaudiere.ca

1 AUBERGE DU LAC TAUREAU

Cette auberge est située en bordure du lac du même nom. Son territoire de 90 km² est sillonné par un réseau de sentiers créant plusieurs parcours. En les effectuant, on aura plusieurs points de vue dont certains donnant sur le lac Kempt, un des plus grands au Québec, sur la rivière Matawin et son barrage, ainsi que sur la région. On verra un barrage de castors et une plage. On atteindra un site amérindien reconstitué, le village atikamekw de Manawan, qui est le village amérindien francophone le plus près de Montréal. On pourra apercevoir une faune variée composée, entre autres, de cerfs de Virginie et de plusieurs espèces d'oiseaux.

🕌 P 👫 (X 🏠 🚿 🎋 🌿 ⚒ 🧳 🖼

RÉSEAU PÉDESTRE 9,5 km (Multi : 9,5 km)

SENTIERS ET PARCOURS	LONGUEUR	TYPE	NIVEAU	DÉNIVELÉ
La Dynamique	1,9 km	linéaire	débutant	100 m
La Quiétude	3,1 km	boucle	débutant	
L'Envoûtée	4,5 km	boucle	débutant	
L'Équilibre	0,9 km	linéaire	débutant	
L'Alizé	1,0 km	linéaire	débutant	
La Mistral	2,5 km	boucle	débutant	
Le Grand repos	3,7 km	linéaire	débutant	
L'Accalmie	3,9 km	mixte	débutant	

HORAIRE	Toute l'année, du lever au coucher du soleil
TARIF	Gratuit
ACCÈS	De Saint-Michel-des-Saints, prendre la route 131 nord et tourner à gauche sur le chemin des Aulnaies. Tourner ensuite à droite sur le chemin Manouane et continuer sur 7 km. Suivre les indications pour l'Auberge du Lac Taureau.
DOCUMENTATION	Carte des sentiers (à l'auberge)
INFORMATION	450 833-1919 • 450 833-7008 • www.auberge.lactaureau.com

2 AUBERGE MATAWINIE

Cette auberge, située aux abords du lac à la Truite à Saint-Michel-des-Saints, propose un réseau de sentiers partagés avec les cyclistes. Les sentiers débutent tous à l'auberge et offrent des vues sur les sommets boisés entourant le lac. Un des sentiers mène à une érablière. Un autre longe le lac Sauvage, enjambe deux ruisseaux et fait le tour du lac La Roche. On pourra visiter un tipi amérindien, composé d'écorce de bouleau, ou faire les jeux de la piste d'hébertisme. Des belvédères sont situés en montagne, dont l'un donne sur un barrage et une hutte de castors.

🕌 P 👫 (🏠 🎋 🚋 🛶 Autre : piste d'hébertisme

RÉSEAU PÉDESTRE 23,9 km (Multi : 23,9 km)

SENTIERS ET PARCOURS	LONGUEUR	TYPE	NIVEAU	DÉNIVELÉ
Tour du Lac Sauvage	4,3 km	boucle	débutant	
Tour du Lac La Roche	8,2 km	boucle	intermédiaire	
Sentier du belvédère du porc-épic	3,1 km	boucle	intermédiaire	100 m
Sentier du belvédère de l'escarpé	5,5 km	mixte	intermédiaire	200 m
Sentier du barrage de castors	1,4 km	linéaire	débutant	
Tour de l'île	1,4 km	boucle	débutant	

HORAIRE	Toute l'année, du lever au coucher du soleil
TARIF	Gratuit
ACCÈS	De Joliette, prendre la route 131 nord et traverser la municipalité de Saint-Michel-des-Saints. La route change de nom et devient chemin du Lac-Taureau. Tourner à droite sur le chemin du Lac-à-la-Truite, puis à gauche sur le chemin du Centre-Nouvel-Air. Prendre le premier chemin à gauche et rouler jusqu'au stationnement.
DOCUMENTATION	Carte et dépliant (à l'auberge Matawinie)
INFORMATION	1 800 361-9629 • 450 833-6371 • www.matawinie.com

3 AUBERGE VAL-SAINT-CÔME

Le site offre un réseau de 13 sentiers numérotés de longueurs variant entre 1 et 3 kilomètres avec des dénivelés de 25 à 300 mètres. On pourra effectuer différents parcours en combinant certains sentiers. En les parcourant, on sillonnera une forêt dominée par les conifères, dans laquelle on pourra apercevoir des renards et des cerfs de Virginie. On longera ou atteindra plusieurs plans d'eau et des cascades. On pourra aussi grimper au sommet de la montagne, d'où on aura un panorama sur les environs. 🐎

✶P⊂X⌂⌂

RÉSEAU PÉDESTRE 28,0 km (mixte, intermédiaire, dénivelé maximum de 300 m)

HORAIRE	Toute l'année, du lever au coucher du soleil
TARIF	Gratuit
ACCÈS	De Saint-Côme, prendre la route 347 sud. Suivre les indications pour la station touristique de Val-Saint-Côme sur 8 km.
DOCUMENTATION	Carte des sentiers (à l'Auberge Val-Saint-Côme et à la station de ski)
INFORMATION	450 883-0701 • www.valsaintcome.com

4 CAMP MARISTE

Ce camp a un territoire d'une superficie de 6 km² composé d'une forêt mixte dans laquelle on trouve plusieurs plans d'eau et des cascades. Le secteur Morgan se trouve à Chertsey tandis que le secteur Lamoureux se situe à Rawdon. Ce lieu étant accessible par une seule route, des sentiers traversent un milieu encore naturel. On aura accès à quelques lacs, à des miradors et à un belvédère offrant un panorama sur les environs. On peut observer le cerf de Virginie. Ce site est fréquenté par le Cercle des Mycologues de Montréal.

🏕P👫⊂X🚻▲⌂♨❦

RÉSEAU PÉDESTRE 18,9 km (Multi : 18,9 km)

SENTIERS ET PARCOURS	LONGUEUR	TYPE	NIVEAU
La Montée	3,6 km	boucle	intermédiaire
Les Bouleaux	6,6 km	boucle	intermédiaire
L'Inter	2,2 km	linéaire	intermédiaire
La Rivière	2,8 km	boucle	débutant
Le Ruisseau	1,8 km	boucle	débutant
Les Conifères	1,9 km	boucle	débutant

HORAIRE	Toute l'année, du lever au coucher du soleil
	Prudence pendant la période de chasse
TARIF	12 ans et plus : 5,25 $
	Enfant (7 à 11 ans) : 3,00 $
	Enfant (6 ans et moins) : gratuit

ACCÈS	De l'autoroute 25, continuer vers le nord sur la route 125, et bifurquer à droite sur la route 337. À Rawdon, tourner à gauche sur la rue Queen, puis à droite sur la 6e Avenue. Suivre le chemin Morgan sur 14 km et, à la fourche, prendre à droite. L'accueil est la première maison à droite.
DOCUMENTATION	Dépliant, carte (à l'accueil)
INFORMATION	450 834-6383 poste 221 • www.campmariste.qc.ca

5 CAP DE LA FÉE

Ce sentier sillonne une forêt résineuse dominée par les sapins baumiers et les épinettes rouges et blanches. De la mousse recouvre le sol et les roches. On longera le ruisseau du Cap de la Fée et ses cascades. Plus loin, on croisera le ruisseau Gratton et une petite chute. Au sommet de la montagne, on aura un panorama englobant la municipalité de Saint-Donat, les lacs Archambault et Ouareau, les monts Saint-Michel et des Cenelles, ainsi que le versant nord du mont Tremblant. 🏠

✸P🛏🌲

Note : au moment de la publication (mars 2007), un refuge était en construction au lac Coutu, soit à 2 km du stationnement.

RÉSEAU PÉDESTRE 6,2 km (boucle, débutant, dénivelé maximum de 251 m)

HORAIRE	Toute l'année, du lever au coucher du soleil
	Prudence pendant la période de chasse
TARIF	Gratuit
ACCÈS	De Saint-Donat : prendre la route 125 nord. Tourner à gauche sur le chemin Régimbald et faire 3,5 km. Le stationnement se situe sur la droite.
	De Sainte-Agathe-des-Monts : suivre la route 329 nord. Tourner à gauche sur le chemin Régimbald et continuer sur 13 km. Le stationnement se situe en face du 1708, chemin Régimbald.
DOCUMENTATION	Carte (au bureau d'information touristique de Saint-Donat)
INFORMATION	1 888 783-6628 • 819 424-2833 • www.saint-donat.org/pleinair

6 CIRCUIT TRANS-TERREBONNE

Ce circuit, qui traverse la ville de Terrebonne d'est en ouest, se fait en grande partie en milieu boisé. Dans le parc écologique de la Coulée, la piste longe le ruisseau de la Pinière. Ce dernier, qu'une passerelle permet de traverser, est encaissé dans un ravin. On verra les maisons de ce quartier résidentiel. Le sentier s'enfonce ensuite dans le boisé du Coteau, une forêt de pins et de feuillus. Ce terrain possède une dénivellation d'environ 40 mètres et comprend quelques pentes plus ardues. On aura une vue sur la plaine. Le parcours est agrémenté de panneaux traitant de la vie des personnages ayant marqué l'histoire de la municipalité.

✸P🛏🏠🎪🛏🚫

RÉSEAU PÉDESTRE 13,1 km (Multi : 13,1 km) (mixte, intermédiaire)

HORAIRE Toute l'année, du lever au coucher du soleil
TARIF Gratuit
ACCÈS De l'autoroute 25, prendre la sortie du boulevard des Seigneurs en direction ouest. Tourner à gauche sur le chemin Côte-Terrebonne et encore à gauche sur la 40ᵉ avenue. Le stationnement est situé un peu plus loin, le long de l'avenue, à droite. D'autres accès sont également possibles.
DOCUMENTATION Carte du circuit (sur le site Web)
INFORMATION 450 961-2001 • www.ville.terrebonne.qc.ca

7 HAVRE FAMILIAL

Ce site, d'une superficie de 3,5 km², possède un territoire recouvert d'une forêt mixte composée, entre autres, d'érables à sucre. On y trouve deux lacs dans lesquels on verra des digues de castors. Un sentier fait le tour du lac Clair, au centre du domaine, où se déroulent des activités nautiques. Un autre sentier grimpe en montagne et se rend au lac Beaupré, lui-même ceinturé par un troisième sentier. La forêt est peuplée de lièvres, de perdrix et de cerfs de Virginie.

Autre : piste d'hébertisme

RÉSEAU PÉDESTRE 6,5 km

SENTIERS ET PARCOURS	LONGUEUR	TYPE	NIVEAU
Tour du lac Clair	1,5 km	boucle	débutant
Sentier du lac Beaupré	2,0 km	linéaire	intermédiaire
Tour du lac Beaupré	3,0 km	boucle	intermédiaire

HORAIRE Toute l'année, de 9 h 30 à 16 h 30
TARIF 12 ans et plus : 8,00 $
Enfant (4 à 11 ans) : 5,00 $
Enfant (3 ans et moins) : gratuit
ACCÈS De Joliette, prendre la route 131 nord jusqu'à Saint-Jean-de-Matha. Tourner à gauche sur la route 337 vers Sainte-Béatrix et suivre les indications.
DOCUMENTATION Dépliant (à l'accueil)
INFORMATION 450 883-2271 • 1 888 883-2271 • www.havrefamilial.com

8 LE SENTIER DES ÉTANGS

Situé à proximité du village de Saint-Donat, ce sentier est composé de deux boucles sillonnant un boisé mixte tout en longeant un marais formé de trois étangs. Un étang sert de bassin d'épuration des eaux. Le milieu naturel diversifié attire plus d'une centaine d'espèces d'oiseaux, plus spécifiquement la sauvagine. On aura une vue sur les monts Garceau et Ouareau. Le sentier est jalonné de panneaux traitant du bassin et des oiseaux qu'on peut y observer.

RÉSEAU PÉDESTRE 3,1 km

SENTIERS ET PARCOURS	LONGUEUR	TYPE	NIVEAU
Sentier du Colvert	1,8 km	boucle	débutant
Sentier du Grand Héron	1,3 km	boucle	débutant

HORAIRE	Toute l'année, du lever au coucher du soleil
TARIF	Gratuit
ACCÈS	De l'autoroute 25, continuer sur la route 125 nord jusqu'à Saint-Donat. À l'église, tourner à droite sur la rue Allard, et à droite encore sur la rue Desrochers. Le sentier se trouve à gauche, au bas de la côte, près du garage municipal.
DOCUMENTATION	Liste des oiseaux observés sur place (au bureau d'information touristique de Saint-Donat)
INFORMATION	819 424-2833 • 1 888 783-6628 • www.saint-donat.ca

9 LES JARDINS DU GRAND-PORTAGE

Ce lieu, situé près de Saint-Didace dans les contreforts des Laurentides, a vu le jour en 1980 lors de l'aménagement du tout premier jardin écologique. Depuis, plusieurs autres se sont ajoutés. Ce qui était autrefois un plateau sableux est maintenant une vaste étendue couverte de jardins d'herbes, orientaux, anglais, aquatiques et maraîchers, accompagnés d'un verger domestique. Le sentier circule à travers tous ces jardins. On pourra aussi emprunter un sentier d'interprétation du boisé de ferme. 🐴 (sur une portion de 2,6 km)

RÉSEAU PÉDESTRE 3,4 km (mixte, intermédiaire, dénivelé maximum de 100 m)

HORAIRE	De fin juin à fin septembre, de 10 h à 17 h
TARIF	7,00 $ par personne
ACCÈS	De la sortie 144 de l'autoroute 40, suivre la route 347 jusqu'à Saint-Gabriel-de-Brandon. Prendre ensuite la route 348 est et dépasser Saint-Didace de 5 km. Tourner à droite sur le 1er rang.
DOCUMENTATION	Dépliant (à l'accueil et au kiosque d'information touristique de Lanaudière)
INFORMATION	450 835-5813 • www.intermonde.net/colloidales

10 LES SENTIERS BRANDON

Ce réseau, situé dans la paroisse de Saint-Gabriel-de-Brandon, propose des sentiers qui s'entrelacent à travers un boisé mixte, formant presque un labyrinthe. On atteindra des belvédères offrant des vues sur une sablière, sur la forêt et sur les montagnes à l'horizon.

RÉSEAU PÉDESTRE 14,7 km (Multi : 14,7 km) (boucle, intermédiaire)

HORAIRE	Toute l'année, du lever au coucher du soleil
TARIF	Gratuit
ACCÈS	À partir de Saint-Gabriel-de-Brandon, on accède aux sentiers par la rue Dequoy, en face du chalet des loisirs.
DOCUMENTATION	Dépliant-carte (au bureau d'information touristique de Saint-Gabriel-de-Brandon)
INFORMATION	450 835-2105 • 450 835-1515 • www.panorama-brandon.com

11   LES SENTIERS DE LA PRESQU'ÎLE

À Le Gardeur, ces sentiers sillonnent une forêt préservée en milieu urbain. On y trouve des peuplements d'érables, de thuyas et de sapins, accompagnés d'une végétation de savane. On pourra apercevoir des habitats d'animaux ainsi que des oiseaux comme la perdrix et le pic-bois. Le printemps est propice à l'observation de plantes rares comme le sabot de la Vierge et plusieurs espèces de trilles. Des pierres incrustées de fossiles vieux de plusieurs millions d'années témoignent du passage des glaciers. On pourra pique-niquer près des étangs. 🐴 (sur une portion de 7 km)

🏕 P ⛺ 🏕 X 🌲 🌿

RÉSEAU PÉDESTRE   13,0 km (Multi : 13 km)

SENTIERS ET PARCOURS	LONGUEUR	TYPE	NIVEAU
Numéro 1	2,5 km	boucle	débutant
Numéro 2	2,8 km	boucle	débutant
Numéro 3	3,2 km	boucle	débutant
Numéro 4	4,5 km	boucle	débutant

HORAIRE	D'avril à mi-mai et de mi-août à novembre, de 8 h à 17 h
TARIF	Adulte : 4,00 $
	Étudiant (5 à 16 ans) : 3,00 $
	Enfant (moins de 5 ans) : gratuit
	Chien : 1,50 $
ACCÈS	De l'autoroute 40 ou 640, prendre la sortie 97 et suivre les panneaux indicateurs bleus.
DOCUMENTATION	Dépliant (à l'accueil)
INFORMATION	450 585-0121 • 450 581-6877 • lessentiers.net

12   MONT SOURIRE

En parcourant ce sentier qui conduit au sommet du mont Sourire, on atteindra un belvédère offrant un panorama sur le village de Saint-Donat et son aéroport, sur les monts La Réserve et Ouareau, sur le lac Ouareau et sur les marais des environs. On peut y observer l'urubu à tête rouge. 🐴

⭐ P 🌲 🏛

RÉSEAU PÉDESTRE   1,0 km (linéaire, débutant, dénivelé maximum de 120 m)

HORAIRE	De mai à octobre, du lever au coucher du soleil
	Prudence pendant la période de chasse
TARIF	Gratuit
ACCÈS	De l'autoroute 25, poursuivre sur la route 125 nord jusqu'à Saint-Donat. À l'église, prendre à droite le chemin Allard jusqu'au bout, et tourner à droite sur le chemin Ouareau Nord. Au chemin des Cascades, un panneau indique le stationnement.
INFORMATION	819 424-2833 • 1 888 783-6628 • www.saint-donat.ca

13   PARC BOIS-BRÛLÉ

Ce site, devenu parc municipal en 1987, est situé à proximité d'une centrale de traitement de l'eau potable. On y trouve un sentier d'interprétation, jalonné de dix panneaux traitant du milieu naturel. En le parcourant, on se rendra à la rivière L'Assomption en passant par trois paliers possédant chacun leur végétation propre : forêt de pins, forêt de cèdres et forêt mixte. Le sentier longe un ruisseau dont l'eau est de couleur orange, phénomène expliqué par un panneau d'interprétation. 🐴

✶P🌿

RÉSEAU PÉDESTRE 1,3 km

SENTIERS ET PARCOURS	LONGUEUR	TYPE	NIVEAU
Le sentier d'interprétation du Bois-Brûlé....... 1,3 km .... boucle ....débutant

HORAIRE	D'avril à novembre, du lever au coucher du soleil
TARIF	Gratuit
ACCÈS	De Joliette, suivre le boulevard Dollard et tourner à droite sur la rue Saint-Charles-Borromée. Tourner à gauche sur la rue de la Visitation. Le parc se situe environ 2,4 km plus loin près de la rue Lévesque.
DOCUMENTATION	Dépliant « Circuit Saint-Charles-Borromée » (à l'hôtel de ville)
INFORMATION	450 759-4415 • www.st-charles-borromee.org

14 PARC DES CHUTES DORWIN

Ce parc, aménagé en bordure de la rivière Ouareau, est recouvert d'un sous-bois d'érablière sillonné par de courts sentiers. On circulera aussi dans une pinède dont les arbres sont centenaires. Un escalier permet d'accéder à deux belvédères offrant des vues sur les chutes d'une hauteur de plus de 18 mètres. On y voit la tête de pierre du sorcier Nipissingue. Ce dernier est entouré d'une légende indienne.

✶P👪🏫🎋🍴♿

RÉSEAU PÉDESTRE	2,5 km (mixte, débutant)
HORAIRE	De mai à la fête du Travail : 9 h à 19 h Le reste de l'année : 10 h à 17 h
TARIF	4,00 $ par personne Frais de stationnement : voiture : 8,00 $, mini-bus : 18,00 $, autobus : 36,00 $
ACCÈS	De l'autoroute 25, poursuivre sur la route 125, puis bifurquer à droite sur la route 337. Les chutes Dorwin sont situées à l'entrée du village de Rawdon, et les Cascades, 3 km plus loin.
DOCUMENTATION	Carte touristique et dépliant du parc (au bureau d'information touristique et à l'accueil du parc)
INFORMATION	450 834-2596 poste 2264 • 450 834-7115 www.municipalite.rawdon.qc.ca

15 PARC LOUIS-QUERBES

Ce lieu, situé à l'arrière de la cathédrale à Joliette, est un parc naturel à vocation récréative. Le sentier, sur fond de poussière de pierre, longe la rive de la rivière L'Assomption et passe, par endroits à travers une forêt de feuillus dans laquelle on retrouve quelques cerfs de Virginie. 🏸

🏠P🏕

RÉSEAU PÉDESTRE 1,0 km (Multi : 1 km)

SENTIERS ET PARCOURS	LONGUEUR	TYPE	NIVEAU
Sentier du parc Louis-Querbes	1,0 km	linéaire	débutant

HORAIRE	Toute l'année, du lever au coucher du soleil
TARIF	Gratuit
ACCÈS	Du centre info-touristique à Joliette, prendre la rue Dollard vers le centre-ville, puis la rue Saint-Charles-Borromée vers le nord. Le stationnement du parc est situé à l'arrière de la cathédrale.
INFORMATION	450 753-8050 • loisirs@ville.joliette.qc.ca

16 PARC RÉGIONAL CHUTE À BULL

Situés à Saint-Côme, ce parc et sa chute tiennent leur nom de l'Américain qui les exploitait lors de la drave. Le parc, en bordure de la rivière de la Boule, a été aménagé pour commémorer cette époque. Les sentiers sillonnent une forêt d'épinettes, de pins blancs et de pins rouges. Le sentier Belvédère mène à un point de vue au sommet de la montagne en passant par un pont couvert. Outre la chute principale, haute de 20 mètres, on verra plusieurs autres petites chutes et des cascades. Le parcours est agrémenté de panneaux d'interprétation, certains traitant de la vie des travailleurs lors du temps de la drave dont on pourra voir des vestiges le long des sentiers. 🏸

🏠P👫🏕⛰🏚🚻♨️⚜️🎿🏊

RÉSEAU PÉDESTRE 7,0 km

HORAIRE	De juin à fin octobre, de 10 h à 16 h 30
TARIF	3,00 $ par personne Enfant (moins de 6 ans) : gratuit

SENTIERS ET PARCOURS	LONGUEUR	TYPE	NIVEAU	DÉNIVELÉ
Sentier Belvédère	2,0 km	linéaire	intermédiaire	100 m
Sentier des Cascades et Chutes	2,0 km	linéaire	débutant	
Sentier de la Dame	2,0 km	linéaire	débutant	
Sentier des Trappeurs	1,0 km	linéaire	débutant	

ACCÈS	De Joliette, prendre la route 343 jusqu'à Saint-Côme. On accède au parc par le rang des Vennes.
DOCUMENTATION	Dépliant, carte (au poste d'accueil et au bureau d'information touristique)
INFORMATION	450 883-2726 • 450 883-2730 • www.matawinie.org

17 PARC RÉGIONAL DE L'ÎLE LEBEL

Ce parc municipal est situé au cœur de la ville de Repentigny, en bordure du fleuve Saint-Laurent. Ce territoire de 15 hectares comporte des zones boisées, des battures, un marécage et une frayère. Les sentiers arpentent ces milieux, propices à l'observation de plusieurs espèces d'oiseaux, et offrent des points de vue sur les îles et sur la rive sud.

RÉSEAU PÉDESTRE 2,8 km (mixte, débutant)

HORAIRE	Toute l'année, de 7 h à 23 h
TARIF	Gratuit
ACCÈS	De la route 138 à Repentigny, emprunter la rue Lebel jusqu'au stationnement.
INFORMATION	514 867-5597 info@parcilelebel.qc.ca

18 PARC RÉGIONAL DE LA FORÊT OUAREAU

SENTIER NATIONAL

Ce parc, divisé en deux secteurs, chevauche cinq municipalités. Son territoire de 160 km² est recouvert d'une forêt ainsi nommée parce qu'elle est traversée par la rivière Ouareau. Cette dernière, serpentant entre les montagnes, se franchit grâce à un pont suspendu. En parcourant les différents sentiers, on passera par plusieurs écosystèmes dont une forêt de tilleuls et une autre de grands pins gris, ainsi que par plusieurs plans d'eau. On verra des blocs erratiques datant de l'ère glaciaire recouverts de fougères et parfois même de forêt. Des sommets du secteur Grande-Vallée offrent un panorama s'étendant jusqu'à Montréal. Le sentier du Massif, situé dans le secteur Forêt Ouareau, offre une vue sur Notre-Dame-de-la-Merci et le mont Tremblant. Le sentier du Murmure suit la rivière Ouareau. (sur une portion de 55,9 km car ils sont interdits sur les sentiers Prud'homme, Toussaints et Corbeau)

RÉSEAU PÉDESTRE 73,1 km (Multi : 19,7 km)

SENTIERS ET PARCOURS	LONGUEUR	TYPE	NIVEAU	DÉNIVELÉ
Sentier numéro 1 (Grande-Vallée)	13,1 km	linéaire	intermédiaire	250 m
Sentier numéro 2 (Grande-Vallée)	5,3 km	linéaire	intermédiaire	145 m
Sentier numéro 3 (mont 107)	5,8 km	linéaire	avancé	390 m
Sentier du Murmure	6,0 km	linéaire	débutant	50 m
Sentier du Massif	20,1 km	linéaire	intermédiaire	235 m
Sentier numéro 4 (Grande-Vallée)	2,4 km	linéaire	débutant	50 m
Sentier numéro 5 (Grande-Vallée) La Pinède	1,3 km	linéaire	intermédiaire	140 m
Sentier numéro 6 (Grande-Vallée) Le Sommet	1,9 km	linéaire	intermédiaire	110 m
Sentier Prud'homme	6,1 km	linéaire	débutant	
Sentier Toussaints	3,5 km	linéaire	débutant	
Sentier Corbeau	7,6 km	linéaire	intermédiaire	150 m

HORAIRE Toute l'année, du lever au coucher du soleil
stationnement ouvert de 8 h 30 à 16 h 30 du mercredi au dimanche
Les randonneurs doivent porter des couleurs vives durant la période de chasse.

TARIF 3,00 $ par personne
2,00 $ pour les groupes de 20 personnes

ACCÈS Secteur Forêt Ouareau : de l'autoroute 25, poursuivre sur la route 125 nord. L'entrée se situe à 22 km au nord de Chertsey et à 2,5 km au sud de Notre-Dame-de-la-Merci.
Secteur Grande-Vallée : de l'autoroute 25, poursuivre sur la route 125 nord jusqu'à Chertsey. Prendre la rue de l'Église, puis le boulevard Grande-Vallée, et enfin la rue des Pâquerettes où se trouve le stationnement.

DOCUMENTATION Dépliant-carte Forêt Ouareau, carte Sentier du Massif, sentiers Grande-Vallée (à l'accueil et au dépanneur du secteur de Grande-Vallée)

INFORMATION 819 424-1865 • 1 800 264-5441 • www.matawinie.org

JCT SENTIER DES CONTREFORTS

19 PARC RÉGIONAL DES CHUTES-MONTE-À-PEINE-ET-DES-DALLES

Ce parc, d'une superficie de 305 hectares, chevauche trois municipalités : Saint-Jean-de-Matha, Sainte-Béatrix et Sainte-Mélanie. Les rivières Noire et L'Assomption y serpentent. Certains sentiers longent cette dernière, qu'on peut traverser grâce à trois ponts dont le plus long mesure 52 mètres. En parcourant les différents sentiers, on sillonnera une forêt diversifiée contenant des arbres centenaires. Outre les chutes Monte-à-Peine, les Dalles et Desjardins, on verra des ruisseaux, des cascades et un canyon. On pourra aussi emprunter un sentier d'interprétation de la nature. On aura des points de vue variés grâce à six belvédères. Des scènes du téléroman « Les Belles histoires des pays d'en haut » y ont été tournées.

★ P ⚲ ⚲ 禾 ⌂ 🏕 🚂 ⛩ ♨
Autre : jardin forestier

RÉSEAU PÉDESTRE 18,3 km

SENTIERS ET PARCOURS	LONGUEUR	TYPE	NIVEAU	DÉNIVELÉ
Sentier Desjardins	5,0 km	linéaire	débutant	50 m
L'Érablière	2,4 km	linéaire	débutant	60 m
Le Plateau	1,1 km	linéaire	débutant	
La Chute	1,0 km	boucle	débutant	50 m
La Coulée	1,5 km	linéaire	débutant	70 m
Sentier d'interprétation	1,8 km	linéaire	débutant	
Sentier de la poésie	0,4 km	linéaire	débutant	
Sentier des îles	0,5 km	linéaire	débutant	
Sentier du grand nord	3,2 km	linéaire	débutant	
Sentier des castors	1,4 km	linéaire	débutant	

HORAIRE	De mai à mi-juin, septembre, octobre : de 9 h à 18 h
	De mi-juin à août : de 9 h à 20 h
TARIF	Adulte : 6,00 $
	Enfant (6 à 12 ans) : 3,00 $
	Enfant (5 ans et moins) : gratuit
	Animaux domestiques : 3,00 $
	Groupe de 25 personnes et plus : 5,00 $ par personne
	Groupe de 40 personnes et plus : 4,00 $ par personne
ACCÈS	Porte Sainte-Mélanie : de Joliette, prendre la route 131 nord en direction de Saint-Jean-de-Matha. Tourner à gauche sur la route 348 ouest et suivre les indications.
	Porte Sainte-Béatrix et Saint-Jean-de-Matha : de Joliette, prendre la route 131 nord et tourner à gauche à Saint-Jean-de-Matha sur la route 337 sud. Suivre ensuite les indications pour le parc.
DOCUMENTATION	Dépliant, carte (à l'entrée)
INFORMATION	450 883-6060 • www.parcdeschutes.com

20 PARC RÉGIONAL DES SEPT-CHUTES DE SAINT-ZÉNON

Répertoire des lieux de marche au Québec

Ce réseau tient son nom des sept chutes de la rivière Noire que longe la route reliant Sainte-Émélie-de-l'Énergie et Saint-Zénon. On ne trouve au parc que la dernière chute, celle du Voile de la Mariée, qui a une hauteur de 60 mètres. Le sentier du mont Brassard arpente le sommet de la falaise du lac Rémi, offrant une vue sur ce dernier et sur les collines de la ville, avant de se rendre au sommet de la montagne en passant par quelques belvédères et des zones rocheuses. On verra une pinède à pins rouges et une pessière noire. Le sentier du mont Barrière traverse, entre autres, une érablière, se rend au sommet d'où on aura un panorama sur les environs, et contourne le lac Rémi pour aboutir à la base de sa falaise. Ces montagnes atteignent respectivement 610 et 650 mètres d'altitude. Les sentiers sont agrémentés de panneaux d'interprétation et de plusieurs autres points de vue.

RÉSEAU PÉDESTRE 12,7 km

SENTIERS ET PARCOURS	LONGUEUR	TYPE	NIVEAU	DÉNIVELÉ
Mont Brassard	4,5 km	boucle	intermédiaire	270 m
Mont Barrière	3,3 km	boucle	intermédiaire	230 m
Lac Rémi	2,2 km	boucle	intermédiaire	
L'Érablière	1,7 km	boucle	intermédiaire	
Voile de la Mariée	0,9 km	linéaire	débutant	

HORAIRE	De mai à novembre, de 9 h à 17 h
TARIF	5,00 $ par personne
	Enfant (12 ans et moins) : gratuit
	Tarif pour les groupes de 20 personnes et plus
	Passe de saison disponible
ACCÈS	De Joliette, suivre la route 131 nord. L'entrée du site se trouve à environ 18 km au nord de Sainte-Émélie-de-l'Énergie.
DOCUMENTATION	Dépliant (à l'accueil)
INFORMATION	450 884-0484 • 1 800 264-5441 • www.matawinie.org

JCT SENTIER DE LA MATAWINIE ; SENTIER DES NYMPHES

21 PARC RÉGIONAL DU LAC TAUREAU

Ce parc est aménagé en bordure du lac du même nom, qui domine le territoire avec ses 95 km². Le sentier débute à la baie Dominique et, à travers une forêt mixte, grimpe au sommet de la montagne où un belvédère offre un panorama sur le réservoir Taureau et sur la municipalité de Saint-Michel-des-Saints. Le sentier, agrémenté de panneaux d'interprétation, offre plusieurs points de vue sur le lac et ses nombreuses îles. Le lac Taureau est reconnu comme étant le plus grand lac accessible de la grande région de Montréal. Une particularité de ce lac est qu'il est en forme de marguerite.

RÉSEAU PÉDESTRE 6,0 km

SENTIERS ET PARCOURS	LONGUEUR	TYPE	NIVEAU
Sentier pédestre de la Baie Dominique	6,0 km	boucle	intermédiaire

HORAIRE	De mai à octobre, du lever au coucher du soleil
TARIF	Gratuit

ACCÈS   De Joliette, suivre la route 131 nord jusqu'à Saint-Michel-des-Saints. Tourner à gauche sur le chemin des Aulnaies et faire 0,5 km. Tourner ensuite à droite sur le chemin Manawan et faire 0,5 km. Tourner à droite à nouveau sur le chemin Beaulac et faire 4 km. Enfin tourner à gauche sur le chemin Ferland et faire 1 km.

DOCUMENTATION   Carte (au bureau de la chambre de commerce de la Haute-Matawinie)
INFORMATION   450 833-6941 • 450 833-1334 • www.haute-matawinie.com

22 PARC RIVERAIN BASE-DE-ROC

Ce parc naturel, situé à Joliette, est aménagé près de la rivière L'Assomption. En parcourant le sentier qui longe cette dernière, on pourra apercevoir plusieurs oiseaux terrestres et riverains. Une passerelle, construite sur les ruines d'un ancien barrage hydroélectrique, permet de traverser la rivière.

RÉSEAU PÉDESTRE   3,5 km (Multi : 3,5 km) (linéaire, débutant)

HORAIRE   D'avril à décembre, du lever au coucher du soleil
TARIF   Gratuit
ACCÈS   De Joliette, prendre la route 158 ouest. Sortir à l'indication de l'amphithéâtre Lanaudière, tourner à gauche sur la rue Vessot, et encore à gauche sur le boulevard Base-de-Roc. Poursuivre jusqu'à l'entrée principale du parc (1 km).
INFORMATION   450 753-8050 • www.ville.joliette.qc.ca

23 RAPIDES DES NEIGES

Ce sentier, vieux d'un quart de siècle, longe la rivière Ouareau à travers un boisé mixte. On pourra admirer la force du courant de cette rivière, qui ne gèle presque jamais en saison hivernale. Le sentier offre plusieurs accès à la rivière et permet d'apercevoir des résidences situées plus haut dans la montagne. À la fin du parcours, au pied du mont Lafrenière, on trouve un abri à trois côtés (lean-to).

RÉSEAU PÉDESTRE   2,0 km (linéaire, débutant)

HORAIRE   Toute l'année, du lever au coucher du soleil
TARIF   Gratuit
ACCÈS   Au cœur de Saint-Donat, prendre la rue Allard. Au bout de celle-ci, tourner à droite sur le chemin Ouareau Nord, puis à gauche sur le chemin Saint-Guillaume. Continuer sur 2 km et tourner à droite sur le chemin du Domaine Boisé. Faire 500 m et tourner à gauche sur le chemin des Merles. Le stationnement se situe au bout de la rue.
INFORMATION   1 888 783-6628 • 819 424-2833 • www.saint-donat.org/pleinair

24 SANCTUAIRE MARIE-REINE-DES-CŒURS

Un sentier asphalté relie plusieurs chapelles et mène au sommet d'une colline d'où on aura une vue s'étendant jusqu'aux installations pétrolières de Montréal-Est. De ce chemin, on pourra accéder à d'autres sentiers circulant en forêt, dont un longeant le lac Beaulne.

 Autre : boutique de souvenirs

RÉSEAU PÉDESTRE 2,8 km

SENTIERS ET PARCOURS	LONGUEUR	TYPE	NIVEAU
Bord du Lac	1,2 km	linéaire	débutant
La Rencontre	0,5 km	mixte	débutant
Le Carrefour	0,6 km	mixte	débutant
La Montée	0,1 km	linéaire	débutant
La Montagne	0,4 km	linéaire	débutant

HORAIRE	Toute l'année, du lever au coucher du soleil
TARIF	Contribution volontaire
ACCÈS	De l'autoroute 25, poursuivre sur la route 125 nord et tourner à gauche sur la route 335. Un panneau indique l'entrée.
DOCUMENTATION	Carte (à l'accueil)
INFORMATION	450 882-3065 • mrdc@vif.com

25 SENTIER D'INTERPRÉTATION DE LA NATURE DE LA COMMUNE DE BERTHIER

Ce réseau de sentiers se situe sur les îles de la Commune et du Milieu, intégrées aux îles de Berthier, entre la commune du même nom et un marais caractéristique du lac Saint-Pierre. Les sentiers passent par un marais peuplé d'amphibiens, de reptiles et de poissons, ainsi que par un boisé dominé par l'érable argenté, le frêne de Pennsylvanie, l'orme d'Amérique et le saule noir. Trois tours d'observation et des nichoirs permettent d'observer la faune composée de chevaux, de vaches et de moutons, ainsi que les nombreux oiseaux comme le râle de Virginie et le faucon émerillon. On pourra apercevoir le cerf de Virginie et le vison d'Amérique. Le sentier peut être très boueux en période de pluie. On remarque une abondance de marmottes communes le long des sentiers. 🐎

✸P👥⚷🎋🌿

RÉSEAU PÉDESTRE 8,5 km
(mixte, débutant)

HORAIRE Toute l'année, du lever au coucher du soleil
Un plan de chasse avec restrictions est à venir

TARIF	Gratuit
ACCÈS	De Berthierville, emprunter la rue de Bienville (route 158 est). Après le premier pont, faire environ 200 m pour atteindre l'entrée située sur la droite.
DOCUMENTATION	Dépliant-carte, guide du visiteur (à l'accueil)
INFORMATION	450 836-4447 • www.scirbi.org

26 SENTIER DE L'OURS SENTIER NATIONAL

Ce sentier, entièrement situé sur le territoire de la municipalité de Sainte-Émélie-de-l'Énergie, longe et grimpe quelques crêtes dont l'une est parallèle à la rivière Noire. On franchira plusieurs ruisseaux. Le parcours est ponctué de nombreux points de vue dont un donnant sur l'est, depuis un affleurement rocheux. Un belvédère permet d'admirer une chute. Ce sentier, qui traverse plusieurs groupements forestiers, se termine par une longue descente jusqu'à la route 131. 🐎

★P🚶(X✂🎒⌂ *Note : les services sont concentrés au Domaine Bazinet*

RÉSEAU PÉDESTRE 10,5 km (linéaire, intermédiaire, dénivelé maximum de 200 m)

HORAIRE	Toute l'année, du lever au coucher du soleil
	Les randonneurs doivent porter des couleurs vives durant la période de chasse.
TARIF	Gratuit
ACCÈS	<u>Accès ouest</u> : de Sainte-Émélie-de-l'Énergie, prendre la route 131 nord sur environ 5 km. Tourner à gauche sur le rang 5, puis à droite sur le chemin Bazinet. Poursuivre jusqu'au Domaine Bazinet.
	<u>Accès est</u> : de Sainte-Émélie-de-l'Énergie, prendre la route 131 nord sur environ 3 km, soit jusqu'au stationnement situé à droite de la route.
DOCUMENTATION	Carte (à la MRC de Matawinie)
INFORMATION	1 800 264-5441 • 450 834-5441 • www.matawinie.org

[JCT] SENTIER DE LA MATAWINIE

27 SENTIER DE LA MATAWINIE SENTIER NATIONAL

Ce sentier arpente la crête des montagnes longeant la rivière Noire. Ces sommets atteignent une altitude variant de 450 à 600 mètres. Une succession de montées et de descentes offre différents panoramas à 180 degrés donnant sur la vallée et de nombreux lacs. On passera par des zones où la forêt sera dense et d'autres où elle sera clairsemée. On suivra et on traversera plusieurs ruisseaux et milieux humides. Au sommet des crêtes, des cairns indiquent le chemin à suivre. 🐎

Répertoire des lieux de marche au Québec

RÉSEAU PÉDESTRE 20,8 km (linéaire, intermédiaire, dénivelé maximum de 265 m)

HORAIRE Toute l'année, du lever au coucher du soleil
Les randonneurs doivent porter des couleurs vives durant la période de chasse.

TARIF Gratuit

ACCÈS De l'autoroute 31, continuer sur la route 131 nord jusqu'à l'entrée du sentier, située à environ 3 km au nord de Sainte-Émélie-de-l'Énergie, à droite de la route.

DOCUMENTATION Carte (à la MRC de Matawinie)

INFORMATION 1 800 264-5441 • 450 834-5441 • www.matawinie.org

JCT PARC RÉGIONAL DES SEPT-CHUTES DE SAINT-ZÉNON ; SENTIER DES NYMPHES ; SENTIER DE L'OURS

28 SENTIER DE LA RIVIÈRE SWAGGIN

Le sentier débute à la route du Lac-Clair et grimpe jusqu'au sommet de la montagne du Tranchant. La montée est longue et s'effectue par palier. On pourra voir le lac Clair du haut de la crête. Le sentier redescend le versant est de la montagne et va rejoindre la rivière Swaggin. Cette dernière est divisée en deux parties par un barrage. Alors que la première partie ressemble à un prolongement du lac Clair, la deuxième permet d'admirer des cascades et une chute résultant de la présence du barrage. Le sentier s'arrête à la rivière L'Assomption. 🐾

RÉSEAU PÉDESTRE 8,5 km (linéaire, intermédiaire, dénivelé maximum de 300 m)

HORAIRE Toute l'année, du lever au coucher du soleil
Les randonneurs doivent porter des couleurs vives durant la période de chasse.

TARIF Gratuit

ACCÈS De Joliette, suivre la route 343 nord jusqu'à Saint-Côme. Au village, prendre le rang Versailles sur environ 5 km, puis la route du Lac-Clair sur quelque 2 km. Le stationnement est toléré en bordure de la route du Lac-Clair, près de l'entrée du sentier.

DOCUMENTATION Carte (à la MRC de Matawinie)

INFORMATION 1 800 264-5441 • 450 834-5441 • www.matawinie.org

JCT SENTIER DES CONTREFORTS ; ZEC LAVIGNE

29   SENTIER DES CONTREFORTS

Ce sentier chevauche le territoire de deux municipalités, Notre-Dame-de-la-Merci et Saint-Côme. Il est caractérisé par une succession de montées et de descentes, parfois abruptes. On passera par une forêt parsemée de lacs, de crêtes et d'escarpements. On contournera la falaise du lac Blanc ainsi que des lacs dont le Premier lac des Castors. On traversera aussi la muraille de Naguaro. Ce parcours offre plusieurs panoramas sur la région.

RÉSEAU PÉDESTRE   32,0 km (linéaire, avancé, dénivelé maximum de 350 m)

HORAIRE   Toute l'année, du lever au coucher du soleil
Les randonneurs doivent porter des couleurs vives durant la période de chasse.

TARIF   Gratuit

ACCÈS   De Notre-Dame-de-la-Merci, suivre la route 347 nord sur environ 7 km. Juste après avoir traversé la rivière Ouareau, tourner à droite sur le chemin Saint-Côme. Le stationnement se trouve sur la gauche, à environ 1,5 km.

DOCUMENTATION   Carte (à la MRC de Matawinie)

INFORMATION   1 800 264-5441 • 450 834-5441 • www.matawinie.org

[JCT]   PARC RÉGIONAL DE LA FORÊT OUAREAU ; SENTIER DE LA RIVIÈRE SWAGGIN

30   SENTIER DES NYMPHES

Situé sur le territoire de la zec des Nymphes, ce sentier serpente entre le parc régional des Sept-Chutes de Saint-Zénon et la réserve faunique Mastigouche. En le parcourant, on traversera plusieurs milieux forestiers : les érablières à érable à sucre et à érable rouge, la pessière, la prucheraie, la tremblaie et la bétulaie à sapin baumier. On fera l'ascension de crêtes par des pentes parfois abruptes et on passera par des affleurements rocheux. On longera la rivière Mastigouche jusqu'au lac Perdu, qu'on franchira tout en longeant un barrage de castors. On pourra apercevoir cet animal en traversant une zone marécageuse un peu plus loin. Le parcours est agrémenté de plusieurs points de vue dont l'un donnant sur le plateau de la Mastigouche.

RÉSEAU PÉDESTRE   17,5 km (linéaire, intermédiaire, dénivelé maximum de 200 m)

HORAIRE   Toute l'année, du lever au coucher du soleil
Les randonneurs doivent porter des couleurs vives durant la période de chasse.

TARIF   Gratuit

ACCÈS   De Joliette, suivre la route 131 nord. Le stationnement se trouve à environ 15 km au nord du village de Sainte-Émélie-de-l'Énergie, juste en face du parc régional des Sept-Chutes de Saint-Zénon.

DOCUMENTATION   Carte (à la MRC de Matawinie)

INFORMATION   1 800 264-5441 • 450 834-5441 • www.matawinie.org

[JCT]   PARC RÉGIONAL DES SEPT-CHUTES DE SAINT-ZÉNON ; SENTIER DE LA MATAWINIE

SENTIER DU MONT-OUAREAU SENTIER NATIONAL

Ce sentier est situé à l'intérieur des municipalités de Saint-Donat et de Notre-Dame-de-la-Merci. Si on commence à l'ouest, le départ s'effectue dans la vallée de l'Archambault, une zone touchée par des coupes forestières. Par la suite, le sentier grimpe doucement un premier sommet et descend jusqu'au lac Lemieux en contournant sa partie sud. On montera sur une crête offrant une vue sur le mont Ouareau, situé droit devant, avant de descendre dans une érablière. La montée jusqu'au sommet du mont Ouareau est ardue mais courte. Son sommet culmine à une altitude de 685 mètres. De là, on aura une vue sur une dépression englobant quatre lacs. De l'autre côté de la montagne, on aura une vue sur le lac Ouareau, d'une superficie de 1 744 hectares. Le parcours se termine dans une érablière exploitée. 🐾

RÉSEAU PÉDESTRE	13,1 km (linéaire, intermédiaire, dénivelé maximum de 240 m)
HORAIRE	Toute l'année, du lever au coucher du soleil
	Prudence pendant la période de chasse
TARIF	Gratuit
ACCÈS	Entrée Ouest : de Saint-Donat, suivre la route 329 sud sur un peu plus de 6 km et prendre à gauche le chemin Wall sur environ 2 km. Un panneau du Sentier national marque l'entrée du sentier.
	Entrée Est : de Saint-Donat, suivre la route 125 sud. Le stationnement se situe à droite sur la route 125, à 8 km au sud de Saint-Donat et 9 km au nord de Notre-Dame-de-la-Merci.
DOCUMENTATION	Carte (à la MRC de Matawinie)
INFORMATION	1 800 264-5441 • 450 834-5441 • www.matawinie.org

JCT SENTIER INTER-CENTRE ; BASE DE PLEIN AIR L'INTERVAL (LAURENTIDES)

Ce sentier, existant depuis un quart de siècle, est aussi un tronçon du Sentier national. Il traverse un territoire forestier chevauchant les régions de Lanaudière et des Laurentides. Cette forêt, composée d'épinettes et de bois francs, est parsemée de lacs, de ruisseaux et de marécages dans lesquels on pourra apercevoir des canards. Ce sentier de longue randonnée s'étend de Saint-Donat à Lac-Supérieur en passant sur des terres de la couronne. On pourra effectuer le parcours en entier grâce aux deux refuges rustiques. On peut aussi le faire segment par segment grâce aux accès secondaires. On aura plusieurs points de vue dont ceux des montagnes Grise et Noire. Cette dernière, avec ses 875 mètres d'altitude, est la plus haute de Saint-Donat. Au sommet de la montagne Noire, on peut voir les vestiges d'un avion militaire canadien qui s'est écrasé le 19 octobre 1943. Les 24 militaires qui étaient à bord ont péri dans la tragédie.

RÉSEAU PÉDESTRE 32,3 km

SENTIERS ET PARCOURS	LONGUEUR	TYPE	NIVEAU	DÉNIVELÉ
Du refuge l'Appel à la montagne Noire	8,4 km	linéaire	avancé	300 m
Du refuge le Nordet au refuge l'Appel	7,4 km	linéaire	intermédiaire	240 m
Du centre d'accès à la nature – UQAM au refuge le Nordet	9,4 km	linéaire	intermédiaire	180 m
Du chemin Régimbald à la montagne Noire	7,1 km	linéaire	intermédiaire	450 m

HORAIRE	Toute l'année, du lever au coucher du soleil
	Prudence pendant la période de chasse
TARIF	L'accès au sentier est gratuit
	Frais pour les refuges (sur réservation)
ACCÈS	Accès ouest : de Sainte-Agathe-des-Monts, suivre la route 117 nord jusqu'à Saint-Faustin – Lac-Carré. Tourner à droite sur la rue Principale et suivre les indications pour Lac-Supérieur. Juste avant le village, prendre à droite le chemin du Nordet et poursuivre sur 4 km environ. Un nouveau stationnement a été aménagé du côté est.
	Accès est : de l'autoroute 25, continuer sur la route 125 nord. Juste avant Saint-Donat, tourner à gauche sur la route 329 sud. Continuer sur environ 5 km, puis tourner à droite sur le chemin Régimbald. Le sentier débute au stationnement situé à 1,5 km.
DOCUMENTATION	Carte des sentiers (au bureau d'information touristique de Saint-Donat)
INFORMATION	1 888 783-6628 • 819 424-2833 • www.intercentre.qc.ca
JCT	CENTRE D'ACCÈS À LA NATURE – UQAM (LAURENTIDES) ; SENTIER DU MONT-OUAREAU

33 SITE HISTORIQUE DE L'ÎLE-DES-MOULINS

Située sur la rivière des Mille Îles, cette île fut achetée en 1673 par André Daulier Deslandes qui lui donne le nom de « Terbonne ». Elle changea plusieurs fois de propriétaire avant d'être acquise par la ville de Terrebonne en 1995. On y trouve un réseau de sentiers, dont un bordé de saules pleureurs, qui fait le tour de l'île. On verra plusieurs bâtiments historiques et aménagements datant du XIXe siècle : des moulins dont le Moulin neuf où on trouve des expositions, le bureau seigneurial faisant office de centre d'interprétation, la boulangerie, une écluse et un barrage. Cette île a été reconnue comme site historique d'intérêt national par le ministère des Affaires culturelles en 1973.

✳P⋔⋔✗🎋🎍📐👩‍🦽

RÉSEAU PÉDESTRE 1,3 km (mixte, débutant)

HORAIRE Toute l'année, de 7 h à 23 h
TARIF Gratuit
ACCÈS De la sortie 22 est de l'autoroute 25, suivre les indications pour le site.
DOCUMENTATION Dépliant (au centre d'interprétation)
INFORMATION 450 471-0619 • www.ile-des-moulins.qc.ca

34 VILLÉGIATURE LA RÉSERVE – HÔTEL MONTCALM

Ce site, situé près du mont Tremblant et en bordure du lac Ouareau, a un territoire d'une superficie de plus de 7 km² recouvert d'une forêt parsemée de lacs, de cascades et de ruisseaux. Certaines pistes longent la rivière. Une autre suit le bord du lac des Îles avant de longer son ruisseau et de remonter la décharge du lac Bouillon. Ce site est dominé par quatre sommets dont le mont Ouareau. On aura des vues sur quatre lacs, la montagne dédiée au ski alpin et l'hôtel. 🐕

🏠P⋔⋔(✗🏠🛏️🎪🎍🎿📐💼

RÉSEAU PÉDESTRE 9,7 km (mixte, débutant)

HORAIRE Toute l'année, du lever au coucher du soleil
TARIF 6,00 $ par adulte
18 ans et moins : gratuit
ACCÈS De Saint-Donat, prendre la route 125 sud et tourner à droite sur le chemin Fusey. Le stationnement de l'hôtel se situe 2 km plus loin.
INFORMATION 819 424-1333 • 1 866 424-1333 • www.lareserve-stdonat.com

35 ZEC LAVIGNE

Cette zec, bordée par plusieurs lacs, est un territoire de chasse et de pêche rendu accessible aux randonneurs. Les sentiers sont situés dans le secteur du lac Sauvage, dans lequel il est possible de se baigner. Un sentier mène à un point de vue sur le lac Clair. On pourra cueillir des petits fruits, observer les oiseaux présents sur le site et voir de petites cascades. Sur la montagne Carrée, un point de vue offre un panorama englobant huit lacs, le village de Saint-Zénon et la montagne Chauve. 🐕

RÉSEAU PÉDESTRE 16,6 km

SENTIERS ET PARCOURS	LONGUEUR	TYPE	NIVEAU	DÉNIVELÉ
Sentier Sauvage	2,1 km	boucle	débutant	
Sentier Chanoine	1,9 km	boucle	intermédiaire	60 m
Sentier Lac Clair	2,0 km	boucle	débutant	
Sentier des Scouts	1,4 km	boucle	intermédiaire	50 m
Montagne Carrée	0,8 km	boucle	débutant	130 m
Point de vue lac Clair	2,4 km	boucle	intermédiaire	
Interprétation des barrages	6,0 km	linéaire	débutant	

HORAIRE	De mai à mi-novembre, de 7 h à 22 h
	Prudence pendant la période de chasse
TARIF	8,60 $ par voiture
ACCÈS	De Joliette, prendre la route 131 nord jusqu'à Saint-Zénon. Tourner à gauche sur le rang de l'Arnouche. Deux autres accès sont possibles, soit à Notre-Dame-de-la-Merci et à Saint-Côme.
DOCUMENTATION	Dépliant, cartes (à l'accueil)
INFORMATION	450 884-5521 • zeclavigne.com

JCT SENTIER DE LA RIVIÈRE SWAGGIN

Laurentides

LAURENTIDES

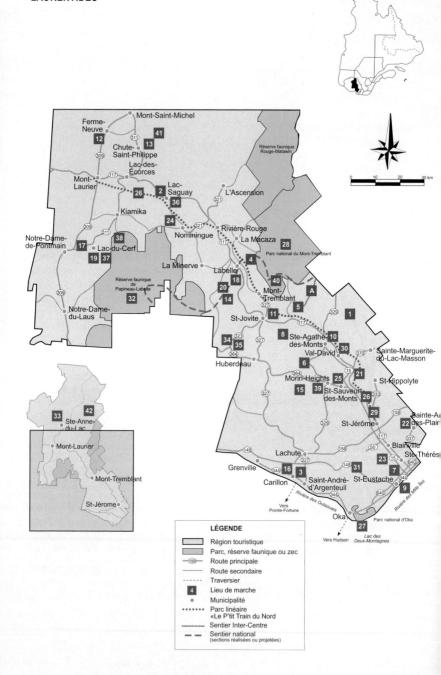

LÉGENDE

Région touristique
Parc, réserve faunique ou zec
Route principale
Route secondaire
Traversier
Lieu de marche
Municipalité
Parc linéaire
«Le P'tit Train du Nord»
Sentier Inter-Centre
Sentier national
(sections réalisées ou projetées)

Photo page précédente : Parc national du Mont-Tremblant (Michèle Allaire)

Répertoire des lieux de marche au Québec

LIEUX DE MARCHE

1. BASE DE PLEIN AIR L'INTERVAL
2. BOISÉ JOSEPH-B.B.-GAUTHIER
3. BOISÉ MULTIRESSOURCE VON ALLMEN
4. CAMP QUATRE SAISONS
5. CENTRE D'ACCÈS À LA NATURE – UQAM
6. CENTRE D'ACTIVITÉS DE PLEIN AIR SAINT-ADOLPHE-D'HOWARD
7. CENTRE D'INTERPRÉTATION DE LA NATURE DE BOISBRIAND
8. CENTRE TOURISTIQUE ET ÉDUCATIF DES LAURENTIDES
9. CIRCUIT HISTORIQUE DU VIEUX SAINT-EUSTACHE
10. CIRCUIT PATRIMONIAL DE SAINTE-AGATHE-DES-MONTS
11. DOMAINE SAINT-BERNARD
12. FORÊT RÉCRÉOTOURISTIQUE DE LA MONTAGNE DU DIABLE
13. LA BAIE DES CANARDS
14. LA CONCEPTION – LABELLE
15. LA MONTFORTAINE
16. LIEU HISTORIQUE NATIONAL DU CANADA DU CANAL-DE-CARILLON
17. MONT LIMOGES
18. MONTAGNE DU DÉPÔT ET MONTAGNE DU CARIBOU
19. PARC « LA BICHE »
20. PARC D'ESCALADE ET DE RANDON-NÉE DE LA MONTAGNE D'ARGENT
21. PARC DE LA RIVIÈRE DONCASTER
22. PARC DES MÉANDRES
23. PARC DU DOMAINE VERT
24. PARC ÉCOLOGIQUE LE RENOUVEAU
25. PARC JOHN-H.-MOLSON
26. PARC LINÉAIRE « LE P'TIT TRAIN DU NORD »
27. PARC NATIONAL D'OKA
28. PARC NATIONAL DU MONT-TREMBLANT
29. PARC RÉGIONAL DE LA RIVIÈRE-DU-NORD
30. PARC RÉGIONAL DUFRESNE VAL-DAVID/VAL-MORIN
31. PARC RÉGIONAL ÉDUCATIF BOIS DE BELLE-RIVIÈRE
32. RÉSERVE FAUNIQUE DE PAPINEAU-LABELLE
33. SENTIER CYCLO-PÉDESTRE DU LAC BOUCHER
34. SENTIER DE LA TOUR À FEU
35. SENTIER DES VILLAGES
36. SENTIER DU BELVÉDÈRE
37. SENTIER ÉCOLOGIQUE « LE PETIT CASTOR »
38. SENTIER ÉCOLOGIQUE DU RUISSEAU DU DIABLE
39. SKI MORIN HEIGHTS
40. STATION MONT-TREMBLANT
41. VILLAGE DE TEE-PEE LA BOURGADE
42. ZEC NORMANDIE

A. SENTIER INTER-CENTRE *(RÉGION LANAUDIÈRE)*

Laurentides

1 BASE DE PLEIN AIR L'INTERVAL

Ce centre de vacances, situé au cœur d'une vallée, fait face au mont Kaaïkop. Culminant à 830 mètres d'altitude, ce dernier est le troisième plus haut sommet des Laurentides. Le sentier qui le parcourt offre une vue panoramique sur près de 360 degrés sur les environs. On peut apercevoir la montagne Noire, le mont Tremblant et, par temps clair, Montréal. Le Tour du Lac longe le lac Legault et offre plusieurs points de vue sur celui-ci. Il traverse une

forêt de conifères et propose quelques panneaux d'interprétation de la nature.

🏠 P ♟ (✗ ▲ ⌂ 🏊

RÉSEAU PÉDESTRE 24,5 km

SENTIERS ET PARCOURS	LONGUEUR	TYPE	NIVEAU	DÉNIVELÉ
Mont Kaaïkop	2,9 km	linéaire	intermédiaire	340 m
Mont Kaaïkop (grande boucle)	11,8 km	boucle	avancé	340 m
Le Tour du Lac	3,3 km	boucle	débutant	
Le Ruisseau	2,8 km	boucle	débutant	50 m
Le Pierrier	3,7 km	linéaire	débutant	110 m

HORAIRE Toute l'année, de 9 h à 17 h
TARIF 3,50 $ par personne
ACCÈS De la sortie 89 de l'autoroute des Laurentides (15), emprunter la route 329 nord sur une distance de 19 km, soit jusqu'au chemin du Lac-Creux. Tourner à droite, puis poursuivre sur 7 km en suivant les indications.
DOCUMENTATION Carte, dépliant (à l'accueil)
INFORMATION 819 326-4069 • www.interval.qc.ca

JCT SENTIER DU MONT-OUAREAU (LANAUDIÈRE)

2 BOISÉ JOSEPH-B.B.-GAUTHIER

Le départ du sentier se fait à partir du parc linéaire « Le P'tit Train du Nord ». Il traverse une forêt mixte et une rivière à truite. Il mène à un belvédère d'où on peut apercevoir la rivière. On note la présence d'une pessière propice aux champignons et aux oiseaux. On a dénombré environ 60 espèces d'oiseaux dans le boisé. On y trouve également des panneaux d'interprétation sur les arbres et les plantes. 🐾

✳ ♟ ⛱ ▲ 🎒 🛋 🌿

RÉSEAU PÉDESTRE 5,5 km (mixte, débutant)

HORAIRE De juin à fin octobre, du lever au coucher du soleil
Prudence pendant la période de chasse

TARIF	Gratuit
ACCÈS	L'entrée du sentier se situe à 1,5 km du village de Lac-Saguay, près de la route 117 et du chemin de la Vieille route 11.
DOCUMENTATION	Guide (à l'accueil et au bureau municipal)
INFORMATION	819 278-3972 • info@lacsaguay.qc.ca

JCT   PARC LINÉAIRE « LE P'TIT TRAIN DU NORD »

3 BOISÉ MULTIRESSOURCE VON ALLMEN

C'est en 1950 que Fritz Werner Von Allmen et sa femme, originaires de Müren en Suisse, se sont installés sur le site. Ils fondèrent la ferme des Ormeaux et effectuèrent plusieurs recherches agronomiques avant de se faire exproprier par Hydro-Québec pour la construction du barrage de Carillon. Ce boisé, situé entre la rivière du Nord et la rivière des Outaouais, est maintenant géré par la municipalité de Saint-André-d'Argenteuil. Depuis le stationnement, un sentier traverse des marais et une érablière argentée et va rejoindre une tour d'observation surplombant la rivière du Nord. Il est possible d'y observer plusieurs espèces d'oiseaux dont la bernache, le balbuzard, le carouge à épaulettes, le canard branchu, la mésange et la sitelle. Dans le même secteur, une longue passerelle de plus de 100 mètres de longueur est présente. On pourra y découvrir une prucheraie près des rapides et terminer le parcours en traversant une érablière à sucre. Dans le secteur, il n'est pas rare de rencontrer les tortues serpentine, géographique et peinte. La tortue serpentine, d'apparence préhistorique, est la plus grosse espèce vivant en eau douce au Québec. Elle peut mesurer entre 20 et 47 centimètres de longueur. Depuis le mois de mars 2005, la tortue géographique est désignée vulnérable par la loi. Il est important de protéger ses habitats. 🐾

✶ P 👫 🎋 🅰 🎿 🏛 🚂 🌿

RÉSEAU PÉDESTRE 10,0 km (Multi : 7 km)

SENTIERS ET PARCOURS	LONGUEUR	TYPE	NIVEAU
Le Moqueur	0,9 km	mixte	débutant
Le Grimpereau	1,6 km	mixte	intermédiaire
La Paruline	0,6 km	mixte	débutant
La Sittelle	1,2 km	mixte	débutant
La Grive	0,2 km	mixte	débutant
La Route Verte	5,5 km	linéaire	débutant

HORAIRE De mai à fin octobre, du lever au coucher du soleil
Le port du dossard est conseillé pendant la période de la chasse. Les écouteurs sont interdits durant cette même période.

TARIF Gratuit

ACCÈS De Lachute, suivre la route 327 sud jusqu'à Saint-André-d'Argenteuil. Tourner ensuite sur la route 344 ouest et suivre les indications pour le Boisé.

DOCUMENTATION Dépliant (au bureau d'information touristique et à l'hôtel de ville de la municipalité)

INFORMATION 450 537-3527 • munst-andre@qc.aira.com

4 CAMP QUATRE SAISONS

Cette base de plein air se situe aux abords du lac Caché, long de 4 kilomètres. Le mont Gorille, haut de 545 mètres, offre une vue sur le lac et le massif du mont Tremblant. Le sentier Cap 360, comme son nom l'indique, propose une vue de 360 degrés sur les montagnes des Laurentides. Les randonneurs pourront découvrir d'anciennes parois d'escalade et apercevoir le lac Caché à partir des Parois Laurin. Enfin, de petites grottes formées par le mouvement des plaques tectoniques sont visibles du sentier Porte de l'Enfer. 🐕

🌟P🏠♨ Note : Le pavillon d'accueil est ouvert de fin mai à fin août.

RÉSEAU PÉDESTRE 45,0 km

SENTIERS ET PARCOURS	LONGUEUR	TYPE	NIVEAU	DÉNIVELÉ
Sentier Mont-Gorille	4,0 km	linéaire	avancé	250 m
Sentier Porte de l'Enfer	5,6 km	linéaire	intermédiaire	
Sentier les Belvédères	1,5 km	linéaire	débutant	90 m
Sentier Cap 360 (Mont Caribou)	6,0 km	linéaire	intermédiaire	150 m
Sentier du Lac Malcouronné	4,5 km	linéaire	intermédiaire	
Sentier du Lac Général-White Nord	1,5 km	linéaire	débutant	
Sentier du Lac Général-White Est	1,0 km	linéaire	débutant	
Sentier du Lac Gaulois	1,0 km	linéaire	débutant	
Sentier des Parois Laurin	1,0 km	linéaire	débutant	
Sentier du Lac à Sinaï	1,5 km	linéaire	débutant	
Sentier du Lac Étoile	2,5 km	linéaire	débutant	
Sentier du Lac Nantel	1,0 km	linéaire	débutant	
Sentier des Dalles	0,5 km	linéaire	débutant	
Sentier du Dolmen	0,5 km	linéaire	débutant	

HORAIRE	Toute l'année, du lever au coucher du soleil
	Prudence pendant la période de chasse
TARIF	Gratuit
ACCÈS	De l'autoroute des Laurentides (15), continuer sur la route 117 vers le nord jusqu'à Labelle. Aux feux de circulation, tourner à droite et suivre les indications du parc national du Mont-Tremblant, secteur lac Caché, jusqu'au Camp Quatre Saisons.
DOCUMENTATION	Dépliant, carte, carte SNQ (à l'accueil et au secrétariat du 44 A, rue Turgeon à Sainte-Thérèse)
INFORMATION	450 435-5341 • 819 686-2123 • www.campquatresaisons.com

JCT MONTAGNE DU DÉPÔT ET MONTAGNE DU CARIBOU ; PARC NATIONAL DU MONT-TREMBLANT

5 CENTRE D'ACCÈS À LA NATURE – UQAM

Ce centre a été acquis en 1976 par le centre sportif de l'Université du Québec à Montréal (UQAM), sur l'initiative de quelques professeurs. Il a été développé bénévolement par des étudiants de l'université et autres membres du centre sportif. On trouve quatre sentiers dans sa partie nord dont le Circuit du Sommet et le Sommet de la montagne Grise. Tous deux offrent des points de vue sur le mont Tremblant et le lac Rossignol. Sa partie sud est composée de deux sentiers. Le premier est un sentier d'interprétation de la nature comprenant neuf stations d'interprétation sur les particularités naturelles de la région. Le Circuit de l'Orignal, quant à lui, mène aux chutes Archambault, l'attrait principal du centre. Une partie du sentier mène au belvédère tout en haut des chutes et l'autre section mène au pied des chutes où il est possible de se baigner. La personne à l'accueil fait également l'entretien des sentiers et n'est donc pas toujours présente.

RÉSEAU PÉDESTRE 29,8 km

SENTIERS ET PARCOURS	LONGUEUR	TYPE	NIVEAU	DÉNIVELÉ
Sommet de la montagne Grise	7,0 km	linéaire	avancé	400 m
Le Bon Vent	4,0 km	boucle	intermédiaire	70 m
Circuit du Sommet	8,0 km	boucle	avancé	335 m
Circuit de l'Orignal	4,5 km	boucle	intermédiaire	80 m
La Tête Blanche	5,3 km	boucle	avancé	145 m
Sentier d'interprétation	1,0 km	linéaire	débutant	

HORAIRE	De mai à octobre, du lever au coucher du soleil
TARIF	Gratuit
ACCÈS	De l'autoroute des Laurentides (15), poursuivre sur la route 117 nord jusqu'à Saint-Faustin. Suivre les indications pour le parc national du Mont-Tremblant, secteur La Diable. Traverser le village de Lac-

Carré et tourner à gauche sur le chemin du Lac-Supérieur. Tourner à droite sur le chemin du Nordet et encore à droite sur le chemin du Lac-Quenouille. Continuer en direction de Val-des-Lacs et suivre les indications pour le centre sur moins d'un kilomètre.

DOCUMENTATION Carte, dépliant (à l'accueil)
INFORMATION 819 688-3212 • 514 987-3105 • www.uqam.ca/sports

JCT SENTIER INTER-CENTRE (LANAUDIÈRE)

6 CENTRE D'ACTIVITÉS DE PLEIN AIR SAINT-ADOLPHE-D'HOWARD

Ce centre se trouve à Saint-Adolphe-d'Howard, près du lac Saint-Joseph, le plus grand des 85 lacs de la municipalité. Le sentier Le Calvaire propose une vue sur les lacs Sainte-Marie et Saint-Joseph. Il est possible de pratiquer la longue randonnée sur le sentier Canadienne et Fleur de Lys en allant rejoindre le parc de campeurs de Sainte-Agathe-des-Monts.

RÉSEAU PÉDESTRE 29,2 km (Multi : 27,2 km)

SENTIERS ET PARCOURS	LONGUEUR	TYPE	NIVEAU	DÉNIVELÉ
La Halte	1,9 km	boucle	intermédiaire	
Sapinière	4,0 km	boucle	intermédiaire	50 m
Canadienne et Fleur de Lys	12,0 km	linéaire	intermédiaire	50 m
Le Calvaire	1,1 km	boucle	avancé	100 m
Jaune	4,3 km	boucle	intermédiaire	50 m
Corridor aérobique	4,2 km	linéaire	débutant	
Sommet	0,8 km	boucle	avancé	60 m
Le Belvédère	0,9 km	boucle	débutant	

HORAIRE	Du 15 juin au 15 septembre : tous les jours, de 8 h à 17 h
	De mi-avril à mi-juin et de mi-septembre à novembre : fin de semaine, de 8 h à 17 h
TARIF	4,00 $ par personne
	Enfant (17 ans et moins) : gratuit
ACCÈS	De la sortie 60 de l'autoroute des Laurentides (15), prendre la route 364 ouest, puis prendre la route 329 nord jusqu'à Saint-Adolphe-d'Howard. La plupart des sentiers sont accessibles à partir du centre d'activités de plein air, à l'entrée sud de la municipalité.
DOCUMENTATION	Dépliant, carte (à l'accueil)
INFORMATION	819 327-3519 • 1 866 ADOLPHE • www.stadolphedhoward.qc.ca

7   CENTRE D'INTERPRÉTATION DE LA NATURE DE BOISBRIAND

Ce centre longe la rivière des Mille Îles qu'on pourra observer à partir de l'un des cinq belvédères. Le territoire accueille une grande diversité de végétaux ainsi qu'une soixantaine d'espèces d'oiseaux. On pourra voir aussi un marécage et une érablière. Deux circuits autoguidés sont proposés. Le premier informe sur la flore du centre et le second renseigne sur l'impact de la rivière sur son environnement.

🏠 P ⛹ ⛲ 🍳 🐾 ♨ Autre : plates-formes d'observation

Note : le pavillon d'accueil et les toilettes sont accessibles jusqu'à 16 h 30.

RÉSEAU PÉDESTRE 1,1 km (boucle, débutant)

HORAIRE	De mai à mi-octobre, en tout temps
TARIF	Gratuit
ACCÈS	De la sortie 19 de l'autoroute des Laurentides (15), emprunter le chemin de la Grande-Côte (route 344) vers l'ouest. Descendre la rue Chauvin, puis prendre l'avenue Chavigny jusqu'au bout.
INFORMATION	450 435-1954 • 450 437-2727

8   CENTRE TOURISTIQUE ET ÉDUCATIF DES LAURENTIDES

Ce lieu est le site de l'ancien Centre éducatif forestier des Laurentides qui fut créé en 1979 et fermé en 1993. Un an plus tard, on le rouvrait sous son nom actuel. On y observe plusieurs écosystèmes : marais, tourbière, sapinière et érablière. Le Panoramique grimpe jusqu'à 500 mètres d'altitude et offre une vue sur le lac Cordon et le mont Tremblant. L'Aventurier contourne le lac Renversi et s'enfonce dans une forêt dominée par les feuillus. L'Aquatique et Le Riverain font découvrir, sur des trottoirs de bois sur pilotis, des lacs vieillissants. 🐎

🔳P👥👪🏛🏠▲▲🏋🪑🛋💐🚣🛶 Autres : piste d'hébertisme, pêche

RÉSEAU PÉDESTRE 24,2 km

SENTIERS ET PARCOURS	LONGUEUR	TYPE	NIVEAU	DÉNIVELÉ
L'Aquatique	1,6 km	boucle	débutant	
L'Aventurier	9,4 km	boucle	avancé	150 m
La Sapinière	1,5 km	boucle	débutant	
L'Érablière	1,9 km	boucle	débutant	
Le Panoramique	2,7 km	boucle	intermédiaire	180 m
Le Tour du Lac	5,1 km	boucle	débutant	
Le Riverain	1,0 km	boucle	débutant	
La Mine	1,0 km	boucle	débutant	

HORAIRE   De mai à mi-octobre, de 9 h à 17 h
Il se peut que les heures soient allongées en haute saison, veuillez téléphoner

TARIF   Adulte : 5,50 $
Étudiant : 3,50 $
Âge d'or : 4,50 $
Enfant (6 à 12 ans) : 2,50 $
Enfant (5 ans et moins) : gratuit
Famille : 13,50 $

ACCÈS   Accès Sainte-Agathe-des-Monts : de la sortie 83 de l'autoroute des Laurentides (15), tourner à gauche sur la montée Alouette. Continuer sur le chemin du Lac-des-Sables et sur le chemin du Lac-Manitou. Tourner ensuite à gauche sur le chemin du Lac-Caribou.
Accès Saint-Faustin : de l'autoroute des Laurentides (15), prendre la route 117 nord. Tourner sur le chemin des Lacs, près du mont Blanc, et continuer sur 11 km. Tourner ensuite à droite sur le chemin du Lac-Caribou et poursuivre sur 6 km.

DOCUMENTATION   Carte, dépliant, brochure d'interprétation (à l'accueil)

INFORMATION   1 866 326-9072 • 819 326-9072 • www.ctel.ca

9 | CIRCUIT HISTORIQUE DU VIEUX SAINT-EUSTACHE

C'est dans le vieux Saint-Eustache que commença l'histoire de la ville à la fin du XVIIIe siècle. Les affrontements de 1837 opposant les patriotes aux troupes de l'armée britannique ont également eu lieu à cet endroit. Le circuit historique informe sur l'histoire et le patrimoine de Saint-Eustache. Il longe la rivière du Chêne et permet de découvrir plusieurs éléments patrimoniaux dont le moulin Légaré, l'église de Saint-Eustache, les jardins et la maison Chénier-Sauvé, ainsi que la maison de la culture et du patrimoine. L'Orchestre symphonique de Montréal fait des enregistrements de disques dans l'église depuis une vingtaine d'années, en raison de sa grande qualité acoustique. Le moulin Légaré (1762) est le plus vieux moulin en Amérique du Nord qui n'a jamais cessé de fonctionner. 🐴

 Autre : musée

RÉSEAU PÉDESTRE 1,5 km (linéaire, débutant)

HORAIRE	Toute l'année, du lever au coucher du soleil
TARIF	Gratuit
ACCÈS	De la sortie 11 de l'autoroute 640, le vieux Saint-Eustache se situe à environ 1 km au sud.
DOCUMENTATION	Dépliant (à la maison de la culture et du patrimoine)
INFORMATION	450 974-5170 • www.moulinlegare.com

10 CIRCUIT PATRIMONIAL DE SAINTE-AGATHE-DES-MONTS

Ce circuit est situé au centre-ville de Sainte-Agathe-des-Monts, que l'on surnomme la Reine du Nord. On y trouve 17 bâtiments patrimoniaux qui sont issus du développement touristique de la ville au début du XXe siècle. Les visiteurs étaient attirés par les paysages naturels et la salubrité de l'air des lieux qui faisait alors défaut à la ville. Il s'est donc construit des villas luxueuses, des hôtels, des églises, des magasins ainsi que des sanatoriums pour traiter les patients atteints de tuberculose. On trouve encore aujourd'hui plusieurs de ces constructions dont une église datant de 1905 de style néo-roman ainsi que le Magasin Laurentien érigé en 1897. On aura une vue sur le lac des Sables et sur une marina.

RÉSEAU PÉDESTRE 3,0 km (boucle, débutant)

HORAIRE	Toute l'année, du lever au coucher du soleil
TARIF	Gratuit
ACCÈS	De l'autoroute des Laurentides (15), prendre la sortie 86 et poursuivre sur la route 117 nord. À l'intersection de la route 329 sud, prendre la rue Principale jusqu'au bout.
DOCUMENTATION	Dépliant du circuit (au bureau d'information touristique)
INFORMATION	819 326-3731 • 1 888 326 0457 • www.ste-agathe.com/patrimoine.html

11 DOMAINE SAINT-BERNARD

Ancienne propriété des Frères de l'instruction chrétienne, le domaine est maintenant sous la gouverne d'une fiducie d'utilité sociale qui assurera à perpétuité l'intégrité du territoire. Ce terrain de 6 km² se situe en bordure de la rivière du Diable, son nom suggérant la difficulté d'y naviguer. Elle prend sa source au Lac des Herbes, situé dans le parc national du Mont-Tremblant. Les monts Saint-Bernard et Onontio dominent le parc du haut de leurs 400 mètres d'altitude. Des sentiers portant les mêmes noms permettent d'atteindre les sommets de ces deux montagnes. Le domaine est principalement peuplé de feuillus dont l'érable à sucre et le bouleau blanc. Le territoire accueille, entre autres, le cerf de Virginie, la martre d'Amérique, le renard roux, le loup, le lynx du Canada et une soixantaine espèces d'oiseaux.

🏛 P ⛹ ⛶ ⎃ 🥘 🏠 ⛺ 🌿 🏞 Autre : pavillon d'astronomie

RÉSEAU PÉDESTRE 32,3 km (Multi : 8,1 km)

SENTIERS ET PARCOURS	LONGUEUR	TYPE	NIVEAU	DÉNIVELÉ
Mont Saint-Bernard	3,1 km	mixte	intermédiaire	400 m
Mont Onontio	4,0 km	boucle	intermédiaire	400 m
Grande Allée	6,6 km	boucle	débutant	
Les Paliers	1,8 km	linéaire	débutant	200 m
Manicou	1,0 km	linéaire	débutant	
Harfang	1,6 km	linéaire	débutant	
Contre-courant	3,0 km	linéaire	débutant	
La Mennais	1,6 km	boucle	débutant	
Chevreuil	1,4 km	linéaire	débutant	
Escale	0,1 km	linéaire	débutant	
Lièvre	1,4 km	linéaire	débutant	
Renard	1,3 km	linéaire	débutant	
Chouette	1,1 km	linéaire	débutant	
Manic	2,0 km	linéaire	débutant	
Vénérable	2,3 km	linéaire	débutant	120 m

HORAIRE Toute l'année, de 10 h à 17 h
TARIF 16 ans et plus : 3,00 $
ACCÈS De Saint-Jovite, emprunter la route 327 nord. Tourner à droite sur le chemin Saint-Bernard et parcourir 3 km jusqu'au Domaine.
DOCUMENTATION Carte (à l'accueil)
INFORMATION 819 425-3588 • www.domainesaintbernard.org

12 FORÊT RÉCRÉOTOURISTIQUE DE LA MONTAGNE DU DIABLE

La montagne du Diable, connue aussi sous le nom de mont Sir-Wilfrid, compte quatre sommets : du Diable, Belzébuth, du Garde-Feu et Paroi de l'Aube. Avec ses 778 mètres d'altitude, la montagne du Diable est la plus élevé des hautes Laurentides. On trouve, sur ce territoire de 10 000 hectares, différents peuplements forestiers dont une érablière à bouleau jaune et une forêt boréale. À partir du sentier de la paroi de l'aube, on peut voir le village de Ferme-Neuve et une partie du réservoir Baskatong. Ce même sentier traverse une forêt de feuillus parsemée de grosses roches. On soupçonne ces roches d'être des sphérites, roches en forme de sphère formées par la lave. Celles-ci ont été érodées par les éléments naturels au fil des siècles. Le sentier des sommets débute au centre de ski de fond de Ferme-Neuve et, comme son nom l'indique, mène aux quatre sommets de la montagne du Diable avant d'atteindre la baie Windigo du réservoir Baskatong. Durant cette longue randonnée, on pourra apercevoir plusieurs lacs, le village de Ferme-Neuve, la chute Windigo et toute la région environnante.

RÉSEAU PÉDESTRE 66,5 km

SENTIERS ET PARCOURS	LONGUEUR	TYPE	NIVEAU	DÉNIVELÉ
Sentier de l'érablière	2,3 km	linéaire	débutant	70 m
Sentier de la paroi de l'aube	4,2 km	linéaire	avancé	350 m
Sentier des sommets	35,4 km	linéaire	avancé	550 m
Sentier des ruisseaux	10,7 km	linéaire	avancé	352 m
2B	1,0 km	linéaire	débutant	
3A	2,9 km	linéaire	débutant	55 m
3B	2,5 km	linéaire	intermédiaire	200 m
3C	2,0 km	linéaire	intermédiaire	140 m
3A1	0,9 km	linéaire	débutant	
Sentier du lac Walker	1,9 km	linéaire	débutant	80 m
Sentier tour du lac Windigo	2,7 km	linéaire	débutant	70 m

HORAIRE	Toute l'année, du lever au coucher du soleil
TARIF	14 ans et plus : 5,00 $
	Moins de 14 ans : gratuit
	Carte de membre disponible
ACCÈS	De Mont-Laurier, prendre la route 309 nord jusqu'à Ferme-Neuve. La route 309 devient la 12ᵉ Rue. Le bureau d'accueil touristique se situe au 94, 12ᵉ Rue. C'est à cet endroit que l'on indiquera les cinq entrées possibles pour les sentiers.
DOCUMENTATION	Dépliant-carte (au bureau d'information touristique et au bureau des Amis de la montagne du Diable au 94, 12ᵉ Rue à Ferme-Neuve)
INFORMATION	819 587-3882 • www.montagnedudiable.com

13 LA BAIE DES CANARDS

Le sentier débute au Petit lac Kiamika et mène jusqu'à deux points de vue d'où on peut voir le village de Chute-Saint-Phillipe et la montagne du Diable. Il traverse, entre autres, une forêt d'épinettes et une prucheraie. Il conduit également jusqu'à un petit lac sauvage. Le sentier est agrémenté de panneaux d'interprétation sur la faune et la flore et permet aussi d'observer un barrage de castors. Les cerfs de Virginie sont nombreux sur le territoire.

 Autre : piste d'hébertisme

RÉSEAU PÉDESTRE 30,4 km (Multi : 24 km)
(mixte, débutant, dénivelé maximum de 150 m)

HORAIRE	Toute l'année, du lever au coucher du soleil
	Le dossard est obligatoire en période de chasse.
TARIF	Gratuit
ACCÈS	De l'autoroute des Laurentides (15), continuer sur la route 117 nord. À Lac-des-Écorces, prendre la route 311 nord et suivre les indication sur 18 km pour Chute-Saint-Philippe. Tourner à droite sur le chemin du Progrès, encore à droite sur le chemin du Lac-Marquis et une dernière fois à droite sur le chemin du Panorama. Le stationnement se situe sur le petit chemin à gauche.
DOCUMENTATION	Carte de ski de fond (à la Municipalité de Chute-Saint-Philippe, aux kiosques d'information touristique de Mont-Laurier et L'Annonciation, et chez certains commerçants de la municipalité)
INFORMATION	819 585-3397 • 819 585-2485 • chute.st-philippe@tlb.sympatico.ca

Ces deux tronçons du Sentier national se joignent près du lac Boisseau et relient les municipalités de La Conception et de Labelle. Le sentier le plus à l'ouest, L'Héritage, offre à tous les 2 kilomètres un attrait naturel important ou un point de vue. Il sera possible d'observer les lacs Cameron et Key, ainsi que le mont Tremblant. Le sentier Alléluia, plus vallonné, traverse une sapinière et une érablière, et permet d'admirer la région des Laurentides ainsi que le massif du mont Tremblant jusqu'au mont Blanc. Le sentier longe de nombreux lacs et propose des points de vue panoramique sur les lacs Violon et des Rats Musqués. En chemin, on pourra apercevoir les vestiges d'une ancienne mine datant d'une soixantaine d'années. 🐕

✴P⋀

RÉSEAU PÉDESTRE 35,7 km

SENTIERS ET PARCOURS	LONGUEUR	TYPE	NIVEAU	DÉNIVELÉ
L'Héritage	13,0 km	linéaire	intermédiaire	160 m
Alléluia	22,7 km	linéaire	avancé	220 m

HORAIRE	De mi-mai à mi-octobre, du lever au coucher du soleil
	Éviter de randonner en période de chasse.
TARIF	Gratuit
ACCÈS	<u>Entrée Lac Brochet</u> : emprunter l'autoroute des Laurentides (15) nord puis la route 117 nord. Prendre ensuite la 2e sortie à gauche (chemin des Glaïeuls), après avoir traversé la rivière Rouge. À l'arrêt, tourner à droite sur le chemin des Érables et faire 14 km environ. Tourner à droite sur le chemin du Lac-Cameron et continuer sur 800 m. Tourner encore à droite sur le chemin du Lac-Labelle et faire 3,9 km, soit jusqu'à l'entrée du stationnement, à droite.
	<u>Entrée Lac Boisseau</u> : emprunter l'autoroute des Laurentides (15) nord, puis la route 117 nord. Prendre ensuite la 2e sortie à gauche, après avoir traversé la rivière Rouge. Au feu clignotant, tourner à droite sur le chemin des Érables et continuer sur 4,1 km. À l'arrêt, tourner à droite sur le chemin des Chênes Est et continuer jusqu'au stationnement, soit sur 7,1 km.
	<u>Entrée Nord-Est</u> : emprunter l'autoroute des Laurentides (15) nord, puis la route 117 nord jusqu'à Labelle. Aux feux de circulation, tourner à gauche sur la rue du Pont. À l'arrêt, tourner à gauche sur la rue de l'Église et continuer jusqu'au champ de tir. Suivre les indications pour le sentier.
DOCUMENTATION	Pochette du Sentier national au Québec (à la Fédération québécoise de la marche)
INFORMATION	819 686-2144 • 819 425-6289 • www.municipalite.labelle.qc.ca

JCT MONTAGNE DU DÉPÔT ET MONTAGNE DU CARIBOU

15 LA MONTFORTAINE

Ce lieu de marche est situé dans le village de Monfort, aux abords du lac Saint-François-Xavier. À partir de la petite chapelle blanche, on va rejoindre le sentier jaune en empruntant la rue Clark ou le Corridor aérobique. Les sentiers traversent une diversité d'écosystèmes dont une érablière et des milieux humides. On pourra apercevoir cerfs de Virginie, orignaux, renards et coyotes.

⚙ P ⛓

RÉSEAU PÉDESTRE 6,7 km

SENTIERS ET PARCOURS	LONGUEUR	TYPE	NIVEAU
La verte	4,3 km	boucle	débutant
La jaune	2,4 km	boucle	débutant

HORAIRE	Toute l'année, du lever au coucher du soleil
	Le port du dossard est conseillé pendant la période de chasse.
TARIF	Gratuit
ACCÈS	De Morin-Heights, emprunter la route 364 ouest sur 4 km. Au panneau de signalisation de Wentworth-Nord (Montfort), tourner à gauche vers le village. À partir du pavillon de la MRC (chapelle de Montfort), on peut accéder aux sentiers par la rue Clark ou par le Corridor aérobique.
INFORMATION	450 226-2428 • 450 226-7898 • maureenbrunelle@sympatico.ca

16 LIEU HISTORIQUE NATIONAL DU CANADA DU CANAL-DE-CARILLON

Le canal de Carillon a été construit entre 1830 et 1833 afin de contourner les rapides du Long Sault sur la rivière des Outaouais. Bien que construit pour des fins militaires, il servira également à des fins commerciales. Un deuxième canal sera construit entre 1873 et 1882, lequel sera partiellement enfoui lors de la construction d'un barrage hydroélectrique et de l'écluse actuelle au début des années 60. Cette écluse, d'une hauteur de 20 mètres, permet, de nos jours, de franchir une dénivellation qui demandait à l'origine trois canaux et 11 écluses. On trouve maintenant aux abords du canal de Carillon les vestiges de l'écluse no 1, le premier canal, les maisons du surintendant et du percepteur, la jetée du second canal ainsi que la caserne de Carillon convertie en musée. 🐎

⚙ P ⛓ ✕ ⛱ 🎿 📷 ✍

RÉSEAU PÉDESTRE 1,0 km (mixte, débutant)

HORAIRE	De mi-mai à mi-octobre, de 8 h à 20 h
TARIF	4,00 $ par voiture
	2,00 $ par motocyclette
ACCÈS	<u>Accès 1</u> : de l'autoroute 640, continuer vers l'ouest sur la route 344 jusqu'à Carillon.
	<u>Accès 2</u> : de l'autoroute 40 près de l'Ontario, se rendre à Pointe-Fortune où on peut prendre le traversier.
DOCUMENTATION	Brochure et dépliant (à l'accueil)
INFORMATION	450 537-3534 • 450 447-4888 • www.pc.gc.ca/lhn-nhs/qc/canalcarillon

17 MONT LIMOGES

Le mont Limoges a été nommé en 1965 en l'honneur de Joseph-Eugène Limoges, deuxième évêque de Mont-Laurier. Il s'élève à 415 mètres d'altitude. Le sentier des Falaises mène à un belvédère situé au dessus des falaises offrant des points de vue sur le Grand lac des Cerfs et le Petit lac des Cerfs. Le sentier à Midas mène également à un belvédère. Il sera possible de voir des vestiges d'une ancienne érablière sur le sentier Lac de la Sucrerie. Le randonneur pourra marcher à travers une forêt composée d'érables à sucre, de hêtres, de bouleaux blancs et de sapins. En 1969, on y a découvert des sphérolites.

★ P 👬 🎋 🎏 🍃 Autre : quai

RÉSEAU PÉDESTRE 6,8 km

SENTIERS ET PARCOURS	LONGUEUR	TYPE	NIVEAU
Sentier des Falaises	0,3 km	linéaire	débutant
Sentier à Midas	0,4 km	linéaire	débutant
Sentier de l'Érablière	1,1 km	linéaire	débutant
Sentier des Chevreuils	1,4 km	linéaire	débutant
Sentier Lac de la Sucrerie	0,5 km	linéaire	débutant
Sentier Baie Laplante	2,6 km	linéaire	débutant
Sentier du Phare	0,5 km	linéaire	débutant

HORAIRE	De juin à mi-octobre, de 8 h à 20 h
	Le port du dossard orange est obligatoire en période de chasse.
TARIF	Contribution volontaire
ACCÈS	De l'autoroute des Laurentides (15), continuer sur la route 117 nord. À Lac-des-Écorces, près de Mont-Laurier, emprunter la route 311 sud sur 37 km. Après le village de Lac-du-Cerf, tourner à gauche sur le chemin Dicaire, puis continuer sur le chemin Saint-Louis. À l'intersection du sentier Baie Laplante, tourner à gauche et poursuivre sur 2,7 km, soit jusqu'au stationnement. Plusieurs autres accès sont possibles.
DOCUMENTATION	Dépliant, carte touristique (au bureau municipal, au bureau d'information touristique de Mont-Laurier et à la Porte du Nord)
INFORMATION	819 597-2424 • www.lacducerf.info

18 MONTAGNE DU DÉPÔT ET MONTAGNE DU CARIBOU

L'Expédition est un ancien sentier régional qui a été amélioré et prolongé jusqu'à la gare de Labelle. La première partie du parcours gravit la montagne du Dépôt. Au sommet, un point de vue permet d'apercevoir le village de Labelle et la rivière Rouge. On découvrira ensuite le lac Caribou et l'île Bouchard. Le sentier monte ensuite jusqu'au sommet du Cap 360 de la montagne du Caribou d'où on peut admirer les monts Tremblant et Gorille, ainsi que de nombreux lacs. 🐎

⌂P�♙(X彐开▲⌂

RÉSEAU PÉDESTRE 8,0 km

SENTIERS ET PARCOURS	LONGUEUR	TYPE	NIVEAU	DÉNIVELÉ
L'Expédition	8,0 km	linéaire	intermédiaire	240 m

HORAIRE	De mai à octobre, du lever au coucher du soleil
	Le port du dossard est obligatoire durant la période de chasse.
TARIF	Gratuit
ACCÈS	De la route 117 à Labelle, tourner à droite aux feux de circulation sur la rue du Moulin. Traverser le pont et tourner à gauche sur la rue du Pont, puis à droite sur la rue Allard. Tourner ensuite à gauche sur la rue du Dépôt. Le stationnement se situe à la gare. L'entrée du sentier est à 250 m au nord-est.
DOCUMENTATION	Pochette du Sentier national au Québec (à la Fédération québécoise de la marche)
INFORMATION	819 686-2144 • 819 425-6289 • www.municipalite.labelle.qc.ca

JCT CAMP QUATRE SAISONS ; PARC LINÉAIRE « LE P'TIT TRAIN DU NORD » ; LA CONCEPTION – LABELLE

19   PARC « LA BICHE »

Ce réseau est situé sur une presqu'île à l'extrémité nord du Grand lac du Cerf. Il sera possible d'apercevoir des cerfs de Virginie. Le sentier traverse une forêt de pins rouges et offre un panorama sur le Grand lac du Cerf et la plage du Huard. Une piste d'hébertisme, d'une longueur de 1 km, comprend une vingtaine de jeux et côtoie les abords du lac.

★P♙♙开⌂⍱☙ Autres : piste d'hébertisme écologique, quai

RÉSEAU PÉDESTRE 10,0 km (Multi : 10 km) (mixte, débutant)

HORAIRE	De juin à mi-octobre, de 8 h à 20 h
	Plage du Huard : du jeudi au lundi, de 10 h à 17 h
TARIF	12 ans et plus : 2,00 $
	12 ans et moins : 1,00 $
ACCÈS	De l'autoroute des Laurentides (15), continuer sur la route 117 nord. À Lac-des-Écorces, près de Mont-Laurier, emprunter la route 311 sud sur 37 km. Dans la municipalité de Lac-du-Cerf, tourner à gauche, à l'intersection, sur le chemin de l'Église et poursuivre jusqu'à l'accueil qui se trouve à 4,3 km. Plusieurs autres accès sont possibles.
DOCUMENTATION	Dépliant publicitaire, carte touristique (au bureau municipal, au bureau d'information touristique de Mont-Laurier et à la Porte du Nord)
INFORMATION	819 597-2424 • www.lacducerf.info

20   PARC D'ESCALADE ET DE RANDONNÉE DE LA MONTAGNE D'ARGENT

Comme son nom l'indique, le parc accueille autant les grimpeurs que les randonneurs. D'ailleurs, les trois parcours proposés longent les parois d'escalade. Ils traversent également une forêt mixte et offrent des points de vue sur les villages de Brébeuf et de La Conception, ainsi que sur la vallée de la rivière Rouge. Puisqu'on côtoie des grimpeurs, le silence est de rigueur. 🐕 (Les chiens en laisse sont autorisés du mardi au jeudi)

🏰P👫(🌲🏔🏠⛺🌊

Note : le pavillon d'accueil est ouvert de juin à novembre. En dehors de cette période, une boîte d'auto-perception est située à l'accueil.

RÉSEAU PÉDESTRE 16,0 km

SENTIERS ET PARCOURS	LONGUEUR	TYPE	NIVEAU	DÉNIVELÉ
La Pinède	4,0 km	linéaire	intermédiaire	150 m
Sentier des Crêtes	8,0 km	boucle	intermédiaire	150 m
Sentier du Lac	4,0 km	mixte	intermédiaire	180 m

HORAIRE	Toute l'année, du lever au coucher du soleil
TARIF	3,00 $ par personne
	15,00 $ par personne pour la saison
ACCÈS	De l'autoroute des Laurentides (15), continuer sur la route 117 nord. À 3,5 km au nord de Mont-Tremblant, tourner à gauche sur la route de la Montagne-d'Argent et suivre les indications sur environ 3 km.
DOCUMENTATION	Dépliant-carte (à l'accueil et sur le site Web)
INFORMATION	819 429-0501 • www.montagnedargent.com

21 PARC DE LA RIVIÈRE DONCASTER

Aménagé sur le site d'un ancien barrage hydroélectrique, ce parc fait découvrir une rivière tantôt calme, tantôt tumultueuse. On pourra la longer en empruntant le Grand Sentier qui conduit jusqu'au site de l'ancien barrage. Pour voir la rivière d'un peu plus près, il faudra suivre le sentier n° 1. Il permet aux marcheurs d'apercevoir une partie des rapides de la rivière. Le sentier n° 9 mène à un belvédère d'où on pourra avoir un point de vue en hauteur sur la région de Sainte-Adèle. 🐕

✳P👫(🌲🏠⛺🚂🌿

RÉSEAU PÉDESTRE 10,0 km (Multi : 2,2 km)

SENTIERS ET PARCOURS	LONGUEUR	TYPE	NIVEAU
Sentier n° 1	2,4 km	boucle	débutant
Sentier n° 4	1,2 km	boucle	débutant
Sentier n° 7-8	3,0 km	boucle	intermédiaire
Sentier n° 9	1,2 km	linéaire	intermédiaire
Grand Sentier Est	1,0 km	linéaire	débutant
Grand Sentier Ouest	1,2 km	linéaire	débutant

HORAIRE De mai à novembre, de 8 h à 19 h
TARIF Adulte : 5,70 $
Enfant (5 à 15 ans) : 2,28 $
Enfant (0 à 5 ans) : gratuit
ACCÈS De l'autoroute des Laurentides (15) nord, prendre la sortie 67. Aux feux de circulation, tourner à droite vers le secteur Mont-Rolland. Prendre à gauche la rue Rolland sur environ 5 km, à gauche encore le chemin Doncaster sur 2 km, puis suivre les indications.
DOCUMENTATION Dépliant-carte (à l'accueil et dans les bureaux d'information touristique des Laurentides)
INFORMATION 450 229-6686 • ville.sainte-adele.qc.ca

JCT PARC LINÉAIRE « LE P'TIT TRAIN DU NORD »

22 PARC DES MÉANDRES

Ce sentier passe à travers un boisé mixte composé en partie de sapins et de pruches. Au début, on longe le ruisseau Lacorne. Le principal attrait du sentier est l'observation des oiseaux présents. On y trouve plusieurs mésanges à tête noire, des tourterelles, des chardonnerets, quelques perdrix et des quiscales.

✶P🛒

RÉSEAU PÉDESTRE 1,0 km (Multi : 1 km) (boucle, débutant)

HORAIRE Toute l'année, du lever au coucher du soleil
TARIF Gratuit
ACCÈS De l'autoroute 640, prendre la sortie Bois-des-Filions / Sainte-Anne-des-Plaines, puis emprunter la route 335 en direction nord. À Sainte-Anne-des-Plaines, tourner à gauche sur l'avenue Therrien, puis encore à gauche sur la rue des Cèdres. Le parc est situé au bout de la rue.
INFORMATION 450 478-0211 • www.ville.ste-anne-des-plaines.qc.ca

23 PARC DU DOMAINE VERT

Cette base de plein air est gérée par une régie inter-municipale regroupant les villes de Boisbriand, Blainville, Mirabel et Sainte-Thérèse. Ce terrain de 600 hectares abrite une dense forêt de conifères. On y trouve, entre autres, les essences d'arbres suivantes : pin blanc, sapin, mélèze et érable. On pourra apercevoir des cerfs de Virginie et des renards. Le sentier écologique est ponctué de panneaux d'interprétation sur la flore.

🏫P👥🏕🎿 Autres : boutique de location, activité d'arbre en arbre

RÉSEAU PÉDESTRE 5,0 km

SENTIERS ET PARCOURS	LONGUEUR	TYPE	NIVEAU
Sentier écologique	2,0 km	boucle	débutant
Sentier pédestre	3,0 km	boucle	débutant

HORAIRE	Toute l'année, de 9 h à 20 h
TARIF	Adulte : 1,75 $
	Enfant : 1,25 $
	Famille : 9,50 $ maximum
	Accès à la piscine : 4,00 $ par personne
	Stationnement : 5,00 $
ACCÈS	De l'autoroute des Laurentides (15), prendre la sortie 23 et suivre les indications sur environ 4 km.
DOCUMENTATION	Dépliant-carte (à l'accueil)
INFORMATION	450 435-6510 • www.domainevert.com

24 PARC ÉCOLOGIQUE LE RENOUVEAU

Ce parc de 160 hectares se situe en banlieue du village de Nominingue. On trouve sur les lieux deux gloriettes permettant d'observer la faune. Le sentier Du Lièvre permet d'admirer le village et le lac Nominingue du haut d'une colline. Le sentier De l'Orignal mène jusqu'aux abords d'un lac.

✱ P ♟ ⅊ ⌐ 🏕 ♣ Autre : piste d'hébertisme

RÉSEAU PÉDESTRE 18,8 km (Multi : 6,2 km)

SENTIERS ET PARCOURS	LONGUEUR	TYPE	NIVEAU	DÉNIVELÉ
Du Pic bois	0,7 km	linéaire	débutant	
Du Cerf	1,2 km	boucle	débutant	
Du Lièvre	2,3 km	boucle	débutant	
Du Lynx	4,1 km	boucle	avancé	70 m
De L'Orignal	5,0 km	boucle	avancé	70 m
De L'Ours	5,0 km	boucle	intermédiaire	70 m

HORAIRE	Toute l'année, du lever au coucher du soleil
TARIF	Gratuit
ACCÈS	De Mont-Tremblant, suivre la route 117 nord, puis la route 321 nord jusqu'à Nominingue. En plein cœur de Nominingue, continuer sur le chemin du Tour-du-Lac (route 321) et tourner à gauche sur la rue Sainte-Anne. Rouler sur 1 km, tourner ensuite à droite sur le chemin des Marronniers et faire 4,6 km. Suivre les indications pour le parc.
DOCUMENTATION	Dépliant (à l'entrée, à l'hôtel de ville et à la gare)
INFORMATION	819 278-3384 • expresso.qc.ca/nominingue

25 PARC JOHN-H.-MOLSON

Ce parc est situé au cœur de la ville de Saint-Sauveur. Il se situe derrière le chalet Pauline-Vanier qui abrite la Société d'histoire et de généalogie de la vallée. Le sentier traverse un boisé dominé par les conifères dont le mélèze, l'épinette, le sapin et le thuya.

🏛 P ♟ ⌐ ⅊ ⌂

RÉSEAU PÉDESTRE 1,2 km (boucle, débutant)

HORAIRE	Toute l'année, du lever au coucher du soleil
TARIF	Gratuit
ACCÈS	De la sortie 60 de l'autoroute des Laurentides (15), se rendre à Saint-Sauveur. Le chalet Pauline-Vanier se situe au 33, avenue de l'Église.
DOCUMENTATION	Dépliant (au chalet Pauline-Vanier)
INFORMATION	450 227-2669 poste 420 • communautaire@ville.saint-sauveur.qc.ca

26 PARC LINÉAIRE « LE P'TIT TRAIN DU NORD »

Ce sentier linéaire de 200 kilomètres relie les villes de Saint-Jérôme et de Mont-Laurier. Il a été construit sur l'emprise de l'ancienne voie ferrée du Canadien Pacifique. Le parc est parsemé de gares datant pour la plupart du début du siècle dernier, avec des styles allant du néogothique au chalet suisse. Le secteur des MRC Rivière-du-Nord et Pays-d'en-Haut longe à quelques endroits le parc de la rivière Doncaster et le parc régional de la Rivière-du-Nord. On trouve également des panneaux d'interprétation du patrimoine le long du tronçon de la MRC Antoine-Labelle, entre La Macaza et Mont-Laurier. Il est important d'être très vigilant en raison de la forte concentration de cyclistes.

✶ P ♔ ⟨ ✕ ♒ ▲ ⌂ ✄ ⛵ 🚌 ⬛

RÉSEAU PÉDESTRE 200,4 km (Multi : 200,4 km)

SENTIERS ET PARCOURS	LONGUEUR	TYPE	NIVEAU
Dans la MRC Rivière-du-Nord	14,4 km	linéaire	débutant
Dans la MRC Pays-d'en-Haut	21,2 km	linéaire	débutant
Dans la MRC des Laurentides	76,0 km	linéaire	débutant
Dans la MRC Antoine-Labelle	88,8 km	linéaire	débutant

HORAIRE	D'avril à octobre, du lever au coucher du soleil
TARIF	Gratuit
ACCÈS	De très nombreux accès sont possibles tout le long du parcours, de Saint-Jérôme à Mont-Laurier.
DOCUMENTATION	Guide de services (au bureau d'information touristique)
INFORMATION	450 224-7007 • 1 800 561-NORD • www.laurentides.com

JCT MONTAGNE DU DÉPOT ET MONTAGNE DU CARIBOU ; PARC RÉGIONAL DE LA RIVIÈRE-DU-NORD ; BOISÉ JOSEPH-B.B.-GAUTHIER ; PARC DE LA RIVIÈRE DONCASTER ; PARC RÉGIONAL DUFRESNE VAL-DAVID/VAL-MORIN

27 PARC NATIONAL D'OKA Parcs Québec

Ce parc, d'une superficie de 24 km², se situe aux abords du lac des Deux Montagnes. Il regorge de ressources historiques et forestières. On peut y voir, entre autres, des essences d'arbres rares telles que le chêne blanc, le chêne bicolore et l'orme de Thomas. Le sentier Écologique de la Grande Baie traverse érablière et marais, et donne accès à une tour d'observation. La Grande Baie abrite une héronnière de 60 nids, ainsi que le plus important site de reproduction du canard branchu au Québec. La Sauvagine traverse une érablière argentée et permet de découvrir la rivière aux Serpents. La colline du Calvaire d'Oka offre une randonnée dans le passé, un ancien chemin de croix aménagé par les Sulpiciens, ponctué de chapelles et d'oratoires. Le haut de la colline réserve un point de vue sur le lac des Deux Montagnes. Un trottoir flottant de 500 mètres a été aménagé sur la Grande Baie afin d'offrir un contact plus intime avec le marais.

🏠 P 👥 🏕 ⛺ 🚻 🌲 🏊 Autre : camping clé en main

RÉSEAU PÉDESTRE 22,0 km

SENTIERS ET PARCOURS	LONGUEUR	TYPE	NIVEAU
Sentier Écologique de la Grande Baie	3,0 km	boucle	débutant
Sentier de l'Érablière	1,5 km	boucle	débutant
Sentier historique du Calvaire d'Oka	5,5 km	boucle	intermédiaire
Sentier de la Sauvagine	12,0 km	boucle	débutant

HORAIRE	Toute l'année, de 8 h au coucher du soleil
TARIF	Voir la tarification des Parcs nationaux du Québec à la page 15 de cet ouvrage.
	Frais de stationnement de 5,00 $ durant la période où la plage est surveillée (juin à septembre)
ACCÈS	De l'autoroute 640, poursuivre vers l'ouest sur la route 344 et suivre les indications sur environ 5 km.
DOCUMENTATION	Dépliant-carte, journal du parc, brochure autoguidée (au centre d'interprétation et de services, au centre de services Le Littoral et à l'accueil du camping)
INFORMATION	450 479-8365 • www.parcsquebec.com

28 PARC NATIONAL DU MONT-TREMBLANT

 Parcs Québec SENTIER NATIONAL

Le parc national du Mont-Tremblant est le plus ancien et le plus vaste des parcs nationaux du Québec avec 1 510 km² de superficie. Il est bordé par la réserve faunique Rouge-Matawin au nord, et chevauche les régions touristiques des Laurentides et de Lanaudière. Ce vaste territoire compte 400 lacs, six rivières, une multitude de peuplements forestiers, ainsi que des marécages, des marais et des tourbières. On trouve aussi une quarantaine d'espèces de mammifères, dont le loup, le lynx, la loutre, le renard roux et le vison d'Amérique. Les amateurs d'oiseaux seront également comblés avec 190 espèces différentes. Le parc se divise en trois secteurs : la Diable, la Pimbina et l'Assomption. Le secteur de la Diable est dominé par le massif du mont Tremblant, culminant à 930 mètres d'altitude. On y trouve une très grande concentration de sentiers pédestres, spécialement près du lac Monrœ. Le Centenaire, situé sur la crête du mont La Vache Noire, offre de nombreux points de vue sur la rivière du Diable. La Roche et La Corniche proposent des vues panoramiques sur la vallée glaciaire du lac Monrœ et sur le massif du mont Tremblant. Le secteur de la Pimbina, plus sauvage, met en vedette la chute aux Rats, une cascade de plus de 17 mètres. On peut aussi gravir le plus haut sommet du parc (883 mètres) en empruntant le Carcan. Dans le secteur de l'Assomption, le sentier d'interprétation du Lac-de-l'Asssomption permet d'observer, à partir d'un abri sur pilotis, le grand héron et le plongeon huard.

🏠P⛺🦌🥾🛶⛺⛰🏚🏕♨🚻🌿🚣

RÉSEAU PÉDESTRE   171,8 km (Multi : 41,5 km)

SENTIERS ET PARCOURS	LONGUEUR	TYPE	NIVEAU	DÉNIVELÉ
Sentier du Centenaire	9,2 km	linéaire	avancé	400 m
Sentier du Carcan	7,2 km	linéaire	avancé	400 m
Chute-aux-Rats	5,0 km	linéaire	débutant	50 m
Sentier du Toit-des-Laurentides	7,0 km	linéaire	avancé	595 m
Grande Randonnée Pédestre	78,4 km	mixte	intermédiaire	300 m
Sentier de la Roche	2,5 km	linéaire	intermédiaire	220 m
La Corniche	1,6 km	linéaire	intermédiaire	180 m
Chute-du-Diable	0,8 km	linéaire	débutant	
L'Envol	1,7 km	linéaire	intermédiaire	185 m
Les Chutes-Croches	0,4 km	linéaire	débutant	
Sentier des Grandes-Vallées	2,2 km	linéaire	intermédiaire	200 m
Sentier du Lac-aux-Atocas	1,5 km	linéaire	débutant	
Sentier du Lac-Poisson	3,5 km	linéaire	intermédiaire	160 m
Sentier de l'Ours	16,9 km	linéaire	intermédiaire	220 m
Sentier du Malard	17,7 km	linéaire	intermédiaire	220 m
Sentier du Lac-de-L'Assomption	1,5 km	boucle	débutant	
La Coulée	1,7 km	linéaire	intermédiaire	80 m
Sentier du Bois-Franc	10,3 km	boucle	intermédiaire	
Lac-des-Femmes	2,7 km	boucle	débutant	

HORAIRE	De mi-mai à mi-octobre : de 8 h à 20 h
	De mi-octobre à mi-mai : de 9 h à 16 h
TARIF	Voir la tarification des Parcs nationaux du Québec à la page 15 de cet ouvrage.
ACCÈS	Secteur de la Diable : de l'autoroute des Laurentides (15), continuer sur la route 117 nord et prendre la sortie Saint-Faustin-Lac-Carré. Suivre les indications pour Lac-Supérieur, puis celles pour le secteur de la Diable sur 23 km.
	Secteur de la Pimbina : de l'autoroute 25, continuer sur la route 125 nord, dépasser le village de Saint-Donat, puis suivre les indications pour le secteur de la Pimbina sur 13 km.
	Secteur de l'Assomption : de l'autoroute 31 à Joliette, prendre la route 343 jusqu'à Saint-Côme, puis suivre les indications pour le secteur de L'Assomption sur 18 km.
DOCUMENTATION	Dépliant-carte, brochures d'interprétation, journal du parc (à l'accueil)
INFORMATION	819 688-2281 • 1 800 665-6527 • www.parcsquebec.com

JCT   STATION MONT-TREMBLANT ; CAMP QUATRE SAISONS

Situé dans les basses Laurentides, le parc régional de la Rivière-du-Nord s'étend de Saint-Jérôme à Prévost. Comme son nom l'indique, l'attrait principal du parc est la rivière du Nord que l'on peut apercevoir à plusieurs endroits à partir des sentiers La Rivière et Le Draveur. On pourra également observer les chutes Wilson. On trouve dans le parc les vestiges d'une ancienne pulperie ainsi que d'une centrale hydroélectrique

construites respectivement en 1881 et 1924. Pour découvrir les vestiges, il faudra emprunter le sentier Le Draveur. Ils sont ponctués de panneaux d'interprétation permettant d'en connaître davantage sur le sujet. On peut observer plus d'une centaine d'espèces d'oiseaux dont le grand héron. Un sentier sensoriel se fait les yeux bandés en se guidant avec une corde.

Autre : service de traversier en ponton

RÉSEAU PÉDESTRE 31,5 km (Multi : 11,6 km)

SENTIERS ET PARCOURS	LONGUEUR	TYPE	NIVEAU
L'Écolo	1,8 km	linéaire	débutant
Le Cheminot	5,8 km	linéaire	débutant
Le Draveur	2,7 km	boucle	intermédiaire
Le Héron	0,6 km	boucle	débutant
Le Saule Arché	2,6 km	linéaire	intermédiaire
L'Étang	0,5 km	boucle	débutant
La Rivière	3,2 km	linéaire	débutant
Le Castor	0,2 km	linéaire	débutant
Le P'tit Train du Nord	8,4 km	linéaire	débutant
L'Aventurier	3,2 km	linéaire	intermédiaire
Le Côteau	1,4 km	linéaire	intermédiaire
Le Plateau	1,1 km	boucle	débutant

HORAIRE	Toute l'année, de 9 h à 19 h
TARIF	Adulte : 5,00 $
	Adulte (résidant MRC Rivière-du-Nord) : 2,00 $
	Enfant (0 à 17 ans) : gratuit
	Laissez-passer saisonnier : 30,00 $
	Laissez-passer annuel : 45,00 $
	Laissez-passer annuel (résidant) : 20,00 $
ACCÈS	De l'autoroute des Laurentides (15) : prendre la sortie 45 sud, montée Sainte-Thérèse. Tourner à gauche au bout de la sortie puis, au 2e feu de circulation, tourner encore à gauche sur le boulevard de La Salette. Tourner à gauche sur le chemin de la Rivière-du-Nord.

De l'autoroute des Laurentides (15) : prendre la sortie 45 nord, boulevard de La Salette. Tourner à gauche au feu de circulation, puis tourner à droite au feu suivant, sur le chemin de la Rivière-du-Nord.

DOCUMENTATION Dépliant-carte, dépliant sur la pulperie, dépliant sur les oiseaux (à l'accueil)

INFORMATION 450 431-1676 • www.parcrivieredunord.com

[JCT] PARC LINÉAIRE « LE P'TIT TRAIN DU NORD »

30 PARC RÉGIONAL DUFRESNE VAL-DAVID/VAL-MORIN

Ce territoire, d'une superficie de 15 km², regroupe 11 sommets dont les monts Plante, Saint-Aubin, Condor et King. Les sommets sont principalement peuplés d'érablières, mis à part le mont Condor avec sa forêt de résineux. Le parc propose plusieurs points de vue sur les vallées de Val-Morin et Val-David, ainsi que sur le parc. Plusieurs parcours longent les parois d'escalade qui comptent plus de 600 voies. Le sentier du mont King offre une vue sur une chute verticale mesurant près de 100 mètres. Le Kelly mène au lac Amigo et le sentier les 2 Vals à une ancienne réserve d'eau de la municipalité. 🐕 (autorisé sur une portion de 30 km du réseau sur des sentiers bien indiqués)

RÉSEAU PÉDESTRE 62,1 km (Multi : 16 km)

SENTIERS ET PARCOURS	LONGUEUR	TYPE	NIVEAU	DÉNIVELÉ
La Mapleleaf	7,6 km	boucle	avancé	90 m
Mont Condor	5,0 km	boucle	intermédiaire	155 m
Mont Césaire	4,6 km	boucle	avancé	150 m
Mont King	3,0 km	boucle	intermédiaire	130 m
La Sapinière	1,5 km	boucle	débutant	
Sentier les 2 Vals	6,0 km	linéaire	débutant	
L'Aiguille	1,0 km	linéaire	avancé	
Érablière / Potier	4,9 km	boucle	intermédiaire	75 m
La Dufresne	2,6 km	linéaire	intermédiaire	
La Balade	1,6 km	linéaire	débutant	
La Belle Étoile	3,5 km	linéaire	débutant	
Les Méandres	2,7 km	linéaire	débutant	
La Sitelle	0,5 km	boucle	débutant	
Le Kelly	2,4 km	boucle	débutant	
Le Iceberg	4,2 km	boucle	débutant	
Pennberton	2,1 km	boucle	intermédiaire	52 m
Le Défi	1,5 km	linéaire	intermédiaire	50 m
Boucle Sud-Ouest	7,4 km	boucle	intermédiaire	100 m

HORAIRE	Toute l'année, de 8 h 30 à 20 h 30
TARIF	Adulte : 5,00 $ (semaine), 7,00 $ (fin de semaine et fêtes)
	Enfant (moins de 17 ans) : gratuit
	Laissez-passer saisonnier disponible
ACCÈS	De la sortie 76 de l'autoroute des Laurentides (15), tourner à droite sur la route 117 nord. Continuer sur 4,5 km et tourner à droite sur le chemin de l'Église. Tourner ensuite à droite sur le chemin de la Sapinière, puis encore à droite sur le chemin Condor.
DOCUMENTATION	Dépliant-carte (à l'accueil et au bureau d'information touristique)
INFORMATION	819 322-6999 • www.leparcdufresne.qc.ca

JCT   PARC LINÉAIRE « LE P'TIT TRAIN DU NORD »

31   PARC RÉGIONAL ÉDUCATIF BOIS DE BELLE-RIVIÈRE

Ouvert en 1997 par la ville de Mirabel, le parc offre une grande diversité de milieux. On y observera une érablière à caryer, une prucheraie et une cédrière. Sur le sentier principal, il sera possible d'admirer des jardins forestier, ornemental et aquatique. Tout près du pavillon d'accueil, on pourra profiter de la plage Naya. On peut rencontrer des chevaux sur le sentier principal. 🐎 (autorisé sur une portion de 6 km du réseau soit sur le sentier principal seulement)

🏵P👫🏻🧗✂🎏🏠▲⛺🏛🛋🌿🏊🚌💼

RÉSEAU PÉDESTRE   10,4 km (Multi : 6 km)

SENTIERS ET PARCOURS	LONGUEUR	TYPE	NIVEAU
Sentier principal	6,0 km	mixte	débutant
Le Sylvestre	1,8 km	boucle	débutant
La Prucheraie	1,0 km	boucle	débutant
L'Écotone	1,0 km	linéaire	débutant
Le Charme	0,6 km	linéaire	débutant

HORAIRE	Toute l'année, de 9 h à 17 h
	De 9 h à 18 h (en semaine de mi-juin à fin août)
	De 9 h à 19 h (fin de semaine de mi-juin à fin août)
TARIF	Adulte : 3,50 $
	Enfant (6 à 16 ans) : 1,00 $
	Laissez-passer annuel disponible.
	Frais de 2,00 $ supplémentaires pour l'accès à la plage durant l'été
ACCÈS	De l'autoroute des Laurentides (15) : prendre la sortie 35. Continuer sur l'autoroute 50 ouest et emprunter la sortie 279. Au stop, tourner à gauche sur le chemin Saint-Simon. Tourner encore à gauche sur la route 148 en direction est. L'entrée du parc se trouve à gauche.
	De Saint-Eustache : suivre la route 148 ouest jusqu'à l'entrée du Bois indiquée en bordure de la route.
DOCUMENTATION	Dépliant-carte (à l'accueil et au bureau d'information touristique)
INFORMATION	450 258-4924 • www.boisdebelleriviere.com

32 RÉSERVE FAUNIQUE DE PAPINEAU-LABELLE

Créée en 1971, cette réserve faunique, d'une superficie de 1 628 km², propose des sentiers permettant de découvrir la diversité de sa faune et de sa flore. Elle a été nommée ainsi en l'honneur de deux personnages importants : Louis-Joseph Papineau et Antoine Labelle. Les sentiers sillonnent son territoire boisé composé par la forêt mixte et l'érablière à bouleau jaune. Cette forêt, dominée par des montagnes anciennes d'une altitude moyenne de 500 mètres, est parsemée de plus de 800 plans d'eau. On verra des aménagements fauniques comme des nichoirs à canards et des frayères pour les poissons. Les sentiers du mont Devlin et du mont Bondy mènent à des points de vue. Du sommet du mont Bondy, le panorama s'étend, par temps clair, jusqu'au village de Nominingue et au mont Tremblant. Le sentier Multiressources, agrémenté de panneaux d'interprétation, longe en partie la rivière Ernest. Le sentier Mont Resther offre une vue sur les environs et le village de La Minerve. On pourra apercevoir des cerfs de Virginie, des orignaux et des castors en raison des populations importantes présentes. 🏇 (Les chiens sont autorisés dans les sentiers seulement. Ils sont interdits dans les chalets, campings et refuges.)

🎏 P 🚶 🎋 ⛰ ⛰ 🛋 🎿 🚂 🌿

RÉSEAU PÉDESTRE 34,3 km

SENTIERS ET PARCOURS	LONGUEUR	TYPE	NIVEAU	DÉNIVELÉ
Mont Bondy	1,6 km	linéaire	intermédiaire	125 m
Mont Devlin	4,5 km	linéaire	intermédiaire	185 m
Sentier Multiressources	9,5 km	mixte	intermédiaire	60 m
Mont Resther	6,5 km	mixte	débutant	130 m
Lac Écho	0,7 km	mixte	débutant	
Sentier écologique du ruisseau du Diable	11,5 km	boucle	intermédiaire	50 m

HORAIRE	De mi-mai à début septembre, de 7 h à 21 h
	La marche est interdite durant la chasse au gros gibier.
TARIF	Frais de stationnement
ACCÈS	Accueil Gagnon : de la route 148 à Papineauville, prendre la route 321 nord jusqu'à Duhamel. Prendre ensuite le chemin du Lac-Gagnon sur une quinzaine de kilomètres, soit jusqu'à l'accueil.
	Accueil Pie-IX : de la route 117, à 3 km au nord de L'Annonciation, prendre la route 321 sud jusqu'à Lac-Nominingue et suivre les indications sur une vingtaine de kilomètres.
	Plusieurs autres accès sont possibles.
DOCUMENTATION	Carte (à l'accueil)
INFORMATION	819 454-2011 poste 33 • www.sepaq.com

33 SENTIER CYCLO-PÉDESTRE DU LAC BOUCHER

Le sentier fait le tour du lac Boucher en offrant une vue constante sur celui-ci. On longera également un ruisseau. On propose des panneaux d'interprétation sur la flore, plus spécifiquement sur les espèces d'arbres. Le sentier monte à un belvédère d'où on apercevra le lac Cain. On pourra observer un barrage et une hutte de castor. 🐎

✶P⛺⚲A🔥⛩🚪❦

RÉSEAU PÉDESTRE 6,0 km (Multi : 6 km) (boucle, débutant)

HORAIRE	Toute l'année, du lever au coucher du soleil Prudence pendant la période de chasse.
TARIF	Gratuit
ACCÈS	De Mont-Laurier, suivre la route 309 nord jusqu'au quai public de Sainte-Anne-du-Lac. Suivre les indications pour le sentier cyclo-pédestre du lac Boucher.
DOCUMENTATION	Carte, dépliant (à la municipalité)
INFORMATION	819 586-2110 • www.municipalite.sainte-anne-du-lac.qc.ca

34 SENTIER DE LA TOUR À FEU

Ce sentier en montagne mène jusqu'à une tour à feu datant de 1930. À l'époque, cette tour servait à surveiller les feux de forêt. Le randonneur longera un ruisseau, devra ensuite gravir 700 marches et aura droit à un panorama sur les environs. 🐎

✶P⛺⚲🚪❦

RÉSEAU PÉDESTRE 1,5 km (linéaire, débutant, dénivelé maximum de 140 m)

HORAIRE	De mai à novembre, du lever au coucher du soleil
TARIF	Gratuit
ACCÈS	De Mont-Tremblant, emprunter la route 323 jusqu'à Saint-Rémi-d'Amherst. Prendre la rue Saint-Louis et continuer jusqu'au stationnement.
DOCUMENTATION	Carte routière d'Amherst (au bureau municipal)
INFORMATION	819 687-3355 • 819 687-2939 • helene@cil.qc.ca

35 SENTIER DES VILLAGES

Ce sentier relie les villages de Saint-Rémi-d'Amherst et Vendée. Il contourne plusieurs lacs et traverse une forêt mixte. On trouve au milieu du parcours un belvédère offrant une vue sur le lac Wagamung. Le sentier est parsemé de panneaux d'interprétation sur la faune et la flore de la région. On y trouve également des barrages de castors. 🐎

RÉSEAU PÉDESTRE 17,0 km

Répertoire des lieux de marche au Québec

SENTIERS ET PARCOURS	LONGUEUR	TYPE	NIVEAU
De Saint-Rémi au lac Wagamung	8,0 km	linéaire	avancé
Du lac Wagamung à Vendée	9,0 km	linéaire	intermédiaire

HORAIRE   Toute l'année, du lever au coucher du soleil
Prudence pendant la période de chasse

TARIF   Gratuit

ACCÈS   Accès sud : de Mont-Tremblant, prendre la route 323 jusqu'à Saint-Rémi-d'Amherst et suivre les indications à partir du quai public au centre du village.

Accès nord : continuer sur la route 323 et prendre le chemin de Vendée jusqu'au village où un panneau indique l'entrée du sentier.

DOCUMENTATION   Carte routière d'Amherst (au bureau municipal)

INFORMATION   819 687-3355 • 819 687-2939

36   SENTIER DU BELVÉDÈRE

Le sentier débute à la plage municipale de Lac-Saguay et traverse une érablière. Il mène jusqu'à un belvédère d'où on apercevra le village de Lac-Saguay et le lac du même nom. Il est possible de voir des cerfs de Virginie. 🦌

RÉSEAU PÉDESTRE 1,0 km (linéaire, intermédiaire, dénivelé maximum de 80 m)

HORAIRE   De mai à novembre, du lever au coucher du soleil

TARIF   Gratuit

ACCÈS   De l'autoroute des Laurentides (15), poursuivre sur la route 117 nord jusqu'à Lac-Saguay, à environ 25 km au nord de L'Annonciation. L'accès se fait par le chemin de la Plage.

INFORMATION   819 278-3972 • info@lacsaguay.qc.ca

37   SENTIER ÉCOLOGIQUE « LE PETIT CASTOR »

Créé en 1972 par la municipalité de Lac-du-Cerf, le sentier a pour mission de faire revivre l'histoire de la région. À l'entrée du boisé, on pourra voir le ruisseau Longeau qui est agrémenté de cascades et de chutes. Celui-ci se jette dans le Grand lac du Cerf. Plus loin, on apercevra une ancienne habitation datant de 1918. On côtoiera un écosystème diversifié comprenant un sous-bois abritant un tapis de fougères et de mousses, un boisé mixte, une érablière et une prucheraie. Au pont des Pionniers, on note la présence d'un ancien chemin forestier datant de 1915. Au sommet de la montagne, deux belvédères permettront d'admirer le lac du Cerf, le mont Limoges et le lac Lefebvre. Près du stationnement, un sentier mène jusqu'au lac du Cerf. Les sentiers sont également accessibles par bateau.

RÉSEAU PÉDESTRE 6,5 km (mixte, débutant, dénivelé maximum de 115 m)

HORAIRE   De juin à mi-octobre, de 8 h à 20 h
Le port du dossard orange est obligatoire en période de chasse.

TARIF   Contribution volontaire

ACCÈS   De l'autoroute des Laurentides (15), continuer sur la route 117 nord. À Lac-des-Écorces, suivre les indications pour la route 311 sud sur 37 km. À la municipalité de Lac-du-Cerf, tourner à gauche sur la montée Léonard et continuer sur 5,2 km. La montée Léonard change de nom plus loin pour chemin du Tour-du-Lac. Le stationnement est en bordure de la route. D'autres accès sont également possibles.

DOCUMENTATION Brochure (au bureau municipal et au bureau d'information touristique de Mont-Laurier)

INFORMATION 819 597-2424 • municipalite.lacducerf@tlb.sympatico.ca

38 SENTIER ÉCOLOGIQUE DU RUISSEAU DU DIABLE

Le sentier écologique du ruisseau du Diable est situé dans la réserve faunique Papineau-Labelle. Il passe à proximité d'une rivière et offre une vue sur une cascade. Il propose des panneaux d'interprétation de la nature ainsi que des reproductions de ponts couverts. ⛄

★P🚻⛺🏛🌿

RÉSEAU PÉDESTRE 3,0 km (Multi : 3 km) (boucle, débutant)

HORAIRE De mai à novembre, du lever au coucher du soleil
Lors de la chasse au gros gibier, la randonnée est interdite (septembre et octobre).

TARIF Gratuit

ACCÈS De Mont-Laurier, prendre la route 117 jusqu'à Lac-des-Écorces. Tourner à droite sur la route 311 sud. Un kilomètre après le village de Kiamika, prendre à gauche le chemin du Lac-Kar-Ha-Kon et poursuivre sur un peu plus de 6 km.

DOCUMENTATION Dépliant, carte (au bureau municipal de Kiamika)

INFORMATION 819 585-3225 poste 221 • mun.kiamika@tlb.sympatico.ca

39 SKI MORIN HEIGHTS

Ce centre de ski offre plusieurs sentiers de randonnée pédestre servant à la raquette l'hiver. Le sentier Panoramique propose une vue sur les monts Saint-Sauveur et Olympia, alors que le sentier Les Rapides longe la rivière Chevreuil. Le Randonneur quant à lui, propose une balade dans une forêt de feuillus. ⛄

🏵P🚻(X▲🛏

RÉSEAU PÉDESTRE 12,4 km

SENTIERS ET PARCOURS	LONGUEUR	TYPE	NIVEAU	DÉNIVELÉ
Beech	1,0 km	linéaire	débutant	
Érablière	1,4 km	linéaire	débutant	
Le Circuit	1,7 km	boucle	débutant	
Les Rapides	2,5 km	linéaire	débutant	
Panoramique	1,0 km	linéaire	débutant	150 m
Randonneur	2,5 km	linéaire	débutant	80 m
Ridge Run	1,8 km	boucle	débutant	100 m
Sommet	0,5 km	linéaire	débutant	

HORAIRE Toute l'année, du lever au coucher du soleil

TARIF Gratuit

ACCÈS De la sortie 60 de l'autoroute des Laurentides (15), tourner à gauche au feu de circulation et prendre la route 364 ouest. Continuer jusqu'à Morin-Heights et, au 2e feu de circulation, prendre à gauche le chemin Bennett. La station se situe au numéro 231.

INFORMATION 450 227-2020 • 450 226-7385 • www.mssi.ca

Ce lieu de villégiature de renommée internationale se situe en bordure du lac Tremblant. Il est possible de gravir le plus haut sommet des Laurentides, le pic Johannsen (930 mètres), en empruntant les sentiers Le Johannsen ou Les Sommets. Ce dernier, partant du haut du mont Tremblant, permet de fouler trois pics : Edge, Pangman et Johannsen. Le Grand Brûlé permet de voir un barrage de castor ainsi que plusieurs points de vue sur le village de Mont-Tremblant et le lac Tremblant. Le sentier Les Ruisseaux traverse de nombreux cours d'eau et conduit à des chutes et à un belvédère. Du haut du mont Tremblant, une tour d'observation permet d'avoir une vue panoramique de 360 degrés sur les environs.

🏠 P 👫 🕻 🗙 🎋 🛏 🏋 🎱 ⚒ 🎣 ⛵ 🚌 💼 Autres : boutique, télésiège

Note : le télésiège est en service tous les jours, du 23 juin au 17 octobre, de 10 h à 17 h.

RÉSEAU PÉDESTRE 46,1 km

SENTIERS ET PARCOURS	LONGUEUR	TYPE	NIVEAU	DÉNIVELÉ
Les Sommets	4,5 km	linéaire	intermédiaire	110 m
Le Grand Brûlé	6,5 km	linéaire	avancé	650 m
Le Manitou	1,0 km	boucle	débutant	
Le Johannsen	3,5 km	linéaire	avancé	485 m
Les Caps	5,0 km	linéaire	avancé	650 m
Le Bon Vivant	2,0 km	linéaire	intermédiaire	
Les Ruisseaux	1,0 km	boucle	débutant	
Le Parben	1,0 km	linéaire	avancé	125 m
Le 360°	2,5 km	boucle	débutant	
Le Grand Nord / Nord-Sud	9,0 km	linéaire	avancé	
Le Vertigo	6,0 km	linéaire	avancé	650 m
Grand Prix des Couleurs	4,1 km	linéaire	avancé	185 m

HORAIRE	De mai à octobre, du lever au coucher du soleil
TARIF	Gratuit
	Frais pour le télésiège
ACCÈS	De l'autoroute des Laurentides (15), continuer vers le nord sur la route 117. Passé Saint-Jovite, tourner à droite sur la montée Ryan et suivre les indications sur une dizaine de kilomètres.
DOCUMENTATION	Dépliant-carte (à l'accueil)
INFORMATION	1 888 736-2526 • 819 681-2000 • www.tremblant.ca

JCT PARC NATIONAL DU MONT-TREMBLANT

41 VILLAGE DE TEE-PEE LA BOURGADE

Situé dans la municipalité de Lac-Saint-Paul, ce village de tipis propose une expérience dans un tipi traditionnel sioux ainsi que plusieurs autres activités autochtones. On trouve sur le site des sentiers écologiques et culturels le long desquels il sera possible d'en apprendre davantage sur la faune et la flore grâce à des panneaux d'interprétation. Une exposition d'animaux naturalisés est également offerte.

RÉSEAU PÉDESTRE 7,5 km (mixte, intermédiaire, dénivelé maximum de 50 m)

HORAIRE	Toute l'année, du lever au coucher du soleil
TARIF	Gratuit
ACCÈS	Prendre l'autoroute des Laurentides (15) et la route 117 nord jusqu'à la municipalité de Lac-des-Écorces. Tourner à droite sur la route 311 nord et rouler jusqu'à la municipalité de Chute-Saint-Philippe. Suivre le chemin du Progrès jusqu'à Val-Viger, puis prendre à gauche à la bifurcation. Suivre les indications pour La Bourgade.
DOCUMENTATION	Carte (à l'accueil de la Bourgade et à la Porte du Nord)
INFORMATION	819 587-4355 • www.labourgade.ca

42 ZEC NORMANDIE

Outre la chasse et la pêche, cette zone d'exploitation contrôlée offre de la longue randonnée. Ce sentier en pleine nature est un hommage aux gens qui ont ouvert le territoire des hautes Laurentides au début de la colonisation. On a restauré un ancien chemin rudimentaire permettant l'acheminement d'approvisionnements vers les chantiers. Le sentier est maintenant parsemé de panneaux rappelant l'histoire de la foresterie et d'aires de repos pour les randonneurs. On pourra faire la cueillette de petits fruits sauvages.

RÉSEAU PÉDESTRE 55,0 km

SENTIERS ET PARCOURS	LONGUEUR	TYPE	NIVEAU
Sentier des Draveurs	55,0 km	linéaire	avancé

HORAIRE	De mai à octobre, de 7 h à 22 h
	Prudence pendant la période de chasse
TARIF	6,34 $ par voiture / par séjour
ACCÈS	De Mont-Laurier, prendre la route 309 nord vers Mont-Saint-Michel et suivre la route de Parent jusqu'au kilomètre 52. Il y a environ 100 km de distance entre Mont-Laurier et le poste d'accueil de la zec.
INFORMATION	819 623-9709 • www.zecnormandie.zecquebec.com

Laval

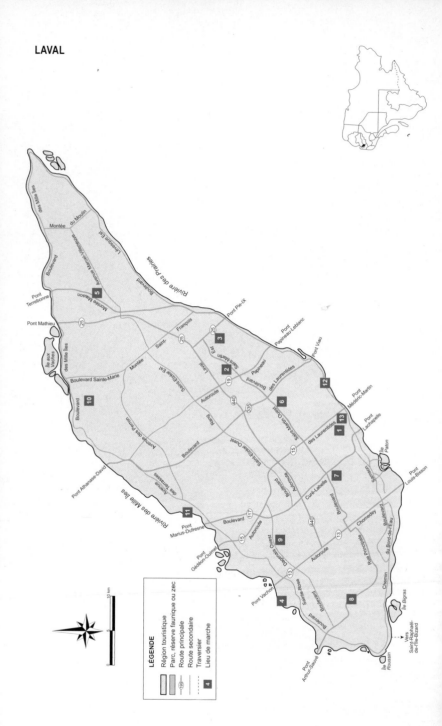

Photo page précédente : Centre de la Nature de Laval (Pierre-Luc Hudon)

LIEUX DE MARCHE

1 BOISÉ CHOMEDEY

Ce boisé protégé, composé d'érables noirs, est traversé par des sentiers de poussière de roche.

RÉSEAU PÉDESTRE 1,7 km (mixte, débutant)

HORAIRE	D'avril à novembre, du lever au coucher du soleil
TARIF	Gratuit
ACCÈS	De l'autoroute des Laurentides (15), sortir au boulevard Cartier Ouest. Prendre le boulevard Daniel-Johnson vers la droite. L'entrée du sentier est au bout du boulevard.
	Transport public : du métro Henri-Bourassa, prendre l'autobus 24 et descendre au boulevard Daniel-Johnson, peu après la Parc scientifique et de haute technologie.
INFORMATION	450 978-8903 • www.ville.laval.qc.ca

2 BOISÉ PAPINEAU

Ce boisé urbain, présentant un relief ondulé, a une superficie de 1 km² dont le territoire est majoritairement recouvert de forêt. On y trouve une érablière à caryer, une hêtraie bicentenaire et des essences peu communes comme l'orme de Thomas et l'érable noir. Au total, ce boisé renferme plus de 300 espèces de plantes, arbres et arbustes. Les sentiers sillonnent cette forêt et passent aussi par des champs pour mener à un

belvédère offrant une vue sur le marais principal, peuplé de quenouilles. On pourra apercevoir de nombreux mammifères et oiseaux dont le renard roux et le grand-duc. L'hêtraie a été nommée « forêt exceptionnelle » à titre de forêt âgée précoloniale.

RÉSEAU PÉDESTRE 7,0 km (mixte, débutant)

HORAIRE	Toute l'année, du lever au coucher du soleil
TARIF	Gratuit
ACCÈS	De l'autoroute 19, prendre la sortie 7 et emprunter le boulevard Saint-Martin vers l'est. Le stationnement se situe derrière le pavillon d'accueil, au 3235 boulevard Saint-Martin.
	Transport public : du métro Henri-Bourassa, prendre les autobus 31, 60 ou 72 et descendre à l'intersection des boulevards Saint-Martin et des Laurentides. Prendre ensuite l'autobus 50 en direction est jusqu'à l'entrée du Boisé, sur le boulevard Saint-Martin.

DOCUMENTATION   Guide « Marcher et découvrir Laval » (sur le site Web, dans les bureaux municipaux des loisirs (BML), dans les bibliothèques et à la maison des Arts)

INFORMATION   450 662-7610 • 450 662-4901

JCT   MARCHER ET DÉCOUVRIR LAVAL – SECTEUR 1

3 CENTRE DE LA NATURE DE LAVAL

Ce centre, aménagé sur le site d'une ancienne carrière, a un territoire d'une superficie de 50 hectares comprenant des étangs, un lac et un ruisseau. En effectuant les deux boucles proposées, on passera par plusieurs jardins dont celui des plantes médicinales, le jardin Laurent-Brisson avec ses 130 espèces de plantes indigènes, ainsi qu'une serre

contenant plusieurs plantes tropicales et des oiseaux rares. On visitera une ferme et ses animaux typiques ainsi qu'un parc de cerfs de Virginie. On gravira une butte dont le sommet offre une vue sur les Montérégiennes et le contrefort laurentien. On peut voir les parois rocheuses de l'ancienne carrière, vestiges des excavations de l'époque.

🏛 P ⛹ (X 🌲 🌿 ♿ Autres : ferme, serre, sentier d'hébertisme

RÉSEAU PÉDESTRE 5,0 km

SENTIERS ET PARCOURS	LONGUEUR	TYPE	NIVEAU
Tour du lac	0,5 km	boucle	débutant
Le Grand Tour	4,5 km	boucle	débutant

HORAIRE	Toute l'année, de 8 h à 22 h
TARIF	Gratuit
	Tarification aux groupes
	Stationnement : 5,00 $ par véhicule (de la fête de la Saint-Jean-Baptiste à la fête du Travail)
ACCÈS	De la sortie 6 de l'autoroute 25, emprunter le boulevard Saint-Martin vers l'ouest. À la première jonction, prendre à gauche le boulevard Lesage et, tout de suite après, prendre à gauche à nouveau sur

l'avenue du Parc. L'accueil est situé au 901.

Transport public : du métro Henri-Bourassa, prendre l'autobus 48 vers Saint-Vincent-de-Paul. Descendre au coin du boulevard de la Concorde et de l'avenue du Parc. Monter cette dernière pour se rendre à l'entrée du parc.

DOCUMENTATION	Dépliant-carte (à l'accueil)
INFORMATION	450 662-4942 • www.ville.laval.qc.ca

4   L'ORÉE DES BOIS

Le territoire de ce boisé, d'une superficie de près de 8 hectares, est composé d'une érablière à caryer et d'une frênaie. On y trouve plusieurs arbres inhabituels comme le caryer ovale et le micocoulier occidental. Ce dernier est très rare au Québec. Les sentiers, en gravier fin, sillonnent cette forêt et mènent à un belvédère offrant une vue sur un marais. On aura accès à la rivière des Mille Îles, en bordure de laquelle est aménagé ce parc. Des bancs, le long des sentiers, permettent de se reposer et d'observer les oiseaux présents.

P⽊⽰

RÉSEAU PÉDESTRE   1,5 km (linéaire, débutant)

HORAIRE	Toute l'année, du lever au coucher du soleil
TARIF	Gratuit
ACCÈS	De la sortie 17 de l'autoroute 13, prendre le boulevard Sainte-Rose vers l'ouest. Tourner à droite sur la rue Cousteau, à droite sur la rue Séguin, et à gauche sur la 37e Avenue. Le sentier se trouve au bout de l'avenue.
	Transport public : du métro Henri-Bourassa, prendre l'autobus 72 jusqu'à l'arrêt au coin du boulevard Sainte-Rose et de la rue Cousteau. Marcher ensuite 1 km environ.
DOCUMENTATION	Guide « Marcher et découvrir Laval » (sur le site Web, dans les bureaux municipaux des loisirs (BML),dans les bibliothèques et à la maison des Arts)
INFORMATION	450 978-8904 • www.ville.laval.qc.ca

5   MARCHER ET DÉCOUVRIR LAVAL – SECTEUR 1

Ce secteur est situé à la pointe est de l'île, au confluent de la rivière des Mille Îles et de la rivière des Prairies, et s'étend vers l'ouest jusqu'à l'autoroute 19 et le boulevard Sainte-Marie. Il comprend trois unités communautaires : Saint-François/Duvernay-Est, Saint-Vincent-de-Paul et Duvernay/Val-des-Brises. Quatre parcours, d'une longueur de 3,5 à 6,1 km, conduisent le marcheur à la découverte du patrimoine architectural et historique. On arpentera, entre autres, la plus vieille paroisse de l'île, Saint-François-de-Sales. 🐕 (sauf la section située dans le Boisé Papineau)

P⽊⽰(X⽊⼃

RÉSEAU PÉDESTRE   21,4 km (Multi : 21,4 km) (mixte, débutant)

HORAIRE	Toute l'année, du lever au coucher du soleil
TARIF	Gratuit
ACCÈS	Le 1er parcours débute à l'église de Saint-François-de-Sales, au 7070 du boulevard des Mille-Îles; le 2e au stationnement de la berge du Vieux Moulin, à l'angle du boulevard Lévesque et de la montée du Moulin; le 3e à l'église de Saint-Vincent-de-Paul, au 5443 du

boulevard Lévesque Est; le 4ᵉ à l'angle du boulevard Lévesque Est et de la rue du Barrage.

Transport public : *du métro Henri-Bourassa. 1ᵉʳ parcours : prendre l'autobus 25 Saint-François et descendre à l'arrêt Masson/des Mille-Îles; 2ᵉ parcours : prendre l'autobus 52 Saint-François et descendre à l'arrêt du Moulin/Lévesque; 3ᵉ parcours : prendre l'autobus 52 Saint-François et descendre à l'arrêt Lévesque/Jean-Eudes-Blanchard; 4ᵉ parcours : prendre l'autobus 28 Saint-Vincent-de-Paul et descendre à l'arrêt Lévesque/du Barrage.*

DOCUMENTATION   Guide « Marcher et découvrir Laval » (sur le site Web, dans les bureaux municipaux des loisirs (BML), dans les bibliothèques et à la maison des Arts)

INFORMATION   450 662-4901 • www.ville.laval.qc.ca

JCT   BOISÉ PAPINEAU

---

6   MARCHER ET DÉCOUVRIR LAVAL – SECTEUR 2

Ce secteur est situé au centre-sud de l'île. Il est borné par l'autoroute Papineau (19) à l'est, l'autoroute des Laurentides (15) à l'ouest, la rivière des Prairies au sud, et l'autoroute Laval (440) et la servitude d'Hydro-Québec au nord. Il comprend quatre unités communautaires : Pont-Viau, Laval-des-Rapides Est, Laval-des-Rapides Ouest et Renaud-Coursol. Six parcours de marche, de 1,1 à 5 km, amènent le visiteur vers différents attraits : bâtiments municipaux et historiques, parcs urbains, marina, rivière, etc. 🐕 (sauf la section située dans le parc des Prairies)

P ⛹ (X ⟍ ⌂ ♨ ⚡

RÉSEAU PÉDESTRE   18,7 km (Multi : 18,7 km) (mixte, débutant)

HORAIRE   Toute l'année, du lever au coucher du soleil
TARIF   Gratuit
ACCÈS   Le 1ᵉʳ parcours débute à l'église Saint-Christophe, au 38 du boulevard Lévesque Est; le 2ᵉ au parc Gagné, au bord de la rivière des Prairies et à l'est de la ligne de chemin de fer du Canadien Pacifique; le 3ᵉ au stationnement du parc des Prairies, à l'angle du boulevard Cartier et de la 15ᵉ Avenue; le 4ᵉ à l'angle des rues Dussault et Laurier; le 5ᵉ au Pavillon des Charmilles, au 1487 du boulevard des Laurentides; le 6ᵉ en face du 1610 de la rue Wilfrid-Pelletier.

Transport public : *du métro Henri-Bourassa. 1ᵉʳ parcours : prendre l'autobus 20 Chomedey et descendre à l'arrêt des Laurentides/Cartier; 2ᵉ parcours : prendre l'autobus 20 Chomedey et descendre à l'arrêt des Prairies/du Crochet; 3ᵉ parcours : prendre l'autobus 20 Chomedey et descendre en face du 227 du boulevard des Prairies; 4ᵉ parcours : prendre l'autobus 24 Chomedey et descendre à l'arrêt Cartier/Dussault; 5ᵉ parcours : prendre l'autobus 72 Gare Sainte-Dorothée et descendre à l'arrêt des Laurentides/Morane; 6ᵉ parcours : prendre l'autobus 60 Chomedey et descendre à l'arrêt de l'Avenir/Saint-Martin.*

DOCUMENTATION   Guide « Marcher et découvrir Laval » (sur le site Web, dans les bureaux municipaux des loisirs (BML), dans les bibliothèques et à la maison des Arts)

INFORMATION   450 662-4902 • www.ville.laval.qc.ca

JCT   PARC DES PRAIRIES

7 MARCHER ET DÉCOUVRIR LAVAL – SECTEUR 3

Ce secteur est encadré par la rivière des Prairies et trois autoroutes : Chomedey (13), Laval (440) et des Laurentides (15). Il comprend quatre unités communautaires : Chomedey-Est, Chomedey-Sud, Chomedey-Ouest et Chomedey-Nord. Six parcours, d'une longueur de 1,6 à 3,5 km, guident le promeneur à travers les rues des anciennes municipalités de l'Abord-à-Plouffe, Saint-Martin et Renaud. Quelques maisons anciennes méritent l'attention. On passera, entre autres, devant le musée Armand-Frappier. 🐕 (sauf sur une partie des 3e et 4e parcours)

RÉSEAU PÉDESTRE 15,7 km (Multi : 15,7 km) (mixte, débutant)

HORAIRE	Toute l'année, du lever au coucher du soleil
TARIF	Gratuit
ACCÈS	Le 1er parcours débute en face du 56 de la 66e Avenue; le 2e à l'église Saint-Maxime, sur le boulevard Lévesque Ouest entre les 77e et 80e Avenues; le 3e à l'île Paton par la promenade des Îles; le 4e au stationnement municipal de l'île Paton; le 5e près du parc-école Western Laval High School, à l'angle du chemin du Souvenir et de l'avenue Clarendon; le 6e à l'église Saint-Martin, au 4080 du boulevard Saint-Martin Ouest.
	Transport public : du métro Henri-Bourassa. 1er parcours : prendre l'autobus 24 Chomedey et descendre à l'arrêt Cartier/68e; 2e parcours : prendre l'autobus 44 Gare Sainte-Dorothée et descendre à l'arrêt Lévesque/80e; 3e parcours : prendre l'autobus 20 Chomedey et descendre à l'arrêt des Îles/des Cageux; 4e parcours : prendre l'autobus 20 Chomedey et descendre à l'arrêt des Îles/Paton; 5e parcours : prendre l'autobus 24 Chomedey et descendre à l'arrêt Notre-Dame/Clarendon; 6e parcours : prendre l'autobus 46 Saint-Eustache et descendre à l'arrêt Saint-Martin/Favreau.
DOCUMENTATION	Guide « Marcher et découvrir Laval » (sur le site Web, dans les bureaux municipaux des loisirs (BML), dans les bibliothèques et à la maison des Arts)
INFORMATION	450 978-8903 • www.ville.laval.qc.ca

[JCT] PARC SCIENTIFIQUE ET DE HAUTE TECHNOLOGIE

8 MARCHER ET DÉCOUVRIR LAVAL – SECTEUR 4

Ce secteur couvre la pointe ouest de l'île et s'étend vers l'est jusqu'à l'autoroute Chomedey (13). Il est entouré par la rivière des Prairies, le lac des Deux Montagnes et la rivière des Mille Îles. Il comprend quatre unités communautaires : Sainte-Dorothée, Laval/Les Îles, Laval-Ouest et Fabreville-Ouest. Six parcours, mesurant de 1,8 à 6,4 km, permettent d'explorer l'héritage patrimonial des vieux quartiers et des îles de Laval. 🐕

RÉSEAU PÉDESTRE 23,7 km (Multi : 23,7 km) (mixte, débutant)

HORAIRE	Toute l'année, du lever au coucher du soleil
TARIF	Gratuit
ACCÈS	Le 1er parcours débute à l'église Sainte-Dorothée, au 655 de la rue Principale; le 2e au stationnement du club de curling de Laval-sur-le-Lac, au 10 de l'avenue des Pins; le 3e au stationnement de l'église Notre-Dame-de l'Espérance, dans l'île Bigras; le 4e à l'angle de la 55e Avenue et de la promenade Riviera; le 5e à l'angle de la 10e Rue et de la promenade Riviera; le 6e au stationnement de l'église Saint-Édouard-de-Fabreville, à l'angle de la 18e Avenue et du boulevard Frenette.

Transport public : du métro Henri-Bourassa. 1er parcours : prendre l'autobus 46 Saint-Eustache et descendre à l'arrêt Principale/Noël; 2e parcours : prendre l'autobus 72 Gare Sainte-Dorothée et descendre à l'arrêt Les Érables/Les Pins; 3e parcours : prendre l'autobus 44 Gare Sainte-Dorothée et descendre à l'arrêt du Bord de l'Eau/Dupont; 4e parcours : prendre l'autobus 72 Gare Sainte-Dorothée et descendre à l'arrêt Sainte-Rose/55e; 5e parcours : prendre l'autobus 46 Saint-Eustache et descendre à l'arrêt Arthur-Sauvé/12e Rue; 6e parcours : prendre l'autobus 72 Gare Sainte-Dorothée et descendre à l'arrêt Sainte-Rose/14e.

| DOCUMENTATION | Guide « Marcher et découvrir Laval » (sur le site Web, dans les bureaux municipaux des loisirs (BML), dans les bibliothèques et à la maison des Arts) |
| INFORMATION | 450 978-8904 • www.ville.laval.qc.ca |

9 MARCHER ET DÉCOUVRIR LAVAL – SECTEUR 5

Ce secteur est entouré par la rivière des Mille Îles et trois autoroutes : Chomedey (13), Laval (440) et des Laurentides (15). Il comprend deux unités communautaires : Fabreville-Est et Sainte-Rose. Trois parcours de marche, d'une longueur de 4,5 à 7,4 km, mènent en bordure de la rivière des Mille Îles, dans un coin retiré et calme de Laval ainsi que dans le Vieux-Sainte-Rose. Bâtiments anciens et modernes se côtoient. ♞

P ♞ (X ⊐ ⌂ ⚡

| RÉSEAU PÉDESTRE | 16,9 km (Multi : 16,9 km) (mixte, débutant) |

HORAIRE	Toute l'année, du lever au coucher du soleil
TARIF	Gratuit
ACCÈS	Le 1er parcours débute à la ferme Sainte-Thérèse, à l'angle des boulevards Sainte-Rose et Mattawa; le 2e à la bibliothèque Gabrielle-Roy, au 3505 du boulevard Dagenais; le 3e à l'église Sainte-Rose-de-Lima, au 219 du boulevard Sainte-Rose.

Transport public : du métro Henri-Bourassa. 1er parcours : prendre l'autobus 72 Gare Sainte-Dorothée et descendre à l'arrêt Sainte-Rose/de Gênes; 2e parcours : prendre l'autobus 55 Laval-Ouest et descendre à l'arrêt Anik/Montrougeau; 3e parcours : prendre l'autobus 72 Gare Sainte-Dorothée et descendre à l'arrêt Sainte-Rose/Cantin.

| DOCUMENTATION | Guide « Marcher et découvrir Laval » (sur le site Web, dans les bureaux municipaux des loisirs (BML), dans les bibliothèques et à la maison des Arts) |
| INFORMATION | 450 978-8905 • www.ville.laval.qc.ca |

JCT PARC DE LA RIVIÈRE DES MILLE ÎLES

Ce secteur est situé au centre-nord de l'île. Il est borné au nord par la rivière des Mille Îles, au sud par l'autoroute 440, à l'est par le chemin de fer du Canadien Pacifique et l'autoroute Papineau (19), et à l'ouest par le boulevard Sainte-Marie. Il comprend trois unités communautaires : Auteuil, Saint-Bruno et Vimont. Trois parcours, de 1,2 à 4,6 km de longueur, font découvrir l'avenue des Perron, un développement domiciliaire dont les maisons on la forme d'alvéoles, et un ancien rang devenu boulevard. 🐎

P 🚶 🧗 ⛺ ⛷ 🚴

RÉSEAU PÉDESTRE	8,3 km (Multi : 8,3 km) (mixte, débutant)

HORAIRE	Toute l'année, du lever au coucher du soleil
TARIF	Gratuit
ACCÈS	Le 1er parcours débute à l'angle de l'avenue des Perron et du boulevard des Laurentides; le 2e à l'église Saint-Bruno, au 2287 rue Aladin; le 3e à l'angle des boulevards Saint-Elzéar Est et des Laurentides.
	Transport public : *du métro Henri-Bourassa. 1er parcours : prendre l'autobus 31 Auteuil et descendre à l'arrêt des Laurentides/des Perron; 2e parcours : prendre l'autobus 72 Gare Sainte-Dorothée, descendre à l'arrêt des Laurentides/de Belgrade, puis prendre l'autobus 27 Vimont en direction métro Henri-Bourassa et descendre à l'arrêt du Rucher/Aladin; 3e parcours : prendre l'autobus 72 Gare Sainte-Dorothée et descendre à l'arrêt des Laurentides/Saint-Elzéar.*
DOCUMENTATION	Guide « Marcher et découvrir Laval » (sur le site Web, dans les bureaux municipaux des loisirs (BML), dans les bibliothèques et à la maison des Arts)
INFORMATION	450 662-4906 • www.ville.laval.qc.ca

JCT PARC DE LA RIVIÈRE DES MILLE ÎLES

11 **PARC DE LA RIVIÈRE DES MILLE ÎLES**

Ce parc a une superficie de 16 km². Son territoire, comprenant des zones protégées, est composé de la rivière, d'îles et de marais. En parcourant les différents sentiers, on traversera une érablière argentée et on pourra atteindre plusieurs îles en canot ou en pédalo. À proximité de l'île Locas, on aura accès à un belvédère flottant offrant une vue sur une aire marécageuse isolée et sur une hutte de castor. Deux passerelles permettent de circuler à travers un boisé marécageux au bois de Rosemère et à l'île Darling. Cette dernière, tout comme l'île des Juifs, a été désignée refuge faunique par le gouvernement du Québec pour sa grande valeur écologique. On pourra apercevoir une faune variée et des traces du passage des rares cerfs de Virginie présents. Ce parc renferme plusieurs espèces végétales et animales en péril dont l'orme liège, le faucon pèlerin et la chauve-souris rousse.

RÉSEAU PÉDESTRE 7,8 km

SENTIERS ET PARCOURS	LONGUEUR	TYPE	NIVEAU
Ile des Juifs	1,8 km	boucle	débutant
Ile Darling	0,4 km	linéaire	débutant
Ile aux Fraises	0,6 km	boucle	débutant
Ferme Sainte-Thérèse	2,0 km	mixte	débutant
Marécage Tylee	0,8 km	linéaire	débutant
Marais du Manoir	0,5 km	linéaire	débutant
Ile Chabot	0,7 km	boucle	débutant
Ile au Mouton	0,5 km	linéaire	débutant
Ile Kennedy	0,5 km	linéaire	débutant

HORAIRE	De mai à fin septembre, de 9 h à 18 h
TARIF	Gratuit
	Frais de location d'embarcation pour atteindre les îles.
ACCÈS	De l'autoroute des Laurentides (15), prendre la sortie 16 et emprunter le boulevard Sainte-Rose vers l'est. Le parc est situé à 700 m plus loin.
	Transport public : du métro Henri-Bourassa, prendre l'autobus 72 et descendre à l'angle du boulevard Sainte-Rose et de la rue Longpré.
DOCUMENTATION	Dépliant-carte, brochure (à l'accueil)
INFORMATION	450 622-1020 • www.parc-mille-iles.qc.ca

JCT MARCHER ET DÉCOUVRIR LAVAL – SECTEUR 5 ET 6

12 PARC DES PRAIRIES

Ce parc, situé au cœur du quartier Laval-des-Rapides, a une superficie de 30 hectares comprenant des espaces gazonnés, des champs, des étangs et un boisé. Ce dernier est peuplé d'érables argentés, de peupliers deltoïdes, de caryers ovales et de saules noir, fragile et pleureur. On pourra emprunter un sentier écologique agrémenté de 32 bornes d'interprétation de la nature. Dans le parc, on verra des bâtiments historiques, des modules d'hébertisme et cinq arbres sculptés appelés les « cinq géants ». On pourra apercevoir plusieurs oiseaux et des marmottes. L'étang naturel abrite des canards ainsi que plusieurs amphibiens et invertébrés comme des écrevisses.

Autre : modules d'hébertisme

RÉSEAU PÉDESTRE	4,2 km (Multi : 2,5 km) (mixte, débutant)
HORAIRE	Toute l'année De mi-avril à début octobre : 7 h à 22 h Le reste de l'année : 7 h à 19 h
TARIF	Gratuit
ACCÈS	De la sortie 7 de l'autoroute des Laurentides (15), prendre le boulevard des Prairies vers l'est. L'entrée principale se trouve au coin de l'avenue du Crochet. *Transport public : du métro Henri-Bourassa, prendre l'autobus 20 vers Chomedey et descendre à l'arrêt des Prairies, en face du 227.*
DOCUMENTATION	Guide « Marcher et découvrir Laval », dépliant promotionel et dépliant-jeu-questionnaire (sur le site Web, au chalet du parc, dans les bureaux municipaux des loisirs (BML), dans les bibliothèques et à la maison des Arts)
INFORMATION	450 662-4902 • 450 662-4297

JCT MARCHER ET DÉCOUVRIR LAVAL – SECTEUR 2

13 PARC SCIENTIFIQUE ET DE HAUTE TECHNOLOGIE

Ce parc, créé en 1989, a un territoire d'une superficie de 1 km² recouvert d'une forêt mixte dans laquelle les feuillus dominent. Situé en milieu urbain, il est attenant à un complexe de recherche scientifique. Son boisé, inhabituel en milieu urbain, comprend des espèces végétales typiques du sud du Québec. On verra le musée Armand-Frappier et on pourra apercevoir une faune composée, entre autres, du renard roux et du grand-duc. 🐾

🏠P禾

RÉSEAU PÉDESTRE	1,5 km (linéaire, débutant)
HORAIRE	De début mai à fin octobre, du lever au coucher du soleil
TARIF	Gratuit
ACCÈS	On peut accéder à ce parc à la jonction des boulevards Cartier et Armand-Frappier, immédiatement à l'ouest de l'autoroute des Laurentides (15). *Transport public : du métro Henri-Bourassa, prendre l'autobus 24 et descendre à l'angle du boulevard Cartier et de la rue Armand-Frappier où se situe le parc.*
DOCUMENTATION	Guide « Marcher et découvrir Laval » (sur le site Web, dans les bureaux municipaux des loisirs (BML),dans les bibliothèques et à la maison des Arts)
INFORMATION	450 978-8903 • www.ville.laval.qc.ca

JCT MARCHER ET DÉCOUVRIR LAVAL – SECTEUR 3

Manicouagan

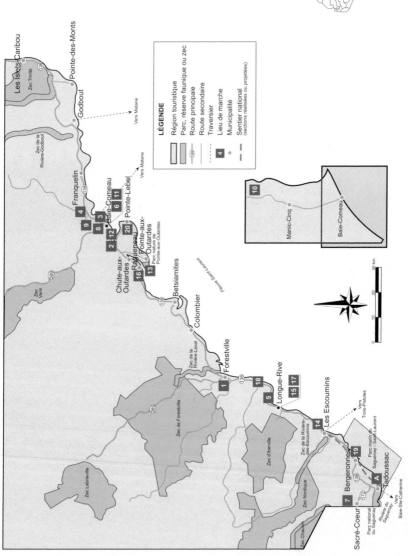

Photo page précédente : Parc Nature de Pointe-aux-Outardes (LMI - Daniel Pouplot)

LIEUX DE MARCHE

1. BAIE-VERTE FORESTVILLE
2. BOISÉ DE LA FALAISE
3. BOISÉ DE LA POINTE SAINT-GILLES
4. CENTRE BORÉAL DU SAINT-LAURENT
5. CENTRE D'INTERPRÉTATION DES MARAIS SALÉS
6. CIRCUIT PATRIMONIAL DE BAIE-COMEAU
7. FERME 5 ÉTOILES
8. LES SENTIERS DE LA RIVIÈRE AMÉDÉE
9. LES SENTIERS NORDFOND
10. MONTS GROULX / UAPISHKA
11. PARC DES PIONNIERS
12. PARC MANICOUAGAN
13. PARC NATURE DE POINTE-AUX-OUTARDES
14. PROMENADE LES ESCOUMINS
15. RELAIS D'INFORMATION TOURISTIQUE
16. SENTIER DE LA RIVIÈRE-AUX-ROSIERS
17. SENTIER DES CRANS ROUGES
18. SENTIER PÉDESTRE DE PORTNEUF-SUR-MER
19. SENTIER POLYVALENT DU CLUB LE MORILLON
20. SENTIERS DE MANICOUAGAN

A. PARC NATIONAL DU SAGUENAY
(RÉGION SAGUENAY – LAC-SAINT-JEAN)

1 BAIE-VERTE FORESTVILLE

Ce réseau de sentiers, situé en bordure du Fleuve et du lac Forest, sillonne une forêt mixte parsemée de plans d'eau. On verra une falaise et on grimpera sur un mont agrémenté de deux belvédères. L'un offre une vue sur le Fleuve, l'autre sur la rivière Sault-au-Cochon. Ces belvédères et les sentiers offrent des points de vue sur la ville. On pourra apercevoir des loutres et des castors, ainsi que plusieurs espèces d'oiseaux.

🏕 P 👫 🍴 ⛺ 🚂 🌉 🌲 🚣

RÉSEAU PÉDESTRE 6,2 km

HORAIRE Toute l'année, du lever au coucher du soleil

TARIF Gratuit

SENTIERS ET PARCOURS	LONGUEUR	TYPE	NIVEAU	DÉNIVELÉ
Le Sommet	1,2 km	boucle	débutant	
Le Bord de l'Eau	1,4 km	boucle	débutant	
Le Contour	1,3 km	mixte	débutant	
Le Forestier	0,8 km	boucle	débutant	
Le Rivage	0,8 km	linéaire	débutant	
L'Aperçu	0,7 km	boucle	débutant	50 m

ACCÈS De la route 138 à Forestville, prendre la 1ʳᵉ Avenue le long de laquelle se situent trois accès.

DOCUMENTATION Dépliant-carte (à l'accueil et au bureau d'information touristique)

INFORMATION 418 587-2285 • 418 587-2109

2 BOISÉ DE LA FALAISE

Des sentiers ont été aménagés dans le boisé mixte bordant la rivière. Au bord de la rivière, on trouve une plus forte concentration de conifères dont le sapin et l'épinette noire. On passera sur des escarpements d'où on aura une vue sur l'estuaire de la rivière Manicouagan et celui du Fleuve. Plus de 150 espèces d'oiseaux y ont été observées. Ce boisé est un important site archéologique, des objets datant de quelques millénaires y ayant été trouvés lors de fouilles faites il y a environ 10 ans. À l'été 2007, on y construira un abri au toit octogonal. Ce sera un lieu d'interprétation de la nature. 🦌

⭐ P 🪑

RÉSEAU PÉDESTRE 10 km (Multi : 10 km) (mixte, débutant)

HORAIRE Toute l'année, du lever au coucher du soleil

TARIF Gratuit

De Baie-Comeau, suivre le boulevard Laflèche (route 138) vers l'est, puis tourner à droite sur le boulevard Blanche. Tourner ensuite à gauche sur la rue de la Falaise.

INFORMATION   418 296-8178 • 418 296-8106 • www.ville.baie-comeau.qc.ca

JCT   PARC MANICOUAGAN

3 BOISÉ DE LA POINTE SAINT-GILLES

On retrouve dans ce boisé mixte, occupant un territoire d'une superficie de 1 110 hectares en bordure du Saint-Laurent, le cerisier de Pennsylvanie et une épinette âgée de 300 ans. En parcourant les sentiers, on passera par les milieux forestier, urbain, marin et lacustre, des milieux qu'il est rare de retrouver tous au même endroit. Un sentier mène à une halte sur la falaise, permettant de voir et d'entendre une échouerie de phoque commun. On passera près d'une colline et on pourra admirer une petite chute. Le sentier de la Falaise longe la plage Champlain. Le long du sentier du Versant Sud, on retrouvera un massif d'iris versicolore. Une fleur, l'aster de la Nouvelle-Angleterre, est présente sur le sentier des Écureuils. Près de l'étang des Méandres, on trouve la promenade des Drosera et une halte. On apercevra des renards et des lièvres. Des fables de La Fontaine pyrogravées et des sculptures bordent les sentiers. 🐎

RÉSEAU PÉDESTRE   12,1 km (Multi : 12,1 km)

SENTIERS ET PARCOURS	LONGUEUR	TYPE	NIVEAU
Sentier des Champignons	0,8 km	linéaire	débutant
Sentier des Coccinelles	0,9 km	linéaire	débutant
Sentier de la Falaise	0,7 km	linéaire	débutant
Sentier de l'Étang	0,8 km	linéaire	débutant
Sentier des Écureuils	0,9 km	linéaire	débutant
La Grande Allée	1,3 km	linéaire	débutant
Sentier des Grenouilles	0,3 km	linéaire	débutant
Sentier des Iris	0,4 km	linéaire	débutant
Sentier du Kalmia	0,7 km	linéaire	débutant
Sentier des Oiseaux	0,8 km	linéaire	débutant
Sentier des Papillons	0,7 km	linéaire	débutant
Sentier de la Petite Chute	0,5 km	linéaire	débutant
Sentier sur le Flanc	0,9 km	linéaire	débutant
Sentier du Versant Sud	0,7 km	linéaire	débutant
La glissade des enfants	0,6 km	linéaire	débutant
Sentier Bec et Plumes	0,4 km	linéaire	débutant
Sous les peupliers	0,5 km	boucle	débutant
La forêt noire	0,2 km	linéaire	débutant

HORAIRE   Toute l'année, du lever au coucher du soleil
TARIF   Gratuit
ACCÈS   De Baie-Comeau, suivre le boulevard Lasalle en direction est et tourner à droite sur la rue Laval. L'entrée se trouve plus loin, au parc Laval.
DOCUMENTATION   Dépliant (au bureau de la ville de Baie-Comeau et au kiosque touristique)
INFORMATION   418 589-9229 poste 2756 • 418 296-0170
                 boise@abitibiconsolidated.com

Ce parc, le premier du genre au Québec, occupe un territoire de 127 km² aménagé dans les collines bordant l'estuaire du Saint-Laurent. Ses sentiers, passant par 10 sites d'observation maritime, sont divisés en deux secteurs permettant d'observer des phénomènes particuliers liés à la glaciation tels que des cannelures géantes, un canyon glaciaire et d'énormes blocs erratiques. Le secteur des Mers Anciennes traite du phénomène de la fluctuation du niveau marin après la fonte des glaciers. De l'anse à Moreau, on pourra apercevoir des mammifères marins comme le phoque commun. Certains sentiers sont situés en milieu forestier. Des promontoires rocheux offrent des panoramas sur la mer et la côte. La chute de la rivière Saint-Pancrace est visible, ainsi que des traces du passage de la mer de Goldthwaith et de la glaciation. Des orignaux sont présents sur le

territoire. On y retrouve des panneaux d'interprétation vocaux. Ces panneaux expliquent comment les traces laissées par la dernière glaciation ont façonné le paysage. 🚻

🏛️ P 👫 🏕️ ⛺ 🅰️ 🅰️ 🏠 🎪 🗿 🚃 🎒

Autres : via ferrata, corde d'escalade

RÉSEAU PÉDESTRE 56,6 km (Multi : 9,8 km)

SENTIERS ET PARCOURS	LONGUEUR	TYPE	NIVEAU
Sentier du Lac Glaciaire	7,4 km	boucle	intermédiaire
Sentier de l'Étang	0,7 km	linéaire	débutant
Sentier des Panoramas	0,8 km	boucle	débutant
Sentier de la Baie du Garde-Feu	0,6 km	linéaire	débutant
Sentier des Cannelures	0,7 km	linéaire	intermédiaire
Sentier des Poursis	1,8 km	linéaire	intermédiaire
Sentier des Bassins	0,5 km	linéaire	intermédiaire
Sentier de la Tyrolienne	1,3 km	linéaire	intermédiaire
Circuit des Mers Anciennes	5,5 km	linéaire	intermédiaire
Sentier de la Mer de Goldthwaith	4,3 km	linéaire	intermédiaire
Sentier des Sommets	2,6 km	linéaire	intermédiaire
Sentier du Petit Rorqual	2,3 km	linéaire	intermédiaire
Sentier de la Baie des Anglais	1,1 km	linéaire	intermédiaire
Sentier du Jardin des Glaciers	1,9 km	linéaire	intermédiaire
Sentier de l'Estuaire	0,3 km	linéaire	intermédiaire
Sentier du Saint-Laurent	1,7 km	linéaire	intermédiaire
Circuit des glaciers	3,6 km	linéaire	débutant
Tour de l'île	5,5 km	boucle	intermédiaire
Grand Tour	14,0 km	boucle	avancé

HORAIRE	Toute l'année, de 9 h à 20 h
TARIF	Gratuit. Des frais s'appliquent pour les activités de tyrolienne, via ferrata, kayak de mer et autres.
ACCÈS	De Baie-Comeau, prendre la route 138 est. Un panneau indiquant la porte d'entrée est visible au kilomètre 784.
DOCUMENTATION	Carte des sentiers (sur le site Web)
INFORMATION	418 296-0177 • 418 296-0182 • www.projetcentreboreal.com

5 CENTRE D'INTERPRÉTATION DES MARAIS SALÉS

Un marais salé est un milieu humide, une halte pour les oiseaux migrateurs tels que l'oie des neiges et la bernache du Canada. Le sentier, sur trottoir de bois, permet d'observer les différentes plantes aquatiques poussant dans les marais et les mammifères y vivant comme le rat musqué, la taupe et la souris. On y verra aussi plus de 150 espèces d'oiseaux dont le faucon pèlerin et le bruant de LeConte. Des panneaux d'interprétation et un dépliant renseignent sur la flore et la faune du marais.

RÉSEAU PÉDESTRE 1 km (boucle, débutant)

HORAIRE	De mi-juin à début septembre, de 9 h à 18 h
TARIF	Gratuit
ACCÈS	Des Escoumins, suivre la route 138 est jusqu'à Longue-Rive où se trouve le Centre d'interprétation.
DOCUMENTATION	Dépliant (à l'accueil)
INFORMATION	418 • 231-2344 • 418 231-1077 • munlonguerive@bellnet.ca

6 CIRCUIT PATRIMONIAL DE BAIE-COMEAU

En parcourant ce circuit, on verra plusieurs lieux et bâtiments historiques. Le point de départ est la maison du patrimoine Napoléon-Alexandre-Comeau, dont on aperçoit le buste à l'entrée. Tout près, on peut voir l'hôtel de ville. La place du colonel McCormick est un parc commémoratif à cet homme qui a fondé Baie-Comeau, avec une œuvre en bronze inaugurée un an après sa mort, en 1956. On passera par la plage Champlain, l'édifice Arcade qui est un des premiers immeubles commerciaux de la ville et le Manoir qui est un hôtel. On pourra visiter l'église Sainte-Amélie et l'église St.Andrew and St.George, datant toutes les deux des années 30. On trouve quelques panneaux d'interprétation dispersés le long du circuit. On y trouve des expositions thématiques et un centre d'archives.

Note : le pavillon d'accueil est, en fait, la maison du patrimoine.

RÉSEAU PÉDESTRE 5,2 km (Multi : 5,2 km) (mixte, débutant)

| HORAIRE | D'avril à novembre, du lever au coucher du soleil |
| TARIF | Gratuit |

De Baie-Comeau, suivre la route 138 en direction est et prendre le boulevard LaSalle. Tourner à droite sur l'avenue Marquette. Continuer jusqu'au numéro 9, la maison du patrimoine, où est situé le stationnement.

INFORMATION   418 296-8178 • www.ville.baie-comeau.qc.ca

`JCT`   PARC DES PIONNIERS

7 FERME 5 ÉTOILES

Cette ferme occupe un territoire de 365 hectares, donnant sur le fjord du Saguenay. Ses sentiers relient ceux du parc national du Saguenay et sillonnent en partie une forêt diversifiée. Le sentier du Lac mène à un lac ensemencé de truites et passe près d'une meute de chiens de traîneau. Un sentier traverse une érablière en montagne. Le sentier Fjord-Montagne traverse toutes les terres jusqu'à un endroit plus rocailleux offrant une vue sur le Fjord. Le sentier des Parcs permet de visiter la ferme et ses animaux en enclos. On y retrouve 32 espèces sauvages et domestiques dont le cerf, l'orignal, le bison, le raton laveur, le cheval et la vache. Il y a un service de navette terrestre entre Baie-Sainte-Marguerite et Tadoussac, en collaboration avec le parc national du Saguenay. 🐾

RÉSEAU PÉDESTRE   19 km (Multi : 6 km)

SENTIERS ET PARCOURS	LONGUEUR	TYPE	NIVEAU	DÉNIVELÉ
Sentier du Lac	1,0 km	boucle	débutant	80 m
Sentier des Parcs	2,0 km	boucle	débutant	80 m
Sentier Ferme-Fjord	6,0 km	linéaire	débutant	150 m
Sentier de l'Érablière	3,0 km	boucle	intermédiaire	150 m
Sentier Fjord-Montagne	7,0 km	boucle	intermédiaire	150 m

HORAIRE   Toute l'année, du lever au coucher du soleil
TARIF   3,00 $ par personne
ACCÈS   De Tadoussac, prendre la route 172 sur environ 20 km.
DOCUMENTATION   Dépliant (à l'accueil)
INFORMATION   418 236-4551 • 1 877 236-4551 • www.ferme5etoiles.com

`JCT`   PARC NATIONAL DU SAGUENAY (SAGUENAY - LAC-SAINT-JEAN)

8 LES SENTIERS DE LA RIVIÈRE AMÉDÉE

Ces sentiers, longeant la rivière Amédée, sillonnent une forêt mixte composée, entre autres, de tremble, de bouleau, de peuplier, de sapin, d'épinette noire et d'épinette blanche. On y retrouve aussi plusieurs plantes comme l'épilobe, le thé du Labrador et l'iris des marais. On y apercevra des perdrix, des mésanges et des canards, dont le canard branchu qui profite de la présence de nichoirs. Des renards et des lièvres sont présents. La Boucle traverse deux fois la rivière et donne accès à la piste L'Observatoire, qui mène à un point de vue sur la rivière et la ville de Baie-Comeau. Le Déversoir permet de voir la source de la rivière. Avec beaucoup de chance, on apercevra un orignal ou, du moins, des traces de son passage. La Pimbina porte ce nom car on trouve quelques représentants de cette espèce le long du sentier. Le Cran passe sur des pans de montagnes, des endroits rocheux dénudés. On y verra des épinettes blanches. Sur le sentier le Cran, on trouve des spécimens de sabot de la Vierge, une plante en danger. 🐴

RÉSEAU PÉDESTRE 36,4 km (Multi : 15 km)

SENTIERS ET PARCOURS	LONGUEUR	TYPE	NIVEAU
L'Amicale	2,2 km	linéaire	débutant
La Boucle	2,0 km	boucle	intermédiaire
Le Côteau	7,0 km	boucle	intermédiaire
Le Déversoir	9,4 km	boucle	débutant
Le Manège	5,5 km	boucle	débutant
L'Observatoire	1,6 km	linéaire	avancé
Le Raccourci	0,9 km	linéaire	débutant
Le Détour	2,8 km	linéaire	débutant
La Pimbina	3,0 km	boucle	débutant
Le Cran	2,0 km	boucle	débutant

HORAIRE	De mai à novembre, du lever au coucher du soleil
TARIF	Gratuit
ACCÈS	On accède aux sentiers par le stationnement du club de golf, en plein centre-ville de Baie-Comeau.
DOCUMENTATION	Carte (dans le répertoire de la ville, au bureau municipal)
INFORMATION	418 589-3802 • www.membres.lycos.fr/skiamede

9 LES SENTIERS NORDFOND

En parcourant les pistes du réseau, on longera en partie la rivière aux Anglais et on s'en éloignera par endroits pour grimper dans la montagne. 🐴

RÉSEAU PÉDESTRE 33,5 km

SENTIERS ET PARCOURS	LONGUEUR	TYPE	NIVEAU
Grand Boulevard	7,3 km	linéaire	débutant
Canadienne	3,7 km	linéaire	intermédiaire
Montagnarde	2,1 km	boucle	intermédiaire
Baladeuse	1,5 km	boucle	débutant
Côte	1,9 km	boucle	intermédiaire
Suédoise	2,2 km	boucle	débutant
Alpine	1,7 km	linéaire	intermédiaire
Scandinave	1,0 km	linéaire	intermédiaire
Nordique	2,5 km	boucle	intermédiaire
Québécoise	4,8 km	linéaire	intermédiaire
Finlandaise	4,8 km	linéaire	intermédiaire

HORAIRE   De juin à octobre, de 9 h à 16 h
TARIF   Gratuit
ACCÈS   De Baie-Comeau, suivre la route 138 est sur environ 10 km. Prendre ensuite un chemin sur la gauche en suivant les indications pour le centre de ski Mont Ti-Basse. Parcourir environ 2 km. L'entrée se situe sur la droite, avant un petit pont.
DOCUMENTATION   Carte (dans le répertoire de la ville, au bureau municipal)
INFORMATION   418 296-8324

10   MONTS GROULX / UAPISHKA

Les monts Groulx sont formés d'une trentaine de sommets. Ce massif façonné par le passage des glaciers fait partie d'une des plus importantes chaînes de montagnes au Québec. Ses sommets offrent une vue sur un des cratères météoritiques les plus importants au monde, visible de l'espace, Manicouagan. Deux sentiers sont balisés. Le premier débute au camp Nomade et mène au massif Provencher et à l'abri du lac Quintin. On poursuit la randonnée sur 20 km à travers ce territoire de près de 5 000 km² non balisé. Il faut y utiliser carte et boussole. On passera par plusieurs milieux variant selon l'altitude : la forêt boréale et la taïga à la base, la forêt alpine dans les hautes vallées et la toundra arctique sur les sommets. Il s'agit d'un écosystème unique. On y trouvera des anciennes forêts d'épinettes blanches, dont une grande partie sont âgées de plus de 200 ans, des épinettes noires, des mélèzes laricins, des bouleaux blancs, des

saules blancs et des peupliers faux-trembles. Les plus importants sommets à l'ouest du massif sont le mont Veyrier et le mont Jauffret. Quelques kilomètres au nord de ce dernier, on retrouve l'autre sentier balisé menant au kilomètre 365 de la route 389. On aura des points de vue sur de nombreux lacs et sur le réservoir Manicouagan. On pourra apercevoir les représentants d'une faune diversifiée dont le caribou des bois, le lynx du Canada, la martre d'Amérique, le lemming, l'hermine et le pékan, ainsi que plusieurs oiseaux dont le sizerin flammé, le harle huppé, la buse à queue rousse et le tétras du Canada. Ce circuit peut se faire en quatre jours. Il n'y a aucun service de secours, ne compter que sur soi-même. Il est recommandé de posséder une solide expérience de la randonnée hors-piste, car le brouillard y est fréquent et les conditions sont parfois extrêmes. 🎯 (avec un chien, il est particulièrement recommandé de faire attention aux porcs-épics.)

RÉSEAU PÉDESTRE   40 km

SENTIERS ET PARCOURS	LONGUEUR	TYPE	NIVEAU	DÉNIVELÉ
Paul Provencher	12,0 km	linéaire	avancé	600 m
Jauffret	7,0 km	linéaire	avancé	600 m

HORAIRE	Toute l'année, en tout temps
TARIF	Gratuit
ACCÈS	De Baie-Comeau, suivre la route 389 nord jusqu'au kilomètre 335 indiqué en bordure de la route. Le stationnement se trouve du côté droit de la route.
DOCUMENTATION	Carte (aux bureaux d'information touristique de Manicouagan)
INFORMATION	418 296-0180 • 1 888 463-5319 • www.monts-groulx.ca

11 PARC DES PIONNIERS

Ce parc est un ancien dépôt d'écorce qui a été remblayé. Le sentier longe le fleuve Saint-Laurent et offre des points de vue sur ce dernier. On verra une plantation d'arbres datant d'une dizaine d'années composée d'aulnes, de bouleaux et de peupliers. Le sentier L'Étang conduit à un étang à la sauvagine, où on verra aussi une cascade. On retrouve deux belvédères offrant une vue sur le Fleuve le long de la piste cyclable. On peut accéder à un prolongement du parc qui conduit au centre-ville, agrémenté de panneaux d'interprétation historique. 🐾

🏠 P 🚹 (🎋 🏠 🎐 🐾 ✒

RÉSEAU PÉDESTRE 3,5 km (Multi : 3,5 km)

SENTIERS ET PARCOURS	LONGUEUR	TYPE	NIVEAU
Piste cyclable	2,0 km	linéaire	débutant
L'Étang	1,5 km	linéaire	débutant

HORAIRE	Toute l'année, du lever au coucher du soleil
TARIF	Gratuit
ACCÈS	De Baie-Comeau, suivre la route 138 est puis, dans le secteur Marquette, emprunter le boulevard LaSalle. Traverser place LaSalle et tourner à gauche, aux feux de circulation, sur la rue Cabot.
INFORMATION	418 296-8178 • 418 296-8106 • www.ville.baie-comeau.qc.ca

[JCT] CIRCUIT PATRIMONIAL DE BAIE-COMEAU

12 PARC MANICOUAGAN

Ce parc longe la rivière Manicouagan, offrant une vue sur cette dernière. Le sentier Forestier passe par une lisière forestière composée de peuplier, de bouleau, de sapin, d'épinette, de merisier et de sorbier. On y verra surtout des bernaches et des canards. Le sentier Terre est gazonné. On y trouve quelques arbustes et de hautes herbes atteignant une hauteur de plus de 1 mètre. On pourra aussi observer des goélands et des grands hérons. 🐾

⭐ P 🎋 🌿

RÉSEAU PÉDESTRE 6,5 km (Multi : 2 km)

SENTIERS ET PARCOURS	LONGUEUR	TYPE	NIVEAU
Piste cyclable	2,0 km	linéaire	débutant
Sentier Forestier	1,5 km	linéaire	débutant
Sentier Terre	3,0 km	boucle	débutant

HORAIRE	Toute l'année, du lever au coucher du soleil
TARIF	Gratuit
ACCÈS	De Baie-Comeau, suivre le boulevard Laflèche, puis tourner en direction de la rivière Manicouagan, sur une de ces rues menant directement au parc : Normandie, Lejeune, Hélène ou Bélanger.
INFORMATION	418 296-8178 • 418 296-8106 • www.ville.baie-comeau.qc.ca

JCT   BOISÉ DE LA FALAISE

13 PARC NATURE DE POINTE-AUX-OUTARDES

Au confluent du fleuve Saint-Laurent et de la rivière aux Outardes, le parc occupe une superficie de 1 km². Les sentiers passent par huit écosystèmes différents dont une sapinière-pessière, des champs en friche, une pinède, un marais salé, une tourbière, une aulnaie, une plage et des dunes. Plus de 200 espèces d'oiseaux y nichent ou y font escale dans leur migration. Le sentier du Lièvre est composé en partie d'un long trottoir de bois. Un autre sentier longe un marais salé, quatrième en importance au Québec pour sa superficie.

RÉSEAU PÉDESTRE 5,7 km

SENTIERS ET PARCOURS	LONGUEUR	TYPE	NIVEAU
Sentier du Renard	2,4 km	boucle	débutant
Sentier du Lièvre	1,8 km	boucle	débutant
Sentier de l'Écureuil	1,5 km	boucle	débutant

HORAIRE	De mi-mai à mi-octobre, du lever au coucher du soleil
TARIF	Adulte : 5,00 $
	Âge d'or et étudiant : 4,00 $

ACCÈS	Enfant (6 à 12 ans) : 2,00 $
	Enfant (moins de 5 ans) : gratuit
	De Chute-aux-Outardes, prendre la route 138 est sur environ 17 km et tourner à droite à l'indication de Pointe-aux-Outardes. Poursuivre jusqu'au bout, tourner à nouveau à droite et continuer sur 3 km, soit jusqu'à l'entrée du parc.
DOCUMENTATION	Dépliant, carte (à l'accueil)
INFORMATION	418 567-4227 • 418 567-4226 • www.parcnature.com

14 PROMENADE LES ESCOUMINS

Cette promenade passe en plein cœur du village des Escoumins. Elle débute par un des quatre îlots thématiques informant le promeneur sur le milieu naturel et l'histoire de la municipalité. On emprunte ensuite une passerelle sur la rivière des Escoumins, d'où on pourra apercevoir des saumons, et on accède à un belvédère offrant une vue sur la baie. On se rend ensuite jusqu'à Pointe à la Croix, où on peut voir des baleines et des oiseaux migrateurs. Un autre itinéraire est possible : le sentier des Moulins. Ce sentier longe la baie des Escoumins et conduit au quai des Escoumins, d'où on a une vue sur le Fleuve. Un des îlots thématiques répartis le long de la promenade traite de l'ancien moulin à scie. On trouve une fresque sous la route 138. C'est l'emplacement d'une ancienne digue.

RÉSEAU PÉDESTRE	5 km (Multi : 5 km)
	(linéaire, débutant)
HORAIRE	De mai à octobre, du lever au coucher du soleil
TARIF	Gratuit
ACCÈS	De Tadoussac, suivre la route 138 est jusqu'à la municipalité Les Escoumins. Passer le pont de la rivière des Escoumins et tourner à gauche sur la rue de la Rivière. Le stationnement se trouve dans le parc des Chutes, au bout de la rue.
DOCUMENTATION	Carte du village (au bureau d'information touristique et à l'hôtel de ville)
INFORMATION	418 233-2766 • 418 233-2663 • www.ihcn.qc.ca/escoumins

15 RELAIS D'INFORMATION TOURISTIQUE

Près du stationnement, un belvédère offre une vue sur la rivière Sault-au-Mouton, sur sa chute et sur le Fleuve. Les Amérindiens appelaient autrefois cette rivière « Kaouasagiskaket », ce qui veut dire « rivière qui reluit sur les rochers ». En parcourant ce sentier, on empruntera une passerelle suspendue au-dessus de la rivière, on verra les vestiges d'un ancien moulin à scie et on aura accès à une plage. On passera par quelques zones boisées composées en majorité de feuillus, mais aussi de sapins et d'épinettes.

🏛️P👨‍👦🎋🔥🪑🚶🌿⛷️

RÉSEAU PÉDESTRE 1 km (linéaire, débutant)

HORAIRE	De mai à fin octobre, du lever au coucher du soleil
TARIF	Gratuit
ACCÈS	Des Escoumins, suivre la route 138 est jusqu'à Longue-Rive. Le relais d'information touristique est à l'entrée du village.
DOCUMENTATION	Guide touristique (à l'accueil)
INFORMATION	418 231-2344 munlonguerive@bellnet.ca

16 SENTIER DE LA RIVIÈRE-AUX-ROSIERS

Dans le secteur des chutes, un sentier longe la rivière aux Rosiers et permet d'observer quatre chutes. Plusieurs fenêtres offrent des vues sur la rivière. Des aires de repos ont été aménagées à des endroits stratégiques. Dans le secteur des monts Papinachois, situé un peu à l'écart de la rivière, des sentiers offrent des points de vue panoramique sur les pointes aux Outardes et de Betsiamites, et aussi jusqu'à la rive sud. Le lièvre d'Amérique est présent sur le territoire. 🐕

🚶P🎋🔥🪑🚶🌿🏔️

RÉSEAU PÉDESTRE 23,5 km

ENTIERS ET PARCOURS	LONGUEUR	TYPE	NIVEAU
Sentier Bleu	12,3 km	mixte	intermédiaire
Sentier Jaune	4,2 km	boucle	débutant
Sentier Orange	1,6 km	boucle	débutant
Sentier Rose	1,2 km	boucle	débutant
Sentier Rose et Noir	4,2 km	boucle	débutant

HORAIRE	Toute l'année, du lever au coucher du soleil
TARIF	Gratuit
ACCÈS	Le premier accès se trouve près du quai de Raguenau, sur la route 138. Pour le deuxième accès, suivre la route 138 vers l'est et tourner à gauche sur le chemin d'Auteuil. Le sentier se situe sous les lignes de haute tension.
DOCUMENTATION	Carte (sur le site Web)
INFORMATION	418 567-8431 • www.municipalite.ragueneau.qc.ca/sdr

17 SENTIER DES CRANS ROUGES

Le sentier sillonne une forêt mixte et offre une vue panoramique sur le fleuve Saint-Laurent. On pourra observer des oiseaux ainsi que des mammifères marins, principalement le phoque. 🐕

🚶P🎋

RÉSEAU PÉDESTRE 1,0 km (linéaire, débutant)

HORAIRE	De mai à octobre, du lever au coucher du soleil
TARIF	Gratuit
ACCÈS	Des Escoumins, suivre la route 138 est jusqu'à Longue-Rive. Le stationnement se situe à l'église.
INFORMATION	418 231-2020 • 418 231-2344

18 SENTIER PÉDESTRE DE PORTNEUF-SUR-MER

Ce sentier relie le secteur de la marina aux limites de la municipalité de Forestville. On se promènera sur une crête longeant le fleuve Saint-Laurent. Un escalier permet d'accéder à la plage. Le parcours se termine à un belvédère offrant une vue sur le Fleuve et le village.

RÉSEAU PÉDESTRE 7,4 km (linéaire, débutant)

HORAIRE	De juin à novembre, du lever au coucher du soleil
TARIF	Gratuit
ACCÈS	On accède à ce sentier à Portneuf-sur-Mer, soit à partir de la route 138, soit par la plage.
INFORMATION	418 238-2642 • www.fjord-best.com/portneuf

19 SENTIER POLYVALENT DU CLUB LE MORILLON

Ce sentier part de la marina de Bergeronnes pour se rendre aux Escoumins en longeant la rive du Saint-Laurent. On se promènera dans une tourbière, une forêt reboisée et une forêt naturelle. Il s'agit de la forêt boréale composée en majorité de résineux. On traversera deux campings et on passera près de deux centres d'interprétation. Des haltes offrent une vue sur le Fleuve et sur les baleines. On apercevra des oiseaux comme des canards, des oies et des bécasseaux, et on pourra voir des renards, des lièvres et des pistes d'orignal. Ce sentier est l'ancienne route 138, la première route de la Côte-Nord, appelée aussi « route des Squatteurs » parce que les gens s'y établissaient sans être propriétaires. Un panneau d'interprétation en témoigne.

RÉSEAU PÉDESTRE 16 km (Multi : 16 km) (linéaire, intermédiaire)

HORAIRE	Toute l'année, du lever au coucher du soleil
TARIF	Gratuit
ACCÈS	De la route 138 à Bergeronnes, on peut accéder au sentier par le secteur de la marina, sur la rue de la Mer. D'autres accès sont possibles par les campings Le Paradis Marin et Bon Désir.
DOCUMENTATION	Carte (bureau d'information touristique)
INFORMATION	418 232-6326 • www.bergeronnes.net

20 SENTIERS DE MANICOUAGAN

Il y a 3 000 ans, la coulée des eaux glaciaires a formé un delta de sable à l'embouchure de la rivière Manicouagan. Les sentiers sillonnent une ancienne plage maintenant recouverte de forêt. La majorité des sentiers passe à travers une pinède de pins gris. Le sentier des Champs circule dans un champ composé de végétation en régénération : foin, épilobes et saules à chatons. Le sentier du Cimetière passe à côté du cimetière où reposent les colons de Pointe-Lebel. On y verra des trembles et une forêt de fougères. On retrouve, le long du sentier de la Carrière, des bleuets et du lichen à caribou. Le sentier de l'École débute au centre culturel de Pointe-Lebel. La Traverse permet de passer par la plage pour accéder au marais. Dans cet environnement composé aussi de dunes de sable, on pourra apercevoir des oiseaux dont le balbuzard, la perdrix, la mésange, la corneille et la tourterelle. 🐎

☼ P � (X ⫫ ⊼ ▲ ⊷

RÉSEAU PÉDESTRE 5 km (Multi : 5 km)

ENTIERS ET PARCOURS	LONGUEUR	TYPE	NIVEAU
Des Champs	0,8 km	linéaire	débutant
La Traverse	1,3 km	linéaire	débutant
Le Raccourci	0,8 km	linéaire	débutant
Du Cimetière	0,9 km	linéaire	débutant
De la Carrière	0,5 km	linéaire	débutant
Sentier de l'École	0,7 km	linéaire	débutant

HORAIRE	De mi-mai à début octobre, de 8 h à 23 h
	Le port du dossard orange ou rouge est obligatoire durant cette période.
TARIF	3,00 $ par personne
	Stationnement : 3,00 $
ACCÈS	De Baie-Comeau, prendre la route 138 ouest sur 3 km, tourner à gauche et poursuivre sur 11 km en direction de Pointe-Lebel. L'accueil se situe au camping de la Mer.
DOCUMENTATION	Dépliant-carte (à l'accueil du camping)
INFORMATION	418 589-6576 • campingdelamer@globetrotter.net

Mauricie

MAURICIE

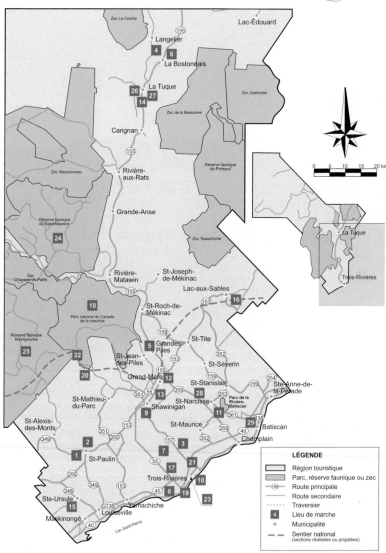

Zec La Croche

Lac-Édouard

(155)
Langelier
4 **6**
La Bostonnais

26 La Tuque
27
14
Zec Jeannotte

Zec de la Bessonne

Carignan

(155)

Zec Wessonneau

Rivière-
aux-Rats

Réserve faunique
de Portneuf

Réserve faunique
du Saint-Maurice

Grande-Anse

24

Zec Tawachiche

La Tuque

Zec Chapeau-de-Paille

Rivière-
Matawin

St-Joseph-
de-Mékinac

Trois-Rivières

Lac-aux-Sables

(153)
16

18
Parc national du Canada
de la mauricie

St-Roch-de-
Mékinac

Réserve faunique
Mastigouche

(159)
5 Grandes-
Piles
St-Tite

25

22
St-Jean-
des-Piles
(153)
(352)
St-Séverin

20
(155)
Grand-Mère **12**
(159)
St-Stanislas
(159)
(354)
Ste-Anne-de-
la-Pérade

(351) 55 **13** 359
28
(352)
St-Mathieu-
du-Parc
9
St-Narcisse
Parc de la
Rivière-
Batiscan

Shawinigan
11
(361)
St-Alexis-
des-Monts
St-Maurice
29 (138)
Batiscan

(351) (153)
(157)
3
(359)
(40)
Champlain

(349)
2
(350)
7

1 St-Paulin
(55)
17
21

(350)
21
Trois-Rivières
10

(348)
(349)
(153)
(40)
8
19
23

Ste-Ursule
15
(138)
Yamachiche

Maskinongé
Louiseville

(40)
Lac Saint-Pierre

LÉGENDE

	Région touristique
	Parc, réserve faunique ou zec
(199)	Route principale
	Route secondaire
-----	Traversier
4	Lieu de marche
•	Municipalité
— —	Sentier national (sections réalisées ou projetées)

0 5 10 15 20 km

Photo page précédente : Parc national du Canada de la Mauricie (LMI - Leslie Gravel)

Répertoire des lieux de marche au Québec

LIEUX DE MARCHE

1. AUBERGE LE BALUCHON, GASTRONOMIE, SPA, PLEIN AIR & CULTURE
2. AUX BERGES DU LAC CASTOR
3. DOMAINE DE LA FORÊT PERDUE
4. LE PETIT NIRVANA
5. LE PRISME DE LA VALLÉE
6. LES SENTIERS D'A.D.E.L.E.
7. LIEU HISTORIQUE NATIONAL DU CANADA DES FORGES-DU-SAINT-MAURICE
8. MOULIN SEIGNEURIAL DE POINTE-DU-LAC
9. PARC DE L'ÎLE MELVILLE
10. PARC DE L'ÎLE SAINT-QUENTIN
11. PARC DE LA RIVIÈRE BATISCAN
12. PARC DE LA RIVIÈRE GRAND-MÈRE
13. PARC DE LA RIVIÈRE SHAWINIGAN
14. PARC DES CHUTES DE LA PETITE RIVIÈRE BOSTONNAIS
15. PARC DES CHUTES DE SAINTE-URSULE
16. PARC DES CHUTES DU 5,00 $ CANADIEN
17. PARC LINÉAIRE TROIS-RIVIÈRES
18. PARC NATIONAL DU CANADA DE LA MAURICIE
19. PARC PORTUAIRE/VIEUX TROIS-RIVIÈRES
20. PARC RÉCRÉOFORESTIER SAINT-MATHIEU
21. PISTE CHATEAUDUN
22. POURVOIRIE AYA PE WA
23. PROMENADE DE LA POÉSIE
24. RÉSERVE FAUNIQUE DU SAINT-MAURICE
25. RÉSERVE FAUNIQUE MASTIGOUCHE
26. SENTIER HAUTE-MAURICIE
27. SENTIER PETITE-RIVIÈRE-BOSTONNAIS
28. TOURBIÈRE DE SAINT NARCISSE – PARC COEUR NATURE
29. VIEUX PRESBYTÈRE DE BATISCAN

Mauricie

1 AUBERGE LE BALUCHON, GASTRONOMIE, SPA, PLEIN AIR & CULTURE

À travers un territoire au relief vallonné, la rivière du Loup s'écoule en chutes et cascades sur lesquelles on a plusieurs points de vue. Les sentiers sont aménagés en bordure de cette rivière qu'on franchira

grâce à des passerelles. Une des chutes, la chute aux Trembles, est située au bout du trottoir de bois. Le territoire comprend quelques groupements forestiers comme une pinède et une érablière dans laquelle on trouvera une cabane à sucre. On verra un barrage de castors et un étang à canards, ainsi que plusieurs bâtiments comme la chapelle, le moulin à vent, l'écurie du Roy et la microbrasserie. 🏕

🏛 P 👫 ⛨ X 🏠 🏡 🛖 🎏 Autres : bâtiments anciens, douches

Note : le restaurant est ouvert tous les jours de 10 h à 18 h

RÉSEAU PÉDESTRE 26,2 km (Multi : 24 km)

SENTIERS ET PARCOURS	LONGUEUR	TYPE	NIVEAU	DÉNIVELÉ
Trottoir de bois	1,2 km	linéaire	débutant	
Chemin de la Nouvelle-France	4,0 km	boucle	débutant	
Chemin de l'Archipel	8,5 km	linéaire	débutant	
Chemin du Bas-de-l'Île	5,0 km	boucle	intermédiaire	50 m
Chemin du Haut-de-l'Île	4,5 km	boucle	débutant	
Chemin de l'Île-du-Sabot	1,0 km	boucle	intermédiaire	
Chemin de l'Érablière	1,0 km	linéaire	débutant	
Chemin de la Chapelle	1,0 km	linéaire	débutant	50 m

HORAIRE	Toute l'année, de 9 h à 17 h
TARIF	5,60 $ par personne
ACCÈS	De Louiseville, suivre la route 349 nord sur 26 km, soit jusqu'à Saint-Paulin. Continuer tout droit jusqu'au chemin des Trembles. Tourner à droite et poursuivre sur 1 km.
DOCUMENTATION	Carte, dépliant (à l'accueil et sur le site Web)
INFORMATION	819 268-2555 • 1 800 789-5968 • www.baluchon.com

2 AUX BERGES DU LAC CASTOR

En parcourant les différents sentiers, situés autour du lac Castor, on passera par des peuplements matures et en régénération. Cette forêt centenaire est composée, entre autres, de hêtres, de thuyas et de pruches de l'Est. On y retrouve aussi des plantes comme des trilles et des sabots de la Vierge, ainsi que des lichens et des mousses. Le territoire est parsemé d'étangs et de lacs, dont le lac au Foin. Le sentier Le reel de la chanterelle rieuse grimpe sur un sommet, dominé par un gros érable à sucre. Certains arbres ont été griffés par les ours ou rongés par les castors. On verra une chute sur La ritournelle du lama perdu et une cascade sur La turlutte du lièvre et de la torture. Les sentiers de La chouette et du maringouin mènent chacun à un belvédère offrant un panorama sur le Fleuve et les Montérégiennes. La complainte du chemin de croix comprend une descente raide, un pont menant à une île et un site de nidification de corbeaux. Un site d'expérimentation du MRN est présent sur Le menuet de la Grande Ourse. Le rap des castors de travers offre une vue

sur la hutte de castors et leur barrage retenant le deuxième étang. On pourra apercevoir une faune diversifiée composée de cerfs de Virginie, de loups, d'orignaux, de lièvres, de lynx du Canada et de plusieurs oiseaux dont la gélinotte huppée.

✱ P ♟ (X ⚘ ⛰ 🏠 ⛺ 🚬 🚃 🐟 🚤

Note : on peut emprunter un chariot pour transporter ses bagages jusqu'à l'emplacement de camping.

RÉSEAU PÉDESTRE 41,8 km

SENTIERS ET PARCOURS	LONGUEUR	TYPE	NIVEAU	DÉNIVELÉ
La symphonie de la grenouille masquée	1,6 km	boucle	débutant	
Le menuet de la Grande Ourse	2,1 km	boucle	débutant	
Le tango de la forêt boréale	4,3 km	boucle	débutant	
La valse de l'érable enjoué	5,4 km	boucle	intermédiaire	75 m
Le reel de la chanterelle rieuse	3,8 km	boucle	intermédiaire	50 m
La gigue du chevr'œil écervelé	5,0 km	boucle	intermédiaire	75 m
La sérénade du maringouin sans dard	6,4 km	boucle	intermédiaire	75 m
La turlutte du lièvre et de la torture	2,1 km	boucle	avancé	100 m
La complainte du chemin de croix	2,5 km	linéaire	avancé	50 m
Le rap des castors de travers	1,4 km	linéaire	débutant	
Le concerto des oiseaux de passage	0,5 km	linéaire	débutant	
La ritournelle du lama perdu	0,6 km	boucle	débutant	
La toune de la chouette à répondre	6,1 km	boucle	intermédiaire	200 m

HORAIRE	Toute l'année, du lever au coucher du soleil
	Prudence en période de chasse
TARIF	5,00 $ par adulte
ACCÈS	De Louiseville, prendre la route 349 nord jusqu'à Saint-Paulin. Continuer tout droit jusqu'au chemin des Allumettes, puis suivre les indications.
DOCUMENTATION	Carte, dépliant (à l'accueil)
INFORMATION	819 268-3339 • www.laccastor.com

3 DOMAINE DE LA FORÊT PERDUE

Le sentier est, en fait, un labyrinthe aménagé dans une plantation composée d'une forêt mixte et d'une pinède dans lesquelles on trouve plusieurs lacs. On pourra cueillir des champignons, des petits fruits et des pommes de pin. On pourra apercevoir des oies, des canards, des pintades et plusieurs autres oiseaux. On pourra nourrir des chevreuils présents dans un enclos. 🐴

🏠 P ♛ (X 🌲 🛏 ♿

RÉSEAU PÉDESTRE 10,0 km (Multi : 8 km) (mixte, débutant)

HORAIRE	Toute l'année, de 10 h à 16 h
TARIF	Le visiteur achète un produit de la ferme, ce qui lui donne accès aux sentiers. Le prix de base est de 12,00 $ pour les adultes et de 10,00 $ pour les enfants de 5 à 17 ans.
ACCÈS	De la sortie 203 de l'autoroute 40, emprunter la route 157 nord sur environ 12 km. Aux feux de circulation, tourner à droite sur le rang Saint-Félix et poursuivre jusqu'à l'entrée.
DOCUMENTATION	Dépliant (à l'accueil)
INFORMATION	1 800 60-FORET • 819 378-5946
	www.domainedelaforetperdue.com

4 LE PETIT NIRVANA

Des plateaux offrent un panorama sur une érablière et le paysage environnant marqué par les montagnes et la rivière Croche. Le sentier sillonne une forêt mixte sur un territoire vallonné et traverse deux ruisseaux. Les parois d'un tunnel de 9 mètres creusé dans la montagne sont recouvertes de dessins traditionnels celtiques. À la sortie du tunnel, on descend un petit escalier pour accéder à un étang de castors traversé par une passerelle d'une longueur de 21 mètres. Trois caches réparties autour de cet étang facilitent l'observation de la faune composée de castors, de rats musqués, de perdrix, de hérons et de pics bois. On est sur la ligne de migration des bernaches vers le sud, à l'automne. Fait particulier, tous les aménagements de ce site ont été construits en bois rond, incluant la maison des propriétaires qui sert aussi de pavillon d'accueil et une aire de jeux située sur un des plateaux du territoire.

🏠 P ♛ (🌲 ⛺ 🛏 🚂 🚻 ♿

RÉSEAU PÉDESTRE 6,0 km (mixte, intermédiaire)

HORAIRE	De mi-juin à fin novembre, de 8 h au coucher du soleil
TARIF	Adulte : 3,00 $
	Enfant (12 ans et moins) : gratuit

ACCÈS   De Shawinigan, suivre la route 155 nord jusqu'à La Tuque. Tourner
                 à gauche sur le chemin La Croche et rouler jusqu'au village (environ
                 18 km). Prendre ensuite le rang Ouest sur 0,5 km. Le Petit Nirvana
                 se situe sur la gauche, au 99, rang Ouest.

DOCUMENTATION   Dépliant (à l'accueil)

INFORMATION   819 523-7941 • www.lepetitnirvana.com

5 LE PRISME DE LA VALLÉE

Ce sentier débute à l'arrière d'une résidence, près d'un lac. À travers une forêt mixte, le sentier grimpe jusqu'au sommet de la montagne. Une chute et des cascades sont situées à mi-parcours. Une petite passerelle permet de traverser un ruisseau. Au sommet, on trouve le lac Creux et un belvédère offrant une vue panoramique de 360 degrés sur la rivière Saint-Maurice, la ville de Grand-Mère et la région. En chemin, on pourra apercevoir des barrages de castors. On note la présence du grand héron. On trouve aussi sur le site un parc floral constitué de plates-bandes de fleurs dans un secteur dégagé.

✶P⚊⚊⚊⚊⚊⚊⚊⚊⚊

RÉSEAU PÉDESTRE   4,0 km (mixte, débutant)

HORAIRE   Toute l'année, du lever au coucher du soleil

TARIF   3,00 $ par personne

ACCÈS   De Trois-Rivières, emprunter la route 155 nord. À Grandes-Piles,
                 tourner à droite sur le chemin de la Vallée. Le stationnement se situe
                 moins d'un kilomètre plus loin, à gauche.

INFORMATION   819 533-5145 • jacqueline103@sympatico.ca

6 LES SENTIERS D'A.D.E.L.E.

Répartis en trois secteurs, ces sentiers sillonnent la forêt boréale dans laquelle on trouve majoritairement le sapin baumier, l'épinette noire et le bouleau. On note la présence de plusieurs fougères, d'arbres centenaires et de quelques érables rouges. Au village, le sentier Les Lupins, nommé ainsi à cause de l'abondance de cette plante à floraison bleue, relie l'église paroissiale au chemin de la seigneurie du Triton. Le secteur Baies Bouleau et William Est comprend notamment le sentier L'Ours, qui passe sur un cap rocheux élevé, offrant un point de vue sur le lac Édouard, et le sentier Les Castors qui offre une vue sur le village et la base de plein air. Le sentier Le Geai bleu, situé dans le secteur Baies Power et William Ouest, grimpe une petite montagne pour nous amener à une altitude de 450 mètres, le point le plus élevé du secteur, d'où on a une vue sur une portion du lac Édouard qui s'étend sur une distance de 27 kilomètres. Ces deux secteurs sont reliés par le sentier Ménokéosawin, qui traverse la zec du même nom. Ce sentier passe près de la rivière William où l'on peut voir des cascades. 🐴

✶P⚊⚊⚊

SENTIERS ET PARCOURS	LONGUEUR	TYPE	NIVEAU
Le Geai bleu	2,5 km	mixte	débutant
La Perdrix	2,1 km	mixte	débutant
Le Grand Pic	0,7 km	mixte	débutant
La Pintade	2,6 km	linéaire	débutant
Les Sapins	2,4 km	linéaire	débutant
Les Bouleaux	2,5 km	boucle	débutant
Le Menhir	0,5 km	mixte	débutant
Les Merisiers	0,5 km	mixte	débutant
Sous le Cap	0,3 km	linéaire	débutant
L'Ours	0,3 km	mixte	débutant
Les Castors	3,5 km	boucle	débutant
L'Orignal	0,5 km	mixte	débutant
L'Écureuil	0,5 km	mixte	débutant
Le Loup	0,2 km	mixte	débutant
Le Tamia	0,2 km	mixte	débutant
Les Lynx	1,2 km	linéaire	débutant
Les Lupins	1,7 km	boucle	débutant
Ménokéosawin	2,4 km	linéaire	débutant

HORAIRE	Toute l'année, du lever au coucher du soleil
TARIF	Gratuit
ACCÈS	De La Tuque, emprunter la route 155 nord et tourner à droite sur le chemin du Lac-Édouard. On atteint un premier stationnement en tournant à droite sur le chemin de la Baie-Williams. Un autre stationnement se situe au village. Pour s'y rendre, continuer tout droit sur le chemin du Lac-Édouard. Passé le pont, suivre la rue Principale jusqu'à l'église.
DOCUMENTATION	Carte (à la municipalité de Lac-Édouard, au gîte d'Édouard et à la pourvoirie Le Goéland)
INFORMATION	819 653-2238 • 819 653-2155 • www.adelelacedouard.ca

7 LIEU HISTORIQUE NATIONAL DU CANADA DES FORGES-DU-SAINT-MAURICE

Bordé par la rivière Saint-Maurice, ce lieu historique rappelle la première industrie sidérurgique au Canada qui s'y est développée entre 1730 et 1883. Le haut fourneau fait maintenant office de centre d'exposition et d'interprétation. Un sentier-nature longe la rivière. En parcourant les sentiers, on verra plusieurs vestiges, archéologiques et industriels, comme la haute et la basse forge, le moulin et les habitations d'ouvriers. Des panneaux d'interprétation traitent de l'histoire du lieu.

RÉSEAU PÉDESTRE 2,5 km

SENTIERS ET PARCOURS	LONGUEUR	TYPE	NIVEAU
Sentier-nature	1,5 km	boucle	débutant
Circuit historique	1,0 km	boucle	débutant

HORAIRE	De mi-mai à mi-octobre, de 9 h 30 à 17 h 30
	De septembre à mi-octobre, de 9 h 30 à 16 h 30
TARIF	Adulte : 3,95 $
	Aîné : 3,45 $
	Enfant (6 à 16 ans) : 1,95 $ sans programme

Enfant (6 à 16 ans) : 2,95 $ avec programme
Moins de 6 ans : gratuit
Famille : 9,90 $ (max. 7 personnes)

ACCÈS À partir de la sortie 191 de l'autoroute 55, suivre les indications.
DOCUMENTATION Dépliant, carte (à l'accueil)
INFORMATION 819 378-5116 • www.pc.gc.ca/forges

JCT PARC LINÉAIRE TROIS-RIVIÈRES

8 MOULIN SEIGNEURIAL DE POINTE-DU-LAC

Ce site permet de découvrir l'histoire de ce moulin à farine, bâti sur la seigneurie de Tonnancour entre 1765 et 1784, devenu monument historique en 1975. On pourra voir ses mécanismes toujours fonctionnels. On pourra aussi visiter le moulin à scie, érigé dans les années 40, qui est de nouveau en activité. Des expositions permanentes traitent de l'histoire de ce site. Un sentier fait le tour d'un bassin. On pourra également emprunter les sentiers de l'auberge du Lac Saint-Pierre qui se situe dans la forêt avoisinante. 🐎

♿ P ♨ 🍴 X 🎣 🚻 ⛺ 🚐 ⚡ 🎿

RÉSEAU PÉDESTRE 7,0 km (Multi : 7 km) (mixte, débutant)

HORAIRE De fin mai à fin septembre, de 10 h à 17 h
TARIF L'accès aux sentiers est gratuit. Il y a une tarification pour visiter les bâtiments.
ACCÈS On accède au moulin en plein cœur du village de Pointe-du-Lac, par la route 138. On peut aussi y accéder par la sortie 189 de l'autoroute 40.
DOCUMENTATION Dépliant (à l'accueil)
INFORMATION 819 377-1396 • 418 362-2051 • www.mediat-muse.qc.ca

9 PARC DE L'ÎLE MELVILLE

Ce parc est situé à proximité du centre-ville de Shawinigan et est bordé par la rivière Saint-Maurice. Il est constitué des îles Melville et Banane. Le secteur de l'île Melville comprend un enclos dans lequel vivent des cerfs de Virginie. Sur la partie du sentier des Chutes passant dans ce secteur, on pourra voir, lors du fonctionnement des évacuateurs de crues, le lit asséché de la rivière avec ses escarpements, ses mar-

mites et ses gradins dans le roc. Dans la partie de ce sentier passant dans le secteur de l'île Banane, un belvédère offre une vue sur le Trou du Diable. On pourra admirer les chutes de Shawinigan. 🐎

🏠👣🏕️🎿🌳⛺♨️�🛶

Autres : quai, parcours d'Aventure d'Arbre en Arbre

RÉSEAU PÉDESTRE 10,0 km

SENTIERS ET PARCOURS	LONGUEUR	TYPE	NIVEAU
Sentier des Cerfs	3,0 km	boucle	débutant
Sentier historique des Chutes	7,0 km	linéaire	intermédiaire

HORAIRE	Toute l'année, du lever au coucher du soleil
TARIF	Gratuit
ACCÈS	De la sortie 211 de l'autoroute 55, emprunter la route 153 nord. Suivre ensuite la route 157 en direction sud et poursuivre jusqu'à l'entrée du parc.
DOCUMENTATION	Dépliant-carte, dépliant (à l'accueil)
INFORMATION	819 536-7155 • 1 866 536-7155 • www.ilemelville.com

10 PARC DE L'ÎLE SAINT-QUENTIN

Cette île étant située au confluent de la rivière Saint-Maurice et du fleuve Saint-Laurent, on pourra observer le phénomène de l'eau ayant deux couleurs différentes. Les sentiers passent par cinq milieux différents : la berge, la saulaie, l'érablière argentée, la peupleraie et l'ormaie-frênaie. Les zones boisées sont composées en partie de bouleau gris, de noyer cendré, d'aubépine et de tilleul d'Amérique. Un sentier longe en grande partie le Fleuve. La piste cyclable, également accessible aux marcheurs, fait le tour de l'île. Des panneaux d'interprétation bordent une passerelle d'une longueur de 750 mètres. L'un d'eux traite de la Wayagamack, une industrie papetière visible depuis un belvédère offrant aussi une vue sur les îles avoisinantes. On verra le préau d'accueil de l'ancienne terrasse Turcotte et une croix érigée en 1984 en hommage à Jacques Cartier. Des mangeoires facilitent l'observation d'oiseaux comme le pic flamboyant et l'oriole du Nord. Il est possible que parfois le bruit d'une usine de pâtes et papiers, située à proximité, se fasse entendre.

🏠👣🏕️🎿🌳🏕️🛶♿ Autres : piscine, plage, piste d'hébertisme

RÉSEAU PÉDESTRE 5,8 km (Multi : 2,5 km)

SENTIERS ET PARCOURS	LONGUEUR	TYPE	NIVEAU
Piste cyclable	2,5 km	boucle	débutant
Sentiers pédestres	2,0 km	linéaire	débutant
Sentier Panoramique et Passerelle	1,3 km	boucle	débutant

Répertoire des lieux de marche au Québec

11 PARC DE LA RIVIÈRE BATISCAN

Ce parc, d'une superficie de 4 km², est traversé, sur une longueur d'environ 10 kilomètres, par la rivière Batiscan dans laquelle on retrouve plusieurs poissons comme le doré jaune et l'achigan à petite bouche. Les sentiers longent la rivière et donnent accès

à plusieurs belvédères offrant des vues sur ses chutes, ses rapides et ses bassins. Une des chutes est créée par un barrage hydroélectrique. Près de là, on retrouve une partie de l'ancienne centrale construite en 1897 et classée monument historique en 1963. On aura accès à une plage et on pourra pénétrer dans une marmite naturelle de 4 mètres de diamètre et vieille de 11 500 ans. On verra un étang de castors et un site de maternité de chauves-souris visant à dissiper les fausses idées sur ce mammifère. On pourra apercevoir une faune diversifiée composée de tamias rayés, d'écureuils, de ratons laveurs, de cerfs de Virginie et de plus d'une centaine d'oiseaux dont le tangara écarlate, l'oriole du Nord et le cardinal à poitrine rose. Une des deux salles d'interprétation comprend une volière permettant d'observer des canards. Le site offre un rabais de 1,00 $, sur les entrées journalières, aux randonneurs qui présentent leur carte de membre en règle de la Fédération québécoise de la marche. 🐾

🏠 P ♛ (⟠ ▲ ▲ ▲ 🏕 🛏 🎏 🚣 ♿ 🐴

RÉSEAU PÉDESTRE 22,2 km (Multi : 18,7 km)

SENTIERS ET PARCOURS	LONGUEUR	TYPE	NIVEAU	DÉNIVELÉ
Le Portage	5,0 km	linéaire	débutant	80 m
Le Buis	4,3 km	linéaire	intermédiaire	80 m
Le Doré	1,1 km	linéaire	débutant	
La Marmite	0,4 km	linéaire	débutant	
La Gélinotte	3,4 km	linéaire	débutant	
L'Amanite	0,4 km	linéaire	débutant	
L'Annexe	0,2 km	linéaire	débutant	
Le Lièvre	1,0 km	linéaire	débutant	
Chemin Murphy	0,5 km	linéaire	débutant	
Le Grand Bassin	0,4 km	linéaire	débutant	
Le Corbeau	0,6 km	linéaire	débutant	
Chemin Price	0,3 km	linéaire	débutant	
Les Ailes	0,9 km	linéaire	débutant	
L'Ours	1,1 km	linéaire	débutant	
La Grande Chute	0,4 km	linéaire	débutant	
La Plage	0,5 km	linéaire	débutant	
Le Méandre	1,0 km	linéaire	débutant	
Le Chêne	0,7 km	linéaire	débutant	

HORAIRE	De mi-mai à mi-octobre, de 8 h 30 à 21 h
TARIF	Adulte : 6,00 $
	Enfant (5 à 17 ans) : 4,00 $
	Enfant (4 ans et moins) : gratuit
ACCÈS	De la sortie 229 de l'autoroute 40, suivre la route 361 nord sur 17 km. Prendre ensuite le chemin du Barrage à droite sur 3 km.
DOCUMENTATION	Brochure avec carte (à l'accueil, à la maison du tourisme de Montréal et Québec et dans les bureaux d'information touristique de la Mauricie)
INFORMATION	418 328-3599 • 418 328-4159 • www.parcbatiscan.com

12   PARC DE LA RIVIÈRE GRAND-MÈRE

Le sentier circule dans une vallée boisée. On longera la rivière Grand-Mère, sur laquelle on pourra admirer des petites chutes créées par des petits barrages. Après avoir franchi deux passerelles, le sentier aboutit à un belvédère offrant une vue sur la rivière Saint-Maurice et sa chute, d'une hauteur d'environ 10 mètres, qui coule en cascades sur la roche. On pourra apercevoir des canards. On pourra emprunter gratuitement un ponton, partagé avec le vélo et le patin à roues alignées, qui traverse la rivière Saint-Maurice. 🐴

P ♛ 🎏 🏕 🛏

RÉSEAU PÉDESTRE 4,0 km (boucle, débutant)

HORAIRE	De mai à novembre, du lever au coucher du soleil
TARIF	Gratuit
ACCÈS	De l'autoroute 55, prendre la sortie 226. Tourner à droite sur la 8e Rue. Tourner ensuite à gauche sur la 11e Avenue. L'entrée du parc se situe au coin de la 7e Rue.
INFORMATION	819 538-5545 • 819 538-2358 • www.shawinigan.ca

13 PARC DE LA RIVIÈRE SHAWINIGAN

Ce parc linéaire multifonctionnel serpente dans un boisé mixte tout en longeant la rivière Shawinigan. On pourra admirer trois chutes situées à différents endroits. On pourra apercevoir des représentants de la petite faune comme des écureuils et plusieurs oiseaux. 🐾

✴P🎋⌂

RÉSEAU PÉDESTRE 5,0 km
(Multi : 5 km)

SENTIERS ET PARCOURS	LONGUEUR	TYPE	NIVEAU
Sentier de la rivière Shawinigan	5,0 km	linéaire	débutant

HORAIRE	De mai à novembre, du lever au coucher du soleil
TARIF	Gratuit
ACCÈS	L'entrée du parc se situe immédiatement à la sortie 217 de l'autoroute 55.
INFORMATION	819 536-5545 • www.ville.shawinigan.qc.ca

14 PARC DES CHUTES DE LA PETITE RIVIÈRE BOSTONNAIS

En parcourant les différents sentiers, passant de la forêt mixte à la forêt boréale, on se promènera sur les deux rives de la rivière Bostonnais reliées par une passerelle. On aura accès à un belvédère offrant une vue sur une chute d'une hauteur de 35 mètres. Les chutes du parc, incluant cette dernière, sont parmi les plus hautes au Québec. Un escalier est aménagé près des chutes. Un centre d'interprétation rappelle qu'à cet endroit se

pratiquait la drave et le commerce de la fourrure. Des panneaux d'interprétation sont dispersés le long des sentiers. L'un d'eux parle de la traite des fourrures et un autre enseigne comment reconnaître les arbres. 🐾

🏚P👫⌇🎋🚂🚃🛶🦌🍁🛷

RÉSEAU PÉDESTRE 2,7 km

SENTIERS ET PARCOURS	LONGUEUR	TYPE	NIVEAU
Sentier pédestre n° 1	0,5 km	boucle	débutant
Sentier pédestre n° 2	0,7 km	linéaire	débutant
Sentier pédestre n° 3	0,6 km	linéaire	débutant
Escalier n° 4	0,3 km	linéaire	intermédiaire
Sentier pédestre n° 5	0,4 km	linéaire	débutant
Sentier pédestre n° 6	0,3 km	linéaire	débutant

HORAIRE   Toute l'année, du lever au coucher du soleil
TARIF   Gratuit
ACCÈS   L'entrée du parc est située à environ 6 km au sud de La Tuque, le long de la route 155.
DOCUMENTATION   Brochure, dépliant-carte (à l'accueil du Parc, à la Ville de La Tuque)
INFORMATION   819 523-5930 • 819 676-8800 • www.tourismehsm.qc.ca

15   PARC DES CHUTES DE SAINTE-URSULE

Les sentiers de ce parc longent la rivière Maskinongé et ses quatre chutes, dont une encaissée dans une gorge, ainsi que ses cascades. Au printemps, la fonte des neiges crée la formation de trois chutes supplémentaires.

On remarque aisément la déviation de la rivière, causée par un tremblement de terre en 1663. On verra des phénomènes géologiques et géomorphologiques dont des failles. Autrefois, les chutes étaient le site d'une intense exploitation industrielle. On pourra voir des vestiges d'un des premiers moulins à pulpe du Québec, qui fut en activité de 1882 à 1907, ainsi que le site d'un moulin à scie datant de 1811. Les sentiers, en forêt,

conduisent à un pont suspendu et à une tour d'observation d'une hauteur de 20 mètres. Au centre d'accueil, des photographies rappellent l'époque industrielle et une exposition interactive sensibilise le public à la protection de l'environnement. 🐴

🏛 P 👫 🍴 ✕ 🚻 ⛺ 🏚 🛏 🎣 ⛷ ⛵ 🚌

RÉSEAU PÉDESTRE 3,0 km (mixte, intermédiaire, dénivelé maximum de 60 m)

HORAIRE   Toute l'année, de 10 h à 18 h
TARIF   Adulte : 7,00 $
    Âge d'or : 6,00 $
    10 à 17 ans : 3,75 $
    Moins de 10 ans avec parent : gratuit
ACCÈS   De la route 138 à Louiseville, emprunter la route 348 ouest sur environ 10 km, soit jusqu'au parc.
DOCUMENTATION   Carte, dépliant (à l'accueil)
INFORMATION   819 228-3555 • 1 800 660-6160 • www.chutes-ste-ursule.com

16   PARC DES CHUTES DU 5,00 $ CANADIEN

La rivière Batiscan, qui traverse la municipalité de Notre-Dame-de-Montauban, débute au lac Édouard pour se jeter dans le fleuve Saint-Laurent. Le sentier longe cette rivière et conduit à une chute, à travers une forêt mixte dominée par des peuplements de résineux. Cette chute a été reproduite sur les billets de 5,00 $ durant les années 50. 🐴

☆P🕴🎋🚂

RÉSEAU PÉDESTRE 1,0 km (mixte, débutant)

HORAIRE De mai à décembre, du lever au coucher du soleil
TARIF Gratuit
ACCÈS De la sortie 254 de l'autoroute 40, prendre la route 363 nord jusqu'au clignotant et, de là, prendre la route 367 sud sur une dizaine de kilomètres, soit jusqu'à Notre-Dame-de-Montauban.
DOCUMENTATION Carte touristique 2004 (à la municipalité)
INFORMATION 418 336-2640 • www.municipalite.notre-dame-de-montauban.qc.ca

17   PARC LINÉAIRE TROIS-RIVIÈRES

Ce parc linéaire, qui traverse la ville du sud au nord, est en grande partie bordé d'un boisé mixte dans lequel on retrouve des bouleaux et des chênes. La piste, partagée avec les cyclistes, débute près du centre-ville, à la hauteur du terrain d'Exposition. On pourra voir l'université avant d'aboutir au parc Lambert, où des services sont disponibles.

🏠P🕴🏕

RÉSEAU PÉDESTRE 11,5 km (Multi : 11,5 km) (linéaire, débutant)

HORAIRE D'avril à novembre, du lever au coucher du soleil
TARIF Gratuit
ACCÈS Le départ se situe au parc Fortin, à proximité du terrain de l'Exposition, au cœur de Trois-Rivières.
INFORMATION 819 372-4621 poste 4293 • www.v3r.net

[JCT] LIEU HISTORIQUE NATIONAL DU CANADA DES FORGES-DU-SAINT-MAURICE

18   PARC NATIONAL DU CANADA DE LA MAURICIE

Ce parc, d'une superficie de 536 km², occupe un territoire au relief accidenté sur lequel on retrouve des collines, des rivières, des cascades et des lacs. Sur le sentier Mekinac, on traversera une ancienne plantation ayant subi un brûlage dirigé afin de protéger le pin blanc. On traversera deux fois le ruisseau Bouchard avant d'arriver à un belvédère donnant sur le lac Rosoy et la rivière Saint-Maurice. Le sentier du Lac-Gabet sillonne une érablière et conduit à une cache d'observation de la faune située près du lac. Le sentier des Deux-Criques comprend des montées raides menant à différents points de vue sur les environs et conduit aux cascades du ruisseau du Fou. Le sentier des Cascades longe un ruisseau qui coule en cascades à travers un boisé de conifères. On passera par différents milieux : un marais, un endroit ayant subi des modifications à la suite du passage d'une tornade et une érablière. De ce sentier, on aura accès à la boucle des Falaises qui se rend au sommet des escarpements rocheux du lac Wapizagonke. Le sentier d'interprétation du Lac-Étienne, bordé d'observatoires et de panneaux, traverse une sapinière et mène à ce lac où un télescope permet d'observer le grand héron, le castor et l'orignal. Des bancs sont situés à tous les 200 mètres. Le sentier Laurentien est une longue randonnée à travers l'arrière-pays. On passera par différents groupements forestiers dont ceux des érablières, des pinèdes et des sapinières. On longera et traversera plusieurs cours d'eau, parfois sur des passerelles mais souvent à gué. Ce sentier, caractérisé par plusieurs montées et descentes, parcourt différents sommets avant de mener à un belvédère. On y verra des vestiges du temps de l'exploitation forestière.

RÉSEAU PÉDESTRE 129,6 km (Multi : 30 km)

SENTIERS ET PARCOURS	LONGUEUR	TYPE	NIVEAU	DÉNIVELÉ
Sentier Mekinac	11,0 km	boucle	avancé	170 m
Sentier Laurentien	75,0 km	linéaire	avancé	300 m
Sentier du Lac-Gabet	1,5 km	linéaire	intermédiaire	90 m
Sentier du Vieux-Brûlis	13,0 km	boucle	avancé	100 m
Sentier des Deux-Criques	14,5 km	boucle	avancé	200 m
Sentier des Cascades	1,8 km	boucle	débutant	100 m
Sentier des Falaises	3,7 km	boucle	intermédiaire	100 m
Sentier de la Cache	0,5 km	linéaire	débutant	
Sentier no 11	4,0 km	boucle	débutant	
Sentier du Lac-Étienne	1,4 km	boucle	débutant	
Sentier de la Terrasse	1,7 km	linéaire	débutant	
Sentier de l'Île-aux-Pins	0,5 km	boucle	intermédiaire	
Sentier du Ruisseau-Brodeur	0,7 km	linéaire	débutant	
Sentier de la Tourbière	0,3 km	linéaire	débutant	

HORAIRE	De mai à octobre, de 7 h à 22 h
TARIF	Adulte : 6,90 $
	Aîné (65 ans et plus) : 5,90 $
	Jeune (6 à 16 ans) : 3,45 $
	Enfant (5 ans et moins) : gratuit
	Famille : 17,30 $
	Laissez-passer de saison : 34,65 $
	Les frais d'inscription pour parcourir le Sentier Laurentien sont de 39,60 $ par personne, les frais de réservation sont de 6,90 $ et le droit d'entrée s'ajoute.
	La réservation est obligatoire.
ACCÈS	De l'autoroute 55 nord, prendre la sortie 226 en direction de Saint-Jean-des-Piles.
DOCUMENTATION	Carte, journal (à l'accueil)
INFORMATION	819 538-3232 • www.pc.gc.ca/mauricie

19   PARC PORTUAIRE/VIEUX TROIS-RIVIÈRES

Ce circuit patrimonial, longeant le fleuve Saint-Laurent, est une promenade sur trois niveaux offrant des vues sur le port et le Fleuve. On passera par 18 endroits où se trouvent des panneaux d'interprétation historique. Le circuit relie le belvédère de la terrasse Turcotte au centre-ville, quartier des affaires et des restaurants, en passant par le quartier historique où on pourra admirer l'architecture des bâtiments datant du XVIIIᵉ siècle. Un audio-guide renseigne sur les lieux et leur histoire.

RÉSEAU PÉDESTRE   3,0 km (Multi : 3 km) (boucle, débutant)

HORAIRE	Toute l'année, de 8 h à 20 h
TARIF	Gratuit
ACCÈS	De l'autoroute 40, prendre la sortie 199 et suivre les indications pour le centre-ville.
DOCUMENTATION	Dépliant-carte, Guide du promeneur (à l'accueil)
INFORMATION	819 375-1122 • www.tourismetroisrivieres.com

20   PARC RÉCRÉOFORESTIER SAINT-MATHIEU   SENTIER NATIONAL

Ce parc, situé au sud du parc national du Canada de la Mauricie, a une superficie de 127 km². Son territoire, parsemé de 48 lacs, est caractérisé par la présence de l'érablière à bouleau jaune. On y trouve aussi des chutes et des cascades. Les sentiers sont tous en montagne et sillonnent un boisé mixte. Des points de vue s'étendent sur environ 60 kilomètres et un belvédère offre un panorama sur la chaîne de montagnes, les lacs et la vallée. L'ours noir est présent sur le site. On y trouve un amphithéâtre en milieu forestier, unique en Amérique.

Note : les services sont disponibles à l'auberge du Trappeur.

RÉSEAU PÉDESTRE   74,6 km

SENTIERS ET PARCOURS	LONGUEUR	TYPE	NIVEAU	DÉNIVELÉ
Sentier national	30,0 km	linéaire	avancé	100 m
Sentier d'interprétation	7,0 km	boucle	intermédiaire	100 m
Le Lac en Cœur	9,5 km	boucle	intermédiaire	
La Paroi	3,4 km	mixte	intermédiaire	150 m
La Pinède	3,8 km	boucle	débutant	
Le Circuit poétique	1,5 km	linéaire	débutant	
La Chute du Diable	9,0 km	boucle	avancé	200 m
Le Mongrain	3,7 km	boucle	débutant	
Jetée Plate	6,7 km	boucle	intermédiaire	

HORAIRE	Toute l'année, du lever au coucher du soleil
	Prudence pendant la période de chasse. Une partie du réseau est également interdite durant cette période.
TARIF	Gratuit
ACCÈS	De l'autoroute 55, prendre la sortie 217 et poursuivre sur la route 351 sud sur environ 12 km. Tourner ensuite à droite sur le chemin Saint-François. Continuer sur 4 km et traverser le petit pont se situant sur la droite. Suivre les indications pour le parc national du Canada de la Mauricie sur 5,8 km. Les sentiers débutent à l'accueil du parc récréoforestier Saint-Mathieu.
INFORMATION	819 532-2600 • www.bonjourmauricie.com

21 PISTE CHATEAUDUN

Ce parc boisé, situé au centre de l'arrondissement de Cap-de-la-Madeleine, possède des sentiers de ski de fond accessibles aux marcheurs durant la saison estivale. On passera à travers ce boisé mixte dans lequel on pourra apercevoir différentes espèces d'oiseaux et des lièvres.

✳P

RÉSEAU PÉDESTRE	11,0 km (Multi : 11 km) (boucle, débutant)
HORAIRE	De mai à octobre, du lever au coucher du soleil
TARIF	Gratuit
ACCÈS	De l'autoroute 40 à Cap-de-la-Madeleine, sortir à la rue Thibeau Sud et suivre celle-ci jusqu'à la rue Berlinguet où l'on tourne à gauche. Tourner à gauche à nouveau sur la 5e Rue et continuer jusqu'au bout.
INFORMATION	819 378-8039

22 POURVOIRIE AYA PE WA

Les sentiers de cette pourvoirie, créée en 1998 et dont le nom signifie « orignal mâle » en langue algonquine, sillonnent un territoire au relief montagneux recouvert d'une forêt mixte parsemée d'arbustes, de plantes et de champignons. On pourra y effectuer la cueillette de petits fruits. Du haut des falaises, on aura une vue panoramique sur le lac Sacacomie et la réserve Mastigouche, situés à proximité, et sur les basses Laurentides. Un sentier centenaire se rend à un site où se trouvait une tour de garde-feu. Un autre fait le tour d'un lac. On passera aussi par une tourbière. On verra des barrages de castors et différents oiseaux. (sur une portion de 20 km et faire attention aux porcs-épics)

RÉSEAU PÉDESTRE	53,7 km (mixte, débutant)
HORAIRE	De mai à décembre, du lever au coucher du soleil Prudence en période de chasse
TARIF	2,00 $ par personne Gratuit si hébergement
ACCÈS	De Louiseville, suivre la route 349 nord sur environ 45 km. Tourner à droite, juste après le pont, sur le rang Morin et faire 8 km. Le stationnement se situe près du gros pin.
DOCUMENTATION	Dépliant (à l'accueil, épicerie, dépanneur et bureau d'information touristique de Saint-Alexis et Louiseville)
INFORMATION	819 265-3665 • 819 265-2451 • www.ayapewa.ca

23 PROMENADE DE LA POÉSIE

La ville de Trois-Rivières est reconnue comme capitale mondiale de la poésie. Le circuit arpente les rues du centre-ville le long desquelles on trouve, ancrés aux murs, 300 panneaux avec des poèmes d'amour de poètes québécois. 🐎

�star P (X ⚓ ㅠ 🛋

RÉSEAU PÉDESTRE 8,0 km (mixte, débutant)

HORAIRE   Toute l'année, du lever au coucher du soleil
TARIF   Gratuit
ACCÈS   Cette promenade se fait dans le centre-ville de Trois-Rivières.
DOCUMENTATION   Guide de parcours (à l'office du tourisme et des congrès, à l'angle des rues des Forges et Notre-Dame)
INFORMATION   819 379-9813 • www.fiptr.com

24 RÉSERVE FAUNIQUE DU SAINT-MAURICE

Cette réserve faunique, créée en 1979, est située au confluent des rivières Matawin et Saint-Maurice, et occupe un territoire d'une superficie de 784 km². On trouve des plantes insectivores sur le sentier La Tourbière. La Grande Ourse mène à des plages et offre plusieurs points de vue sur le lac. Sur le sentier de la Chute du Vent, on pourra admirer cette chute d'une hauteur de 10 mètres et observer le phénomène des marmites. Les cours d'eau abritent une faune aquatique composée de touladis et d'ombles de fontaine. On pourra apercevoir des orignaux, des lièvres et plusieurs oiseaux dont le plongeon huart et le tétras du Canada. L'ours noir peut être aperçu depuis un site d'observation de la faune. On trouve une population de saumon kokani dans le lac Normand. Cette population fut introduite à la suite de l'Expo 67 et semble être la seule située à l'est des Rocheuses. 🐎

🏠 P 👫 ⚓ ㅠ ▲ ⛰ 🏠 🛋 🚻 🏊

Autre : un dépanneur est accessible de mai à septembre

RÉSEAU PÉDESTRE 30,9 km

SENTIERS ET PARCOURS	LONGUEUR	TYPE	NIVEAU	DÉNIVELÉ
La Tourbière	2,9 km	boucle	débutant	
La Petite Ourse	2,4 km	boucle	intermédiaire	100 m
la Grande Ourse	18,0 km	boucle	avancé	120 m
Chutes Dunbar	4,4 km	boucle	débutant	
Chute du Vent	3,2 km	mixte	débutant	

HORAIRE	De mi-mai à mi-octobre, de 7 h 30 à 21 h 30
	En période de chasse, les sentiers sont fermés du 2ᵉ samedi de septembre au dernier dimanche de novembre.
TARIF	12,00 $ aller-retour (pour traverser le pont)
ACCÈS	De l'autoroute 55 nord, poursuivre sur la route 155 nord à partir de Grand-Mère sur environ 45 km, soit jusqu'au poste d'accueil situé à Rivière-Matawin.
DOCUMENTATION	Dépliant-carte (à l'accueil)
INFORMATION	819 646-5687 • 819 646-5680 • www.sepaq.com

25 RÉSERVE FAUNIQUE MASTIGOUCHE

Cette réserve, créée en 1971, occupe un territoire d'un superficie de 1 565 km² recouvert d'une forêt parsemée de lacs et de rivières. La forêt est composée de plusieurs types d'érablières, de groupements forestiers mixtes et de résineux. On pourra y cueillir des petits fruits sauvages. Le sentier des Six-Chutes conduit à une tour d'observation permettant de voir la sauvagine au lac Bourassa. Le sentier La Falaise offre des points de vue sur un lac. Des sentiers permettent d'admirer des chutes et offrent des points de vue variés. On retrouve sur le site une faune diversifiée. Des populations exceptionnelles d'ombles de fontaine habitent les lacs. La réserve héberge une trentaine de mammifères dont le cerf de Virginie, le loup et le lynx ainsi que plusieurs oiseaux dont l'aigle doré. 🐾 (sur une portion de 29,2 km) Les chiens sont autorisés à fréquence journalière (aucun coucher). Ils sont interdits au camping.

RÉSEAU PÉDESTRE 34,8 km

SENTIERS ET PARCOURS	LONGUEUR	TYPE	NIVEAU
Le Ruisseau Bouteille	1,0 km	linéaire	débutant
Le Chicot	2,3 km	boucle	débutant
Les Six-Chutes	2,0 km	boucle	débutant
La Falaise	2,0 km	linéaire	avancé
Du lac Saint-Bernard à l'accueil Pins Rouges	13,0 km	linéaire	intermédiaire
De l'accueil Pins Rouges au lac Shawinigan	14,5 km	linéaire	intermédiaire

HORAIRE	De mi-mai à début septembre et de début octobre à fin octobre, de 7 h à 22 h
	Interdit de randonner durant la chasse à l'orignal.
TARIF	Frais pour le stationnement
ACCÈS	Accueil Pins Rouges : de Louiseville, prendre la route 349 nord vers Saint-Alexis-des-Monts et suivre les indications.
	Accueil Catherine : de Saint-Gabriel-de-Brandon, suivre les indications pour Mandeville, puis celles pour la réserve.
	Accueil Bouteille : de Saint-Zénon, suivre les indications.
DOCUMENTATION	Dépliant, carte (à l'accueil)
INFORMATION	819 265-6055 • 819 265-2098 • www.sepaq.com

26 SENTIER HAUTE-MAURICIE

Ce sentier de longue randonnée, qui peut se parcourir en quelques jours, est divisé en sept tronçons tirant leur nom de personnages ou d'événements historiques. La randonnée débute au barrage La Tuque, près de la place des Portageux. Les portageux étaient les hommes qui œuvraient du lever au coucher du soleil au transport du matériel

et des provisions destinés aux chantiers. Certains tronçons portent le nom de portageux connus. On longera la rivière Saint-Maurice à travers une forêt composée en partie de bouleaux jaunes et d'érables. On passera aussi par une cédrière. Le tronçon Rapide-Croche longe plusieurs lacs et escarpements de la rivière. La section Colon-dit-la-Barrouette traverse une forêt de pins âgés de quelques centaines d'années et offre une vue sur la vallée de la rivière. Le segment Sévère-N.-Dumoulin passe sur des crêtes et des affleurements rocheux. La portion Pointe-à-la-Scie sillonne une plantation de pins gris et offre une vue sur l'usine de sciage de Rivière-aux-Rats. Le long du sentier, on effectuera plusieurs montées et descentes et on verra une hutte de castors, des cascades et un cours d'eau se jetant dans une faille. On pourra apercevoir une faune diversifiée composée d'orignaux et d'oiseaux comme le geai bleu et la mésange. Le sentier se termine sur un chemin forestier et passe près de la place Sintamaskine, lieu d'une bataille opposant les Français, les Algonquins et les Iroquois en 1661. Il est possible de faire une randonnée plus courte en utilisant le service de navette. 🐕

★ ✿ P 👫 ⛰ 🏠 🚌

RÉSEAU PÉDESTRE 50,3 km

SENTIERS ET PARCOURS	LONGUEUR	TYPE	NIVEAU	DÉNIVELÉ
Pierre-Mailloux	9,3 km	linéaire	intermédiaire	
Blondin	6,0 km	linéaire	intermédiaire	
Bourassa	3,0 km	linéaire	intermédiaire	130 m
Rapide-Croche	11,0 km	linéaire	intermédiaire	90 m
Colon-dit-la-Barrouette	8,0 km	linéaire	intermédiaire	220 m
Sévère-N.-Dumoulin	8,0 km	linéaire	intermédiaire	140 m
Pointe-à-la-Scie	5,0 km	linéaire	intermédiaire	130 m

HORAIRE	De mai à novembre, du lever au coucher du soleil
	Le port du dossard est recommandé pendant la période de chasse.
TARIF	Gratuit
ACCÈS	À La Tuque : prendre le petit pont qui enjambe la rivière Saint-Maurice, puis la rue Bourassa et continuer sur environ 8 km.
	À Rivière-aux-Rats : traverser le pont, tourner à droite et faire 1 km.

27   SENTIER PETITE-RIVIÈRE-BOSTONNAIS

Ce sentier, situé près de la ville de La Tuque, est divisé en trois sections. Celle de La Boucle comprend des montées raides par endroits et mène à un panorama sur la rivière Saint-Maurice, sur l'ancienne aluminerie et sur une partie de la ville incluant l'aéroport. Le segment Alphide-Tremblay fut nommé ainsi en l'honneur de cet homme qui a parcouru le trajet de Linton à La Tuque à pied et en raquettes au début des années 1900. On arpentera une chaîne de montagnes et on y verra des affleurements rocheux, un étang et des blocs erratiques. Le tronçon Le Grand Nord tient son nom de l'association de compagnies ferroviaires en 1900. Cette association eut un impact positif sur le développement économique de la ville. On y effectuera quelques montées plus ardues sur le haut d'un cap offrant un panorama sur les environs. Ce sentier longe la rivière et conduit à la place Chute-Petite-Rivière-Bostonnais. On y verra les chutes Wayagamac. À cet endroit, la rivière se jette dans une marmite avant de continuer sa course sur un escalier de roches. Une passerelle permet de traverser la rivière en haut des chutes. En parcourant ce sentier, on passera aussi par la place Fer-à-cheval et le site d'un ancien feu de forêt où se situent de gros pins ayant survécu. 🐎

RÉSEAU PÉDESTRE   15,9 km

SENTIERS ET PARCOURS	LONGUEUR	TYPE	NIVEAU	DÉNIVELÉ
Le Grand Nord	4,5 km	linéaire	intermédiaire	170 m
Alphide-Tremblay	6,0 km	linéaire	intermédiaire	150 m
La Boucle	3,4 km	boucle	intermédiaire	100 m
Accès pour La Boucle	2,0 km	linéaire	débutant	70 m

HORAIRE   Toute l'année, du lever au coucher du soleil
Le port du dossard est recommandé en période de chasse.

TARIF   Gratuit

ACCÈS   <u>Accès « La Chute »</u> : du centre commercial à La Tuque, prendre le chemin Wayagamac et rouler sur environ 7 km. Prendre ensuite à gauche et se rendre à la clôture métallique. Suivre alors les indications pour l'entrée du sentier « Grand-Nord ».
<u>Accès « Lac Panneton »</u> : du centre commercial à La Tuque, prendre le chemin Wayagamac et rouler sur environ 1 km. Prendre le chemin à gauche sur 1,3 km. L'accès au sentier se trouve à gauche.
<u>Accès « La Boucle »</u> : suivre les indications pour le centre de ski alpin. L'accès au sentier se situe à droite de la piste des chambres à air.

DOCUMENTATION   Dépliant, carte (au bureau d'information touristique et à la boutique Le Pionnier)

INFORMATION   819 523-2204 poste 322 • 819 523-5930
villedelatuque@tourismehsm.qc.ca

28   TOURBIÈRE DE SAINT NARCISSE – PARC CŒUR NATURE

Cette boucle mène à la découverte d'un écosystème ne couvrant que 10 % du territoire québécois, la tourbière. Le sentier est bordé d'un boisé tourbeux, dans lequel on retrouve le kalmia à feuilles étroites, la sarracénie pourpre, qui est une plante insectivore, ainsi que des fleurs très rares et des plants de canneberges. Des trottoirs de bois facilitent la circulation dans les zones plus humides. Des belvédères offrent des vues d'ensemble de la tourbière. Le long du chemin, on verra des panneaux traitant de la tourbière, de sa géologie, de sa flore et de sa faune. On pourra apercevoir la paruline masquée. La tourbière est un endroit de prédilection pour l'orignal.

RÉSEAU PÉDESTRE 2,8 km

SENTIERS ET PARCOURS	LONGUEUR	TYPE	NIVEAU
Parc Cœur Nature	2,8 km	boucle	débutant

HORAIRE	Toute l'année, du lever au coucher du soleil
TARIF	Gratuit
ACCÈS	De Trois-Rivières, emprunter l'autoroute 40 est. Prendre ensuite la route 359 nord. Traverser le village de Saint-Luc-de-Vincennes. À la jonction des routes 359 et 352, à Saint-Narcisse, poursuivre sur la route 359. Le panneau d'accueil « Parc Cœur Nature » est situé en bordure de la route, 9 km plus loin.
DOCUMENTATION	Carte (au bureau municipal, 353 rue Notre-Dame, à Saint-Narcisse)
INFORMATION	418 328-8645 • municipalite@saint-narcisse.com

29   VIEUX PRESBYTÈRE DE BATISCAN

On trouve sur le site de ce presbytère datant de 1816 deux sentiers pédestres. Le sentier historique fait le tour de l'ancienne seigneurie à travers un boisé composé en partie de bouleaux, de chênes et d'érables. Certains des arbres présents sont centenaires. On y retrouve 6 panneaux traitant de l'histoire de la région. Le sentier ornithologique est également boisé. On y trouve des arbres fruitiers favorisant une diversité d'oiseaux observables tels que le bruant, le gros-bec et le geai bleu, ainsi que de rares oiseaux de proie. On verra 8 panneaux renseignant sur les oiseaux présents avant de terminer le parcours sur une plage. Au presbytère, on peut voir la reconstitution historique, unique au Québec, de la vie d'un curé de campagne et de son rôle dans la communauté au 19e siècle. Des guides-animateurs personnifient un prêtre, en fonction de 1843 à 1875, et sa ménagère.

RÉSEAU PÉDESTRE 1,1 km

SENTIERS ET PARCOURS	LONGUEUR	TYPE	NIVEAU
Sentier historique	0,6 km	boucle	débutant
Sentier ornithologique	0,5 km	linéaire	débutant

HORAIRE	Du dernier dimanche de mai au dernier dimanche de septembre, de 10 h à 17 h
TARIF	Gratuit
	Des frais s'appliquent pour visiter le bâtiment.
ACCÈS	De Trois-Rivières, emprunter la route 138 en direction est. À Batiscan, la route 138 porte le nom de rue Principale. Le site est situé au numéro 340.
DOCUMENTATION	Dépliant (au bureau de Tourisme Mauricie)
INFORMATION	418 362-2051 • www.mediat-muse.qc.ca

Montérégie

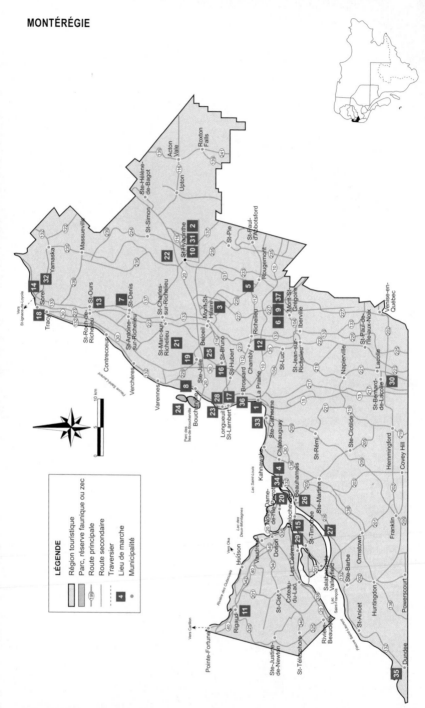

Photo page précédente : Cidrerie Michel-Jodoin (Serge Gauthier)

LIEUX DE MARCHE

1   ARRONDISSEMENT HISTORIQUE DE LA PRAIRIE

Ce parcours, guidé par un dépliant, mène à la découverte de l'histoire de l'arrondissement du Vieux-La Prairie. Cette ville, habitée depuis 1667, renferme de nombreux bâtiments témoins de son évolution. Parmi ceux-ci, il y a le vieux marché, qui fait maintenant office de centre d'interprétation de l'histoire et de la généalogie. On pourra également visiter la crypte de l'église et le jardin privé de monsieur Roy. 🦌

RÉSEAU PÉDESTRE   3,5 km (mixte, débutant)

HORAIRE	Toute l'année
	Du lundi au vendredi : de 9 h à 17 h
	Samedi et dimanche : de 13 h à 17 h
	Durant le week-end, de juin à août, les portes ouvrent dès 11 h
TARIF	Gratuit
	Des frais s'appliquent pour le guide.
ACCÈS	De l'autoroute 15 et 132 ouest, prendre la sortie Salaberry vers La Prairie. Passer sous le viaduc Salaberry, reprendre l'autoroute en direction est, et sortir à la rue Saint-Henri. Tourner à gauche sur la rue Saint-Ignace, puis à droite sur la rue Saint-Georges. L'accueil est situé au 249, rue Sainte-Marie.
DOCUMENTATION	Dépliant-carte, brochure (à l'accueil)
INFORMATION	450 659-1393 • www.laprairie-shlm.com

2   BOISÉ DES DOUZE

Ce boisé est qualifié de corridor forestier en milieu urbain. Le sentier du Méandre offre six accès, grâce à des escaliers rocheux, à des aires d'observation le long du ruisseau Décharge des Douze. Ces accès portent le nom de différentes espèces végétales et animales ayant été observées sur le site. Des saules patriarches sont situés le long du ruisseau. Le sentier de la Fierté porte ce nom car il a été aménagé par des scouts. Le sentier des Frênes passe par une jeune frênaie d'environ 12 ans. On trouve sur le territoire six espèces d'aubépine et six espèces de saules, des tilleuls, des fougères, la carotte sauvage et la vigne vierge, ainsi que de nombreux arbres fruitiers comme le cerisier. Le long des sentiers, on trouve des grosses roches pouvant servir de bancs et des panneaux d'interprétation sur la faune, la flore, et l'histoire du nom du lieu.

RÉSEAU PÉDESTRE   2,5 km

SENTIERS ET PARCOURS	LONGUEUR	TYPE	NIVEAU
Du Méandre	1,0 km	linéaire	débutant
Des Aubépines	0,5 km	linéaire	débutant
De la Fierté	0,2 km	linéaire	débutant
Des Frênes	0,5 km	linéaire	débutant
Des Cerisiers	0,1 km	linéaire	débutant
Des Framboisiers - des Tilleuls	0,2 km	linéaire	débutant

HORAIRE	Toute l'année, du lever au coucher du soleil
TARIF	Gratuit
ACCÈS	De Saint-Hyacinthe, prendre la route 137 sud jusqu'à ce qu'elle porte le nom d'avenue Saint-Louis. Tourner à gauche sur la rue Brouillette Est. Le stationnement et l'entrée principale se trouvent au bout de la rue. Une deuxième entrée est située un peu plus au sud. Continuer

tout droit sur l'avenue Saint-Louis et tourner à gauche sur la rue Cayouette Est. Emprunter le passage piéton.

DOCUMENTATION Dépliant (au bureau d'information touristique de Saint-Hyacinthe)
INFORMATION 450 778-7728 • www.cssh.qc.ca/coll/b12

3   CENTRE DE LA NATURE MONT-SAINT-HILAIRE

Ce centre est divisé en deux parties, l'une ouverte au public, où sont situés les sentiers, et l'autre réservée à la conservation. Le mont Saint-Hilaire, l'une des 10 collines montérégiennes, fut le premier site à être désigné Réserve de la biosphère par l'Unesco en 1978. Le lac Hertel, qui chevauche les deux secteurs du centre, est dominé par quatre sommets dont le Pain de sucre, d'une altitude de 415 mètres. Les sentiers se rendent à ces sommets en sillonnant une forêt dont les arbres sont âgés de quelques centaines d'années. Les plus vieux sont des thuyas de 500 ans, suivent les érables et les hêtres avec quelques années de moins. Les thuyas peuplent la falaise Dieppe, dotée de pentes abruptes. On trouvera aussi des peuplements rares comme les chênaies de sommet. On pourra apercevoir 200 espèces d'oiseaux dont des espèces rares ou menacées comme le faucon pèlerin et la paruline azurée. Les sommets offrent des panoramas sur la région et permettent l'observation d'urubus à tête rouge. Il y a environ 200 cerfs de Virginie qui peuplent la montagne. Fait étonnant, on note la présence d'un lynx roux. Plusieurs légendes entourent des phénomènes naturels présents sur la montagne.

RÉSEAU PÉDESTRE 20,3 km

SENTIERS ET PARCOURS	LONGUEUR	TYPE	NIVEAU	DÉNIVELÉ
Pain-de-Sucre	2,6 km	linéaire	intermédiaire	255 m
Dieppe	3,6 km	linéaire	intermédiaire	220 m
Rocky	8,7 km	boucle	intermédiaire	240 m
Burned Hill	1,6 km	linéaire	débutant	160 m
Passerelle (trottoir de bois)	0,4 km	linéaire	débutant	
Lac Hertel	0,6 km	linéaire	débutant	
Mauve	2,8 km	linéaire	débutant	

HORAIRE Toute l'année, de 8 h à 1 heure avant le coucher du soleil
TARIF 65 ans et plus : 2,00 $
18 à 64 ans : 4,00 $
6 à 17 ans : 2,00 $
0 à 5 ans : gratuit
Carte annuelle disponible
ACCÈS De la route 116 à Mont-Saint-Hilaire, emprunter la rue Fortier qui devient le chemin Ozias-Leduc. Tourner à gauche sur le chemin de

la Montagne, et à gauche à nouveau sur le chemin des Moulins par lequel on accède au Centre.

DOCUMENTATION   Dépliant-carte (à l'accueil)
INFORMATION   450 467-1755 • www.centrenature.qc.ca

4   CENTRE ÉCOLOGIQUE FERNAND-SÉGUIN

Situé à l'arrière d'une école secondaire à Châteauguay, le territoire de ce centre est entièrement recouvert d'une forêt typique de la région, l'érablière à caryer. Les sentiers, servant pour le ski de fond l'hiver, arpentent cette forêt propice à l'observation de nombreux oiseaux dont des chouettes, des sitelles, des pics et des mésanges. Ces dernières viennent manger dans la main. Le Trille est un sentier d'auto-interprétation de la flore présente. Des activités éducatives sont organisées au printemps et à l'automne.

🏛️P👫☕️✕⛩️🚂🎒🌿

Note : les services sont disponibles en mai et de mi-septembre à fin octobre

RÉSEAU PÉDESTRE 4,9 km

SENTIERS ET PARCOURS	LONGUEUR	TYPE	NIVEAU
Le Trille (piste numéro 1)	2,1 km	boucle	débutant
Piste numéro 2	2,8 km	boucle	débutant

HORAIRE   Toute l'année, de 10 h à 16 h
TARIF   Gratuit
ACCÈS   De la route 138 à Châteauguay, emprunter le boulevard René-Lévesque en direction ouest. Tourner à gauche sur le boulevard Brisebois et continuer jusqu'au bout.
DOCUMENTATION   Carte (à l'accueil et au bureau de Héritage Saint-Bernard)
INFORMATION   450 698-3133 • www.heritagestbernard.qc.ca

5   CIDRERIE MICHEL-JODOIN

Ce verger de quelques milliers de pommiers est situé en plein cœur de la région pomicole de Rougemont. Un sentier pédestre grimpe jusqu'au sommet du mont Rougemont à travers une forêt mixte dont des arbres sont centenaires. On longera un petit lac. Au sommet, sur le versant sud, on atteindra un belvédère offrant un panorama sur les montérégiennes ainsi que sur les pommiers, en fleurs au mois de mai. Des cerfs de Virginie sont présents dans la forêt. Visite de la cidrerie et dégustation des produits gratuites. 🐴

🏛️P👫☕️⛩️🏭

RÉSEAU PÉDESTRE 2,7 km

SENTIERS ET PARCOURS	LONGUEUR	TYPE	NIVEAU	DÉNIVELÉ
Le sentier des Érables	2,7 km	boucle	débutant	220 m

HORAIRE   De mai à octobre, de 9 h à 17 h
TARIF   Adulte : 2,00 $
    Enfant (14 ans et moins) : gratuit
ACCÈS   De la sortie 29 de l'autoroute 10, prendre la route 133 nord, puis la route 112 est jusqu'à Rougemont. Suivre les indications des panneaux touristiques sur environ 3 km jusqu'à la Cidrerie Michel-Jodoin.
DOCUMENTATION   Dépliant, carte (à l'accueil et au bureau touristique de la Montérégie)
INFORMATION   450 469-2676 • www.cidrerie-michel-jodoin.qc.ca

6 CIME HAUT-RICHELIEU

Le mont Saint-Grégoire, haut de 251 mètres d'altitude, fait partie des collines montérégiennes. Son réseau de sentiers sillonne la forêt le recouvrant. On débute dans une érablière à caryer avant de poursuivre à travers une chênaie. Le sommet est un cap rocheux dénudé, phénomène particulier à cette faible altitude. On y a un panorama de 360 degrés sur la région. On atteindra un autre point de vue appelé « le petit sommet ». Cela s'explique par le fait que ce point est séparé du sommet par une faille. Situé entre la carrière de granit qui se trouve à proximité et le sommet de la montagne, un belvédère offre un troisième panorama des environs. En passant dans le verger, on pourra admirer, au printemps, les pommiers en fleurs et, à l'automne, faire la cueillette de pommes. On pourra apercevoir la petite faune, des traces du passage des cerfs de Virginie et plusieurs oiseaux dont le grand pic, le corbeau et la buse à queue rousse.

✶ P (⊼ 🏕 Autre : autocueillette de pommes

RÉSEAU PÉDESTRE 2,5 km (mixte, débutant, dénivelé maximum de 185 m)

HORAIRE	Toute l'année, de 9 h à 17 h
TARIF	Adulte : 3,00 $
	Enfant (5 à 17 ans) : 1,00 $
	Enfant (moins de 5 ans) : gratuit
ACCÈS	De la sortie 37 de l'autoroute 10, prendre la route 227 sud. Tourner à droite sur le rang de la Montagne. Rouler environ 4 km et tourner à droite sur le chemin du Sous-Bois. Le centre se trouve au numéro 16.
DOCUMENTATION	Carte des sentiers (au bureau de CIME)
INFORMATION	450 346-0406 • cime.hr@qc.aira.com

JCT VERGERS DENIS-CHARBONNEAU

7 CIRCUIT HISTOIRE ET PATRIMOINE DE SAINT-DENIS-SUR-RICHELIEU

Ce circuit est guidé par un dépliant qu'on se procure à la maison nationale des Patriotes. Cette dernière est un centre d'interprétation de leur histoire, notamment la bataille de 1837. Arpentant les rues de l'ancien bourg de Saint-Denis, le circuit part à la découverte des lieux fréquentés par les Patriotes. On verra des résidences, le port, le parc des Patriotes, l'église datant de 1792 et le site de la bataille. Un supplément permet de faire une visite commentée du village. 🐕

🏛 P ♀ (X 🍴 ⊼ 🏠 🛍 ✕ Autre : boutiques

RÉSEAU PÉDESTRE 1,0 km (mixte, débutant)

HORAIRE	Du 1ᵉʳ mai au 1ᵉʳ décembre, de 10 h à 17 h
TARIF	Gratuit
	Tarification pour groupe
ACCÈS	De la sortie 113 de l'autoroute 20, suivre la route 133 nord jusqu'à Saint-Denis-sur-Richelieu. Le circuit débute au stationnement de l'église.
DOCUMENTATION	Dépliant-carte (à la maison nationale des Patriotes)
INFORMATION	450 787-3623 • www.mndp.qc.ca

8 CIRCUIT PATRIMONIAL DE BOUCHERVILLE

Ce circuit débute à la place de l'église Sainte-Famille. À l'aide d'un dépliant, on arpentera les rues du vieux village. On verra plusieurs résidences ancestrales dont une datant de 1790. Il s'agit de la maison d'un ancien premier ministre du Canada, Louis-Hippolyte Lafontaine. En bordure du fleuve Saint-Laurent, des panneaux d'interprétation renseignent sur l'histoire des îles de Boucherville. 🐴

🏠 P 🏨 C X 🎋 🛶

RÉSEAU PÉDESTRE 3,6 km (Multi : 3,6 km) (mixte, débutant)

HORAIRE	Toute l'année, du lever au coucher du soleil
TARIF	Gratuit
ACCÈS	Du pont-tunnel Louis-Hippolyte-Lafontaine, emprunter la route 132 est et prendre la sortie du boulevard Marie-Victorin. Le circuit débute au cœur du Vieux-Boucherville, à l'église.
DOCUMENTATION	Brochure (au Centre Mgr Poissant)
INFORMATION	450 449-8651 • 450 449-8650

9 ÉRABLIÈRE CHARBONNEAU

Ces sentiers sont situés en montagne et traversent une forêt mixte peuplée d'écureuils et de plusieurs oiseaux. En parcourant ces sentiers, où la randonnée est parfois facilitée par un escalier, on verra des petites chutes et des cours d'eau créés par le dégel au printemps. 🐴

⭐ P 🏨 X 🎋 🧱

RÉSEAU PÉDESTRE 1,2 km

SENTIERS ET PARCOURS	LONGUEUR	TYPE	NIVEAU	DÉNIVELÉ
Sentier no 1	0,3 km	boucle	débutant	
Sentier no 2	0,9 km	mixte	débutant	185 m

HORAIRE	Toute l'année, du lever au coucher du soleil
TARIF	Adulte : 3,00 $
	Enfant : 1,00 $
ACCÈS	De la sortie 37 de l'autoroute 10, emprunter la route 227 en direction sud. Tourner à droite sur le chemin du Sous-Bois. Le stationnement est situé au numéro 45.
DOCUMENTATION	Dépliant (à l'accueil et au verger Denis-Charbonneau)
INFORMATION	450 347-9090 • www.erablierecharbonneau.qc.ca

JCT   VERGERS DENIS-CHARBONNEAU

10 JARDIN DANIEL-A.-SÉGUIN

Ce jardin, aménagé en bordure de la rivière Yamaska à Saint-Hyacinthe, occupe une superficie de 4,5 hectares. Il porte ce nom en l'honneur d'un pionnier de l'horticulture ornementale au Québec. On y retrouve environ 2 000 espèces végétales réparties en 16 jardins thématiques dont les jardins de fines herbes, zen, japonais, québécois et français. Le sentier traverse ces jardins et passe par un étang et un grand bassin. On verra aussi une section réservée à l'exposition des dix meilleures nouvelles plantes annuelles. Le parcours est jalonné de panneaux d'interprétation traitant surtout de la flore. En cas de pluie, des parapluies sont fournis.

✿ P ⛨ ☕ ⛱ ⚘ ⚔

RÉSEAU PÉDESTRE 2,0 km (boucle, débutant)

HORAIRE	De début juin à mi-septembre, de 10 h à 17 h
TARIF	Adulte : 8,50 $
	Étudiant (7 à 17 ans) : 5,00 $
	Enfant (6 ans et moins) : gratuit
	Aîné (tous les mercredis) : 6,00 $
	Autres tarifs pour famille et groupe
ACCÈS	De la route 116 à Saint-Hyacinthe, tourner sur la rue Bienville, puis à droite sur la rue Sicotte. Le jardin se trouve un peu plus loin sur la droite.
DOCUMENTATION	Dépliant (à l'accueil)
INFORMATION	450 778-6504 • 450 778-0372 • itasth.qc.ca/jardindas

11 L'ESCAPADE – LES SENTIERS DU MONT RIGAUD

Les sentiers de ce réseau sillonnent la forêt recouvrant le mont Rigaud. Ce dernier existe depuis environ 450 millions d'années. Un panneau traite de ce sujet. Il s'agit de l'un des 25 panneaux d'interprétation bordant les sentiers. La plupart traitent de la faune et de la flore, mais certains renseignent aussi sur la géologie du site. Un des sentiers grimpe jusqu'au sommet de la montagne. On passera par une pinède et une érablière à caryer. Le point de vue du Haut-Lieu offre un panorama sur le Fleuve et sa vallée, les cimes des Adirondacks et même les silhouettes de l'oratoire Saint-Joseph et de l'Université de Montréal. On pourra apercevoir des oiseaux dont le grand héron et l'urubu à tête rouge, des écureuils noirs, des cerfs de Virginie, ainsi que des chevaux, les sentiers étant partagés avec ces derniers. 🐎

✿ P ⛨ ⛱ ⚘

RÉSEAU PÉDESTRE 19,3 km (Multi : 19,3 km)

SENTIERS ET PARCOURS	LONGUEUR	TYPE	NIVEAU	DÉNIVELÉ
La Foulée du cerf	5,9 km	linéaire	intermédiaire	105 m
L'Aventure douce	1,3 km	linéaire	débutant	
La Cavale	0,4 km	linéaire	débutant	
Le Haut-Lieu	4,9 km	linéaire	intermédiaire	100 m
La Clé des bois	3,0 km	linéaire	intermédiaire	120 m
La Virée gourmande	3,8 km	linéaire	intermédiaire	

HORAIRE	De mai à novembre, du lever au coucher du soleil
	Prudence pendant la période de chasse
TARIF	Gratuit
ACCÈS	De la sortie 12 de l'autoroute 40, se diriger à gauche vers Rigaud. Tourner à gauche sur la rue Pagé et continuer jusqu'au numéro 5.
DOCUMENTATION	Carte (au 391, chemin de la Mairie et au centre d'information touristique qui se trouve à la sortie 9 de l'autoroute 40.)
INFORMATION	450 451-0869 poste 238 • 450 451-4608 • www.ville.rigaud.qc.ca

12 LIEU HISTORIQUE NATIONAL DU CANADA DU CANAL-DE-CHAMBLY

Inauguré en 1843, ce canal composé de neuf écluses relie Chambly à Saint-Jean-sur-Richelieu. En contournant les rapides de la rivière Richelieu, il permettait d'atteindre New-York en passant par le lac Champlain. En parcourant l'ancien chemin de halage, situé entre le canal et la rivière Richelieu dont on verra les rapides, on passera par divers milieux : friche, prairie, marais et marécage. Des plantes rares ou menacées sont présentes. Ces habitats permettent l'observation de la petite faune et parfois du cerf de Virginie. Près des premières écluses, on aura des vues sur le fort de Chambly, un des bâtiments historiques visibles au début du parcours. La maison du surintendant permet de consulter des archives et présente une exposition. On pourra apercevoir une abondance de canards et de bernaches en période migratoire grâce à la halte située sur la rivière Richelieu. On y trouve les seules écluses activées manuellement au Québec (comme en 1843). Les écluses en escalier du Vieux-Chambly sont uniques au Québec. On peut constater deux peuplements forestiers rares au Québec, l'érablière argentée et une chênaie bicolore. 🐾

🏛 P 👫 X 🎋 ♨ ✒ 👤

RÉSEAU PÉDESTRE 19,0 km (Multi : 19 km) (linéaire, débutant)

HORAIRE	Toute l'année, du lever au coucher du soleil
TARIF	D'avril à décembre : frais de stationnement de 4,00 $ pour une période de 12 heures
ACCÈS	Accès nord : de la sortie 22 de l'autoroute 10, se diriger vers Chambly. Suivre le boulevard Fréchette jusqu'au bout et tourner à droite sur l'avenue Bourgogne. Le stationnement est situé immédiatement après le pont du canal, sur la droite.

Accès sud : de l'autoroute 35 à Saint-Jean-sur-Richelieu, prendre le boulevard du Séminaire (route 223) en direction sud et tourner à gauche sur la rue Saint-Jacques. Le début du canal se trouve avant le pont.

DOCUMENTATION   Brochure et dépliant (à l'accueil et dans les bureaux de Parcs Canada)

INFORMATION   450 658-6525 • 1 888 773-8888 • www.pc.gc.ca/lhn-nhs/qc/chambly

13   LIEU HISTORIQUE NATIONAL DU CANADA DU CANAL-DE-SAINT-OURS

Ce canal, inauguré en 1849, est une dixième écluse sur le Richelieu, complétant ainsi la voie reliant le lac Champlain au fleuve Saint-Laurent. Ce lieu se trouvant dans un corridor migratoire, on pourra y apercevoir plusieurs oiseaux. On pourra visiter une exposition historique à l'ancienne maison du surintendant, située sur l'île Darvard. Cette dernière se trouve entre le canal et son barrage. En parcourant ce réseau de sentiers, on sillonnera un milieu boisé dominé par les pins rouges et blancs, ainsi que par le frêne d'Amérique. On pourra apercevoir des écureuils roux, des marmottes et des campagnols des champs. La passe migratoire Vianney-Legendre a été construite en 2001 et vise à faciliter le passage des poissons de l'aval vers l'amont au barrage de la rivière Richelieu. Elle s'inscrit dans un plan de protection des espèces menacées, notamment le chevalier cuivré, et contribue à maintenir la biodiversité de la rivière Richelieu.

�star P ⛺⛺⛱ 🏕 🛶 ⛰ Autre : crèmerie

RÉSEAU PÉDESTRE   1,0 km (mixte, débutant)

HORAIRE   Du 14 mai au 14 octobre, du lever au coucher du soleil
TARIF   3,00 $ par adulte
ACCÈS   De Sorel, suivre la route 133 sud jusqu'à l'entrée du site à Saint-Ours. On peut également accéder au site par la route 223 jusqu'à l'entrée du site à Saint-Roch-de-Richelieu.
DOCUMENTATION   Brochure et dépliants (dans les bureaux de Parcs Canada)
INFORMATION   450 785-2212 • 1 888 773-8888 • www.pc.gc.ca/lhn-nhs/qc/saintours

14   MAISON DU MARAIS

Ce lieu, reconnu comme un site Ramsar, fait partie de la réserve mondiale de la biosphère du lac Saint-Pierre. Le sentier, agrémenté de panneaux d'interprétation, explore l'écosystème qu'est le marais et mène à une tour d'observation offrant une vue d'ensemble de ce dernier. Cette passe migratoire permet d'observer plusieurs poissons. On pourra aussi apercevoir des oiseaux de proie. 🐾

🏠 P ⛱ 🏛 🏕 🌿 ❀

Note : le pavillon d'accueil est ouvert de 9 h à 17 h de la Saint-Jean-Baptiste à la fête du Travail

RÉSEAU PÉDESTRE   1,3 km

SENTIERS ET PARCOURS	LONGUEUR	TYPE	NIVEAU
Sentier du Marais	1,3 km	linéaire	débutant

HORAIRE   Toute l'année, du lever au coucher du soleil
TARIF   Contribution volontaire
ACCÈS   De Montréal, prendre l'autoroute 30 est jusqu'à Sorel-Tracy. Passer le pont et tourner à gauche sur le boulevard Poliquin. Ensuite, une dizaine de kilomètre plus loin, tourner à droite, juste avant le pont,

sur le chemin du Chenal-du-Moine (prolongement du boulevard Poliquin). La Maison du Marais se situe au numéro 3742.

INFORMATION   450 742-5716 • 1 866 742-5716

15 PARC ARCHÉOLOGIQUE DE LA POINTE-DU-BUISSON

Le territoire de ce parc, situé près des rapides du fleuve Saint-Laurent, était occupé il y a environ 5 000 ans par les Amérindiens. On y effectue des fouilles archéologiques à dix endroits. On verra une sculpture au pavillon d'accueil et une exposition au pavillon d'interprétation. Ce lieu est occupé par une érablière à caryer dans laquelle on trouve aussi des frênes, des chênes, des tilleuls et des ostryers. On y trouve également des arbustes, des fleurs, des plantes médicinales et des champignons. Les sentiers sillonnent cette forêt et passent par les autres milieux naturels présents : prairie, bord du fleuve Saint-Laurent, marécages et affleurements de grès de Potsdam. On verra des vestiges de la Villa Ellice et une reconstitution d'un camp de pêche. On pourra apercevoir plusieurs mammifères et une quarantaine d'espèces d'oiseaux. 🐕

🏠 P 🚶‍♂️ 🦌 🌲 🛤️ 🎒 🏞️ ⛷️ ♿ Autre : boutique souvenir

RÉSEAU PÉDESTRE 2,4 km

SENTIERS ET PARCOURS	LONGUEUR	TYPE	NIVEAU
Chemin du portage	1,0 km	mixte	débutant
Chemin du cap à roulin	0,8 km	linéaire	débutant
Chemin des pêcheurs	0,3 km	linéaire	débutant
Chemin des caryers	0,4 km	linéaire	débutant

HORAIRE   De la mi-mai à la fête du Travail :
Du mardi au vendredi : de 10 h à 17 h
samedi et dimanche : de 10 h à 18 h
De la fête du Travail à la fête de l'Action de grâce :
Samedi et dimanche : de midi à 17 h

TARIF   Adulte : 5,00 $
Âge d'or : 4,00 $
Enfant (6 à 17 ans) : 3,00 $
Enfant (5 ans et moins) : gratuit
Famille : 14,00 $

ACCÈS   De Châteauguay, suivre la route 132 ouest jusqu'à Melocheville où l'entrée du parc est identifiée.

DOCUMENTATION   Dépliant-carte, dépliant (à l'accueil)

INFORMATION   450 429-7857 • www.pointedubuisson.com

16 PARC DE LA CITÉ

Dans ce parc de l'arrondissement Saint-Hubert, on a aménagé un lac artificiel d'une longueur de un kilomètre. Le sentier fait le tour de ce lac et passe, en partie, à travers une forêt mixte peuplée de renards et de cerfs de Virginie. On aura une vue sur une montagne.

★P♀♀🎋🛏

RÉSEAU PÉDESTRE	5,0 km (Multi : 5 km) (boucle, débutant)
HORAIRE	Toute l'année, du lever au coucher du soleil
TARIF	Gratuit
ACCÈS	De la sortie 115 de l'autoroute 30, emprunter le boulevard Cousineau (route 112) vers l'ouest et tourner à gauche sur le boulevard Gaëtan-Boucher. L'entrée du parc se situe à la jonction du boulevard Davis.
INFORMATION	450 463-7065 • www.longueuil.ca

17 PARC DE LA VOIE MARITIME – SAINT-LAMBERT

Ce parc, aménagé en bordure du fleuve Saint-Laurent, permet la pratique de plusieurs activités sportives. Il propose un sentier, partagé avec les cyclistes et les adeptes de patin à roues alignées, qui passe près d'une piste d'hébertisme. En le parcourant, on pourra se reposer dans un jardin ornemental et on passera par une zone boisée. 🐎

★P♀♀🎋🏊 Autre : piste d'hébertisme

RÉSEAU PÉDESTRE	1,0 km (Multi : 1 km) (boucle, débutant)
HORAIRE	De mai à novembre, de 6 h à 23 h
TARIF	Gratuit
ACCÈS	De l'autoroute 20 (route 132) à Saint-Lambert, prendre la sortie Notre-Dame et rejoindre la promenade Riverside sur laquelle se situe l'entrée du parc.
INFORMATION	450 466-3890

18 PARC DE PLEIN AIR SOREL-TRACY

Ce parc est situé à proximité de la voie ferrée. Les pistes de ski de fond sont utilisées pour la marche durant l'été. En les parcourant, on sillonnera une forêt mixte composée en partie de chênes, de bouleaux et d'érables. On pourra apercevoir des cerfs de Virginie et plusieurs espèces d'oiseaux. 🐎

🏠P♀♀☕

RÉSEAU PÉDESTRE	6,0 km (Multi : 6 km)

SENTIERS ET PARCOURS	LONGUEUR	TYPE	NIVEAU
Sentier des Chênes	1,2 km	boucle	débutant
Sentier des Pins	1,8 km	linéaire	débutant
Sentier des Sablières	2,5 km	linéaire	débutant
Lien no 1	0,2 km	linéaire	débutant
Lien no 2	0,3 km	linéaire	débutant

HORAIRE De mai à novembre, du lever au coucher du soleil

TARIF Gratuit

ACCÈS De l'autoroute 30, prendre la sortie 178 indiquant le chemin du Golf. Le parc est situé au 3100, chemin du Golf.

DOCUMENTATION Carte des pistes (service des loisirs de Sorel-Tracy et au chalet d'accueil)

INFORMATION 450 743-2785 • 450 780-5731

19 PARC EDMOUR-J.-HARVEY

Ce parc à vocation récréative se trouve sur l'un des flancs du mont Saint-Bruno. Le sentier sillonne sa partie boisée, composée d'érables et de conifères. En le parcourant, on verra les différents terrains sportifs du parc, ainsi qu'un lac pluvial.

RÉSEAU PÉDESTRE 3,0 km (Multi : 3 km) (linéaire, intermédiaire)

HORAIRE De mai à octobre, de 9 h au coucher du soleil
Note : en juillet et août, il n'y a pas de marche du lundi au jeudi

TARIF Gratuit

ACCÈS De la sortie 102 de l'autoroute 20, prendre à droite le chemin du Fer-à-Cheval, puis à gauche le boulevard des Haut-Bois. Tourner à droite sur la rue Gilles-Vigneault, et à droite à nouveau sur la rue des Brises au bout de laquelle se trouve le parc.

INFORMATION 450 922-7122 • www.ville.sainte-julie.qc.ca

20 PARC HISTORIQUE POINTE-DU-MOULIN

Ce parc, ouvert au public en 1979, est en premier lieu un centre d'interprétation. Situé sur l'île Perrot, au confluent du fleuve Saint-Laurent et du lac Saint-Louis, son territoire est recouvert d'un boisé acclimaté aux conditions du sol. On y trouve l'érable argenté, le frêne rouge et l'orme d'Amérique ainsi que des essences pionnières et plusieurs plantes. Ce sentier d'interprétation de la nature passe sur la rive, offrant une vue sur Montréal. Une basse-cour avec ses animaux typiques est présente sur le site. Autour du moulin à vent et de la maison du meunier, on reconstitue, les fins de semaine de juillet et août, le mode de vie du XVIIIe siècle. Des visites guidées sont offertes pour le moulin à vent datant de 1705, la maison du meunier bâtie en 1790 et le centre d'interprétation.

⌂P🚶‍♂️🏕️⛩️🏛️♨️🎿⛷️♿

RÉSEAU PÉDESTRE 2,5 km (boucle, débutant)

HORAIRE	De mi-mai à fin août : ouvert 7 jours, de 9 h à 20 h
	De début septembre à mi-octobre : ouvert les fins de semaine, de 9 h à 18 h
TARIF	Adulte : 3,00 $ / 5,00 $
	Enfant (5 à 17 ans) : 2,00 $ / 3,00 $
ACCÈS	À partir de l'autoroute 20, sortir à L'Île-Perrot. Au 2e feu de circulation, tourner à gauche sur le boulevard Don Quichotte. Le parc se situe au bout, 10 km plus loin.
DOCUMENTATION	Brochure d'interprétation de la flore (à l'accueil)
INFORMATION	514 453-5936 • www.pointedumoulin.com

21   PARC LE ROCHER

Situé à Saint-Amable, ce parc municipal repose sur le site d'une ancienne sablière dont le sable fut utilisé pour la construction d'autoroutes. Son territoire, d'une superficie de 125 hectares, est constitué d'une zone marécageuse en partie boisée. Les sentiers sillonnent ce milieu peuplé d'une abondance de roseaux.

✳P🚶‍♂️

RÉSEAU PÉDESTRE 9,5 km (Multi : 9,5 km)

SENTIERS ET PARCOURS	LONGUEUR	TYPE	NIVEAU
Promenade (verte)	1,6 km	mixte	débutant
Évasion (jaune)	3,2 km	mixte	débutant
Randonnée (rouge)	4,7 km	mixte	débutant

HORAIRE	D'avril à octobre, du lever au coucher du soleil
TARIF	Gratuit
ACCÈS	De la sortie 128 de l'autoroute 30, suivre les indications pour Saint-Amable. Tourner à gauche sur la rue Auger, puis à droite sur la rue Thomas.
DOCUMENTATION	Carte (à la municipalité de Saint-Amable)
INFORMATION	450 649-3555 poste 233

22   PARC LES SALINES

Le nom de ce parc urbain, situé à Saint-Hyacinthe, provient du fait que des sources d'eau salée y coulaient à la fin du XIXe siècle. Les sentiers, dédiés au ski de fond durant l'hiver, sont recouvert de poussière de pierre. Deux ruisseaux serpentent dans ce territoire en partie recouvert de forêt. Un secteur du parc englobe une aire de pique-nique ainsi que des aires de jeux et de jeux d'eau. On pourra apercevoir plusieurs oiseaux. De l'éclairage a été installé dans le parc permettant la marche en soirée.

⌂P🚶‍♂️🏕️⛩️♿

RÉSEAU PÉDESTRE 8,0 km (Multi : 8 km) (mixte, débutant)

HORAIRE	Toute l'année, de 7 h à 23 h
TARIF	Gratuit
ACCÈS	À partir de l'autoroute 20, prendre la sortie 130 nord. Tourner à droite sur la rue Martineau. Poursuivre jusqu'à l'entrée du parc située au numéro 5330.

DOCUMENTATION   Carte (à l'accueil)
INFORMATION   450 778-8335 • 450 796-2530
     www.ville.st-hyacinthe.qc.ca/loisirs-culture/pleinair.html#salines

23   PARC MARIE-VICTORIN ET PROMENADE RENÉ-LÉVESQUE

Un sentier multifonctionnel asphalté s'étend du pont-tunnel Louis-Hippolyte-Lafontaine au port de plaisance de la ville de Longueuil. Ce sentier, qui passe par le parc Marie-Victorin, est aménagé en bordure du fleuve Saint-Laurent, offrant une vue sur ce dernier. La promenade est éclairée pour la marche en soirée.

★P♔☾✗☴🚂🚃🐾🚐   Autre : navette fluviale

RÉSEAU PÉDESTRE   7,0 km (Multi : 7 km)

SENTIERS ET PARCOURS	LONGUEUR	TYPE	NIVEAU
Promenade René-Lévesque	5,0 km	linéaire	débutant
Parc Marie-Victorin	2,0 km	boucle	débutant

HORAIRE   De mai à novembre, du lever du soleil jusqu'à 22 h
TARIF   Gratuit
ACCÈS   De l'autoroute 20, prendre la route 132 ouest à Longueuil, suivre les indications pour le Parc Marie-Victorin.
INFORMATION   450 463-7000 • www.longueuil.ca

24   PARC NATIONAL DES ÎLES-DE-BOUCHERVILLE   Parcs Québec

Cet archipel, d'une superficie d'environ 8 km², est situé près du centre-ville de Montréal, en plein milieu du fleuve Saint-Laurent. Ses cinq îles sont reliées par des passerelles et un bac à câble. Les sentiers passent par différents milieux naturels : champs en friche, boisés, prairies inondables, marais et marécages. Ce parc est une halte migratoire pour la sauvagine.  On pourra y apercevoir près de 300 espèces fauniques dont le cerf de Virginie et une espèce vulnérable, la tortue géographique. Sur Le Grand-Duc, on trouve 11 arrêts présentés par un dépliant et on verra un arbre coupé par les castors. Sur l'île de la Commune, une tour d'observation, d'une hauteur d'environ 15 mètres, offre un panorama sur le chenal du Courant, le Fleuve et Montréal. De là, on peut accéder par un pont de bois à l'île Grosbois. Cette dernière comprend un boisé de 18 hectares, un site archéologique et une exposition de photographies. Des panneaux et un dépliant traitent de la présence amérindienne sur l'archipel il y a plus de 2 000 ans. De la tour de l'île de la Commune, on peut accéder à l'île aux Raisins qui n'avait jamais été parcourue auparavant. On y aura une vue sur les autres îles. On a aménagé une hutte amérindienne sur le site archéologique Boucher-De-Grosbois. Des fouilles ont permis de découvrir des traces de piquets, datant de 1 000 ans, laissant suggérer l'érection de huttes à structures de perches recouvertes d'écorce ou de peaux. Également, un immense parc d'attraction, le King Edward Park, a déjà vu le jour sur l'île Grosbois de 1909 à 1928.

� P ⛄ (X 🔥 🎋 ▥ 🛏 ⚶ ✍ 👣 Autre : bac à câble

RÉSEAU PÉDESTRE 26,6 km (Multi : 12,6 km)

SENTIERS ET PARCOURS	LONGUEUR	TYPE	NIVEAU
Île Sainte-Marguerite	2,5 km	linéaire	débutant
Île de la Commune	4,9 km	boucle	débutant
Île Grosbois	7,7 km	boucle	débutant
Le Grand-Duc	1,5 km	boucle	débutant
La Petite Rivière	2,5 km	boucle	débutant
La Grande Rivière	4,0 km	boucle	débutant
L'Île aux Raisins	3,5 km	mixte	débutant

HORAIRE	Toute l'année, de 8 h au coucher du soleil
TARIF	Voir la tarification des Parcs nationaux du Québec à la page 15 de cet ouvrage.
ACCÈS	De l'autoroute 25, prendre le pont-tunnel Louis-Hippolyte-Lafontaine, puis la sortie 1. Suivre ensuite les indications.
DOCUMENTATION	Journal du parc, dépliants (au centre d'interprétation et de services)
INFORMATION	450 928-5088 • www.parcsquebec.com

25 PARC NATIONAL DU MONT-SAINT-BRUNO Parcs Québec

Ce parc national, d'une superficie de 7,9 km², propose des sentiers traversant plusieurs milieux : champ en friche, verger et forêts matures. Ces dernières comptent l'érablière à caryer, la chênaie rouge à érable à sucre et ostryer de Virginie ainsi que la prucheraie à érable à sucre. Le sentier des Lacs, agrémenté de quais et de belvédères, relie les cinq lacs de la montagne qui se déversent l'un dans l'autre. Le sentier Montérégien, au relief ondulé, passe par de nombreux ruisseaux. On verra plusieurs aménagements témoignant de la présence passée des Frères de Saint-Gabriel. Le

sentier Seigneurial fait le tour du lac du même nom, le plus grand du parc. On aura accès au Vieux-Moulin, un vestige de la seigneurie de Montarville converti en centre d'interprétation, et au pont des trois arches. Plus de 200 espèces d'oiseaux sont présentes sur le site.

⚐ P ⛄ (X 🎋 🔥 🛏 ⚶ ✍ 👣 Autres : centre d'exposition, terrasse, arboretum

SENTIERS ET PARCOURS	LONGUEUR	TYPE	NIVEAU	DÉNIVELÉ
Sentier des Lacs	8,8 km	boucle	intermédiaire	90 m
Sentier Montérégien	8,8 km	boucle	intermédiaire	100 m
Sentier Saint-Gabriel	1,8 km	linéaire	débutant	
Sentier Seigneurial	7,0 km	boucle	intermédiaire	60 m
Sentier du Petit-Duc	1,5 km	boucle	débutant	
Sentier du Grand-Duc	3,5 km	boucle	débutant	

HORAIRE	Toute l'année, de 8 h au coucher du soleil
TARIF	Voir la tarification des Parcs nationaux du Québec à la page 15 de cet ouvrage.
ACCÈS	De la sortie 102 de l'autoroute 20, ou de la sortie 121 de l'autoroute 30, poursuivre sur environ 3 km en suivant les indications pour le parc.
DOCUMENTATION	Journal du parc, brochure d'interprétation, dépliant des activités hivernales (à l'accueil)
INFORMATION	450 653-7544 • www.parcsquebec.com

26 PARC NATURE BOIS ROBERT

Ce parc tient son nom d'un personnage ayant marqué les débuts de l'industrie régionale. Ce boisé, d'une superficie de près de 40 hectares, est aménagé en bordure de la rivière Saint-Louis, à Beauharnois. Il s'agit d'une érablière à caryer comprenant deux espèces de caryers et d'ormes, trois espèces de chênes et la pruche de l'Est. En parcourant les sentiers, agrémentés de panneaux d'interprétation, on verra des plates-bandes florales,

on atteindra un belvédère juché sur une colline et on pourra admirer la chute Saint-Louis. On pourra apercevoir une faune variée comprenant la tortue serpentine, en voie de disparition, et plusieurs oiseaux.

RÉSEAU PÉDESTRE 4,7 km (Multi : 4,7 km)

SENTIERS ET PARCOURS	LONGUEUR	TYPE	NIVEAU
Grand Sentier PPG	2,0 km	linéaire	débutant
Piste jaune	0,5 km	linéaire	débutant
Piste bleu	0,4 km	linéaire	débutant
Piste orange	1,0 km	linéaire	débutant
Piste rouge	0,8 km	linéaire	débutant

HORAIRE	Toute l'année, du lever au coucher du soleil

27 PARC RÉGIONAL DE BEAUHARNOIS – SALABERRY

Ce parc, situé près des lacs Saint-François et Saint-Louis, englobe deux anciens parcs
ayant fusionné : le Parc régional du canal de Beauharnois et le Parc linéaire de la
MRC. Il est divisé en deux axes. L'axe riverain se rend de Salaberry-de-Valleyfield
à Beauharnois, en longent les deux rives du canal de Beauharnois. L'axe rural se
situe sur l'ancienne voie ferrée. Il débute à Beauharnois et mène à Sainte-Martine
en traversant les champs agricoles. On aura plusieurs points de vue dont certains
donnant sur la centrale hydroélectrique Beauharnois, sur les écluses et sur les navires
circulant sur le fleuve Saint-Laurent. Ce parc est aussi un musée à ciel ouvert grâce
à la présence de nombreuses aires d'interprétation traitant de l'histoire du canal, de la
centrale hydroélectrique, de la navigation maritime et de l'environnement. Le canal de
Beauharnois s'est vu attribuer le statut de ZICO (zone importante pour la conservation
des oiseaux) grâce aux bassins, aires de nidification et marais de Canards Illimités.

✮ P ⚥ 禾 ⌂ 🎣 ♨ ♥ ✍ Autre : aire d'observation

RÉSEAU PÉDESTRE 64,5 km (Multi : 64,5 km)

SENTIERS ET PARCOURS	LONGUEUR	TYPE	NIVEAU
Axe riverain	48,9 km	mixte	débutant
Axe rural	15,6 km	mixte	débutant

28 PARC RÉGIONAL DE LONGUEUIL

Avec ses 185 hectares, ce parc couvre pratiquement la même superficie que celui du
Mont-Royal. Ce lieu servant à la fois de lieu récréatif et de site de conservation de la
nature est situé en plein cœur de la ville, ce qui n'empêche pas la présence de cerfs
de Virginie. On y trouve un boisé à travers lequel des sentiers serpentent. D'autres
sentiers passent par la zone des Trois Lacs, où se situe un marais peuplé de poissons
et de canards. On pourra emprunter le sentier de marche Cœur en mouvement et un
sentier écologique agrémenté de panneaux d'interprétation. On pourra apercevoir la
petite faune et une centaine d'espèces d'oiseaux. Sur le site, un cadran solaire permet
de lire l'heure de façon originale. Certains tronçons sont éclairés, permettant la marche
en soirée. Le dimanche matin, des concerts champêtres sont présentés.

🏛 P ⚥ ⟮⟯ ✗ 禾 ♥

RÉSEAU PÉDESTRE   18,4 km (Multi : 6,9 km)

SENTIERS ET PARCOURS	LONGUEUR	TYPE	NIVEAU
Sentier 0	0,5 km	linéaire	débutant
Sentier 1	0,7 km	boucle	débutant
Sentier 2	0,7 km	linéaire	débutant
Sentier 3	2,0 km	linéaire	débutant
Sentier 4	3,5 km	boucle	débutant
Sentier 5	3,0 km	linéaire	débutant
Sentier 6	1,9 km	boucle	débutant
Cœur en mouvement	3,0 km	boucle	débutant
Sentier écologique	3,1 km	boucle	débutant

HORAIRE	Toute l'année, de 6 h à 23 h
TARIF	Gratuit
ACCÈS	De l'autoroute 20 (route 132) à Longueuil, emprunter le boulevard Roland-Therrien. Tourner à gauche sur le boulevard Curé-Poirier et continuer jusqu'à la rue Adoncour à la jonction de laquelle se trouve l'entrée principale du parc.
DOCUMENTATION	Carte du parc (au pavillon d'accueil)
INFORMATION	450 468-7617 • 450 468-7642 • www.longueuil.ca

29 PARC RÉGIONAL DES ÎLES DE SAINT-TIMOTHÉE

Ce parc, ouvert depuis 1989, est constitué d'îles baignant dans la rivière Saint-Charles et le fleuve Saint-Laurent. Les sentiers dédiés au ski de fond l'hiver sont utilisés pour la marche durant la saison estivale. En les parcourant, on passera par plusieurs milieux : marais, bassin, érablière et boisé dominé par les conifères. Huit panneaux

d'interprétation renseignent sur ces derniers. On aura accès à une plage. On pourra apercevoir une faune diversifiée dont plus de 15 espèces de poissons, quelques mammifères et plus d'une centaine d'espèces d'oiseaux comme le grand héron et l'oriole du nord. 🐴 (sur une portion de 14 km)

✿P👥[X♒⛺🌿🏊 Autre : piste d'hébertisme

RÉSEAU PÉDESTRE 17,0 km (mixte, débutant)

HORAIRE	Toute l'année, de 6 h à 23 h
TARIF	Adulte : 6,00 $ / 8,00 $
	Adolescent (12 à 17 ans) : 4,00 $ / 5,00 $
	Enfant (entre 6 et 11 ans) : 3,00 $
	Enfant (5 ans et moins) : gratuit
	Stationnement inclus
ACCÈS	De Châteauguay, suivre la route 132 ouest jusqu'à Salaberry-de-Valleyfield. Le site est accessible via la rue Saint-Laurent.
DOCUMENTATION	Dépliant-carte (à l'accueil)
INFORMATION	450 377-1117 • 450 370-4390 • www.ville.valleyfield.qc.ca

30 PARC RÉGIONAL SAINT-BERNARD

Ce parc, d'une superficie de 210 hectares, possède des sentiers de ski de fond utilisés pour la marche durant la saison estivale. Une portion de 3 kilomètres est faite sur fond de poussière de pierre. En empruntant les différents sentiers, on sillonnera un boisé composé de pins, d'érables et de cèdres. On atteindra deux marais, propices à l'observation des oiseaux.

✿P👥X♒

RÉSEAU PÉDESTRE 15,0 km (mixte, intermédiaire, dénivelé maximum de 50 m)

HORAIRE	D'avril à novembre, du lever au coucher du soleil
TARIF	Gratuit
ACCÈS	De la sortie 6 de l'autoroute 15, prendre la route 202 est, puis la route 217 sud. L'entrée du parc se trouve peu après la rivière Lacolle.
DOCUMENTATION	Carte (à l'accueil)
INFORMATION	450 246-2598 • 450 246-3348

31 PROMENADE GÉRARD-COTÉ

Cette promenade est aménagée en bordure de la rivière Yamaska, en plein centre-ville de Saint-Hyacinthe. En l'empruntant, on longera la rivière dont on pourra admirer les rapides. Une aire de pique-nique permet de casser la croûte en observant les nombreuses espèces d'oiseaux présentes, notamment le héron. 🐕

✶P♒

RÉSEAU PÉDESTRE 2,0 km (Multi : 2 km) (linéaire, débutant)

HORAIRE	Toute l'année, du lever au coucher du soleil
TARIF	Gratuit
ACCÈS	De la sortie 130 sud de l'autoroute 20, se rendre au centre-ville de Saint-Hyacinthe. Le parc se situe au coin des rues Girouard et Pratte.
INFORMATION	450 778-8333 • www.ville.st-hyacinthe.qc.ca

Montérégie

32 RANDONNÉE DU PATRIMOINE DE SOREL

Fondée en 1642, Sorel est la quatrième plus vieille ville au Canada. On y trouve trois circuits partant à la découverte de son histoire à travers des vestiges ayant résisté au temps. Le circuit La Rencontre des Cultures passe par le parc municipal Regard sur le Fleuve. Ce dernier, aménagé en bordure du fleuve Saint-Laurent, comprend un sentier offrant une vue sur le Fleuve et sur la marina. Les rues de la ville témoignent de la présence britannique d'autrefois. Le Carré Royal a la forme du drapeau de l'Union Jack. L'Office de tourisme est ouvert de la Saint-Jean-Baptiste à la fête du Travail.

P ♦♦ ⚲ ✗ ⛉ ⚱ ⚲ ♿

RÉSEAU PÉDESTRE 5,7 km

SENTIERS ET PARCOURS	LONGUEUR	TYPE	NIVEAU
La Naissance d'une Ville	1,0 km	boucle	débutant
La Rencontre des Cultures	2,2 km	boucle	débutant
La Marche des Gouverneurs	1,5 km	boucle	débutant
Sentier du parc Regard sur le Fleuve	1,0 km	linéaire	débutant

HORAIRE	Toute l'année, du lever au coucher du soleil
TARIF	Gratuit
ACCÈS	À Sorel, suivre le chemin des Patriotes jusqu'au centre-ville.
DOCUMENTATION	Brochure d'interprétation (à l'office de tourisme)
INFORMATION	450 746-9441 • 1 800 474-9441 • www.tourismesoreltracyregion.qc.ca

33 RÉCRÉ-O-PARC DE SAINTE-CATHERINE

Ce parc, aménagé en bordure du fleuve Saint-Laurent, a été créé en 1967. Il est situé à l'intérieur d'un refuge d'oiseaux migrateurs, celui de l'île aux Hérons. Cette île est reconnue comme étant la plus importante héronnière de la région de Montréal. En parcourant les sentiers de ce réseau, on aura accès à un belvédère et des remparts d'observation offrant une vue sur des îles, sur les rapides de Lachine et sur les écluses. 🐎

✿ P ♦♦ ✗ ⛉ 🚲 🌊 Autres : kiosque, pavillon d'exposition

Note : la plage et le casse-croûte sont ouverts à partir du week-end de la fête de la Saint-Jean-Baptiste au 3e dimanche d'août.

RÉSEAU PÉDESTRE 7,0 km (Multi : 7 km) (mixte, débutant)

HORAIRE	Toute l'année, de 10 h à 18 h
TARIF	Frais pour la plage
ACCÈS	Du pont Mercier, prendre la route 132 est et tourner à gauche sur la rue Centrale vers les écluses de Sainte-Catherine. Traverser le pont des Écluses, puis tourner à gauche et continuer sur 1 km.
DOCUMENTATION	Dépliant-carte (à l'accueil)
INFORMATION	450 635-3011

34 REFUGE FAUNIQUE MARGUERITE-D'YOUVILLE

Ce refuge est situé sur l'île Saint-Bernard, divisée en trois parties par une grande et une petite digue. En parcourant les sentiers, dont un faisant le tour de l'île en longeant la rivière Châteauguay et le lac Saint-Louis, on passera par différents milieux : prairie, érablière à caryer, chênaie, ainsi que marais et marécages. Ces derniers sont accessibles grâce à des passerelles. On verra plusieurs peuplements d'intérêt par leur caractère exceptionnel comme deux espèces d'aubépines, le chêne bicolore et le micocoulier occidental. Les sentiers longent parfois des fosses piscicoles et donnent accès à des plages. Des panneaux d'interprétation traitent des marais, de la flore et de la faune composée, entre autres, du cerf de Virginie et de 193 espèces d'oiseaux dont une espèce rare, le petit blongios. Des aménagements fauniques permettant l'observation de certaines espèces ont été réalisés, notamment des nichoirs à canards branchus. L'île est marquée par la présence d'artefacts archéologiques.

🏠P👫✕🎋🏠⛲🚂🌿

Autres : abris d'observation, navette fluviale (vers Lachine), ponton

Note : le pavillon d'accueil est ouvert de 8 h 30 à 16 h 30.

RÉSEAU PÉDESTRE 8,4 km (mixte, débutant)

HORAIRE	De mi-juin à décembre, du lever au coucher du soleil
TARIF	Gratuit
ACCÈS	De Montréal, traverser le pont Mercier et suivre la route 138 en direction de Châteauguay. Tourner à droite sur le boulevard Saint-Francis et rouler jusqu'au bout. Tourner ensuite à droite sur le boulevard Salaberry Nord, passer sous le pont de la Sauvagine et tourner immédiatement à droite pour monter sur celui-ci. L'entrée au refuge se situe sur le pont, à droite.
DOCUMENTATION	Dépliant (au bureau d'information touristique et au bureau d'Héritage Saint-Bernard)
INFORMATION	450 698-3133 • www.heritagestbernard.qc.ca

35 RÉSERVE NATIONALE DE FAUNE DU LAC SAINT-FRANCOIS

Cette réserve est située sur la rive sud du fleuve Saint-Laurent. Son territoire, d'une superficie de 1 347 hectares, est occupé par une vaste zone de marais et de marécages, accompagnée d'une forêt de feuillus comptant un érable à sucre de quelques centaines d'années et une essence rare, l'orme de Thomas. Des plantes grimpantes enjolivent le sous-bois. Près de l'accueil, une tour d'observation offre une vue sur la réserve. Une autre tour est accessible par un trottoir de bois. Le sentier de la Digue aux aigrettes, agrémenté de 15 stations d'interprétation de la nature, permet de marcher sur la digue et mène à un belvédère offrant une vue sur le marais et sur les Adirondacks. On pourra apercevoir plus de 150 espèces fauniques, dont plusieurs amphibiens et poissons dans le marais. Plus de 200 espèces d'oiseaux, dont 13 en péril, sont recensées dans un dépliant. Ce site est reconnu Ramsar depuis 1987 à titre d'écosystème d'importance mondiale. C'est un des rares endroits connus des basses terres du Saint-Laurent où niche le fuligule à tête rouge. Une passerelle passe à travers le marécage de Bois d'enfer où l'on retrouve le sumac à vernis, la plante la plus toxique au toucher au Québec. 🐾

RÉSEAU PÉDESTRE 11,4 km

SENTIERS ET PARCOURS	LONGUEUR	TYPE	NIVEAU
Trille penchée	0,8 km	boucle	débutant
Sentier de l'érablière à caryers (section Piasetski)	5,0 km	boucle	débutant
Sentier de la Digue aux aigrettes	4,5 km	boucle	intermédiaire
Sentier de la tour (Frênaie)	0,5 km	boucle	débutant
Sentier du marais	0,6 km	linéaire	débutant

HORAIRE	Toute l'année, du lever au coucher du soleil
TARIF	Gratuit
ACCÈS	De Salaberry-de-Valleyfield, suivre la route 132 ouest. À partir de Saint-Anicet, suivre les indications.
DOCUMENTATION	Dépliant (à l'accueil)
INFORMATION	450 264-5908 • 450 370-6954 • www.amisrnflacstfrancois.com

36 SENTIERS POLYVALENTS DE BROSSARD

Ces sentiers sont partagés entre les marcheurs, les cyclistes et les adeptes de patin à roues alignées. L'un des sentiers est aménagé en bordure du fleuve Saint-Laurent et offre des points de vue sur ce dernier depuis les quatre parcs qu'il traverse. L'autre longe la rivière Saint-Jacques.

RÉSEAU PÉDESTRE 10,0 km (Multi : 10 km)

SENTIERS ET PARCOURS	LONGUEUR	TYPE	NIVEAU
Le long de la rivière Saint-Jacques	5,0 km	linéaire	débutant
En bordure du fleuve Saint-Laurent	5,0 km	linéaire	débutant

HORAIRE	De mi-mai à début novembre, du lever au coucher du soleil
TARIF	Gratuit
ACCÈS	De l'autoroute 15 (route 132) à Brossard, sortir au boulevard Matte et suivre les indications pour le parc Léon-Gravel.
DOCUMENTATION	Carte (à l'hôtel de ville)
INFORMATION	450 923-6340 • www.ville.brossard.qc.ca

37 VERGERS DENIS-CHARBONNEAU

Ces sentiers sillonnent la forêt recouvrant le mont Saint-Grégoire, l'une des collines montérégiennes. On passera par le verger et l'érablière situés au pied de la montagne, puis par une chênaie boréale avant d'atteindre un belvédère. Ce dernier offre un panorama s'étendant jusqu'au stade olympique. En chemin, on verra une petite caverne dans laquelle on pourra circuler. On pourra apercevoir des cerfs de Virginie et plusieurs oiseaux. Il est possible de faire l'autocueillette de pommes. 🐕

🏠P👫✕⛱🚻

Note : le restaurant est ouvert durant les mois de mars, avril, septembre et octobre

RÉSEAU PÉDESTRE 2,6 km

HORAIRE	Toute l'année, de 8 h à 19 h
TARIF	Adulte : 3,00 $
	Enfant (5 à 17 ans) : 1,00 $

SENTIERS ET PARCOURS	LONGUEUR	TYPE	NIVEAU	DÉNIVELÉ
Petit train du nord	2,6 km	mixte	débutant	185 m

ACCÈS	De la sortie 37 de l'autoroute 10, emprunter la route 227 en direction sud. Tourner à droite sur le rang de la Montagne. Le stationnement est situé au numéro 575.
DOCUMENTATION	Dépliant-carte (à l'accueil)
INFORMATION	450 347-9090 • 450 347-9184 • www.vergersdc.qc.ca

JCT CIME HAUT-RICHELIEU ; ÉRABLIÈRE CHARBONNEAU

Montréal

MONTRÉAL

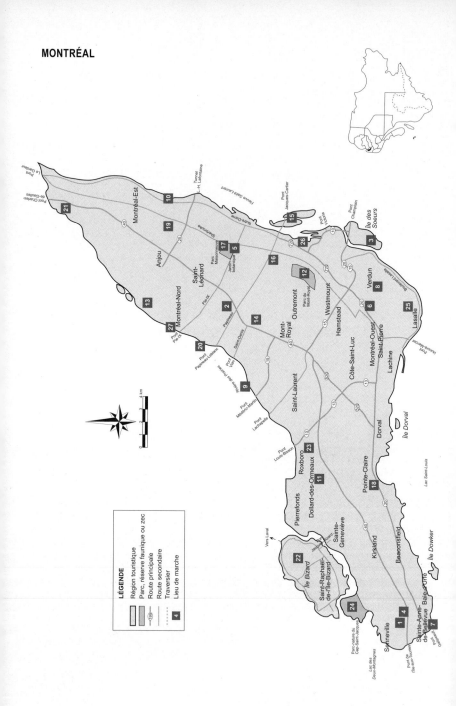

Photo page précédente : Pôle des Rapides (LMI - Nadia Renaud)

LIEUX DE MARCHE

1 ARBORETUM MORGAN

Cette forêt de 245 hectares renferme plus de 150 espèces d'arbres dont plusieurs sont très vieux, ce qui est peu commun dans la région. On trouve sur le site une hêtraie, des arbres exotiques, des zones de régénération, un coin fleuri comprenant, entre autres, des ifs et des genévriers, ainsi que plusieurs plantes, fougères et arbustes. Le sentier orange conduit à une réserve écologique de 9 hectares, une forêt naturelle non aménagée dans laquelle on trouve, entre autres, le charme de Caroline, l'érable argenté et le chicot. Près des thuyas, des mangeoires permettent l'observation du bruant à gorge blanche et du junco ardoisé, deux des quelque 200 espèces d'oiseaux ayant été observées à l'arboretum. On pourra apercevoir une trentaine de mammifères et plusieurs reptiles et amphibiens. Une cabane à sucre patrimoniale est présente sur le territoire. L'Arboretum Morgan est le plus grand au Canada. On y retrouve l'un des plus vieux érables de l'île de Montréal. 🚩
Note : La promenade avec chien est un privilège réservé aux Ami-e-s de l'Arboretum. Seuls les chiens enregistrés auprès de l'AAM sont admis sur le site.

🏠 P ⛹ 🏕 ⚘ ⚑ Autre : centre de conservation

RÉSEAU PÉDESTRE 11,2 km

SENTIERS ET PARCOURS	LONGUEUR	TYPE	NIVEAU
Sentier rouge	1,5 km	boucle	débutant
Sentier jaune	5,4 km	boucle	débutant
Sentier orange	3,0 km	boucle	débutant
Sentier vert	1,3 km	boucle	débutant

HORAIRE	Toute l'année, de 9 h à 16 h
TARIF	Adulte : 5,00 $
	Âge d'or et étudiant : 3,00$
	Enfant (de 4 à 17 ans) : 2,00 $
	Enfant (3 ans et moins) : gratuit
	Carte de membre annuelle
ACCÈS	De l'autoroute 40, prendre la sortie 41 et le chemin Sainte-Marie. À l'arrêt en haut de la côte, tourner à gauche sur le chemin des Pins et continuer jusqu'au chalet des Pins.
	Transport public : du métro Lionel-Groulx, prendre l'autobus 211 Bord-du-Lac en direction ouest. Descendre au Campus MacDonald, puis marcher 4,4 km.
DOCUMENTATION	Carte, dépliant (à l'accueil)
INFORMATION	514 398-7811 • www.arboretummorgan.org

2 COMPLEXE ENVIRONNEMENTAL SAINT-MICHEL

D'une superficie de 48 hectares, ce parc est ceinturé d'un sentier multifonctionnel qui fait le tour de ce lieu de démonstration de recyclage de site. En effet, on peut y voir les traces de la transformation de la carrière Miron en site d'enfouissement puis en parc. Une partie du site d'enfouissement des matériaux secs est toujours en activité mais en voie d'être abandonnée au profit du parc. Du haut de ce qui fut autrefois la carrière Miron, où on extrayait du calcaire ayant servi à la construction de la place Ville-Marie, de l'autoroute métropolitaine et de l'Expo 67, on aura une vue sur le mont Royal et sur le bâtiment de la TOHU qui sert de pavillon d'accueil. Une aire de pique-nique permet de casser la croûte tout en observant ce territoire où la végétation de friche prend peu à peu le dessus. Le bâtiment de la TOHU est un bâtiment « vert », ce qui veut dire qu'il est fait de matériaux recyclés. 🚩

🏠 P ⛹ 🏕 🍴 ⚑ 🪜

RÉSEAU PÉDESTRE 4,0 km (Multi : 4 km) (boucle, débutant)

HORAIRE Toute l'année, du lever au coucher du soleil
TARIF Gratuit
ACCÈS De l'autoroute 40, prendre la sortie de l'avenue Papineau en direction sud. Tourner à gauche sur la rue Jarry. Le stationnement est situé près du pavillon d'accueil, au numéro 2345.

Transport public : du métro Jarry, prendre l'autobus 193 Jarry en direction est et descendre au coin de la rue Iberville. Des stations Frontenac ou Iberville, prendre l'autobus 94 Iberville en direction nord et descendre au coin de la rue Jarry.

DOCUMENTATION Réseau des grands parcs de Montréal – destination nature (dans les bureaux d'arrondissement, les bureaux Accès-Montréal et dans les bibliothèques de Montréal)
INFORMATION 514 872-6375 poste 6381 • 514 872-1111 • www.ville.montreal.qc.ca

3 DOMAINE SAINT-PAUL

On a aménagé dans ce domaine des sentiers d'interprétation sur fond de copeaux de bois ou de poussière de pierre. En les parcourant, on sillonnera cette forêt écologique en milieu urbain, dans laquelle on trouve, entre autres, une érablière à caryer, une frênaie rouge et la vigne des rivages. Plusieurs oiseaux y trouvent refuge. Un lac naturel, d'une superficie de 5 hectares, est caché entre les arbres. 🐾

🏠 P ⅋ (X ⚘ *Note : les services sont disponibles au Centre Elgar*

RÉSEAU PÉDESTRE 2,5 km (mixte, débutant)

HORAIRE Toute l'année, du lever au coucher du soleil
TARIF Gratuit
ACCÈS Du pont Champlain, prendre la sortie Île des Sœurs. Emprunter le boulevard du même nom et suivre les indications.

Transport public : du métro McGill, prendre l'autobus 168 jusqu'à son terminus et continuer à pied, à droite sur la rue de Gaspé. On peut aussi accéder aux sentiers en descendant sur la rue Elgar et en allant à l'extrémité du parc Elgar, derrière le centre communautaire.

DOCUMENTATION Carte (au centre Elgar de l'Île des Sœurs)
INFORMATION 514 765-7270 • 514 765-7150 • communications@ville.verdun.qc.ca

JCT PÔLE DES RAPIDES

4 ECOMUSEUM

Un boisé de feuillus composé d'érables, d'ormes et de hêtres couvre le quart du territoire de l'Ecomuseum. Ce circuit permet de découvrir plus de 110 espèces d'animaux grâce à des enclos, une volière, un étang à tortues et une fosse à couleuvres. Parmi les mammifères, on pourra observer le renard arctique, le lynx du Canada, la loutre de rivière, la mouffette, le caribou des bois et le cerf de Virginie. Du côté des reptiles et des amphibiens, au pavillon éducatif, on trouve la salamandre, la couleuvre et la rainette. On y voit aussi des poissons. Une volière permet d'admirer une quinzaine d'espèces d'oiseaux dont le grand héron et le canard branchu. On verra également des rapaces dont l'aigle royal, le pygargue, la buse à queue rousse, le faucon pèlerin et le grand-duc. Chacun des enclos a une plate-forme d'observation. Une partie du circuit passe dans la portion boisée, sur le bord du marais. On notera la présence de hiboux et de chouettes, ainsi que de canards sur le marais. Des panneaux d'interprétation de la faune et de la flore sont dispersés le long du circuit.

🏛 P 🏃🏃 ⊂ ⅄ 🏠 🎋 🪑 🪑 🌿

RÉSEAU PÉDESTRE 2,0 km (mixte, débutant)

HORAIRE   Toute l'année, de 9 h à 16 h
TARIF   Adulte (15 à 64 ans) : 8,00 $
                 Âge d'or (65 ans et plus) : 6,00 $
                 Enfant (4 à 14 ans) : 5,00 $
                 Enfant (3 ans et moins) : gratuit
ACCÈS   De la sortie 41 (Sainte-Anne-de-Bellevue / Île Perrot) de l'autoroute
                 40, suivre les indications du chemin Sainte-Marie. L'Ecomuseum est
                 situé au 21125, chemin Sainte-Marie, près du chemin des Pins.
INFORMATION 514 457-9449 • www.ecomuseum.ca

5 JARDIN BOTANIQUE DE MONTRÉAL

Le jardin botanique a une superficie de 75 hectares, ce qui en fait le deuxième plus grand au monde derrière celui de Londres. On y trouve 22 000 espèces d'arbres, arbustes, plantes et fleurs. Ces espèces sont réparties dans 10 serres, un arboretum de 40 hectares et une trentaine de jardins dont un très peu connu, celui de la forêt des Montréal en France. Dans le jardin

japonais, on verra l'une des six cloches de la paix qui furent offertes par Hiroshima en commémoration des victimes du bombardement en 1945. On verra aussi des bonsaïs et des penjings dans le jardin de Chine. On a aménagé un coin du Québec peuplé d'une érablière à caryer, typique de la région montréalaise, et dans lequel on pourra admirer une chute. Les sentiers passent aussi par des étangs et un ruisseau serpentant entre des plates-bandes fleuries, bordées de charmes de Caroline et de micocouliers. La végétation aquatique peuplant les étangs est une bonne cachette pour les ratons laveurs. On trouve sur le site, l'Insectarium de Montréal et ses 150 000 insectes en provenance d'une centaine de pays.

🏛 P 🏃🏃 ⊂ X ⅄ 🪑 🌿 🚌 ♿ Autre : boutiques

RÉSEAU PÉDESTRE 5,0 km (mixte, débutant)

HORAIRE   Toute l'année, de 9 h à 17 h (18 h en été et 21 h durant la magie des
              lanternes)
TARIF   De mi-mai à fin octobre / D'avril à mi-mai
              Adultes : 12,75 $ / 9,75 $
              65 ans et plus et étudiant : 9,50 $ / 7,25 $
              Enfants (5 à 17 ans) : 6,50 $ / 4,75 $
              Stationnement : maximum 10,00 $
ACCÈS   À partir de l'autoroute 25, emprunter la rue Sherbrooke vers l'ouest
              jusqu'au stationnement avant l'intersection du boulevard Pie-IX.

Transport public : du métro Pie-IX, monter le boulevard Pie-IX sur un peu plus de 100 m. L'entrée principale est au coin de la rue Sherbrooke.

DOCUMENTATION Dépliant-carte (à l'accueil)
INFORMATION 514 872-1400 • www.ville.montreal.qc.ca/jardin

JCT PARC MAISONNEUVE

6 LIEU HISTORIQUE NATIONAL DU CANADA DU CANAL-DE-LACHINE

Ce canal, inauguré en 1825, relie cinq écluses, du Vieux-Port à Lachine. Il fut fermé en 1970 et rouvert à la navigation de plaisance en 2002. Ce site a eu une grande importance historique au niveau du développement industriel au pays. De nombreuses usines et manufactures virent le jour à partir de 1850, créant plusieurs quartiers ouvriers, grâce à l'énergie hydraulique amenée par cette infrastructure de transport unique. En parcourant la piste bordant ce canal, qui débute dans le Vieux-Montréal pour terminer sa course au lac Saint-Louis, on verra plusieurs éléments témoignant de cette époque. On pourra aussi observer la disparité entre les paysages industriels et naturels. Ce sentier est éclairé. Le musée de la ville de Lachine est le plus ancien bâtiment de l'île de Montréal. 🦌

 P ⛄ (X ⟁ ⌂ ✗ ⛃ Autre : boutique

RÉSEAU PÉDESTRE 14,5 km (Multi : 14,5 km)

SENTIERS ET PARCOURS	LONGUEUR	TYPE	NIVEAU
Piste polyvalente du Canal-de-Lachine	14,5 km	linéaire	débutant

HORAIRE De mi-avril à fin octobre, du lever du soleil à 23 h
TARIF Gratuit
ACCÈS De l'autoroute Bonaventure (10) ou du pont Victoria, suivre les indications pour « Le Vieux-Port ». Le canal Lachine débute à la première écluse dans le Vieux-Port de Montréal et se termine à la 5e écluse à Lachine.
Transport public : au métro Square-Victoria, descendre la rue McGill jusqu'à la maison des Éclusiers au Vieux-Port (coin rue de la Commune). Le sentier débute à cet endroit.
DOCUMENTATION Dépliants (à l'accueil)
INFORMATION 514 283-6054 • www.pc.gc.ca/canallachine

JCT QUAIS DU VIEUX-PORT DE MONTRÉAL ; PÔLE DES RAPIDES

7 LIEU HISTORIQUE NATIONAL DU CANADA DU CANAL-DE-SAINTE-ANNE-DE-BELLEVUE

Le canal de Sainte-Anne-de-Bellevue, s'étendant entre les lacs Saint-Louis et des Deux Montagnes, fut inauguré en 1843. Afin de ne pas retarder le transport des marchandises sur la rivière des Outaouais, la nouvelle écluse a été aménagée à côté de l'ancienne en 1882. À l'époque, il s'agissait d'une importante voie de navigation pour le commerce, reliant Montréal, Ottawa, autrefois nommée Bytown, et Kingston. Aujourd'hui, elle est utilisée par les plaisanciers. Le site est peuplé d'arbres et d'arbustes exotiques plantés dans les années 60. On pourra apercevoir plusieurs oiseaux de la ville ainsi que le merle et deux espèces d'hirondelles. 🦌

 P ⛄ X ⟁ ✗

HORAIRE Du 14 mai au 14 octobre, du lever au coucher du soleil
TARIF Gratuit
ACCÈS De Montréal, suivre l'autoroute 20 ouest et sortir à Sainte-Anne-de-Bellevue. Le site est situé entre le lac Saint-Louis et le lac des Deux Montagnes
Transport public : au métro Lionel-Groulx, prendre l'autobus 211 jusqu'au terminus du Collège McDonald. Prendre ensuite l'autobus 251 qui passe en face des points d'accès sur la rue du Collège.
DOCUMENTATION Brochure et dépliant (à l'accueil et par téléphone au 450 658-0681 ou 1 888 773-8888)
INFORMATION 514 457-5546 • 450 447-4888
www.pc.gc.ca/lhn-nhs/qc/annedebellevue

8 PARC ANGRIGNON

Un réseau de sentiers, dont certains sont éclairés pour permettre de se promener en soirée, sillonne ce boisé de 140 hectares, le deuxième plus grand de l'île de Montréal. On pourra observer la végétation et la faune présentes près des trois étangs et du lac d'une longueur de 1 kilomètre. Il y a environ 1,6 km de sentiers éclairés. 🚶

🏠 P 🚶 C 🎒 🏠
Autre : centre d'animation

RÉSEAU PÉDESTRE 10,0 km (Multi : 10 km) (mixte, débutant)

HORAIRE Toute l'année, de 6 h à minuit
TARIF Gratuit
ACCÈS De l'autoroute Décarie (15), prendre la sortie du boulevard de La Vérendrye et continuer sur celui-ci vers l'ouest. Tourner à droite sur le boulevard des Trinitaires, puis à gauche sur la rue Lacroix.
Transport public : métro Angrignon
DOCUMENTATION Dépliant (à l'accueil)
INFORMATION 514 872-3816 • www.fortangrignon.com

JCT PÔLE DES RAPIDES

9 PARC DE L'ÎLE PERRY

Ce réseau englobe trois parcs : de l'île Perry, de la Merci et des Bateliers. Le parc de la Merci est un espace gazonné parsemé d'arbres. On y a une vue sur la rivière des Prairies, le pont Viau, l'île de Laval et l'île Perry. Il comporte une zone de forêt de régénération dans laquelle on trouve le chêne à gros fruits, le faux-acacia, le bouleau et les peupliers faux-tremble et deltoïde. On y a également réalisé

des aménagements comme des mangeoires d'oiseaux et des nichoirs à chauves-souris. Ce parc et celui des Bateliers sont reliés à l'île Perry à laquelle on accède via le pont du train. Cette île, dont les rives sont très escarpées, est coupée par un chemin de fer. Lors de la construction du métro de Montréal, on utilisa le déblai pour créer le parc de la Merci. Autrefois, la rive s'arrêtait au boulevard Gouin. Toujours au parc de la Merci, la zone forestière attire de nombreux castors qui causent de sérieux dommages en rongeant les arbres. On fait alors appel à des trappeurs afin de les relocaliser.

☆ open ▥▥

RÉSEAU PÉDESTRE 2,2 km (Multi : 0,4 km)

SENTIERS ET PARCOURS	LONGUEUR	TYPE	NIVEAU
Parc des Bateliers	1,2 km	mixte	débutant
Parc de la Merci	0,6 km	linéaire	débutant
Parc de l'île Perry	0,4 km	boucle	débutant

HORAIRE	Toute l'année, du lever au coucher du soleil
TARIF	Gratuit
ACCÈS	Du pont Médéric-Martin, suivre l'autoroute 15 sud et prendre la sortie de Salaberry. Continuer vers l'est jusqu'au bout de la rue de Salaberry. Tourner à gauche sur le boulevard Gouin Ouest. L'accès au parc de la Merci est situé un peu plus loin, sur la droite. On y trouve un accès à l'île Perry via le pont du train.
	***Transport public :** du métro Henri-Bourassa, emprunter l'autobus 69 Gouin en direction ouest. Descendre à l'arrêt au coin des rues de Salaberry et Poincaré. Emprunter à pied la rue Poincaré vers le nord jusqu'au parc.*
INFORMATION	514 872-6196

10 PARC DE LA PROMENADE BELLERIVE

Ce parc, qui en relie quatre autres entre eux, est un des rares endroits de la ville à permettre un accès direct au Fleuve. Deux belvédères agrémentent le parcours : l'un offre une vue sur l'île Charron et les îles de Boucherville, l'autre est le point de départ de la navette fluviale. Quelques arbres sont présents, mais le terrain reste très dégagé, offrant une vue constante sur le Fleuve et sur les bateaux de croisière qui y passent. Durant l'été, on peut profiter de plusieurs événements publics comme des concerts en plein air et des pièces de théâtre. 🐕

🏠 P ⋔ ⋔ ⦅ Ⅹ open ⛟ ❦

Autre : une navette se rendant au parc national des Îles-de-Boucherville est accessible les fins de semaine et les jours fériés, de juin à la fête du Travail.

RÉSEAU PÉDESTRE 2,2 km (Multi : 2,2 km) (mixte, débutant)

HORAIRE	Toute l'année, de 6 h à minuit
TARIF	Gratuit
ACCÈS	De l'autoroute 25, rejoindre la rue Notre-Dame en direction est. L'entrée du parc est située à l'est de la rue Honoré-Beaugrand.

Transport public : *du métro Honoré-Beaugrand, prendre l'autobus 185 en direction est jusqu'au terminus. Du métro L'Assomption, prendre l'autobus 22 est.*

DOCUMENTATION Dépliant (au chalet du parc)
INFORMATION 514 493-1967 • www.promenadebellerive.com

11 PARC DU CENTENAIRE

Situé à Dollard-des-Ormeaux, ce parc est un îlot de verdure de 103 hectares. Des sentiers traversent une érablière à caryer tandis qu'un autre gravit deux buttes, hautes de 18 et 28 mètres, du haut desquelles on aura des vues s'étendant jusqu'au mont Royal. On a creusé un lac artificiel, occupant 29 hectares, dont on fera le tour par le sentier Ours. 🐎

🏠 P 🚶‍♂️ 🧺 🏕️

RÉSEAU PÉDESTRE 4,9 km (Multi : 4,9 km)

SENTIERS ET PARCOURS	LONGUEUR	TYPE	NIVEAU
Renard	1,0 km	boucle	débutant
Lièvre	1,3 km	boucle	débutant
Ours	2,6 km	boucle	débutant

HORAIRE Toute l'année, du lever au coucher du soleil
TARIF Gratuit
ACCÈS De l'autoroute 40, prendre la sortie 55 et suivre le boulevard des Sources vers le nord. À la rue Churchill, tourner à gauche, puis à droite sur la rue Lake. Poursuivre en direction ouest jusqu'à la jonction de la rue Manuel, en face de laquelle se trouve l'entrée principale.
Transport public : *du métro Henri-Bourassa, prendre l'autobus 69*

vers l'ouest. Descendre au terminus à l'angle des rues Grenet et de Serres, puis prendre l'autobus 68 Pierrefonds en direction ouest. Descendre à l'angle des boulevards Gouin et Robitaille, et continuer avec l'autobus 208 Brunswick en direction ouest. Descendre finalement à l'angle des rues Tecumseh et de Salaberry et marcher environ 850 m.

INFORMATION 514 684-1010 • www.ville.ddo.qc.ca

12 PARC DU MONT-ROYAL

Cette colline, située en plein cœur de la ville, a une superficie de 174 km² et une altitude de 233 mètres. Le parc se trouve sur l'un des trois sommets, la colline de la Croix. Le chemin Olmsted grimpe la montagne à travers la forêt mixte et conduit au lac des Castors. Des belvédères offrent des panoramas sur la ville et ses sites importants comme l'oratoire Saint-Joseph du Mont-Royal. On pourra voir la croix du Mont-Royal, érigée en 1924, qui rappelle que Paul Chomedey avait planté à cet endroit une croix en bois en 1643. Aucun édifice à Montréal ne peut être plus haut que le sommet de la montagne.

Autres : centre d'éducation à l'environnement, boutique

RÉSEAU PÉDESTRE 30,0 km

HORAIRE Toute l'année, de 6 h à minuit
TARIF Frais de stationnement

SENTIERS ET PARCOURS	LONGUEUR	TYPE	NIVEAU	DÉNIVELÉ
Chemin Olmsted	7,0 km	mixte	débutant	145 m
Sentier de l'escarpement	1,0 km	mixte	débutant	
Circuit des mangeoires	2,0 km	boucle	débutant	
Sentiers du Piedmont	1,5 km	mixte	débutant	

ACCÈS De la rue Sherbrooke, emprunter le chemin de la Côte-des-Neiges vers le nord, puis prendre à droite le chemin Remembrance. De l'avenue du Parc, emprunter le boulevard du Mont-Royal ouest, puis la voie Camilien-Houde.
Transport public : du métro Mont-Royal, prendre l'autobus 11 en direction ouest et descendre à l'angle du chemin Remembrance et du chemin du Chalet. Marcher ensuite environ 150 m.
DOCUMENTATION Carte, brochure d'interprétation, bulletin (à l'accueil)
INFORMATION 514 843-8240 poste 0 • www.lemontroyal.qc.ca

13 PARC DU RUISSEAU-DE-MONTIGNY

Ce parc, s'étendant entre les boulevards Henri-Bourassa et Gouin, occupe un territoire d'une superficie de 22 hectares à travers lequel serpente un ruisseau en méandres, coulant par endroits en cascades grâce à son lit formé de roc calcaire. Il est bordé d'une végétation variée comprenant une frênaie rouge et une friche de peupliers. Plus de 50 espèces d'oiseaux survolent le territoire grâce à la présence d'habitats leur étant essentiels. On note la présence de la couleuvre brune, qui pourrait être désignée menacée ou vulnérable. Le parc comporte quatre îles près de la rivière des Prairies sur lesquelles on pourra apercevoir des grands hérons.

RÉSEAU PÉDESTRE	3,3 km (Multi : 3,3 km) (linéaire, débutant)
HORAIRE	Toute l'année, du lever au coucher du soleil
TARIF	Gratuit
ACCÈS	Du pont Pie-IX, emprunter le boulevard Léger vers l'est, qui devient par la suite le boulevard Perras. L'entrée est située à l'intersection du boulevard Perras et de l'avenue Ozias-Leduc. Le parc comporte 5 autres entrées.
	Transport public : *du métro Henri-Bourassa, prendre l'autobus 69 et descendre à l'entrée du parc sur le boulevard Maurice-Duplessis.*
DOCUMENTATION	Brochure « Le réseau des grands parcs de Montréal – Destination Nature » (aux bureaux d'Accès-Montréal)
INFORMATION	514 280-6691 • www.ville.montreal.qc.ca/grandsparcs

14 PARC JARRY

Ce parc urbain, d'une superficie de 36 hectares, est un ancien champ de patates acquis par la ville en 1925. On y trouve plusieurs terrains sportifs ainsi qu'un réseau de sentiers, certains asphaltés et d'autres sur fond de poussière de pierre. Majoritairement gazonné, on y a planté des arbres dont le frêne, le chêne, l'érable, le tilleul, le pommier, le sapin et l'épinette ainsi que plusieurs fleurs. On verra une sculpture d'art abstrait et un grand étang peuplé de canards dans lequel se trouve une fontaine au centre. Les sentiers étant éclairés, il est possible de s'y balader en soirée. ❧ (sauf sur les terrains sportifs)

RÉSEAU PÉDESTRE	10,0 km (mixte, débutant)
HORAIRE	Toute l'année, de 6 h à 22 h
TARIF	Gratuit
ACCÈS	De l'autoroute 40, prendre la sortie du boulevard Saint-Laurent en direction sud. Tourner à droite sur la rue Jarry. Le stationnement principal

Répertoire des lieux de marche au Québec

est situé un peu plus loin, à gauche. Un stationnement secondaire est situé le long de la rue Saint-Laurent, au sud de la rue Jarry.

Transport public : *du métro Jarry, prendre l'autobus 193 Jarry en direction ouest et descendre au coin du boulevard Saint-Laurent. Des stations Saint-Laurent ou de Castelnau, prendre l'autobus 55 Saint-Laurent en direction nord et descendre au coin de la rue Jarry.*

DOCUMENTATION   Brochure « Le réseau des grands parcs de Montréal – destination nature » (dans les bureaux d'arrondissement, les bureaux Accès-Montréal et dans les bibliothèques de Montréal)

INFORMATION   514 872-6375 poste 6381 • 514 872-1111 • www.ville.montreal.qc.ca

15 PARC JEAN-DRAPEAU

Au milieu du fleuve Saint-Laurent et d'une superficie de 268 hectares, le parc Jean-Drapeau englobe les îles Sainte-Hélène et Notre-Dame, reliées par une passerelle. Ces îles contiennent des bâtiments d'époque coloniale comme le fort de l'île Sainte-Hélène, l'héritage de l'Expo 67, le circuit de course automobile de Formule 1, le bassin olympique, la tour de Lévis, la Biosphère et 11 œuvres d'art publiques. On pourra aussi emprunter des sentiers en sous-bois dont un sentier d'interprétation des milieux humides du parc, agrémenté de panneaux. On visitera le jardin des Floralies, dans lequel on retrouve des fleurs annuelles et vivaces, des arbres et des arbustes dont plusieurs spécimens uniques au Québec, ainsi qu'un grand saule. 🐎

🏠P⛏️🚶‍♂️(✗⛩️🚞🚂🌿⛵

RÉSEAU PÉDESTRE   10,0 km (Multi : 10 km) (mixte, débutant)

HORAIRE   Toute l'année, de 6 h à minuit

TARIF   Gratuit
En fonction de la programmation des différentes activités, les frais de stationnement varient de 10,00 $ à 15,00 $.

ACCÈS   Du pont Jacques-Cartier, suivre les indications pour « Parc Jean-Drapeau ». On peut aussi accéder à ce lieu depuis la Cité du Havre en passant par le pont de la Concorde.

Transport public : *la station de métro Jean-Drapeau est située en plein cœur du parc Jean-Drapeau.*

DOCUMENTATION   Brochure (à l'accueil, aux bureaux administratifs et au bureau d'information touristique)

INFORMATION   514 872-6120 • www.parcjeandrapeau.com

16 PARC LA FONTAINE

Ce parc, plus que centenaire, est un espace vert d'une superficie de 36 hectares situé au cœur de la ville, dans l'arrondissement du Plateau-Mont-Royal. Des sentiers bordés de fleurs ont été aménagés près de deux étangs qu'on peut franchir grâce à une passerelle. Une partie du parc est peuplée d'immenses arbres. Des sculptures, des monuments commémoratifs et des demeures victoriennes entourant le parc agrémentent le parcours. Un belvédère donne sur la fontaine lumineuse. 🐎

🏠P⛏️🚶‍♂️(✗⛩️🚞🚂

RÉSEAU PÉDESTRE   10,0 km (Multi : 10 km) (mixte, débutant)

HORAIRE   Toute l'année, de 8 h à 23 h

TARIF   Gratuit

ACCÈS   Du pont Jacques-Cartier, poursuivre vers le nord sur l'avenue de Lorimier et tourner à gauche sur la rue Sherbrooke. Le parc est situé non loin sur la droite.

INFORMATION   514 872-2644 • www.ville.montreal.qc.ca

17 PARC MAISONNEUVE

Situé près du stade olympique et à l'est du jardin botanique, ce parc, d'une superficie de 63 hectares, a été aménagé sur un ancien terrain de golf. Des arbres parsèment ce terrain au relief vallonné, en majeure partie à aire ouverte. 🐎

⛩ P 🚶 (X 🎋

RÉSEAU PÉDESTRE 3,1 km

SENTIERS ET PARCOURS	LONGUEUR	TYPE	NIVEAU
Sentier piétonnier	3,1 km	boucle	débutant

HORAIRE	Toute l'année, du lever au coucher du soleil
TARIF	Gratuit
ACCÈS	À partir du boulevard Pie-IX, emprunter la rue Sherbrooke vers l'est jusqu'au 4601, en face du stade olympique.
	Transport public : *du métro Viau, prendre l'autobus 132 jusqu'à la rue Sherbrooke et marcher vers l'ouest, soit jusqu'à l'entrée du parc. Il est possible aussi de prendre, au métro Viau, la navette du parc olympique qui mène du Biodôme à l'entrée du parc Maisonneuve.*
INFORMATION	514 872-6555 • ville.montreal.qc.ca

JCT   JARDIN BOTANIQUE DE MONTRÉAL

18 PARC TERRA COTTA

Ce parc, aménagé sur le site d'une ancienne carrière, occupe un territoire d'une superficie de 45 hectares. Le sentier longe un cours d'eau et passe par différents milieux forestiers, allant des espaces gazonnés au boisé comprenant des arbres centenaires. On pourra apercevoir une famille de renards et plusieurs oiseaux nicheurs ou migrateurs. 🐎

✳ P 🌿

RÉSEAU PÉDESTRE 6,0 km
(linéaire, débutant)

HORAIRE	Toute l'année, de 7 h à 23 h
TARIF	Gratuit
ACCÈS	De l'autoroute 20, prendre la sortie 50 et emprunter le boulevard Saint-Jean en direction nord. Tourner à droite sur Douglas Shand

et encore à droite sur le chemin Maywood. Ensuite, tourner à gauche sur l'avenue Donegani et à gauche à nouveau sur l'avenue Terra Cotta.
Transport public : du métro Lionel-Groulx, prendre l'autobus 211 Bord-du-Lac en direction ouest et descendre à la gare de Pointe-Claire. Marcher ensuite un peu plus de 1 km.

DOCUMENTATION Brochure et carte (au bureau de la ville, au 94 Douglas Shand)
INFORMATION 514 630-1214 • 514 630-1241 • www.ville.pointe-claire.qc.ca

19 PARC THOMAS-CHAPAIS

Le nom de ce parc nous vient de Sir Thomas Chapais, un personnage historique important qui fut, entre autres, sénateur et historien canadien. Ce boisé urbain, composé d'une dense forêt de feuillus, occupe un territoire d'une superficie d'environ 15 hectares. On sillonnera ce boisé et on longera aussi une aire ouverte, où des bancs permettent de se reposer et d'observer les écureuils. 🐴

RÉSEAU PÉDESTRE 1,3 km (boucle, débutant)

HORAIRE Toute l'année, du lever du soleil à 23 h
TARIF Gratuit
ACCÈS De l'autoroute 25, emprunter la rue Sherbrooke vers l'est jusqu'au boulevard Pierre-Bernard. Tourner à gauche sur celui-ci et stationner la voiture en bordure de la rue de Grosbois.
Transport public : de la station de métro Honoré-Beaugrand, prendre l'autobus 141 Jean-Talon-Est, direction ouest, descendre à l'intersection des rues des Ormeaux et Sentennes, et marcher sur 150 m.
INFORMATION 514 872-4202 • 514 872-2273

20 PARC-NATURE DE L'ÎLE-DE-LA-VISITATION

Ce parc, aménagé en bordure de la rivière des Prairies et donnant accès à l'île du même nom, a une superficie de 34 hectares. On y trouve deux sentiers dont un d'interprétation de la nature. En les parcourant, on sillonnera un boisé dans lequel on pourra apercevoir plusieurs espèces d'oiseaux. On accédera au site historique du Sault-au-Récollet où on verra des bâtiments historiques restaurés ou en ruines comme la maison du Pressoir, datant du début des années 1800, la maison du Meunier, construite vers 1727, et le site des Moulins qui fut en activité de 1726 à 1960. On aura des points de vue sur la rivière et sur la chute du barrage de la centrale hydroélectrique. 🐴

RÉSEAU PÉDESTRE 10,5 km (Multi : 1,7 km)

SENTIERS ET PARCOURS	LONGUEUR	TYPE	NIVEAU
Sentier d'interprétation	1,7 km	mixte	débutant
Randonnée pédestre	8,8 km	mixte	débutant

HORAIRE Toute l'année, du lever au coucher du soleil
TARIF Stationnement : 7,00 $
Permis annuel disponible permettant de stationner dans tous les parcs-nature : 40,00 $

Par l'autoroute 19 ou l'avenue Papineau, emprunter le boulevard Henri-Bourassa en direction est. Tourner à gauche sur la rue de Lille et poursuivre jusqu'au boulevard Gouin, où se trouve l'entrée du parc.

Transport public : du métro Henri-Bourassa, prendre l'autobus 69 vers l'est et descendre à la rue de Lille. Marcher ensuite sur cette rue en direction nord, puis tourner à droite sur le boulevard Gouin. Le chalet d'accueil se situe sur la gauche.

DOCUMENTATION Dépliant-carte, programme d'activités, guide d'interprétation (à l'accueil)

INFORMATION 514 280-6733 • 514 280-6767 • www.ville.montreal.qc.ca/grandsparcs

[JCT] SENTIER À MONTRÉAL-NORD

21 PARC-NATURE DE LA POINTE-AUX-PRAIRIES

Ce parc-nature, divisé en deux secteurs s'étendant du fleuve Saint-Laurent à la rivière des Prairies, a une superficie de 261 hectares. On passera par un boisé peuplé en partie d'érablières matures et comportant une chaîne de marais. Au pavillon d'interprétation, on en apprendra plus sur les marais et l'énergie éolienne. Un circuit de mangeoires permet d'observer certains des 186 oiseaux présents dont le grand-duc d'Amérique, l'épervier de Cooper et le hibou des marais. Le héron vert et des canards habitent le marais. On pourra apercevoir plusieurs petits mammifères comme le renard et le raton laveur. Le parc abrite également le lapin à queue blanche, le renard roux, le raton laveur, l'hermine et plusieurs autres animaux. Le cerf de Virginie est présent, ce qui est peu commun à Montréal. Il est interdit de nourrir les animaux (oiseaux inclus) sous peine d'amende. 🐾

🏠 P 🚶🚻 ☕ ⛱ 🎣 🏕 🦌 🌿

RÉSEAU PÉDESTRE 20,5 km (Multi : 3,3 km)

SENTIERS ET PARCOURS	LONGUEUR	TYPE	NIVEAU
Sentier d'interprétation - secteur Héritage	1,7 km	boucle	débutant
Sentier d'interprétation - secteur Rivière-des-Prairies	2,4 km	mixte	débutant
Lapin rouge	4,9 km	mixte	débutant
Écureuil bleu	3,5 km	mixte	débutant
Souris orange	2,8 km	mixte	débutant
Castor jaune	1,9 km	boucle	débutant
Sentiers d'accès	3,3 km	linéaire	débutant

HORAIRE Toute l'année, de 8 h au coucher du soleil

TARIF Stationnement : 7,00 $

Permis annuel disponible permettant de stationner dans tous les parcs-nature : 40,00 $

ACCÈS
Chalet d'accueil Héritage : de l'autoroute 40, prendre la sortie 87 et emprunter la rue Sherbrooke est jusqu'à l'entrée du parc, située au 14905.

Pavillon des Marais : de l'autoroute 40, prendre la sortie 83 et emprunter le boulevard Saint-Jean-Batiste est. Poursuivre en direction nord et emprunter le boulevard Gouin est jusqu'à l'entrée du parc, située au 12300.

Transport public : du métro Honoré-Beaugrand, prendre l'autobus 189 Pointe-aux-Trembles en direction est et descendre à l'angle de la rue Sherbrooke et du boulevard Gouin. Prendre ensuite l'autobus 183 Gouin en direction est, descendre à l'angle du boulevard Gouin et du Collège Saint-Jean-Vianney et marcher environ 600 m.

DOCUMENTATION Dépliant-carte, programme d'activités, brochures (à l'accueil)
INFORMATION 514 280-6691 • 514 280-6767 • www.ville.montreal.qc.ca/grandsparcs

22 PARC-NATURE DU BOIS-DE-L'ÎLE-BIZARD

Le territoire de ce parc-nature, d'une superficie de 201 hectares, renferme une érablière à hêtres, une cédrière et un marécage. On pourra apercevoir castors, tortues et canards. Un belvédère offre une vue sur le lac des Deux Montagnes. Des mangeoires permettent d'observer les oiseaux présents dont l'hirondelle et le grand-duc. Une passerelle de 406 mètres permet de

franchir un marécage. Ce parc est en forme d'étoile. 🐕 (autorisé seulement sur une portion de 10 km du réseau)

🏠P 👫 ⛩ 🛖 🎋 🚣 *Note: le chalet d'accueil est ouvert de 10 h à 19 h (de juin à août)*

RÉSEAU PÉDESTRE 12,5 km (Multi : 6,5 km) (mixte, débutant)

HORAIRE Toute l'année, du lever au coucher du soleil
TARIF Stationnement : 7,00 $
Permis annuel disponible permettant de stationner dans tous les parcs-nature : 40,00 $
ACCÈS De l'autoroute 40, prendre la sortie 52 et emprunter le boulevard Saint-Jean en direction nord. Au boulevard Pierrefonds, tourner à gauche, puis à droite sur le boulevard Jacques-Bizard. Traverser le pont, tourner à gauche sur la rue Cherrier et à droite sur la montée de l'Église. Prendre à droite sur le chemin Bord du Lac et continuer jusqu'à l'entrée du parc située au numéro 2115.
DOCUMENTATION Dépliant-carte, brochure (à l'accueil)
INFORMATION 514 280-8517 • www.ville.montreal.qc.ca/grandsparcs

23 PARC-NATURE DU BOIS-DE-LIESSE

Ce parc est situé en bordure de la rivière des Prairies, sur laquelle donne une péninsule. Son territoire, d'une superficie de 159 hectares, chevauche quatre arrondissements. Il est composé de la forêt des Bois-Francs, peuplée d'arbres centenaires et d'érables argentés à travers lesquels serpente le ruisseau Bertrand qu'une passerelle permet de franchir. Près de la maison Pitfield, on trouve un bassin et des jardins comprenant plusieurs fleurs. On pourra apercevoir le renard roux, la tortue peinte et plusieurs oiseaux. 🚶

🏛 P 👫 🎈 🍴 ⛲ 🔥 ═══ 🌳 Autre : passerelle japonaise

RÉSEAU PÉDESTRE 14,5 km (Multi : 8,5 km)

SENTIERS ET PARCOURS	LONGUEUR	TYPE	NIVEAU
Randonnée pédestre	13,0 km	mixte	débutant
Sentier d'interprétation	1,5 km	linéaire	débutant

HORAIRE	Toute l'année, du lever au coucher du soleil (l'accueil Pitfield est fermé à partir de fin octobre)
TARIF	Stationnement : 7,00 $
	Permis annuel disponible permettant de stationner dans tous les parcs-nature : 40,00 $
ACCÈS	De l'autoroute 13, prendre la sortie 8 et emprunter le boulevard Gouin vers l'ouest. L'entrée du parc est située au 9432.
	Transport public : du métro Henri-Bourassa, prendre l'autobus 69 Gouin en direction ouest. Descendre à l'angle des rues de Serres et Grenet. Prendre ensuite l'autobus 68 Pierrefonds en direction ouest. Descendre à l'angle du boulevard Gouin et de la rue du Ruisseau et marcher sur 325 m.
DOCUMENTATION	Dépliant-carte, brochure d'interprétation, calendriers d'activités (à l'accueil)
INFORMATION	514 280-6729 • 514 280-6678 • www.ville.montreal.qc.ca/grandsparcs

24 PARC-NATURE DU CAP-SAINT-JACQUES

Situé à la rencontre du lac des Deux Montagnes et de la rivière des Prairies, ce parc-nature a une superficie de 288 hectares, ce qui en fait le plus grand parc du réseau. On y retrouve trois milieux terrestres : friches, champs et boisés. On traversera deux types d'érablières, à sucre et argentée. Les sentiers mènent à une cabane à sucre et à une ferme écologique. On verra deux bâtiments historiques : la maison Brunet, datant de 1835, et le château Gohier, construit en 1916, qui offre une vue sur le lac. 🚶 (autorisé seulement sur une portion de 12 km du réseau)

🏛P👥🧗🎣✕⛩🪑🌿🚣 Autre : ferme d'animation écologique

Note : le chalet d'accueil est ouvert de 10 h à 19 h (juin à août)

RÉSEAU PÉDESTRE 17,6 km (Multi : 11,9 km)

SENTIERS ET PARCOURS	LONGUEUR	TYPE	NIVEAU
Le lapin	5,7 km	boucle	débutant
Sentier d'interprétation La Pointe-Madeleine	3,0 km	boucle	débutant
Sentier multi (vélo)	8,0 km	mixte	débutant
Sentier d'accès (plage)	0,9 km	linéaire	débutant

HORAIRE	Toute l'année, du lever au coucher du soleil
TARIF	Adulte : 4,50 $ (plage : de juin à fin août)
	Enfant : 3,00 $ (plage : de juin à fin août)
	Stationnement : 7,00 $
	Permis annuel disponible permettant de stationner dans tous les parcs-nature : 40,00 $
ACCÈS	De l'autoroute 40, prendre la sortie 49 et tourner à gauche sur le chemin Sainte-Marie. Emprunter le chemin de l'Anse-à-l'Orme sur toute sa longueur et tourner à droite sur le boulevard Gouin. Continuer jusqu'au numéro 20099 où est situé le chalet d'accueil.
	Transport public : *du métro Henri-Bourassa, prendre l'autobus 69 Gouin en direction ouest et descendre à l'angle des rues de Serres et Grenet. Prendre ensuite l'autobus 68 Pierrefonds en direction ouest, descendre à l'angle de la rue Cap-Saint-Jacques et du boulevard Gouin et marcher 1,7 km.*
DOCUMENTATION	Dépliant-carte, brochures, dépliant (à l'accueil)
INFORMATION	514 280-6871 • www.ville.montreal.qc.ca/grandsparcs

25 PÔLE DES RAPIDES

Les sentiers de ce réseau passent par les arrondissements Lachine, LaSalle, Sud-Ouest et Verdun, et croisent plusieurs attraits historiques et naturels. Son plus important segment est la Piste des Berges qui longe le bassin de La Prairie, le fleuve Saint-Laurent, les rapides de Lachine et le lac Saint-Louis. On verra les serres de Verdun, le jardin du Citoyen et des maisons historiques dont le plus vieux bâtiment encore complet de l'île de Montréal datant des années 1600. Le parc des Rapides, aménagé sur les vestiges d'une ancienne centrale hydroélectrique, offre une vue sur les rapides de Lachine.On pourra choisir d'effectuer la boucle du parc René-Lévesque, située sur une étroite langue de terre. En la parcourant, on verra plusieurs sculptures monumentales dont une en l'honneur de René Lévesque et on pourra prendre une navette conduisant à la Piste des Berges sur l'autre rive. La promenade se termine avec une vue du lac Saint-Louis. Un autre segment, la Piste de l'île des Sœurs, dont un sentier traverse le domaine Saint-Paul, fait le tour de cette île. Les autres segments explorent d'autres attraits de la ville. Au parc des Rapides, on verra 225 espèces d'oiseaux dont l'une des plus grosses colonies de hérons au Québec et la plus grosse colonie de bihoreaux gris de l'est de l'Amérique du Nord. On verra sur la Piste des Berges le moulin Fleming, d'une hauteur de 13 mètres, bâti en 1816 et classé bien archéologique en 1983. Restauré en 1991, c'est le seul moulin à vent de type anglo-saxon au Québec. 🚻 (sauf au parc des Rapides de LaSalle)

🏛P👥🧗✕🎿⛩🏠🚂🍴🪑🌿⛷🚣

RÉSEAU PÉDESTRE 52,5 km (Multi : 46,3 km)

SENTIERS ET PARCOURS	LONGUEUR	TYPE	NIVEAU
Piste des Berges	21,7 km	linéaire	débutant
Parc René-Lévesque	2,4 km	boucle	débutant
Parc LaSalle	1,1 km	boucle	débutant
Parc des Rapides	1,2 km	boucle	débutant
Piste du canal de l'Aqueduc	7,5 km	linéaire	débutant
Parc du Rail	1,6 km	linéaire	débutant
Piste de l'île des Sœurs	13,7 km	mixte	débutant
Piste urbaine - Verdun	3,3 km	mixte	débutant

HORAIRE Toute l'année, du lever du soleil à 23 h

TARIF Gratuit
Frais de stationnement au parc René-Lévesque

ACCÈS Plusieurs accès sont possibles le long du fleuve Saint-Laurent, entre les arrondissements de Lachine et de Verdun. Pour plus de détails, se procurer la carte ou le guide touristique Pôle des Rapides, ou encore consulter le site Web et la société de transport de Montréal (STM).

Transport public : pour le secteur Verdun, descendre au métro de l'Église et marcher sur la rue de l'Église en direction sud jusqu'au boulevard LaSalle. Tourner à droite et marcher jusqu'à la rue Rielle.

DOCUMENTATION Carte et guide touristique « Pôle des Rapides » (aux bureaux d'arrondissement de Verdun au 4555, rue de Verdun et de LaSalle au 55, avenue Dupras)

INFORMATION 514 364-4490 • 1 877 266-5687 • www.poledesrapides.com

JCT PARC ANGRIGNON ; DOMAINE SAINT-PAUL ; LIEU HISTORIQUE NATIONAL DU CANADA DU CANAL-DE-LACHINE

26 QUAIS DU VIEUX-PORT DE MONTRÉAL

Le Vieux-Port de Montréal est situé le long du fleuve Saint-Laurent. Avec sa superficie de 54 hectares, il est l'un des plus vieux ports réaménagés des plus grands au monde. Il comprend plusieurs quais d'importance historique que l'on découvrira grâce à cette promenade : le quai Alexandra, le quai des Convoyeurs, le quai King-Edward, le quai Jacques-Cartier et le bassin Bonsecours. On trouve aussi le quai de l'Horloge, bâti en 1916, qui abrite le labyrinthe du hangar 16 et la tour de l'Horloge, érigée en 1922, dont les 192 marches mènent à un observatoire sur le Fleuve, la ville et son architecture. Un des quais est occupé par le Centre des sciences de Montréal. À l'ouest, on verra les écluses du canal de Lachine.

Autre : boutique

RÉSEAU PÉDESTRE 7,0 km

Promenade des Quais du Vieux-Port /
Circuit historique .... 3,5 km .... linéaire ......débutant

HORAIRE	Toute l'année, du lever au coucher du soleil
TARIF	Gratuit
	Frais de stationnement
ACCÈS	De l'autoroute Bonaventure (10) ou du pont Victoria, suivre les indications pour « Les Quais du Vieux-Port ».
	Transport public : *stations de métro Champ-de-Mars, Place d'Armes ou Square-Victoria. Se diriger ensuite vers le Fleuve par la rue Sanguinet, la rue Saint-Laurent ou la rue McGill.*
DOCUMENTATION	Brochure, carte, programme des activités (au bureau d'information touristique)
INFORMATION	514 496-PORT • 1 800 971-PORT • www.vieuxportdemontreal.com

JCT LIEU HISTORIQUE NATIONAL DU CANADA DU CANAL-DE-LACHINE

27 SENTIER À MONTRÉAL-NORD

Ce sentier, qui débute au parc Aimé-Léonard, longe la rivière des Prairies, offrant une vue constante sur cette dernière. On marchera dans un espace gazonné bordé d'arbres, du côté de la rivière ou de la route. Une aire de pique-nique et des bancs disposés le long du chemin permettent de casser la croûte ou de se reposer en admirant ce milieu riverain.

RÉSEAU PÉDESTRE 4,0 km (linéaire, débutant)

HORAIRE	Toute l'année, du lever au coucher du soleil
TARIF	Gratuit
ACCÈS	De l'autoroute 25 ou du boulevard Pie-IX, rejoindre le boulevard Gouin et se diriger vers l'est jusqu'au 4975, soit au chalet du parc Aimé-Léonard.
	Transport public : au métro Henri-Bourassa, prendre l'autobus 69 Gouin, direction est jusqu'au boulevard Sainte-Gertrude. De là, on peut marcher vers le nord ou prendre l'autobus 140 Fleury, direction nord, jusqu'au boulevard Gouin.
INFORMATION	514 328-4150

JCT PARC-NATURE DE L'ÎLE-DE-LA-VISITATION

Outaouais

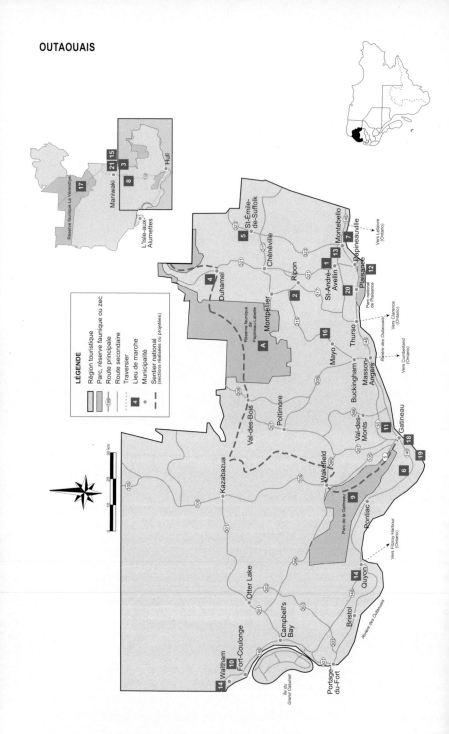

Photo page précédente : Parc national de Plaisance (France Rivet)

LIEUX DE MARCHE

1. BALADE À SAINT-ANDRÉ-AVELLIN
2. CENTRE D'AVENTURE ET DE PLEIN AIR DES MONTAGNES NOIRES
3. CENTRE D'INTERPRÉTATION DU CERF DE VIRGINIE
4. CENTRE TOURISTIQUE DU LAC-SIMON
5. CENTRE TOURISTIQUE LA PETITE ROUGE
6. CIRCUITS DU PATRIMOINE
7. FAIRMONT – LE CHÂTEAU MONTEBELLO
8. LA FORÊT DE L'AIGLE
9. PARC DE LA GATINEAU
10. PARC DES CHUTES COULONGE
11. PARC DU LAC-BEAUCHAMP
12. PARC NATIONAL DE PLAISANCE
13. PARC OMEGA
14. PARC RÉGIONAL DU PONTIAC-CYCLOPARC PPJ INC.
15. PONT-DE-PIERRE
16. RÉSERVE ÉCOLOGIQUE DE LA FORÊT-LA-BLANCHE
17. RÉSERVE FAUNIQUE LA VÉRENDRYE
18. SENTIER DE LA CAPITALE
19. SENTIERS RÉCRÉATIFS – GATINEAU
20. SITE HISTORIQUE DES CHUTES DE PLAISANCE
21. VILLE DE MANIWAKI

A. RÉSERVE FAUNIQUE DE PAPINEAU-LABELLE
(RÉGION LAURENTIDES)

1 BALADE À SAINT-ANDRÉ-AVELLIN

Partant à la découverte de l'histoire de la municipalité, ce circuit patrimonial commence au musée des Pionniers où on verra des photographies et des objets anciens, témoignant de la vie des habitants d'autrefois. On atteindra la rivière de la Petite Nation, qu'une passerelle d'une longueur de 40 mètres permet de franchir. À l'extrémité du village, on pourra pénétrer dans la grotte du mont Saint-Joseph qui fut jadis un lieu de pèlerinage. Le parcours permet aussi de voir une gloriette et une croix de chemin. 🐴

🏠P👫🎋🛏🎿 Autres : gloriette, musée

RÉSEAU PÉDESTRE   1,5 km (boucle, débutant)

HORAIRE   De juin à fin octobre, du lever au coucher du soleil
TARIF   Gratuit
ACCÈS   De la route 148 à Papineauville, emprunter la route 321 nord jusqu'à Saint-André-Avellin et suivre les indications pour le musée des Pionniers.
DOCUMENTATION   Dépliant-carte (à l'accueil)
INFORMATION   819 983-1491 • 819 983-2624 • fiwhi@videotron.ca

2 CENTRE D'AVENTURE ET DE PLEIN AIR DES MONTAGNES NOIRES

Les montagnes Noires se situent dans la municipalité de Ripon. Ce réseau offre huit sentiers de niveau facile à intermédiaire accessibles depuis quatre stationnements. Le chalet d'accueil, sans électricité, se trouve au stationnement P2. De cet endroit, un sentier grimpe jusqu'au sommet des montagnes Noires pour atteindre un belvédère perché à 428 m d'altitude. On aura une vue sur la vallée Petite-Nation et sur le mont Tremblant. Des blocs erratiques et des rochers de granit, datant de l'ère glaciaire, sont visibles près du sentier. Des panneaux d'interprétation en expliquent la provenance. On trouve plus de 20 espèces d'arbres sur le territoire. 🐴

✴P👫🏠🌲💧

RÉSEAU PÉDESTRE   12,4 km (Multi : 12,4 km)
                     (mixte, intermédiaire, dénivelé maximum de 200 m)

HORAIRE   Toute l'année, du lever au coucher du soleil
TARIF   Gratuit
ACCÈS   De Thurso, suivre la route 317 nord jusqu'à Ripon et tourner à gauche sur le chemin Montpellier. Tourner à gauche sur le chemin de la Montagne-Noire (route 315) et encore à gauche sur le chemin du Mont-Grand-Pic. Le stationnement se situe à gauche du chemin. Trois autres stationnements sont accessibles.
DOCUMENTATION   Carte des sentiers (à l'accueil, sur le site Web, au bureau municipal

INFORMATION   819 983-2000 • www.ville.ripon.qc.ca

3 CENTRE D'INTERPRÉTATION DU CERF DE VIRGINIE

Ce centre d'interprétation propose un réseau de sentiers sillonnant l'habitat naturel de ce mammifère, comprenant des zones humides dans lesquelles on pourra circuler grâce à une passerelle sur pilotis d'une longueur de 1 500 mètres. Certains sentiers longent le lac des Trente et Un Milles. Le sentier Le Bond mène à la chute Rouge, située entre les lacs de la Vieille et Lochiel, et permet de découvrir la route des draveurs. Le sentier Le Régalis se rend au refuge du bûcheron et à un belvédère offrant une vue sur le lac des Trente et Un Milles. On verra une hutte de castor. D'avril à septembre, on pourra voir des faons en captivité.

RÉSEAU PÉDESTRE 9,8 km

HORAIRE   Toute l'année, du lever au coucher du soleil
Les sentiers sont fermés durant la période de la chasse au cerf de Virginie (fin octobre à mi-novembre).

SENTIERS ET PARCOURS	LONGUEUR	TYPE	NIVEAU
Le Gagnage	1,7 km	boucle	débutant
La Traverse – Ouest	3,4 km	linéaire	débutant
Le Bond	0,7 km	boucle	débutant
La Traverse – Est	2,5 km	linéaire	débutant
Le Régalis	1,5 km	boucle	débutant

TARIF   Gratuit
Centre d'interprétation : 2,00 $ par personne (12 ans et plus)

ACCÈS   De la route 105, sortir à Bouchette. Prendre la rue Principale Sud et tourner à droite sur la rue du Pont. Tourner à gauche sur le chemin de la Rivière-Gatineau Nord et continuer sur 15 km. Tourner à droite sur le chemin Principal et continuer sur 7 km. Tourner ensuite à droite sur le chemin du Barrage et se rendre au centre d'interprétation qui se situe sur la droite, au 6, chemin du Barrage.

DOCUMENTATION   Dépliant (à l'accueil et au bureau municipal de la ville)

INFORMATION   819 449-6666 • 819 449-4134 • mun.ste-therese@ireseau.com

4 CENTRE TOURISTIQUE DU LAC-SIMON

Ce domaine boisé de 4 km², reconnu pour sa longue plage de sable blanc, est situé au cœur de l'Outaouais. Le sentier La Paruline prend son départ depuis le stationnement et se dirige vers un belvédère offrant une vue sur le lac. Par la suite, en haut d'un escarpement, le sentier longe une partie de la plage, passe devant de petits chalets de location et se rend au centre communautaire. Ce dernier, construit en 1945 par la compagnie Singer, servait à recevoir des invités de marque. Plus loin, un escalier permet de descendre sur la plage. Des panneaux d'interprétation, le long du sentier, traitent de la paruline. Le sentier La Biche est aussi un sentier d'interprétation. Il serpente le long de la rivière Petite Nation et traverse une pinède, puis une prucheraie. Des bancs sont installés près du cours d'eau. D'autres sentiers s'entrecroisent dans la forêt.

RÉSEAU PÉDESTRE 13,2 km (Multi : 13,2 km)

SENTIERS ET PARCOURS	LONGUEUR	TYPE	NIVEAU
Les Chalets	1,0 km	linéaire	débutant
La Duhamel	2,0 km	linéaire	débutant
L'Écureuil	1,7 km	boucle	débutant
L'Ours noir	1,0 km	boucle	débutant
La McLaren	1,5 km	linéaire	débutant
Le Chevreuil	2,0 km	boucle	débutant
La Paruline	2,0 km	boucle	débutant
La Biche	2,0 km	linéaire	débutant

HORAIRE	Toute l'année, du lever au coucher du soleil
TARIF	Adulte : 6,00 $
	Enfant (moins de 12 ans) : 3,00 $
ACCÈS	De Papineauville, prendre la route 321 jusqu'à Duhamel. Dans le village, tourner à gauche à la rue Principale et suivre les indications sur 3 km.
DOCUMENTATION	Carte des sentiers (à l'accueil)
INFORMATION	819 428-7931 • 1 800 665-6527 • www.sepaq.com

5 · CENTRE TOURISTIQUE LA PETITE ROUGE

Ce centre, positionné sur une presqu'île à Saint-Émile-de-Suffolk, au cœur de la forêt laurentienne, occupe un territoire d'une superficie de 396 hectares. Une portion de 2 kilomètres de ce réseau de sentiers consiste en un circuit d'interprétation de la forêt et de la géologie. Un sentier longe une baie du lac des Îles, grimpe au sommet d'une montagne et descend pour aller rejoindre un petit lac et plusieurs barrages de castors. De là, on aura des points de vue sur la région s'étendant jusqu'au mont Tremblant.

RÉSEAU PÉDESTRE 10,0 km (Multi : 10 km) (mixte, débutant)

HORAIRE	De mi-mai à la fête de l'Action de grâce, de 9 h à 16 h 30
TARIF	3,00 $ par personne
ACCÈS	De Montebello, prendre la route 323 en direction nord. Continuer sur 40 km, soit jusqu'à Saint-Émile-de-Suffolk. L'entrée du Centre touristique La Petite Rouge se trouve à gauche, 1 km passé le village. Traverser la petite rivière et suivre l'allée de pins pour se rendre sur les lieux.
DOCUMENTATION	Carte des sentiers (sur le site Web)
INFORMATION	1 888 426-2191 • 819 426-2191 • www.petiterouge.com

6 · CIRCUITS DU PATRIMOINE

Ces trois circuits situés dans la ville de Gatineau explorent l'histoire de la municipalité dont on pourra admirer les bâtiments à caractère patrimonial près de la rivière des Outaouais. Le circuit du Bord du lac et le circuit du Village conduisent à différents sites d'intérêt historique dans la ville, à l'aide d'un dépliant. Le troisième circuit emprunte en partie les deux autres. Pour ce dernier, la promenade s'effectue à l'aide d'un baladeur. 🐎

PⅱⅭⅩ🦌🛶✗🏊

RÉSEAU PÉDESTRE 3,2 km (mixte, débutant)

HORAIRE De juin à la fête de l'Action de grâce, du lever au coucher du soleil
TARIF Gratuit
ACCÈS Les trois circuits se situent en pleine ville de Gatineau, dans le secteur d'Aylmer.
DOCUMENTATION Dépliant, audiocassette (l'audiocassette est disponible à la bibliothèque de Gatineau et le dépliant au 495 ch. Aylmer.)
INFORMATION 819 684-6809 • www.ville.gatineau.qc.ca

7 FAIRMONT - LE CHÂTEAU MONTEBELLO

Le terrain de cet hôtel du Canadien Pacifique est traversé par deux sentiers. L'un contourne le parcours de golf. L'autre, passant en partie à travers une forêt mixte, longe la rivière des Outaouais et se rend au château et à la marina. Le sentier 1 000 pas est agrémenté de panneaux montrant différents exercices physiques et étirements. Ces sentiers étant multifonctionnels, on pourra parfois y voir passer des chevaux. Le château Montebello est la plus grande construction en bois rond au

monde. On pourra visiter le manoir Louis-Joseph Papineau. 🐎

🏛PⅱⅭⅩ🛶♿

Note : certains services ne sont disponibles qu'à l'ancienne gare servant de point d'accès à ce réseau de sentiers.

RÉSEAU PÉDESTRE 25,7 km (Multi : 25,7 km)

SENTIERS ET PARCOURS	LONGUEUR	TYPE	NIVEAU
Sentier 1 000 pas	5,7 km	boucle	débutant
Sentier des Amoureux	20,0 km	boucle	avancé

HORAIRE Toute l'année, de 8 h à 18 h
TARIF Gratuit
ACCÈS Le stationnement se situe à l'ancienne gare, en plein cœur de Montebello. L'entrée des sentiers est à l'est de la gare. Par contre, à partir de la mi-octobre, on devra marcher le long du chemin principal (route 148) et accéder aux sentiers à partir du château Montebello.
INFORMATION 819 423-6959 • 819 423-6341

8 LA FORÊT DE L'AIGLE

Cette réserve forestière, d'une superficie de 140 km², est à 90 % boisée. On y trouve plusieurs peuplements forestiers dont des érablières, des cédrières et des aulnaies ainsi qu'une des dernières pinèdes blanches au Québec. On passera aussi par d'autres milieux, comme des marécages, où on pourra apercevoir une faune et une flore diversifiées. Le territoire comporte de nombreux plans d'eau dont les rivières de l'Aigle et au Hibou, en bordure desquelles les sentiers sont situés. On y trouve des vestiges du temps de la drave. Le sentier Le Barrage mène à deux belvédères donnant sur la rivière au Hibou. Le Nid de l'Aigle se rend à un belvédère offrant une vue sur les méandres de la rivière de l'Aigle et sur la pinède blanche où on a réalisé des travaux expliqués par un panneau d'interprétation. On pourra apercevoir plus d'une centaine d'oiseaux dont une espèce rare au Québec, la paruline des pins. Fait intéressant, la rivière de l'Aigle est la seule des rivières du bassin de la rivière Gatineau à couler vers le nord. 🐴

🏛️P👫✕⛩️🏠⛰️⛰️🏠🛋️🚢🌲🎿🏖️

Note : le pavillon d'accueil Black Rollway et le restaurant sont ouvert de 8 h à 20 h.

RÉSEAU PÉDESTRE 13,8 km

SENTIERS ET PARCOURS	LONGUEUR	TYPE	NIVEAU	DÉNIVELÉ
Sentier du Hibou	2,6 km	boucle	débutant	
Le Barrage	4,1 km	boucle	intermédiaire	
Le Marais	5,0 km	boucle	débutant	50 m
Le Nid de l'Aigle	2,1 km	linéaire	débutant	65 m

HORAIRE	Toute l'année, du lever au coucher du soleil
	Le port du dossard est obligatoire en période de chasse.
TARIF	Gratuit
ACCÈS	De Maniwaki, prendre la route 105 sud sur environ 40 km. Les différentes entrées sont toutes situées du côté ouest de la route. Elles sont identifiées par des panneaux bleus.
	L'entrée Nord est accessible par les chemins Paganakomin Mikan et Kiniw Zibi Mikan, lesquels traversent le territoire de la réserve amérindienne de Kitigan Zibi Anishinabeg. Cette entrée donne directement accès au chemin de la Rivière-de-l'Aigle.
	L'entrée Est s'effectue par le chemin du Black Rollway, lequel est accessible via les chemins du Lac-à-L'Arche, Saint-Jacques et de la Montagne, à Messines ou a Cayamant.
	L'entrée Sud est accessible à partir des chemins de l'Aigle et du Petit Cayamant, depuis le village de Cayamant. On peut se rendre à ce dernier par le chemin du Lac-Cayamant, depuis la route 105, à Gracefield.
DOCUMENTATION	Carte topographique (à l'accueil)
INFORMATION	819 449-7111 • 1 866 449-7111 • www.cgfa.ca

9 PARC DE LA GATINEAU 🚶 SENTIER NATIONAL

Le territoire du parc, parsemé de lacs et recouvert principalement de feuillus, couvre une étendue de 363 km². Il est situé entre les rivières des Outaouais et Gatineau. Le sentier des Loups se rend sur l'escarpement d'Eardley, du côté nord, et descend ensuite vers le lac Meech. Le sentier de la Chute-de-Luskville prend son départ à la base de ce même escarpement, cette fois du côté sud, et se rend à une tour à feu située au sommet. Sur le sentier Lauriault, un belvédère offre des vues sur la vallée de l'Outaouais. Le long du sentier du Lac-des-Fées, des panneaux d'interprétation traitent des oiseaux et du lac. La faune est caractérisée par l'abondance de castors et de cerfs de Virginie. Il est

possible de visiter la caverne Lusk qui se trouve au bout du sentier du même nom. Il est conseillé d'apporter une lampe de poche et des chaussures de rechange. Le niveau d'eau à l'intérieur de la caverne fluctue selon la saison et l'abondance des précipitations. 🐴 (sauf sur les terrains de camping, les plages et aires de pique-nique)

🏠 P 🚶 🦺 (X 🍴 ⛵ ⛺ ⛽ ♨ 💧 ⛴ ♿

RÉSEAU PÉDESTRE 165,0 km (Multi : 80 km)

SENTIERS ET PARCOURS	LONGUEUR	TYPE	NIVEAU	DÉNIVELÉ
Sentier du Mont-King	2,5 km	boucle	intermédiaire	70 m
Sentier Lauriault	3,0 km	boucle	débutant	
Sentier des Loups	8,3 km	boucle	intermédiaire	90 m
Sentier de la Chute-de-Luskville	4,5 km	boucle	intermédiaire	300 m
Caverne Lusk	6,0 km	linéaire	intermédiaire	50 m
Sentier du Lac-Pink	2,5 km	boucle	débutant	
Sentier Champlain	1,3 km	boucle	débutant	
Sentier Horizon	5,0 km	boucle	intermédiaire	
Sentier national	43,0 km	linéaire	intermédiaire	
Sentier du Lac-des-Fées	1,0 km	linéaire	débutant	
Sentier des Pionniers	1,3 km	boucle	débutant	
Sentier des Caryers	0,5 km	boucle	débutant	

HORAIRE	Toute l'année, du lever au coucher du soleil
TARIF	Stationnement : 8,00 $ par véhicule ou 48,00 $ pour la saison
ACCÈS	De Gatineau, prendre l'autoroute 5 jusqu'à la sortie 12 et suivre les indications pour le parc sur environ 2 km.
DOCUMENTATION	Carte, brochure d'interprétation et dépliant (à l'accueil)
INFORMATION	1 800 465-1867 • 819 827-2020
	www.capitaleducanada.gc.ca/gatineau

[JCT] SENTIER DE LA CAPITALE

10 PARC DES CHUTES COULONGE

Ce parc a été aménagé pour commémorer les deux siècles durant lesquels la rivière Coulonge était utilisé pour la drave. On en apprendra sur cette époque grâce à des objets historiques et une vidéo. Le réseau de sentiers permet d'admirer les chutes de la rivière Coulonge, dont une d'une hauteur de 48 mètres, sur lesquelles cinq belvédères offrent des points de vue différents. Au dessus des chutes, on pourra franchir la rivière, qui se déverse dans un canyon d'une longueur de 1 000 mètres, grâce à des ponts et des passerelles. 🐴

RÉSEAU PÉDESTRE	1,5 km (mixte, débutant)
HORAIRE	De mai à mi-octobre, de 9 h à 17 h (du lundi au vendredi) De 9 h à 18 h (samedi et dimanche)
TARIF	Adulte : 6,00 $ Aînés et étudiant : 5,00 $ Enfant (7 à 16 ans) : 2,00 $ Famille : 15,00 $ Laissez-passer saisonnier : 10,00 $
ACCÈS	De Hull, suivre la route 148 ouest jusqu'à Fort-Coulonge. Immédiatement après Fort-Coulonge, prendre le chemin des Bois-Francs qui devient la promenade du parc des Chutes et continuer jusqu'au chalet d'accueil.
DOCUMENTATION	Brochure d'interprétation (à l'accueil)
INFORMATION	819 683-2770 • www.chutescoulonge.qc.ca

JCT PARC RÉGIONAL DU PONTIAC-CYCLOPARC PPJ INC.

11 PARC DU LAC-BEAUCHAMP

Ce parc urbain est situé en pleine ville de Gatineau, en bordure du lac Beauchamp dans lequel il est possible de se baigner. On pourra également emprunter les sentiers qui passent à travers un milieu boisé. Le lac est flanqué de deux boucles, reliées par la Traverse de la mine. On verra un plateau rocheux et ses escarpements.

Autre : machine distributrice

RÉSEAU PÉDESTRE 8,0 km

SENTIERS ET PARCOURS	LONGUEUR	TYPE	NIVEAU
Boucle Ouest	2,2 km	boucle	débutant
Boucle Est	3,4 km	boucle	débutant
Traverse de la mine	1,2 km	linéaire	débutant
Traverse de la silice	0,5 km	linéaire	débutant
Traverse du grès	0,2 km	linéaire	débutant
Boucle école	0,5 km	boucle	débutant

HORAIRE	Toute l'année, du lever au coucher du soleil
TARIF	Gratuit
ACCÈS	Le parc se situe au 741, boulevard Maloney Est (route 148), à Gatineau.
DOCUMENTATION	Carte des sentiers (au pavillon d'accueil)
INFORMATION	819 669-2548 • beauchamplac@ville.gatineau.qc.ca

12 PARC NATIONAL DE PLAISANCE

Ce parc, d'une superficie de plus de 28 km², est le dernier des parcs nationaux du Québec à avoir vu le jour. Son territoire, qui longe la rive de la rivière des Outaouais, est dominé par des plans d'eau et des zones de marais et de marécages. On y trouve aussi des champs, des zones de friche et une portion boisée n'occupant que 10 % du parc, comprenant une érablière à caryer. L'érable argenté et le frêne de Pennsylvanie occupent certains marécages. On pourra circuler sur une piste cyclable, bordée de plusieurs baies, qui longe la rivière des Outaouais. Le sentier La Zizanie des marais permet de découvrir cet écosystème à l'aide d'un trottoir de bois d'une longueur de 400 mètres, au bout duquel s'élève une tour d'observation donnant un panorama sur

les environs. Ce sentier est bordé d'une abondance de plantes aquatiques, prenant à certains moments de l'année l'apparence d'un jardin. On pourra apercevoir une faune ailée diversifiée comprenant plus de vingt rapaces ainsi que deux oiseaux qui pourraient obtenir le statut d'espèce menacée ou vulnérable : le petit blongios et le troglodyte à bec court. On y trouve la deuxième plus forte densité de colonies de castors au Québec. On a relevé des traces de l'emplacement d'un des cinq postes de traite de fourrures qui furent établis le long de l'Outaouais (1670-1759). Au printemps, on pourra observer 100 000 bernaches du Canada et un grand nombre de canards lors de leur migration.

🏠 P ♟ 🎣 ⛱ ▲ 🏕 🌉 🏕 🦌 🌲 ⛵ 🌊

RÉSEAU PÉDESTRE 42,0 km (Multi : 26,5 km)

SENTIERS ET PARCOURS	LONGUEUR	TYPE	NIVEAU
La Zizanie des marais	0,8 km	boucle	débutant
Sentier de la Petite Presqu'île	10,0 km	linéaire	débutant
Sentier de la Grande Presqu'île	4,5 km	linéaire	débutant
Sentier des Outaouais	9,0 km	linéaire	débutant
Le Carouge	1,5 km	boucle	débutant
La Sarcelle	3,5 km	boucle	débutant
Les Baies	4,5 km	boucle	débutant
La Grande migration	6,0 km	boucle	débutant
Sentier E.-Lalande	2,2 km	linéaire	débutant

HORAIRE	De mi-avril à fin novembre, du lever au coucher du soleil
TARIF	Voir la tarification des Parcs nationaux du Québec à la page 15 de cet ouvrage.
ACCÈS	De la route 148 à Plaisance, suivre les indications pour le parc national de Plaisance.
DOCUMENTATION	Journal du parc (à l'accueil)
INFORMATION	1 800 665-6527 • 819 427-5334 • www.parcsquebec.com

13 PARC OMEGA

Ce parc, d'une superficie de 607 hectares, est composé de lacs, prairies, vallons et forêt. Lors de sa création, il ne s'agissait que d'un circuit automobile permettant de voir plusieurs espèces animales. Avec le temps, des sentiers pédestres ont également vu le jour. Le sentier des Orignaux mène à une longue passerelle permettant d'observer des orignaux à gauche et une meute de loups gris à droite. Le sentier du lac des Truites passe dans une zone occupée par 80 daims en liberté et mène à ce lac grouillant de truites que l'on peut nourrir moyennant quelques pièces. Dans la partie supérieure du parc, on trouve trois sentiers reliés. Le sentier des Chevreuils mène à un belvédère offrant une vue sur la plaine. Le sentier de la Ferme conduit à une ferme centenaire, encore meublée, que l'on peut visiter. Tout près, on trouve une étable avec les animaux de la ferme tels qu'un cheval de trait, des porcs, des chèvres, des oies... Il y a aussi des personnages en habits d'époque qui nous parlent. Le dernier parcours, le sentier du Trappeur, mène à une cabane de trappeur. Dans la section

droite du sentier des Orignaux, il y a des spectacles d'oiseaux de proie. On peut acheter des carottes pour nourrir les animaux et ainsi les voir de très près. Il est possible de faire l'aller ou le retour de la ferme dans une carriole tirée par un tracteur de ferme.

🏛 P ⛹ 🍴 🎪 🛖 🚂 🌿 🚐

RÉSEAU PÉDESTRE 8,0 km

SENTIERS ET PARCOURS	LONGUEUR	TYPE	NIVEAU
Sentier des Orignaux	1,2 km	boucle	débutant
Sentier du lac des Truites	3,0 km	boucle	débutant
Sentier des Chevreuils	1,5 km	boucle	débutant
Sentier du Trappeur	0,3 km	linéaire	débutant
Sentier de la Ferme	2,0 km	boucle	débutant

HORAIRE	Toute l'année, de juin à fin octobre : 9 h à 17 h le reste de l'année : 10 h à 16 h
TARIF	Adulte : 16,00 $ Enfant (6 à 15 ans) : 11,00 $ Enfant (2 à 5 ans) : 6,00 $
ACCÈS	De Montebello, suivre la route 148 en direction ouest. Tourner à droite sur la route 323 nord. Le parc se trouve 2 km plus loin sur la gauche.
DOCUMENTATION	Dépliant (à l'accueil)
INFORMATION	819 423-5487 • www.parcomega.com

14 PARC RÉGIONAL DU PONTIAC-CYCLOPARC PPJ INC.

Ce parc régional, aménagé le long d'une ancienne voie ferrée, est divisé en segments reliant cinq municipalités du Pontiac. On traversera des milieux forestiers et agricoles. Le segment de Wyman à Shawville permet de voir une zone forestière marquée par le passage d'une pluie verglaçante, un ruisseau devenu lac à la suite de la formation d'un barrage de castors et des panneaux traitant de l'agriculture régionale. De Shawville à Campbell's Bay, on traversera une tourbière et un marais. On pourra apercevoir des tortues peintes cherchant des lieux de ponte au printemps. Des panneaux renseignent sur la faune et la flore de ces écosystèmes. Un autre a pour sujet les mines et les ressources naturelles. De Campbell's Bay à Fort Coulonge, on circulera surtout en forêt et on verra plusieurs signes de la présence des castors comme des huttes.

🏛 P ⛹ 🍴 🛒 🎪 🚲 🚣 Note : le pavillon d'accueil se trouve à Campbell's Bay.

RÉSEAU PÉDESTRE 92,0 km (Multi : 92 km)

SENTIERS ET PARCOURS	LONGUEUR	TYPE	NIVEAU
Wyman à Shawville	17,3 km	linéaire	débutant
Shawville à Campbell's Bay	18,0 km	linéaire	débutant
Campbell's Bay à Fort Coulonge	17,7 km	linéaire	débutant
Fort Coulonge à Waltham	18,0 km	linéaire	débutant
Waltham au chemin Cottage	21,0 km	linéaire	débutant

HORAIRE	De mai à octobre, du lever au coucher du soleil
TARIF	Gratuit
ACCÈS	Wyman et l'Isle-aux-Allumettes, les deux extrémités du sentier, sont accessibles à partir de la route 148, à l'ouest de Gatineau.
DOCUMENTATION	Guide touristique du Pontiac (dans les kiosques d'information touristique du Pontiac)
INFORMATION	819 648-2103 • 1 800 665-5217 • www.cycloparcppj.org

JCT PARC DES CHUTES COULONGE

15 PONT-DE-PIERRE

En parcourant ce sentier serpentant dans la forêt, on passera entre les lacs Pont de Pierre et des Trente et Un Milles. À cet endroit coule un ruisseau entre deux arches naturelles formées par une caverne effondrée. On verra ensuite une marmite d'une profondeur de 1,5 mètres, faisant office de bain tourbillon naturel, avant de grimper au sommet d'une montagne où on fera le tour du lac Pont de Pierre. Depuis un belvédère, on aura un panorama du lac des Trente et Un Milles. Le parcours est agrémenté de panneaux traitant de la géologie du territoire. 🐕

🎯👫⛩🚻🏛🪑🍴🌿⛴ Autre : quai

RÉSEAU PÉDESTRE 4,2 km (boucle, débutant, dénivelé maximum de 100 m)

HORAIRE De mai à octobre, du lever au coucher du soleil
Prudence pendant la période de chasse

TARIF Gratuit

ACCÈS De Maniwaki, prendre la route 107 nord jusqu'à Déléage. Tourner à droite sur le chemin de Sainte-Thérèse. Tourner ensuite à gauche sur le chemin du Lac-Bois-Franc et encore à gauche sur le chemin de la Baie-Davis. Ce dernier change de nom pour le chemin Dion. Tourner finalement à droite sur le chemin de la Baie-Noire. Environ 600 m plus loin sur la droite se trouve un chemin forestier. Garer la voiture le long de ce chemin. Les sentiers sont également accessibles par voie maritime par le lac des Trente et Un Milles.

INFORMATION 819 463-3241 poste 223 • cbeaudoin@mrcvg.qc.ca

16 RÉSERVE ÉCOLOGIQUE DE LA FORÊT-LA-BLANCHE

Le territoire de cette réserve, d'une superficie de 2 052 hectares, est parsemé de plans d'eau que les sentiers longent ou rejoignent en sillonnant une des dernières forêts anciennes au Québec. On y trouve principalement une érablière à hêtre, accompagnée de sept écosystèmes forestiers typiques des peuplements occupant le sud de la province avant la colonisation européenne. Certains arbres sont âgés de 300 à 450 ans. On y

verra aussi plusieurs plantes menacées ou vulnérables. Le sentier le Cendré permet d'écourter la randonnée. En l'ignorant, on traversera une prucheraie âgée de plus de 250 ans. Le sentier le Ouaouaron mène à un point de vue sur une chute et un barrage de castors. Des belvédères offrent des vues sur des lacs, des chutes et sur les environs. On pourra apercevoir des visons, des cerfs de Virginie et plusieurs oiseaux. Une héronnière est présente sur le site. La Forêt-La-Blanche devient la 69e réserve écologique au Québec et l'une des trois accessibles au public.

🏛️🅿️👫🔔⛩🚻🪑🍴🥾🌿🛶

RÉSEAU PÉDESTRE 14,9 km

SENTIERS ET PARCOURS	LONGUEUR	TYPE	NIVEAU
Le Forestier	1,3 km	boucle	intermédiaire
Le Ouaouaron	2,4 km	boucle	débutant
Le Cendré	2,1 km	mixte	intermédiaire
Le Chablis	0,5 km	boucle	débutant
Le Prucheraie	1,1 km	linéaire	intermédiaire
L'Orignal	6,0 km	linéaire	débutant
Le Castor	1,5 km	linéaire	débutant

HORAIRE	Toute l'année, de 9 h à 17 h (avril, mai, et septembre à décembre) de 9 h à 20 h (juin, juillet et août)
TARIF	Adulte : 4,00 $ Enfant : 2,00 $ Famille : 10,00 $
ACCÈS	De Buckingham, prendre la route 315 et poursuivre sur 7 km environ après Mayo. Tourner à droite sur le chemin Saddler et rouler jusqu'à son extrémité, soit environ 2 km. Des panneaux indicatifs bruns annoncent la réserve le long de la route 315.
DOCUMENTATION	Dépliant-carte, brochure (au pavillon d'interprétation)
INFORMATION	819 281-6700 • 819 986-6132 • www.lablanche.ca

17   RÉSERVE FAUNIQUE LA VÉRENDRYE

Cette réserve occupe un territoire d'une superficie de 13 615 km², recouvert d'une forêt mixte parsemée de plus de 4 000 plans d'eau dont le réservoir Cabonga avec ses 404 km². Nommée ainsi en l'honneur de l'explorateur et découvreur du même nom, elle constitue également le point de départ du circuit patrimonial et historique « Route des Draveurs ». Les sentiers, sillonnant une forêt composée d'épinettes noires et blanches, de pins gris, blancs et rouges, ainsi que de bouleaux blancs, traitent chacun d'une thématique particulière grâce à des panneaux d'interprétation. Le sentier Chutes du lac Roland mène à ces chutes et permet de voir des vestiges de l'activité des draveurs. On sera renseigné sur la façon dont la flore et la faune s'adaptent à leur milieu. La Forêt Mystérieuse passe par le lac Glaçon et traite, entre autres, de la création d'une tourbière et de sa flore. Les panneaux du sentier de la Pointe parlent de l'utilisation du bois. On pourra apercevoir plusieurs mammifères dont le cerf de Virginie et plus de 150 espèces d'oiseaux. Des îles flottantes modifient le paysage au rythme de leur errance.

RÉSEAU PÉDESTRE 3,8 km

SENTIERS ET PARCOURS	LONGUEUR	TYPE	NIVEAU
Chutes du lac Roland	0,5 km	linéaire	débutant
Forêt Mystérieuse	1,0 km	boucle	débutant
Sentier de la Pointe	2,3 km	boucle	débutant

HORAIRE	De mai à septembre, du lever au coucher du soleil Prudence pendant la période de chasse
TARIF	Gratuit
ACCÈS	De Mont-Laurier, suivre la route 117 nord qui traverse la réserve. L'un des sentiers débute au lac de la Vieille, et l'autre, au lac Roland.
DOCUMENTATION	Dépliant-carte (à l'accueil)
INFORMATION	819 438-2017 • 819 435-2216 • www.sepaq.com

Outaouais

En parcourant les différents sentiers de ce réseau, dont certains sont situés en Ontario, on traversera la capitale nationale d'un bout à l'autre. On longera les rivières des Outaouais et Gatineau. On aura accès au parc du lac Leamy, où se trouve une plage, et à plusieurs attractions touristiques comme des musées et des jardins. Le sentier des Voyageurs, donnant accès à plusieurs parcs, a un relief accidenté par endroits et offre un panorama sur la rivière des Outaouais. Le sentier de l'Île mène au ruisseau de la Brasserie. Le sentier du Ruisseau-de-la-Brasserie longe la rivière du même nom. Le sentier du Ruisseau Leamy, comprenant quelques pentes abruptes, passe par endroits en forêt et conduit à la rivière Gatineau et au parc de la Gatineau. Ces sentiers étant partagés avec les cyclistes, les coureurs et les adeptes de patin à roues alignées, le programme « Partageons nos sentiers » a été mis en place pour éduquer et sensibiliser les usagers à cette réalité, et améliorer la sécurité. Il y a 23 km, inclus dans le kilométrage total, qui relèvent d'autres gestionnaires et sont traités ailleurs dans les pages de cette région. 🐕 (la laisse ne doit pas excéder 2 mètres de longueur)

✶⚙P👬❪X🍴🎋🛏🏛🌿🐾 Autres : musées, centre d'information

RÉSEAU PÉDESTRE 70,0 km (Multi : 70 km)

SENTIERS ET PARCOURS	LONGUEUR	TYPE	NIVEAU
Sentier du Lac Leamy	3,0 km	linéaire	débutant
Sentier des Voyageurs	10,0 km	linéaire	débutant
Sentier de l'Île	1,5 km	linéaire	débutant
Sentier de la Rivière Gatineau	4,0 km	linéaire	débutant
Sentier du Ruisseau Leamy	10,0 km	linéaire	intermédiaire
Sentier du Ruisseau-de-la-Brasserie	3,0 km	linéaire	débutant
Sentier des Pionniers	10,0 km	linéaire	débutant

HORAIRE	De mai à fin octobre, du lever au coucher du soleil
TARIF	Gratuit
ACCÈS	De multiples accès sont possibles à partir de la nouvelle ville de Gatineau.
DOCUMENTATION	Carte « Au pays du vélo » (aux différents points d'accueils)
INFORMATION	613 239-5000 • 1 800 465-1867 • www.capcan.ca

JCT PARC DE LA GATINEAU ; SENTIERS RÉCRÉATIFS - GATINEAU

19 SENTIERS RÉCRÉATIFS – GATINEAU

Ces sentiers s'intègrent au réseau du Sentier de la capitale, qui traverse la région de la capitale nationale. Le sentier du Ruisseau-de-la-Brasserie arpente les rives du ruisseau du même nom. On trouve le sentier des Pionniers près de la route McConnell, dans la partie nord de la ville. Le sentier des Voyageurs débute au secteur Aylmer, d'où on peut se rendre au parc Moussette, plus précisément à la marina. En parcourant ce sentier au relief parfois accidenté, on longera la rivière des Outaouais, sur laquelle on aura un panorama, et on aura accès à plusieurs

parcs. Ces sentiers sont intégrés au réseau du Sentier de la capitale.

🏠 P ⋔ ⋔ ⋔ 🚣 Note : les services se trouvent au pavillon de la marina.

RÉSEAU PÉDESTRE 23,0 km (Multi : 23 km)

SENTIERS ET PARCOURS	LONGUEUR	TYPE	NIVEAU
Sentier des Voyageurs	10,0 km	linéaire	débutant
Sentier des Pionniers	10,0 km	linéaire	débutant
Sentier du Ruisseau-de-la-Brasserie	3,0 km	linéaire	débutant

HORAIRE	Toute l'année, du lever au coucher du soleil
TARIF	Gratuit
ACCÈS	De la route 148 ouest secteur Aylmer, emprunter la rue Principale jusqu'à la marina.
DOCUMENTATION	Carte (à la maison du tourisme coin Laurier / Saint-Laurent)
INFORMATION	1 800 265-7822 • 819 997-4356 • www.ville.gatineau.qc.ca

[JCT] SENTIER DE LA CAPITALE

20 SITE HISTORIQUE DES CHUTES DE PLAISANCE

Ce site est celui de l'ancien village de North Nation Mills, qui fut le premier village industriel de la Petite Nation. C'est là que Louis-Joseph Papineau fit construire son premier moulin à scie. Passant à travers bois, un sentier se rend au pied de la chute, d'une hauteur de 63 mètres, sur laquelle donne un belvédère. À l'accueil, on pourra voir une maquette de l'ancien village agrémentée de photos datant de cette période. 🐴

🏠 P ⋔ ⋔ 🚻 🪑 ♨ 🌿 🎿

RÉSEAU PÉDESTRE 2,0 km

HORAIRE	De 10 h à 18 h Du 15 avril au 24 juin et du 1er septembre au 1er novembre : fins de semaine seulement Du 24 juin au 1er septembre : tous les jours

SENTIERS ET PARCOURS	LONGUEUR	TYPE	NIVEAU	DÉNIVELÉ
Sentier des Chutes de Plaisance	2,0 km	linéaire	intermédiaire	75 m

TARIF	Adulte : 4,00 $ Aîné : 3,00 $ Étudiant : 2,00 $ Enfant (9 ans et moins) : gratuit Tarif de groupe sur réservation Passe de 10 admissions : 3,00 $
ACCÈS	De la route 148 à Plaisance, prendre la montée Papineau jusqu'au rang Malo. Tourner à gauche et poursuivre sur environ 1 km, soit jusqu'à l'entrée du site.
DOCUMENTATION	Dépliant (à l'accueil, kiosque d'information touristique, centre d'interprétation du Patrimoine de Plaisance)
INFORMATION	819 427-6400 • 819 427-6355 • www.ville.plaisance.qc.ca

21 VILLE DE MANIWAKI

Maniwaki est l'un des endroits où passe la route des Draveurs. Le parc du Draveur, agrémenté de panneaux d'interprétation, est le lieu de départ du circuit qui va vers l'est à partir du croisement de la rivière Désert, qui traverse la ville, et la rue des Oblats. En parcourant les différents sentiers, dont certains sont éclairés pour permettre la balade en soirée, on longera les rivières Désert et Gatineau en partie sur un trottoir de bois, on se rendra à un terrain de golf et on aura accès au parc thématique du Pythonga dont l'attrait majeur est le bateau remorqueur qui transportait autrefois les billots vers les scieries. On parviendra au centre d'interprétation du château Logue, traitant de l'évolution des moyens de protection contre les feux de forêt. 🐎

🏛 P 👫 🗙 🍴 🛏 🪑 🌿 ⛷ 🚣

Note : le centre d'interprétation est ouvert de mai à octobre.

RÉSEAU PÉDESTRE 5,5 km (Multi : 1 km)

SENTIERS ET PARCOURS	LONGUEUR	TYPE	NIVEAU
Sentier pédestre de la Pointe des Pères	0,7 km	linéaire	débutant
Sentier de la Montagne des Pères	1,0 km	linéaire	débutant
Sentier pédestre du Fer à Cheval	0,5 km	linéaire	débutant
Sentier récréatif	1,0 km	linéaire	débutant
Sentier récréatif de la Cité Étudiante	0,7 km	linéaire	débutant
Parc thématique du Pythonga	1,3 km	linéaire	débutant
Parc du Draveur	0,4 km	linéaire	débutant

HORAIRE	Toute l'année, du lever au coucher du soleil
TARIF	Gratuit
ACCÈS	De Gatineau, suivre la route 105 nord jusqu'à Maniwaki. Le circuit débute au 156, rue Principale Sud, juste avant de traverser le pont de la rivière Désert. Le circuit se poursuit sur la rue des Oblats qui longe la rivière Désert vers l'est.
DOCUMENTATION	Dépliants (au kiosque d'information touristique de Maniwaki)
INFORMATION	819 449-2800 poste 220 • www.ville.maniwaki.qc.ca

QUÉBEC

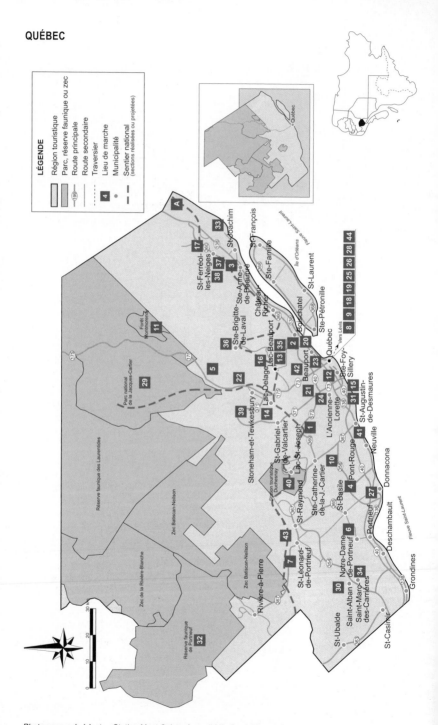

Photo page précédente : Station Mont-Sainte-Anne (LMI - Daniel Pouplot)

Répertoire des lieux de marche au Québec

LIEUX DE MARCHE

1   BASE DE PLEIN AIR DE VAL-BÉLAIR

Cette base de plein air, située près du centre-ville de Québec, propose deux boucles. Ces dernières serpentent à travers une forêt mixte dans laquelle on pourra apercevoir plusieurs oiseaux. L'une d'elles traverse un ruisseau. 🐾

🏠 P 👪 🧗 🏕 🚣 Autre : piste d'hébertisme

RÉSEAU PÉDESTRE   4,5 km (boucle, débutant)

HORAIRE	Toute l'année, du lever au coucher du soleil
TARIF	Gratuit
ACCÈS	De Québec, prendre le boulevard Henri-IV nord (573), puis le boulevard Pie-XI Sud. Tourner à gauche sur l'avenue de la Montagne et continuer sur 1,5 km.
INFORMATION	418 641-6473 • 418 641-6128

2   CAMPING MUNICIPAL DE BEAUPORT

Compris dans un boisé protégé, aux abords de la rivière Montmorency, ce camping est situé à la fois près de la chute Montmorency et près du Vieux-Québec. Les sentiers sillonnent une forêt naturelle. La piste multifonctionnelle mène à la bibliothèque municipale Étienne-Parent. Il est possible aussi de marcher sur près de 20 km de sentiers de ski de fond, inutilisés durant la période estivale. 🐾

★ P 👪 🧗 🍴 🏕 ⛺ 🏮 🚣

RÉSEAU PÉDESTRE   5,9 km (Multi : 5,9 km)

SENTIERS ET PARCOURS	LONGUEUR	TYPE	NIVEAU
Corridor des Beauportois	5,9 km	linéaire	débutant

HORAIRE	Toute l'année, du lever au coucher du soleil
TARIF	Adulte : 3,00 $ Enfant : 2,00 $ Des frais de 5,00 $ s'ajoutent pour le stationnement Adulte résident : 2,00 $ Enfant résident : 1,00 $ Des frais de stationnement de 2,00 $ s'ajoutent pour les résidents
ACCÈS	De l'autoroute 40, prendre la sortie 321 et suivre la rue Labelle en direction nord. Tourner à droite sur l'avenue Larue, puis tourner à gauche sur le boulevard Louis-XIV. Tourner enfin à droite sur la rue de la Sérénité. ***Transport public :*** *du terminus Beauport, prendre l'autobus 55 et descendre à la pharmacie Racine qui se trouve à l'angle des boulevards Rochette et Raymond. Marcher moins de 2 km vers l'est.*
INFORMATION	418 641-6112 • 418 641-6045 • www.campingbeauport.qc.ca

JCT   PARC DE LA CHUTE MONTMORENCY

3 CANYON SAINTE-ANNE

Un réseau de sentiers parcourt les rives de ce canyon dont la roche date de 900 millions d'années. Trois ponts suspendus permettent de passer d'une rive à l'autre. L'un d'eux est perché à 55 mètres au-dessus de la gorge et un autre passe au-dessus de cascades. Ces deux ponts sont reliés par un escalier. On a une vue sur la chute Sainte-Anne, d'une hauteur de 74 mètres, et sur une marmite de géant. 🏕

☼P👫(X🌲🏛🐾🌿🚃♿

Autre : boutique

RÉSEAU PÉDESTRE	3,0 km (mixte, débutant, dénivelé maximum de 50 m)
HORAIRE	De mai à octobre De 9 h à 16 h 45
TARIF	Adulte : 9,50 $ Enfant (6 à 12 ans) : 4,00 $ Enfant (5 ans et moins) : gratuit
ACCÈS	De Québec, prendre la route 138 est. L'entrée du site se situe à quelques kilomètres après la basilique de Sainte-Anne-de-Beaupré.
DOCUMENTATION	Dépliant-carte (à l'accueil et dans les bureaux d'information touristique)
INFORMATION	418 827-4057 • www.canyonste-anne.qc.ca

4 CENTRE DE PLEIN AIR DANSEREAU

En parcourant ce sentier, dont la majeure partie est partagée avec les cyclistes, on longera la rivière Jacques-Cartier dont on pourra admirer les nombreux rapides. On verra une chute, le barrage du Grand-Remous et les ruines d'un vieux moulin à scie datant du début du XXe siècle.

☼P👫(X🌲🏠🏛🌿🎿

RÉSEAU PÉDESTRE	20,0 km (Multi : 15 km) (linéaire, intermédiaire)
HORAIRE	Toute l'année, du lever au coucher du soleil
TARIF	Gratuit
ACCÈS	De l'autoroute 40, prendre la sortie 281 nord et se rendre à Pont-Rouge. En face de l'église, prendre la rue Charles-Julien, puis tourner à gauche sur la rue Dansereau.
DOCUMENTATION	Dépliant (à l'accueil)
INFORMATION	418 873-4150 • 418 873-2817 • www.ville.pontrouge.qc.ca

5 CENTRE DE PLEIN AIR LE REFUGE

Ce centre de plein air, perché à 600 mètres d'altitude, offre différents parcours de randonnée pédestre en saison estivale. Le site bénéficie d'un microclimat créé par les rivières Montmorency et Jacques-Cartier. En effectuant les parcours sillonnant une forêt mixte, on verra des grottes, des cascades, trois chutes et la rivière des Hurons. On aura des points de vue sur la région et on pourra apercevoir des orignaux, des cerfs de Virginie et plusieurs oiseaux.

☼P👫(X🌲🏠🏛🐾🎿

SENTIERS ET PARCOURS	LONGUEUR	TYPE	NIVEAU	DÉNIVELÉ
R1-A	1,3 km	linéaire	débutant	
R1-B	1,5 km	linéaire	débutant	
R2	1,6 km	linéaire	débutant	
R3	3,1 km	linéaire	débutant	170 m
R5	2,1 km	linéaire	débutant	170 m
Le Button	0,4 km	boucle	débutant	
L'Aventure	1,3 km	boucle	débutant	
Les Bouleaux	2,1 km	boucle	débutant	
L'Étang	2,9 km	boucle	débutant	
L'Éclaircie	4,5 km	boucle	débutant	
Les Chicots	5,7 km	boucle	débutant	
L'Abri	6,9 km	boucle	débutant	
Le Lac Yoyo	8,9 km	boucle	débutant	
La Chute	7,8 km	boucle	débutant	
La Grotte	10,1 km	boucle	intermédiaire	
La Huron	13,6 km	boucle	intermédiaire	
Le Raccourci	10,8 km	boucle	intermédiaire	
La Rivière	7,1 km	boucle	intermédiaire	
La Corniche	11,7 km	boucle	intermédiaire	

HORAIRE	Toute l'année, du lever au coucher du soleil
	Prudence pendant la période de chasse
TARIF	3,00 $ par personne
ACCÈS	De Québec, suivre l'autoroute 73, puis l'autoroute 175 en direction nord. Tourner à droite sur le chemin Saint-Edmond, à Saint-Adolphe. Le centre se situe au 1190.
DOCUMENTATION	Dépliant (à l'accueil et sur le site Web)
INFORMATION	418 848-6155 • www.centrelerefuge.com

6   CENTRE SKI-NEUF

En parcourant les différents sentiers, on traversera une forêt boréale peuplée de sapins, de hêtres et d'érables dans laquelle on pourra apercevoir des cerfs de Virginie. Un sentier, qui part du Centre des loisirs, longe un ruisseau qu'on franchira grâce à un petit pont. On pourra aussi grimper sur une colline. 🐎

🏠 P 👥 🍴 🚻 ✕ 🚂 🌿

RÉSEAU PÉDESTRE   9,3 km

SENTIERS ET PARCOURS	LONGUEUR	TYPE	NIVEAU
Sentier A	5,0 km	linéaire	débutant
Sentier B	1,0 km	linéaire	débutant
Sentier C	1,5 km	linéaire	débutant
Sentier D	1,8 km	mixte	débutant

HORAIRE	Toute l'année, du lever au coucher du soleil
	Prudence pendant la période de chasse
TARIF	Gratuit
ACCÈS	De la sortie 261 de l'autoroute 40, prendre la direction nord. Tourner à droite sur la rue Saint-Charles, à gauche sur l'avenue Saint-Germain, et encore à gauche sur le boulevard Gauthier.
DOCUMENTATION	Dépliant-carte (à l'accueil)
INFORMATION	418 286-6966 • 418 286-4206 • www.portneuf.com

7   CHUTES DE LA DÉCHARGE DU LAC A L'OURS

Ce court sentier permet d'admirer les chutes, situées près du village de Saint-Léonard, dans la région de Portneuf. L'une d'elles, d'une hauteur d'environ 15 mètres, est créée par le déversement du lac de l'Ours dans le lac de l'Oasis et peut être admirée depuis un pont en arche situé à sa base. 🐕

RÉSEAU PÉDESTRE   0,5 km (linéaire, débutant)

HORAIRE   De mai à novembre, du lever au coucher du soleil
TARIF   Gratuit
ACCÈS   De Saint-Léonard-de-Portneuf, suivre la route 367 en direction de Rivière-à-Pierre, jusqu'au lac de l'Oasis. L'entrée du sentier se trouve sur la droite et le stationnement est bien identifié.
INFORMATION   418 337-6741 • www.municipalite.st-leonard.qc.ca

8   CORRIDORS DES CHEMINOTS ET DU LITTORAL

Ces deux corridors urbains débutent au Domaine Maizerets. Le corridor des Cheminots traverse le centre-ville du sud au nord, et par endroits, une érablière à bouleau jaune dans sa partie nord. Ce corridor traverse le village de Wendake et termine sa course à la limite de la ville. Le corridor du Littoral se rend à la chute Montmorency en longeant le fleuve Saint-Laurent et des parcs. On passera par le Vieux-Port. De nombreuses espèces d'oiseaux, de bord de mer et forestiers, survolent ces corridors. Le Corridor des Cheminots étant avant tout une piste cyclable, il peut être achalandé par moments, ce qui rendra la marche plus difficile.

RÉSEAU PÉDESTRE   72,0 km (Multi : 72 km)

SENTIERS ET PARCOURS	LONGUEUR	TYPE	NIVEAU
Corridor des Cheminots	22,0 km	linéaire	débutant
Corridor du Littoral	50,0 km	linéaire	débutant

HORAIRE   De mai à novembre, du lever au coucher du soleil
TARIF   Gratuit
ACCÈS   <u>Accès ouest</u> : de Sainte-Foy, prendre la route 573 nord. Sortir à Val-Bélair et suivre les indications pour l'aréna où commence la piste.
             <u>Accès est</u> : via le Parc de la chute Montmorency
             <u>Autre accès</u> : via le Domaine Maizerets.
DOCUMENTATION   Dépliant-carte (au bureau d'information touristique)
INFORMATION   418 641-6224 • 418 641-6010 • www.ville.quebec.qc.ca

> **JCT**   PARC DE LA CHUTE MONTMORENCY ; DOMAINE MAIZERETS ; PARC DE LA FALAISE ET DE LA CHUTE KABIR KOUBA

9   DOMAINE MAIZERETS

Ce domaine, qui fait face à la baie de Beauport, a une superficie de 27 hectares, ce qui en fait l'un des plus grands espaces verts à vocation de plein air en ville. On y trouve un bâtiment historique datant du XVIIᵉ siècle. On peut y voir une exposition sur son histoire. Les sentiers parcourent ce jardin comptant 16 000 vivaces et arbustes, un marais et un anneau d'eau. Le site renferme une volière à papillons, une grangeétable, une chapelle, un labyrinthe végétal et un belvédère. En traversant l'un des ponts menant à l'île Saint-Hyacinthe, on verra une statue de la Vierge. Une tour d'observation donne une vue d'ensemble du site et permet d'observer des canards et autres oiseaux présents. 🐕

RÉSEAU PÉDESTRE 11,0 km

HORAIRE Toute l'année, de 9 h à 21 h

SENTIERS ET PARCOURS	LONGUEUR	TYPE	NIVEAU
Parc	4,0 km	mixte	débutant
Anneau et marais	1,0 km	boucle	débutant
Boisé	2,0 km	mixte	débutant
Arboretum	4,0 km	mixte	débutant

TARIF Gratuit

ACCÈS De l'autoroute Dufferin-Montmorency (440), emprunter l'avenue d'Estimauville nord. Tourner à gauche sur le boulevard Montmorency et continuer jusqu'à l'entrée du Domaine située sur la gauche. *Transport public : de place d'Youville, prendre l'autobus express 800 Est et descendre à la station Bardy. Marcher environ 2 km sur la rue Bardy, à droite, en direction sud, jusqu'à l'entrée du Domaine, sur le boulevard Montmorency.*

DOCUMENTATION Dépliant-carte (à l'accueil)

INFORMATION 418 641-6335 • www.domainemaizerets.com

JCT CORRIDORS DES CHEMINOTS ET DU LITTORAL

10 DOMAINE NOTRE-DAME

Ce domaine propose plusieurs activités de plein air dont la randonnée pédestre. Trois parcours en boucle sont proposés. Les sentiers sillonnent une forêt mixte composée principalement de sapins, d'épinettes et d'érables. Une roche d'une hauteur de 4 mètres et fendue en plein centre est visible depuis les sentiers. On peut aussi observer le cerf de Virginie.

RÉSEAU PÉDESTRE 3,9 km (mixte, débutant)

HORAIRE Du 23 juin à la fête du Travail, de 9 h à 19 h

TARIF Adulte : 5,00 $
Enfant : 2,50 $
Famille : 12,00 $

ACCÈS De la sortie 295 de l'autoroute 40, suivre la route de Fossambault nord (route 367). Tourner à gauche à l'intersection de la route Notre-Dame. Suivre la route 367 nord et tourner à gauche sur la route Grand-Capsa (route 358). Le domaine se trouve au 83, route Grand-Capsa.

INFORMATION 418 875-2583 • www.domaine-notre-dame.com

Répertoire des lieux de marche au Québec

Cette forêt occupe un territoire d'une superficie de 6 664 hectares, recouvert d'une sapinière à bouleau blanc. Le relief accidenté est à l'origine de la formation d'un plateau, d'une altitude de 750 mètres environ, sur lequel serpentent deux rivières et dont les collines atteignent 1 000 mètres. Deux sentiers sont situés autour du lac Piché. Des belvédères offrent des vues sur la chute de la rivière Noire. Le Forestier est un sentier d'interprétation de l'activité forestière sous toutes ses formes. Ce parcours est agrémenté d'une trentaine de panneaux d'interprétation traitant, entre autres, de la forêt boréale. Le sentier du Lac Piché permet de faire un rallye sur la faune présente. Les Draveurs longe une rivière. Le sentier Les Deux Vallées atteint une chute. 🐴

Autre : la cafétéria est ouverte de 7 h 30 à 8 h 30, de 12 h à 13 h et de 17 h à 18 h

RÉSEAU PÉDESTRE 21,9 km

SENTIERS ET PARCOURS	LONGUEUR	TYPE	NIVEAU	DÉNIVELÉ
La Chute de la rivière Noire	1,0 km	boucle	débutant	75 m
Le Lac Piché	2,5 km	boucle	débutant	
Le Forestier	4,4 km	boucle	intermédiaire	120 m
Les Deux Vallées	7,0 km	linéaire	avancé	200 m
Les Draveurs	7,0 km	linéaire	intermédiaire	

HORAIRE	De juin à octobre, de 7 h 30 à 16 h
TARIF	Adulte : 3,00 $
	Enfant (moins de 13 ans) : 1,50 $
ACCÈS	De Québec, suivre la route 175 nord sur environ 70 km. Au kilomètre 103, emprunter la route 33 sur 3 km, soit jusqu'au pavillon de la Forêt Montmorency.
DOCUMENTATION	Carte, dépliant, brochures d'interprétation (à l'accueil)
INFORMATION	418 656-2034 • www.fm.ulaval.ca

12 JARDIN BOTANIQUE ROGER-VAN DEN HENDE

Ce jardin de 6 hectares, contenant plus de 2 000 espèces et cultivars, tient son nom d'un professeur d'horticulture ornementale à la Faculté des sciences de l'agriculture et de l'alimentation de l'Université Laval qui l'a aménagé entre 1966 et 1975. Il sert à des fins de recherche et d'enseignement. On y retrouve un herbacetum, un ericacetum, une roseraie, un jardin d'eau avec des cascades et un arboretum couvrant près de la moitié du lieu. Un bâtiment sert à la recherche en horticulture et un site traite de compostage domestique. 🐕

🏛️🚶🚻🅿️⛩️🏠🌾🔭

RÉSEAU PÉDESTRE 1,5 km (mixte, débutant)

HORAIRE De mai à fin octobre, de 8 h à 20 h
TARIF Gratuit
ACCÈS Du boulevard Laurier (route 175) à Sainte-Foy - Sillery, emprunter la route du Vallon vers le nord. Le jardin se situe au coin du boulevard Hochelaga, derrière le centre commercial « Place Sainte-Foy ». ***Transport public :*** *de place d'Youville, prendre l'autobus express 800 Ouest ou 801 Ouest dont le trajet s'effectue sur le boulevard René-Lévesque. Descendre à l'arrêt « Place Sainte-Foy », sur le boulevard Laurier, et marcher jusque derrière le centre commercial, où se trouvent le boulevard Hochelaga et le jardin.*
DOCUMENTATION Dépliant-carte (à l'accueil)
INFORMATION 418 656-3410 • 418 656-2131 poste 8846 • www.jardin.ulaval.ca

13 LE MONTAGNARD SENTIER NATIONAL

Ce sentier, qui sillonne les montagnes de la région, débute à Lac-Beauport et se rend à Sainte-Brigitte-de-Laval. On traversera et longera des endroits comme le parc des Chutes Simmons, la vallée Autrichienne, le lac Neigette et le mont Écho. On aura une vue sur la rivière Montmorency, le lac Beauport, la chute Simmons, la forêt et la ville de Québec depuis des belvédères installés sur les montagnes.

⭐🅿️⛩️⛺🏠🛏️🚉🪑

RÉSEAU PÉDESTRE 19,0 km
(linéaire, intermédiaire, dénivelé maximum de 377 m)

HORAIRE Toute l'année, du lever au coucher du soleil
Prudence en période de chasse. Il est même conseillé de ne pas randonner à ce moment.
TARIF Gratuit

Répertoire des lieux de marche au Québec

ACCÈS	Accès départ ouest (Lac-Beauport) : de Québec, prendre la sortie 157 de l'autoroute 73 nord. Continuer sur le boulevard du Lac jusqu'au chemin du Village. L'accès au sentier se situe au centre communautaire, au 46, chemin du Village.
	Accès arrivée est (Sainte-Brigitte-de-Laval) : prendre la sortie 321 de l'autoroute 40 est. Suivre la route Armand-Paris nord, qui se transforme en boulevard Raymond et devient l'avenue Sainte-Brigitte. Ensuite, prendre la rue Goudreault qui donne accès au départ situé dans le Parc Richelieu.
DOCUMENTATION	Carte (au bureau des Sentiers de la Capitale, au 14, rue Saint-Amand, à Loretteville)
INFORMATION	418 840-1221 • 418 825-2515 • www.lac-beauport.ca/parcs_sentiers.aspx

JCT   SENTIER DE LA MONTAGNE À DEUX-TÊTES ; LES SENTIERS DU MOULIN

14 LES MARAIS DU NORD

Un phénomène naturel, dû à la rencontre des lacs Saint-Charles et Delage avec la rivière des Hurons, a créé ces marais. La rivière serpente à travers le territoire. Les sentiers sont divisés en deux secteurs bien distincts. On passera par endroits dans un boisé mixte. Un sentier franchit la décharge du lac Delage. Un belvédère juché sur une colline ainsi qu'une tour d'observation donnent une vue d'ensemble sur les marais et le lac. On trouve sur le territoire des plantes carnivores et 158 espèces d'oiseaux.

RÉSEAU PÉDESTRE	5,2 km (mixte, débutant)
HORAIRE	Toute l'année, de 8 h à 17 h
	Prudence en pédiode de chasse
TARIF	Adulte : 3,50 $
	Enfant (6 à 17 ans) : 2,00 $
	Enfant (5 ans et moins) : gratuit
	Laissez-passer annuel individuel : 18,00 $
	Laissez-passer annuel familial : 35,00 $
ACCÈS	De l'autoroute 73, prendre la sortie 167 et tourner à gauche au premier arrêt. Au second arrêt, continuer tout droit, puis tourner à gauche sur le chemin de la Grande-Ligne et continuer sur 3 km. À l'arrêt suivant, tourner à gauche. Le départ du sentier se fait au 1100, chemin de la Grande-Ligne.
DOCUMENTATION	Carte, dépliant d'interprétation, liste des oiseaux, rallye nature (au pavillon d'accueil)
INFORMATION	418 841-4629 • 418 849-9844 • apel.ccapcable.com

15 LES SENTIERS DE LA RIVIÈRE DU CAP ROUGE

Ce parc longe la rivière du Cap Rouge et ses rapides. On la traversera à quatre reprises grâce à des ponts. Le parc est divisé en trois secteurs non-contigus, nécessitant de passer par quelques rues de la ville de Cap-Rouge, dont on pourra admirer des bâtiments patrimoniaux comme l'église. En parcourant les secteurs, on passera par une saulaie et une zone peuplée de pruches. On accèdera aussi à une zone de marais, agrémentée de panneaux d'interprétation. On pourra apercevoir de nombreuses espèces d'oiseaux dont le grand héron, le cardinal et l'oriole de Baltimore. On aura une vue sur le Fleuve et sur les montagnes des Laurentides. En échange d'un dépôt, on peut emprunter un guide d'interprétation et le rapporter ensuite. 🐴

🏛 P ♙♙ (🎋 ⬚ ❧

RÉSEAU PÉDESTRE 5,0 km (boucle, débutant)

HORAIRE	Du 15 avril au 15 novembre, 9 h à 21 h
TARIF	Gratuit
ACCÈS	De la sortie 302 de l'autoroute 40, suivre la route Jean-Gauvin, puis la rue du Domaine. Tourner à gauche sur le boulevard de la Chaudière, puis à gauche à nouveau sur la rue Charles-A.-Roy. D'autres accès sont également possibles dont celui au parc des Écores. *Transport public : de place d'Youville, prendre l'autobus express 800 Ouest ou 801 Ouest (boulevard René-Lévesque) jusqu'au point de correspondance du trajet 15, soit peu avant la rue de Marly (édifice du Revenu). Prendre l'autobus 15 jusqu'à l'intersection de la rue Provancher et du boulevard de la Chaudière (Mail Cap-Rouge). Marcher vers le nord sur le boulevard de la Chaudière et tourner à gauche sur la rue Charles-A.-Roy.*
DOCUMENTATION	Guide d'interprétation (à l'accueil)
INFORMATION	418 641-6008 • 418 650-7778

16 LES SENTIERS DU MOULIN

Les Sentiers du Moulin, situés au nord du lac Beauport, parcourent une forêt mixte dominée par les conifères et parsemée de plans d'eau comme le ruisseau Waterloo et un lac propice à la baignade. Le sentier Le Trappeur se rend à un ancien camp et permet de plonger dans cette époque en observant les traces du passage des animaux présents comme le castor et l'orignal. Le sentier Le Cap Blanc permet d'admirer la forêt laurentienne. Une piste d'hébertisme comprend des jeux et des obstacles bâtis avec les éléments de la forêt. On pourra admirer des chutes et on aura une vue sur Stoneham et Lac-Beauport. 🐴

🏛 P ♙♙ (🎋 ⛺ ▲ ▲ ▲ 🏠 ⛰ 🎒 Autre : piste d'hébertisme

RÉSEAU PÉDESTRE 35,7 km (Multi : 15 km)

SENTIERS ET PARCOURS	LONGUEUR	TYPE	NIVEAU	DÉNIVELÉ
Les Chutes sauvages	1,5 km	mixte	intermédiaire	55 m
Les Cascades	4,0 km	linéaire	débutant	
Le Cap Blanc	4,0 km	linéaire	avancé	280 m
Le Marais	5,6 km	boucle	intermédiaire	
Réseau de ski	15,0 km	mixte	débutant	
Le Trappeur	3,0 km	boucle	débutant	
Le Mont Tourbillon	2,6 km	linéaire	débutant	100 m

HORAIRE	Toute l'année, de 9 h à 16 h. Il est possible de s'auto-enregistrer en dehors de ces heures. Ne pas circuler durant la chasse à l'orignal.
TARIF	3,50 $ par personne
ACCÈS	De la route 175, prendre la sortie 157. Emprunter le chemin du Tour-du-Lac, en face de la station de ski Le Relais, puis tourner à gauche sur le chemin des Lacs. Tourner à droite sur le chemin du Moulin. L'entrée se situe à 2 km.
DOCUMENTATION	Dépliant, cartes (à l'accueil)
INFORMATION	418 849-9652 • www.sentiersdumoulin.com

JCT LE MONTAGNARD

17 LES SEPT CHUTES – SITE D'INTERPRÉTATION ET DE PLEIN AIR

Cette ancienne centrale hydroélectrique, en bordure de la rivière Sainte-Anne-du-Nord, offre un réseau de sentiers permettant de découvrir les chutes, leur barrage datant de 1912 et la centrale, figurant parmi les plus vieilles de la province, qui a repris ses activités en 1999. Le centre d'interprétation traite de la vie des personnes ayant vécu sur le territoire lorsque la centrale était en activité, tandis que des guides expliquent de quelle façon est produite l'électricité. La promenade permet de voir des bâtiments historiques.

Autre : boutique

RÉSEAU PÉDESTRE	5,0 km (mixte, débutant, dénivelé maximum de 105 m)
HORAIRE	Du 20 mai au 22 juin : 10 h à 17 h
	Du 23 juin au 20 août : 9 h à 17 h 45
	Du 21 août au 9 octobre : 10 h à 17 h
TARIF	Adulte : 9,86 $
	Âge d'or (65 ans et plus) : 8,72 $
	Junior (6 à 17 ans) : 6,44 $
	Enfant (moins de 5 ans) : gratuit
	Tarif familial (2 adultes et 2 enfants) : 25,01 $
ACCÈS	De la route 138 à Beaupré, prendre la route 360 vers Saint-Ferréol-les-Neiges. L'entrée du site se trouve au 4520, avenue Royale.
DOCUMENTATION	Carte, dépliant (à l'accueil)
INFORMATION	418 826-3139 • 1 877 7CHUTES • www.septchutes.com

18 LIEU HISTORIQUE NATIONAL DU CANADA DES FORTIFICATIONS-DE-QUÉBEC

La ville de Québec est la seule à être fortifiée en Amérique du Nord. Le site de ses fortifications, datant des XVIIIe et XIXe siècles, est situé en haut d'une falaise surplombant le fleuve Saint-Laurent. En parcourant le sentier, on découvrira la vie militaire et la ville de Québec de l'époque, grâce à des centres d'interprétation. On verra des vestiges des remparts, bastions et poudrières, qui furent importants pour la croissance et l'organisation de la ville. On pourra marcher sur les murs comme les sentinelles d'autrefois. On peut également rejoindre la promenade des Gouverneurs qui surplombe le cap Diamant.

⛫ 🅿 👬 ⦅ ✗ ⮌ 🛏 ♨ 🚫 ♿

RÉSEAU PÉDESTRE 4,6 km (boucle, débutant)

HORAIRE	Toute l'année, du lever au coucher du soleil
TARIF	Gratuit
ACCÈS	Plusieurs accès sont possibles au cœur du Vieux-Québec.
DOCUMENTATION	Dépliant-carte (à l'accueil)
INFORMATION	418 648-7016 • 418 648-4205 • www.pc.gc.ca/fortifications

JCT   PARC DES CHAMPS-DE-BATAILLE

19   PARC CHAUVEAU

Des sentiers, de faible dénivellation, serpentent à travers un boisé situé à proximité de la rivière Saint-Charles. Ces sentiers, qui empruntent par endroits des pistes destinées au ski de fond l'hiver, traversent à quatre reprises la rivière grâce à des ponts. 🐎

⛫ 🅿 👬 ⦅ 🛏 🪑 🌉

RÉSEAU PÉDESTRE 10,0 km (Multi : 10 km) (mixte, débutant)

HORAIRE	Toute l'année, du lever au coucher du soleil
TARIF	Gratuit
ACCÈS	Le parc se situe à l'intersection du boulevard de l'Ormière (route 371) et de l'avenue Chauveau (route 358), à Québec. ***Transport public :*** *de la place Jacques-Cartier, prendre l'autobus 74 ou 84 et descendre à l'angle de l'avenue Chauveau et du boulevard de l'Ormière. Marcher moins de 2 km sur l'avenue Chauveau.*
INFORMATION	418 843-6536

JCT   PARC LINÉAIRE DES RIVIÈRES SAINT-CHARLES ET DU BERGER

20   PARC DE LA CHUTE MONTMORENCY

La chute de ce parc a une hauteur de 83 mètres; elle est donc plus haute que les chutes Niagara. Un pont suspendu passe au-dessus, permettant de rejoindre l'autre rive. Le pont de la faille permet de passer au-dessus d'une falaise. On verra le canyon de la rivière Montmorency, un barrage hydroélectrique, une zone de résurgences où on observera des attraits géomorphologiques comme une grotte souterraine. Divers points de vue, dont un escalier panoramique de 487 marches flanqué de belvédères, offrent des panoramas sur l'île d'Orléans, Québec, la chute et le boisé de feuillus couvrant le parc. Un téléphérique conduit au sommet de la chute. ✈

🏠 P ⛺ ⛵ X ⛩ 🏕 🚂 🎣 🏮 🔖 ⛄ Autres : téléphérique, boutiques

RÉSEAU PÉDESTRE 4,0 km

SENTIERS ET PARCOURS	LONGUEUR	TYPE	NIVEAU	DÉNIVELÉ
Autour de la chute	1,5 km	mixte	débutant	90 m
Sentier Les Résurgences	2,5 km	linéaire	débutant	

HORAIRE	Toute l'année, de 8 h 30 à 19 h ou 21 h (selon la saison)
TARIF	Stationnement : 9,00 $ par voiture
	Location d'écouteurs : 3,25 $ - autour de la chute
ACCÈS	De l'autoroute 40, prendre la sortie 322 et poursuivre sur le boulevard des Chutes sur environ 3 km en suivant les indications pour le manoir Montmorency.
	Transport public : de la place d'Youville, prendre l'autobus 800-50 vers Beauport, et correspondre au terminus de la Cimenterie avec l'autobus 50, qui vous dépose au manoir Montmorency.
DOCUMENTATION	Dépliant-carte, dépliant, écouteurs (à l'accueil, au manoir Montmorency et à la gare du téléphérique)
INFORMATION	418 663-3330 • www.sepaq.com/chutemontmorency

JCT CORRIDORS DES CHEMINOTS ET DU LITTORAL ; CAMPING MUNICIPAL DE BEAUPORT

21 PARC DE LA FALAISE ET DE LA CHUTE KABIR KOUBA

Cette chute, d'une hauteur de 28 mètres, est encastrée dans un canyon dont les falaises atteignent 42 mètres de hauteur. Le sentier, qui longe la rivière Saint-Charles, mène à cette chute et permet de voir des marmites, des blocs erratiques, des fossiles ayant plus de 450 millions d'années et les ruines d'anciens moulins. Des belvédères donnent sur la chute, le canyon et une forêt mixte. On pourra apercevoir une faune variée comptant des cigales. On trouve dans la forêt des espèces peu communes comme l'érable négondo et un arbuste, le sumac vinaigrier. ✈

🌟 P ⛺ ⛵ X ⛩ 🏕 🚂 🏮 🌿 🔖

RÉSEAU PÉDESTRE 1,5 km (linéaire, intermédiaire, dénivelé maximum de 100 m)

HORAIRE	De mi-mai à fin octobre, de 10 h à 17 h
TARIF	Gratuit
ACCÈS	On accède au parc par le boulevard Bastien, situé dans l'arrondissement Les Rivières, à la hauteur de Wendake.
	Transport public :
	Est de Québec : prendre l'autobus 801 vers le terminus Charlesbourg et correspondre avec l'autobus 72. Descendre à l'intersection du boulevard Bastien et de la rue Racine.
	Ouest de Québec : prendre l'autobus 87 en direction de Loretteville. Descendre au coin des rues Caron et Racine. Prendre ensuite l'autobus 72 sur la rue Racine.

DOCUMENTATION Dépliant, carte, guide d'interprétation, brochure (au Centre d'interprétation Kabir Kouba, situé au 103 rue Racine à Loretteville.)

INFORMATION 418 842-0077 • www.chutekabirkouba.com

JCT PARC LINÉAIRE DES RIVIÈRES SAINT-CHARLES ET DU BERGER ; CORRIDORS DES CHEMINOTS ET DU LITTORAL

22 PARC DE LA FORÊT ANCIENNE DU MONT WRIGHT

À la fin des années 1800, le gouvernement britannique a offert la concession où se trouve ce parc à Thomas Wright, un militaire écossais, en remerciement pour des services rendus à la royauté. Les derniers héritiers ont légué ce territoire de 190 hectares à la Municipalité dans le but d'en faire un parc accessible au public. Le sentier des Wright permet de voir les ruines de leur maison familiale, ainsi que quelques pommiers et autres essences pionnières. Le sentier de la Forêt ancienne sillonne une forêt de peuplements anciens composée de bouleaux, d'érables, d'épinettes et de sapins. Certains arbres sont âgés de plus de 300 ans. On verra aussi un champ de blocs erratiques avant de terminer le parcours aux falaises. Le sentier des Abris sous roche mène à ces abris, des amas de blocs de grande dimension recouverts d'épinettes rouges et de polypores de Virginie. Le sentier du Sommet grimpe jusqu'au sommet de la montagne, d'une altitude de 483 mètres, à travers une forêt où les épinettes se font de plus en plus présentes au fil de l'ascension. On accèdera à un belvédère offrant une vue sur les montagnes de la station touristique de Stoneham, sur la ville et sur les rivières des Hiboux et Huron. On parvient aussi à ce belvédère depuis le sentier du Vaillant qui contourne la grande paroi d'escalade. 🪀

✶ P 👭 🎋 🌿 🎿

RÉSEAU PÉDESTRE 8,0 km

SENTIERS ET PARCOURS	LONGUEUR	TYPE	NIVEAU	DÉNIVELÉ
Sentier des Wright	0,5 km	Boucle	débutant	
Sentier de la Forêt ancienne	3,5 km	Boucle	intermédiaire	
Sentier des Abris sous roche	0,6 km	Linéaire	intermédiaire	
Sentier du Sommet	2,4 km	Linéaire	intermédiaire	100 m
Sentier du Vaillant	1,0 km	Linéaire	avancé	120 m

HORAIRE Toute l'année, du lever au coucher du soleil

TARIF Gratuit

ACCÈS De Québec, emprunter l'autoroute 73 en direction nord, puis la route 175 nord. Le stationnement est situé juste après le chemin de la Randonnée, le long de la route 175, à droite.

DOCUMENTATION Livret d'interprétation sur la forêt ancienne du mont Wright – 5,00 $ (à la municipalité de Stoneham-et-Tewkesbury)

INFORMATION 418 848-2381 poste 235 • www.villestoneham.com

23 PARC DE LA RIVIÈRE BEAUPORT

Situé au cœur de la ville, ce parc longe la rivière Beauport à travers une forêt mixte dominée par les feuillus, dans laquelle on retrouve fleurs, arbustes et fougères. On passera par une saulaie dont les arbres atteignent une hauteur de 25 mètres. On verra le phénomène des résurgences et les vestiges d'un barrage et d'un ancien moulin. Un pont traverse la rivière en haut d'une cascade de 10 mètres. Des belvédères donnent sur la rivière et la vallée. On pourra apercevoir 80 espèces d'oiseaux dont sept sont menacées ou vulnérables, comme la perdrix grise. 🐴

★P👫⛩🏛▥

RÉSEAU PÉDESTRE 2,0 km (Multi : 2 km) (mixte, débutant, dénivelé maximum de 55 m)

HORAIRE	Toute l'année, de 6 h à 22 h
TARIF	Gratuit
ACCÈS	De l'autoroute 40, prendre la sortie 319. Tourner à gauche sur la rue Cambronne, puis à droite sur l'avenue des Cascades. Le stationnement se situe à la halte Armand-Grenier.
	Transport public : de place d'Youville, prendre l'express 800 en direction de Beauport et descendre à la station François-De Laval, sur l'avenue Royale. Les sentiers commencent un peu avant le pont.
DOCUMENTATION	Dépliant-carte (à l'hôtel de ville et au bureau du comité de valorisation de la rivière Beauport)
INFORMATION	418 666-6169 • www.cvrb.qc.ca

24 PARC DE LA RIVIÈRE L'ANCIENNE-LORETTE

Ce parc est considéré comme étant le plus grand parc urbain de la région. Il est traversé par la rivière Lorette. En parcourant les pistes 2 à 4, qui longent la rivière, on sillonnera une forêt mixte dominée par les feuillus, surtout par l'érable. Sur la Piste 2, un belvédère offre une vue sur la rivière. On verra les terrains à l'arrière des résidences entourant le parc. 🐴

🏠P👫🏛

RÉSEAU PÉDESTRE 8,0 km (Multi : 8 km)

SENTIERS ET PARCOURS	LONGUEUR	TYPE	NIVEAU
Piste 1	0,9 km	Boucle	débutant
Piste 2	1,5 km	Boucle	débutant
Piste 3	2,1 km	Boucle	débutant
Piste 4	3,5 km	Boucle	débutant

HORAIRE	Toute l'année, du lever au coucher du soleil
TARIF	Gratuit
ACCÈS	De l'autoroute Duplessis, tourner vers l'est sur le boulevard Wilfrid-Hamel. Tourner ensuite à gauche sur la rue Notre-Dame, puis à droite sur la rue des Loisirs.
INFORMATION	418 872-9811 • www.lancienne-lorette.org

25 PARC DES CHAMPS-DE-BATAILLE

Ce parc comprend les plaines d'Abraham et le parc des Braves. Ces lieux rendent hommage aux combattants des batailles des plaines d'Abraham et de Sainte-Foy ayant eu lieu en 1759 et 1760. On y trouve des monuments et des plaques commémoratives, ainsi que des canons et des bâtiments historiques comme une maison patrimoniale et les deux tours Martello. Un arboretum planté de 28 espèces est présent à titre de jardin commémoratif du 12e congrès forestier mondial. Le sentier de la nature longe la falaise et est bordé de panneaux traitant des premiers herboristes du Québec. Le sentier de la contrescarpe ceinture la citadelle de Québec où on marchera sur les remparts. Ce point est le plus haut du parc et offre une vue sur le Fleuve avant d'aboutir près du château Frontenac. Un sentier fait le tour du réservoir municipal tandis qu'un autre passe devant le musée national des beaux-arts du Québec. Un cadran solaire donne, durant l'été, l'heure avancée de l'est.

Autre : kiosque

RÉSEAU PÉDESTRE 17,0 km

SENTIERS ET PARCOURS	LONGUEUR	TYPE	NIVEAU
Sentier de la nature	1,5 km	linéaire	débutant
Sentier de la contrescarpe	1,0 km	boucle	débutant

HORAIRE Toute l'année, de 6 h à 1 h

TARIF Gratuit

ACCÈS De la Grande Allée (route 175), on peut accéder au parc par les avenues Wolfe-Montcalm, Taché ou Georges V.
Transport public : *de la place d'Youville, prendre l'autobus 11 Ouest. On peut descendre en face du Parlement et continuer à gauche, à l'entrée de la Croix du Sacrifice. Une autre entrée du parc se situe en face de l'hôtel Le Concorde. Enfin, on peut aussi continuer jusqu'à l'entrée de l'avenue Wolfe-Montcalm où se trouve le musée du Québec.*

DOCUMENTATION Dépliant, carte (à la maison de la découverte des Plaines d'Abraham)

INFORMATION 418 648-4071 • www.ccbn-nbc.gc.ca

JCT LIEU HISTORIQUE NATIONAL DU CANADA DES FORTIFICATIONS-DE-QUÉBEC ; PARC DU BOIS-DE-COULONGE

26 PARC DU BOIS-DE-COULONGE

Ce parc, d'une superficie d'environ 24 hectares, date de plus d'un siècle. On y trouve des aménagements horticoles d'importance : arbustes fruitiers, roses anciennes, arboretum et de nombreuses fleurs. La moitié du terrain est boisée. On verra un kiosque constitué des fondations de l'ancienne demeure des gouverneurs généraux du Québec, détruite par un incendie en 1966. La maison du gardien, à l'entrée du parc, date de 1891. On a aménagé, près de là, un jardin d'eau. On verra les anciennes écuries et les vieux bâtiments de ferme.

RÉSEAU PÉDESTRE 3,5 km (mixte, débutant)

HORAIRE   Toute l'année, du lever au coucher du soleil
TARIF   Gratuit
               Frais pour le stationnement
ACCÈS   De l'autoroute 73 ou 540, prendre la route 175 est, soit le boulevard Laurier. Poursuivre jusqu'à la Grande Allée. Le parc est situé au 1215, Grande Allée, près de l'avenue Holland. *Transport public : de la place d'Youville, prendre l'autobus 11 qui s'arrête en face du parc.*
DOCUMENTATION Dépliant-carte (dans les bureaux de Tourisme-Québec)
INFORMATION   418 528-0773 • 1 800 442-0773 • www.capitale.gouv.qc.ca

JCT   PARC DES CHAMPS-DE-BATAILLE

27 PARC FAMILIAL DES BERGES – CINAF

Ce parc est aménagé en bordure de la rivière Jacques-Cartier sur laquelle on pourra voir des estacades. Comme son nom l'indique, le sentier des Conifères traverse ce type de forêt. On y trouve un panneau traitant des différentes essences d'arbres présents. Le sentier des Pins mène à la rivière en sillonnant une forêt de pins blancs. Un panneau renseigne sur cet arbre. Sur le sentier des Marécages, un trottoir de bois facilite la circulation. Le sentier de la Faune arpente une forêt mixte et offre un point de vue sur le marais. Des panneaux sur les arbres bordent le chemin. Le sentier des Berges longe la rivière et offre une vue sur la plage de l'île des Galets. Il passe ensuite par une passerelle sur pilotis au niveau du marécage. De cette passerelle, on a accès à un escalier de 123 marches, réparties sur deux paliers, menant au centre-ville de Donnacona. Un belvédère permet d'observer un barrage de castors, la flore, ainsi que la faune composée de castors, de rats musqués, de grands hérons, de canards et de goélands. 🐾

RÉSEAU PÉDESTRE 2,3 km

SENTIERS ET PARCOURS	LONGUEUR	TYPE	NIVEAU
Sentier des Pins	0,1 km	linéaire	débutant
Sentier des Berges	0,8 km	linéaire	débutant
Sentier de la Faune	0,8 km	linéaire	débutant
Sentier des Marécages	0,4 km	linéaire	débutant
Sentier des Conifères	0,2 km	linéaire	débutant

HORAIRE   Toute l'année, du lever au coucher du soleil
TARIF   Gratuit
ACCÈS   De l'autoroute 40, prendre la sortie Donnacona, puis la route 138 en direction ouest. Le stationnement est situé le long de la route, 1 km plus loin, à gauche.
DOCUMENTATION Guide touristique de Portneuf (au CLD de Portneuf)
INFORMATION   418 285-5655

28 PARC LINÉAIRE DES RIVIÈRES SAINT-CHARLES ET DU BERGER

Le parc linéaire, dans son projet final, reliera le lac Saint-Charles au fleuve Saint-Laurent. Il a été créé dans le but de protéger, conserver et mettre en valeur la rivière Saint-Charles et la diversité des milieux naturels qui la bordent. Jusqu'à maintenant, la portion complétée se situe entre le Vieux-Port de Québec et la chute Kabir Kouba. Le sentier longe la rivière, offrant une vue constante sur celle-ci. On verra aussi des petites chutes, des méandres, des escarpements, des plaines inondables et des canyons.

Cette promenade à deux niveaux passe par plusieurs peuplements forestiers : saulaie, érablière, zone de fougères. Un point de vue donne sur la haute ville de Québec et le parc Cartier-Brébeuf. On pourra apercevoir des cerfs de Virginie, des loutres et des oiseaux dont le grand héron. 🐾

★P👫🎋🏕🚎👫🎣🌲🎿

RÉSEAU PÉDESTRE 22,0 km (Multi : 4 km)

SENTIERS ET PARCOURS	LONGUEUR	TYPE	NIVEAU
Du pont Samson au pont Scott	4,0 km	linéaire	débutant
Du pont Scott au boulevard Johnny-Parent	18,0 km	linéaire	intermédiaire

HORAIRE	Toute l'année, du lever au coucher du soleil
TARIF	Gratuit
ACCÈS	Plusieurs accès sont possibles le long de la rivière Saint-Charles à Québec, du Vieux-Port à la chute Kabir Kouba. ***Transport public :** plusieurs parcours sont possibles (parcours nos 3, 28, 53, 74, 84, 86 et 801). Pour plus de détails, veuillez vérifier auprès du Réseau de transport de la Capitale*
DOCUMENTATION	Dépliant-carte (dans les bureaux d'arrondissement La Cité, Limoilou, Les Rivières et Hautes-Saint-Charles)
INFORMATION	418 641-6411 • www.ville.quebec.qc.ca

[JCT] VIEUX-PORT DE QUÉBEC ; PARC DE LA FALAISE ET DE LA CHUTE KABIR KOUBA ; PARC CHAUVEAU

29 PARC NATIONAL DE LA JACQUES-CARTIER

Ce parc, d'une superficie de 670 km², est caractérisé par son contraste : un plateau montagneux entrecoupé de vallées aux parois abruptes dont celle de la Jacques-Cartier avec son encaissement de 550 mètres où serpente une rivière. Les sentiers sillonnent des peuplements de feuillus et la forêt boréale, et offrent des panoramas sur les vallées de la Jacques-Cartier et de la Sautauriski. On passera par plusieurs milieux : ruisseaux, dont un en cascades, tourbière, sapinière, forêt de bouleaux jaunes, érablière et sous-bois dominé par les fougères. On trouve deux sentiers d'auto-interprétation : L'Aperçu, portant sur le ruisseau Belleau, et L'Éperon, qui passe par les méandres de la rivière à l'Épaule et est agrémenté de sept panneaux visuels et sonores. On atteindra, par Le Scotora, chemin autrefois emprunté par les Montagnais, le mont Andante, d'une altitude de plus de 800 mètres. Le sentier du Hibou-Nord se continue à la Station touristique de Stoneham.

✶⚙P♔⚔[✗⛩▲▲▲🏠⛺⛲🦌🎣🏊🚌💼 Autre : vente de bois

RÉSEAU PÉDESTRE 79,8 km (Multi : 12 km)

SENTIERS ET PARCOURS	LONGUEUR	TYPE	NIVEAU	DÉNIVELÉ
L'Aperçu	2,5 km	boucle	débutant	
Les Loups	5,0 km	linéaire	avancé	452 m
L'Éperon	5,5 km	boucle	intermédiaire	205 m
La Croisée	7,5 km	linéaire	débutant	64 m
Le Scotora	7,8 km	linéaire	avancé	471 m
Les Cascades	4,3 km	boucle	débutant	80 m
La Matteucie	2,0 km	linéaire	débutant	
La Tourbière	2,2 km	boucle	débutant	
Le Confluent	1,6 km	boucle	débutant	
Le Draveur-nord	12,1 km	linéaire	intermédiaire	
Le Perdreau	5,0 km	boucle	débutant	65 m
Du Hibou-Nord (portion du parc)	2,6 km	linéaire	avancé	
De la rivière Sautauriski	4,5 km	linéaire	débutant	
Les Coulées	9,7 km	boucle	intermédiaire	
Le Draveur-sud	7,5 km	linéaire	débutant	

HORAIRE   De mi-mai à fin octobre, de 9 h à 18 h 30
               le territoire lui-même est accessible de 6 h à 21 h

TARIF   Voir la tarification des Parcs nationaux du Québec à la page 15 de
               cet ouvrage.

ACCÈS   À 40 km au nord de Québec par l'autoroute 73 et l'autoroute 175, l'entrée
               du parc (secteur de la Vallée) est située au km 74 de la route 175.
               ***Transport public** : Intercar offre le transport de la gare de Québec et
               de Sainte-Foy jusqu'au parc.*

DOCUMENTATION Carte, journal du parc (à l'accueil et au 700 boul. Lebourgneuf)
INFORMATION   418 528-8787 • 418 848-3169 • www.sepaq.com

[JCT]   STATION TOURISTIQUE DE STONEHAM

[30] PARC RÉGIONAL DES LACS LONG ET MONTAUBAN

Ce parc, d'une superficie de 83 km², renferme plusieurs plans d'eau dont les deux principaux sont les lacs Long et Montauban. Les premiers sentiers à voir le jour sur le territoire datent des années 80. Depuis, beaucoup de travaux ont été effectués afin d'améliorer le site et ainsi accroître le réseau pédestre. Le sentier des Sommets relie l'entrée du parc au sommet surplombant l'anse à Beaulieu. Le sentier de la Montagne de la Tour longe la rive du lac Long et grimpe au sommet de la montagne de la Tour. Sur cette dernière, une tour d'observation offre des vues sur les deux principaux lacs, le lac Carillon et les montagnes avoisinantes. Par temps clair, il est possible d'y apercevoir le fleuve Saint-Laurent. Le sentier de la rivière Noire,

situé au nord du lac Long, permet d'accéder la rivière du même nom. On peut y observer la sauvagine qui est abondante dans le secteur. Le sentier Les Cascades longe un ruisseau et ses cascades, passe par quelques étangs de castors et mène à un petit lac. Les sentiers du lac Carillon, principalement tracés sur la presqu'île du lac, offrent plusieurs possibilités de parcours dont l'ascension ardue jusqu'au belvédère du lac Carillon. Le Sentier national reliera éventuellement le lac Blanc au secteur de Perthuis. 🐾

☆🏠P🔥🛁

RÉSEAU PÉDESTRE 29,0 km

SENTIERS ET PARCOURS	LONGUEUR	TYPE	NIVEAU
Sentier des Sommets	10,0 km	linéaire	intermédiaire
Sentier de la Montagne de la Tour	6,0 km	linéaire	intermédiaire
Sentier de la rivière Noire	3,0 km	boucle	débutant
Sentier Les Cascades	4,0 km	linéaire	débutant
Sentiers du lac Carillon	6,0 km	mixte	débutant

HORAIRE	De mai à novembre, du lever au coucher du soleil
	Prudence pendant la période de chasse
TARIF	Gratuit
ACCÈS	De l'autoroute 40, prendre la sortie 254. Suivre la route 363 jusqu'à Saint-Marc-des-Carrières. Prendre l'avenue Principale, puis le rang de l'Église Sud jusqu'à Saint-Alban. Continuer sur la rue Principale qui change de nom plus loin pour le rang de l'Église Nord, et ensuite devient la route Montambault. Tourner à droite sur le chemin du Lac-Long et se rendre jusqu'au barrage situé au déversoir du lac Long. Il y a 4 autres accès routiers possibles.
INFORMATION	418 840-1221 • mrc.portneuf.com

31 PLAGE JACQUES-CARTIER

Des rochers sont parsemés sur cette plage qui est située en bordure du fleuve Saint-Laurent. Elle offre une promenade débutant au parc nautique de la ville de Cap-Rouge pour se rendre jusqu'à Sainte-Foy. On pourra observer les marées du Fleuve, des escarpements, les ponts de Québec et Pierre-Laporte, ainsi que des bateaux. 🐾

🏠P👨‍👩‍👧🎣🌲🚫

RÉSEAU PÉDESTRE 2,5 km (linéaire, débutant)

HORAIRE	Toute l'année, du lever au coucher du soleil
TARIF	Gratuit
ACCÈS	De la sortie 302 de l'autoroute 40, suivre la route Jean-Gauvin vers le sud, puis la rue du Domaine. Tourner à droite sur le boulevard de la Chaudière, puis à gauche sur la rue Saint-Félix et poursuivre jusqu'à la rue de la Plage-Jacques-Cartier. ***Transport public :** de la place d'Youville, prendre l'autobus 25 et descendre à l'angle des chemins Saint-Louis et Plage-Jacques-Cartier. Dans la partie escarpée de la côte, on peut emprunter un sentier latéral aménagé d'escaliers.*
INFORMATION	418 641-6800

32 RÉSERVE FAUNIQUE DE PORTNEUF

Cette réserve occupe un territoire d'une superficie de 775 km² parsemé de près de 400 plans d'eau, de vallées et de montagnes. Les sentiers traversent une forêt mixte.

On pourra admirer des chutes et voir des marmites. Un circuit d'auto-interprétation, aménagé près des chutes de la Marmite, permet de découvrir les vestiges d'une installation hydroélectrique qui débuta ses activités en 1927 pour alimenter les industries de Rivière-à-Pierre. Des sites aménagés facilitent l'observation de la faune composée, entre autres, de l'orignal et du héron bleu. On pourra cueillir des bleuets et des framboises.

🏚 P 👫 (🎋 🚗 🥄

RÉSEAU PÉDESTRE 10,5 km

SENTIERS ET PARCOURS	LONGUEUR	TYPE	NIVEAU
Des Oronges	1,5 km	linéaire	débutant
Des Chutes de la Marmite	3,0 km	linéaire	débutant
De la Coulée Creuse	2,5 km	linéaire	débutant
De la Taupinière	3,5 km	linéaire	débutant

HORAIRE	De mi-mai à fin octobre, de 7 h à 22 h
	La randonnée est interdite lors de la chasse à l'orignal.
TARIF	Gratuit
ACCÈS	De Saint-Raymond, prendre la route 367 jusqu'à Rivière-à-Pierre et suivre les indications sur environ 2 km.
DOCUMENTATION	Dépliant-carte (à l'accueil)
INFORMATION	418 323-2021 • www.sepaq.com

33 RÉSERVE NATIONALE DE FAUNE DU CAP TOURMENTE

Cette réserve, halte migratoire pour la grande oie des neiges, occupe un territoire d'une superficie de 2 399 hectares dont 620 sont couverts par un marais à scirpe. Les sentiers traversent différents milieux : marais, marécage côtier, plaine côtière, érablière, bétulaie, hêtraie et sapinière à bouleau blanc. On y retrouve 22 peuplements forestiers et quelques centaines de plantes. On verra aussi des ruisseaux en cascades peuplés de poissons. Un observatoire est situé au bord d'une falaise haute de 150 mètres. On

pourra apercevoir plusieurs mammifères et plus de 300 oiseaux dont des espèces en péril comme le petit blongios et le faucon pèlerin. Toute cueillette dans le parc est interdite. ♞

♻ P ⋔ (Ⲭ ⼤ 🛤 🚂 🎏 ❦ Autre : cache (observatoire d'oies)

RÉSEAU PÉDESTRE 30,5 km

SENTIERS ET PARCOURS	LONGUEUR	TYPE	NIVEAU	DÉNIVELÉ
Le Bois-Sent-Bon	1,3 km	mixte	débutant	
Le Petit-Sault	1,7 km	linéaire	débutant	
La Falaise	2,1 km	linéaire	avancé	150 m
La Cédrière	3,0 km	boucle	débutant	
Le Piedmont	6,9 km	boucle	débutant	
La Cîme	4,6 km	linéaire	avancé	490 m
Le Pierrier	3,8 km	mixte	intermédiaire	
Le Moqueur-chat	0,4 km	boucle	débutant	
L'Écart	0,7 km	linéaire	débutant	
L'Érablière	2,3 km	mixte	débutant	
La Prucheraie	2,5 km	mixte	débutant	
Le Carouge	0,8 km	mixte	débutant	
Le Souchet	0,6 km	linéaire	débutant	

HORAIRE	Toute l'année, de 8 h 30 à 17 h d'avril à novembre
	Aucune restriction pendant la période de chasse sinon de rester dans les limites du sentier.
TARIF	Adulte : 6,00 $
	Étudiant : 5,00 $
	Enfant (12 ans et moins, accompagné) : gratuit
	Tarif de groupe disponible
ACCÈS	De la route 138 à Beaupré, suivre les indications pour le Cap Tourmente.
DOCUMENTATION	Dépliant,carte des sentiers (à l'accueil)
INFORMATION	418 827-4591 • www.qc.ec.gc.ca/faune/faune/html/rnf_ct.html

[JCT] SENTIER DES CAPS DE CHARLEVOIX (CHARLEVOIX)

34 SECTEUR DES GORGES DE LA RIVIÈRE SAINTE-ANNE

Les sentiers parcourent le site d'une ancienne centrale hydroélectrique. Le sentier de la Cédrière Poétique traverse une vieille forêt de thuyas, dans laquelle se trouvent aussi des pruches. Des panneaux où sont inscrits des poèmes sont dispersés le long du chemin. Le sentier à Ti-Mé sillonne une forêt mixte. Le sentier de l'Île passe devant l'ancienne centrale, située à mi-parcours. Le sentier de la Grotte passe par une forêt composée, entre autres, de peupliers, d'épinettes noires, d'épinettes blanches, de thuyas et de pins blancs. On verra des grottes et une paroi d'escalade. Des panneaux bordant le sentier traitent de ces arbres et des phénomènes géologiques présents sur le site, comme le phénomène des marmites qu'on pourra observer sur le sentier de la Conduite Forcée. On verra un barrage et un canyon. Une passerelle, accessible au départ des sentiers de la Grotte et de la Cédrière Poétique, ainsi qu'au milieu du sentier de la Conduite Forcée, permet de franchir la rivière et donne une vue sur une chute. ♞

✳ P ⋔ (⼤ ⌂ ▲ ▲ ⌒ 🛤 🚂 🎏 ❦ ⋈ 🛶

RÉSEAU PÉDESTRE 4,5 km

SENTIERS ET PARCOURS	LONGUEUR	TYPE	NIVEAU
Sentier de la Conduite Forcée	0,6 km	linéaire	débutant
Sentier de la Grotte	0,5 km	linéaire	débutant
Sentier de la Cédrière Poétique	0,7 km	boucle	débutant
Sentier à Ti-Mé	2,6 km	linéaire	débutant
Sentier de l'Île	0,1 km	linéaire	débutant

HORAIRE	Toute l'année, du lever au coucher du soleil
TARIF	Gratuit
ACCÈS	De l'autoroute 40, prendre la route 363 en direction nord. À Saint-Marc-des-Carrières, tourner à droite sur la rue Bourque, puis à gauche sur l'avenue Principale. Le stationnement est situé juste après le pont, à droite.
INFORMATION	418 284-4232 • www.st-alban.qc.ca

35 SENTIER DE LA LIGNE-D'HORIZON

Ce sentier relie le parc de la Gentiane au centre Saint-Dunstan de Lac-Beauport. On traversera une forêt, peuplée en partie d'une pinède, où un belvédère donne sur le lac Beauport, la municipalité et la ville de Québec. On continuera ensuite à flanc de montagne à travers une érablière. On passera par les sommets des monts Saint-Castin et Murphy, ce dernier comportant le centre de ski Le Relais. La randonnée se termine par une descente abrupte. On peut emprunter la remontée mécanique du centre de ski Le Relais afin de rejoindre le sentier. Il est également permis d'emprunter la piste de ski alplin. 🏕

RÉSEAU PÉDESTRE 8,8 km (linéaire, intermédiaire, dénivelé maximum de 220 m)

HORAIRE	Toute l'année, du lever au coucher du soleil
TARIF	Gratuit
ACCÈS	Parc de la Gentiane : de Québec, prendre l'autoroute 73 nord, puis la sortie 157 vers Lac-Beauport. Emprunter le boulevard du Lac qui devient plus loin chemin du Tour-du-Lac. Passer devant le centre de ski Le Relais et continuer jusqu'au stationnement du parc de la Gentiane. Centre Saint-Dunstan : de Québec, prendre l'autoroute 73 nord, puis la sortie 157 vers Lac-Beauport. Emprunter le boulevard du Lac et tourner au Centre Saint-Dunstan, au 1020, boul. du Lac. Lac-Beauport est environ à 15 minutes du centre-ville de Québec. Deux accès secondaires sont également possibles, le premier au centre de ski Le Relais et le deuxième au mont Saint-Castin.
DOCUMENTATION	Carte du sentier (au bureau des Sentiers de la Capitale au 14, rue Saint-Amand, à Loretteville)
INFORMATION	418 840-1221 • www.lacbeauport.com

36 SENTIER DE LA MONTAGNE À DEUX-TÊTES

Le sentier débute à la base de la montagne et monte lentement à travers des secteurs caractérisés, entre autres, par des activités de villégiature et des chalets. On longe ensuite la rivière Richelieu à travers la forêt jusqu'à un embranchement permettant d'effectuer la boucle dans un sens ou dans l'autre. Du côté droit, on arrive à un point de vue donnant vers le sud, englobant les montagnes et les collines de la vallée de la Montmorency, le village de Sainte-Brigitte-de-Laval, la ville de Québec, le Fleuve et la rive sud. De l'autre côté, un ancien site de départ de deltaplane offre un panorama vers l'est sur la vallée Labranche et la rivière de l'Île. Cette partie de la boucle traverse une érablière et une pépinière. On pourra apercevoir des renards et plusieurs oiseaux. En effectuant le parcours, on passera d'une « tête » à l'autre de cette montagne.

✶P♨

RÉSEAU PÉDESTRE	9,0 km (boucle, intermédiaire, dénivelé maximum de 200 m)
HORAIRE	Toute l'année, du lever au coucher du soleil
	Il est conseillé de ne pas randonner durant la période de chasse.
TARIF	Gratuit
ACCÈS	De l'autoroute 40, prendre la sortie 321 et suivre le boulevard Armand-Paris jusqu'au bout. Tourner à gauche sur le boulevard Raymond qui deviendra l'avenue Sainte-Brigitte. Tourner à gauche sur la rue Auclair et encore à gauche sur la rue des Roches.
DOCUMENTATION	Carte (au bureau de Sentiers de la Capitale, au 14, rue Saint-Amand à Loretteville)
INFORMATION	418 840-1221 • www.sbdl.net/Visiteurs/organismes.asp

JCT LE MONTAGNARD

37 SENTIER MESTACHIBO SENTIER NATIONAL

Ce sentier, reliant la chute Jean-Larose à l'église de Saint-Férréol-les-Neiges, longe en presque totalité de son parcours la rivière Sainte-Anne-du-Nord, qu'on franchira grâce à deux ponts suspendus d'une longueur de 70 mètres chacun. À l'image du sentier, le paysage est accidenté. On verra des zones forestières, des talus d'éboulis et des crêtes rocheuses dont une au milieu du sentier et sur laquelle sont installés deux belvédères. Ces derniers offrent des vues sur le canyon de la rivière. Une portion de près de 2 kilomètres de ce sentier traverse un quartier résidentiel. Les randonneurs expérimentés pourront emprunter un deuxième itinéraire longeant la crête bordant la rivière. 🐕

✶P♨🌉

RÉSEAU PÉDESTRE	11,2 km (linéaire, intermédiaire, dénivelé maximum de 260 m)

HORAIRE	D'avril à novembre, du lever au coucher du soleil
TARIF	Gratuit
ACCÈS	Accès Station Mont-Sainte-Anne : de Québec, emprunter la route 138 est jusqu'à Beaupré. De là, suivre les indications pour la station Mont-Sainte-Anne. L'accès au sentier se fait à partir du stationnement P3. Accès église Saint-Ferréol-les-Neiges : de Québec, emprunter la route 138 est jusqu'à Beaupré. De là, suivre les indications pour Saint-Ferréol-les-Neiges.
DOCUMENTATION	Carte (sur le site Web et à la Fédération québécoise de la marche)
INFORMATION	418 824-3444 • www.mestachibo.com

JCT   STATION MONT-SAINTE-ANNE

38 STATION MONT-SAINTE-ANNE

Cette montagne, d'une altitude de 800 mètres, est sillonnée par un réseau de sentiers pédestres agrémentés de belvédères. La Libériste grimpe au sommet de la montagne, où se trouve un chalet, à travers une forêt mixte peuplée de cerfs de Virginie et de renards. Depuis une tour d'observation et un belvédère, on aura des panoramas sur les montagnes de Charlevoix, la réserve faunique des Laurentides, la ville de Québec, le Fleuve et l'île d'Orléans. Le sentier d'interprétation des Chutes Jean-Larose renseigne sur la faune composée de mammifères, d'amphibiens et de plusieurs oiseaux, ainsi que sur la flore comprenant des épinettes rouges et des amélanchiers. On verra des failles, des traces du passage d'un glacier et des blocs erratiques. Un escalier de 355 marches longe la chute. L'ascension en télécabine est possible à certaines périodes de l'année.

Autres : télécabine panoramique, boutique

RÉSEAU PÉDESTRE 32,6 km (Multi : 2 km)

SENTIERS ET PARCOURS	LONGUEUR	TYPE	NIVEAU	DÉNIVELÉ
Le Sentier des pionniers	3,0 km	linéaire	intermédiaire	610 m
Le Chemin des belvédères	1,6 km	boucle	débutant	
La Libériste	8,8 km	linéaire	avancé	540 m
Sentier des Chutes Jean-Larose	3,9 km	boucle	intermédiaire	100 m
La Crête	3,8 km	linéaire	avancé	590 m
Tour du lac	2,0 km	boucle	débutant	
La Pichard	3,9 km	linéaire	intermédiaire	610 m
L'Express	1,7 km	linéaire	intermédiaire	460 m
La Gondoleuse	2,7 km	linéaire	avancé	610 m
Le Charlevoisien	0,5 km	boucle	débutant	
Le Panorama	0,7 km	linéaire	débutant	

HORAIRE	Toute l'année, de 9 h à 17 h
TARIF	Adulte : 3,00 $
	Enfant (7 à 17 ans) : 1,75 $
	Famille : 8,00 $
	Frais supplémentaires pour la télécabine
ACCÈS	De Québec, prendre la route 138 est jusqu'à Beaupré. De là, emprunter la route 360 jusqu'à la station Mont-Sainte-Anne.
DOCUMENTATION	Carte, brochure, dépliant (à l'accueil et sur le site Web)
INFORMATION	418 827-4561 poste 0 • www.mont-sainte-anne.com

JCT   SENTIER MESTACHIBO

39 STATION TOURISTIQUE DE STONEHAM

Cette station pro-
pose quatre sentiers
qui se rejoignent,
permettant d'effec-
tuer une boucle de
7,3 kilomètres. L'un
d'eux s'intègre au
Sentier national. En
les parcourant, dans
une forêt mixte, on
passera par cinq
sommets dont le plus
haut a une altitude
de 632 mètres. Le
sentier de la Chute
longe des cascades,
grimpe sur plusieurs

sommets et passe par un abri sous roche. Le sentier des Cascades longe et traverse la rivière Hibou et monte au sommet de la montagne. Le sentier du Hibou-Nord se rend à la vallée de la Jacques-Cartier tandis que celui du Hibou-Sud aboutit au lac Delage.

RÉSEAU PÉDESTRE 32,6 km

SENTIERS ET PARCOURS	LONGUEUR	TYPE	NIVEAU	DÉNIVELÉ
Sentier de la Chute	1,8 km	linéaire	débutant	
Sentier du Hibou-Nord (portion de la Station)	10,5 km	linéaire	avancé	400 m
Sentier du Hibou-Sud	12,9 km	linéaire	avancé	400 m
Sentier des Cascades	7,4 km	linéaire	intermédiaire	

HORAIRE	Toute l'année, du lever au coucher du soleil
TARIF	Gratuit
ACCÈS	De Québec, prendre l'autoroute 73 nord, sortir à Stoneham et suivre les indications pour le centre de ski.
DOCUMENTATION	Brochure, carte (à l'accueil)
INFORMATION	418 848-2415 • 1 800 463-6888 • www.ski-stoneham.com

JCT   PARC NATIONAL DE LA JACQUES-CARTIER

Cette station, située en bordure du lac Saint-Joseph, propose des sentiers sillonnant une forêt mixte d'une superficie de 89 km² parsemée de plans d'eau. Le territoire est dominé par une érablière à bouleau jaune. On trouve aussi une tourbière. On verra le phénomène géologique des abris sous roche. Des blocs erratiques sont dispersés dans le boisé où on pourra apercevoir, entre autres, des cerfs de Virginie, des orignaux et plus d'une centaine d'oiseaux.

Autres : salle d'exposition, boutique, labyrinthe, parcours d'arbres en arbres

RÉSEAU PÉDESTRE 69,8 km

HORAIRE	Toute l'année, de 8 h 30 à 16 h
TARIF	Stationnement : 6,25 $
ACCÈS	De l'autoroute 40, prendre la route 367 nord jusqu'à Sainte-Catherine-de-la-Jacques-Cartier et suivre les indications sur environ 5 km.

SENTIERS ET PARCOURS	LONGUEUR	TYPE	NIVEAU	DÉNIVELÉ
Le Riverain	5,0 km	boucle	débutant	
Le Lac Jaune	4,0 km	boucle	débutant	
Le Rocher	1,5 km	boucle	débutant	75 m
La Tourbière	5,5 km	boucle	débutant	
La Randonnée	6,0 km	boucle	débutant	
Le Coureur des bois	13,5 km	linéaire	intermédiaire	
La Détente	9,0 km	linéaire	intermédiaire	
L'Orée	3,0 km	boucle	débutant	
L'Érablière	1,3 km	boucle	débutant	
Sentier national au Québec	21,0 km	linéaire	avancé	

DOCUMENTATION	Dépliant, carte (au pavillon d'accueil de l'auberge)
INFORMATION	418 875-2711 poste 282 • 1 866 683-2711 • www.sepaq.com

41 TERRITOIRE DU MARAIS LÉON-PROVANCHER

Ce territoire, aux abords du fleuve Saint-Laurent, a une superficie de 125 hectares dont 19 sont occupés par un marais aménagé. En parcourant les sentiers, on découvrira les différents milieux présents : marais, berge du Fleuve, ruisseau, terrain en friche, zone de feuillus, cédrière, érablière et aulnaie. Un sentier éducatif traite des aménagements fauniques. On pourra apercevoir des cerfs de Virginie et plus de 200 espèces d'oiseaux.

RÉSEAU PÉDESTRE 4,0 km (mixte, débutant)

HORAIRE	Toute l'année, du lever au coucher du soleil
TARIF	Gratuit
ACCÈS	De la sortie 298 ouest de l'autoroute 40, emprunter la route 138 ouest et parcourir environ 9 km. Tourner à gauche vers Place des Îlets. Tourner encore à gauche au premier petit chemin en gravier situé à 500 m.

DOCUMENTATION Dépliant (à l'accueil)
INFORMATION 418 877-6541 • www.provancher.qc.ca

42 TRAIT-CARRÉ DU CHARLESBOURG HISTORIQUE

Au cœur de la paroisse de Charlesbourg, qui vit le jour en 1693, le Vieux-Charlesbourg a conservé son découpage urbain unique en Amérique du Nord. Au centre de la seigneurie Notre-Dame-des-Anges, les Jésuites ont créé à l'époque un noyau communautaire encadré d'un chemin nommé le Trait-Quarré. Un plan radial permettait aux colons de s'établir autour de ce noyau. Le circuit débute au moulin des Jésuites et fait découvrir l'évolution de l'habitat rural québécois à travers 10 stations d'interprétation et une vingtaine de sites patrimoniaux comme l'église Saint-Charles-Borromée. 🐎

🏛 P ♀♀ (X ⬎ 🎋 ♨ ✍

RÉSEAU PÉDESTRE 1,3 km (mixte, débutant)

HORAIRE Toute l'année, en tout temps
TARIF Gratuit
  Des frais s'ajoutent pour un guide-animateur
ACCÈS Le départ s'effectue au moulin des Jésuites, en plein cœur de Charlesbourg.
  Transport public : de la place d'Youville, prendre l'autobus 801 jusqu'au terminus Charlesbourg. Le Trait-Carré est contigu au terminus (à l'ouest de ce dernier).
DOCUMENTATION Dépliant-carte, dépliant (au moulin des Jésuites)
INFORMATION 418 624-7720
  www.moulindesjesuites.qc.ca ou www.moulindesjesuites.org

43 VALLÉE BRAS DU NORD 🚶 SENTIER NATIONAL

Plusieurs sentiers de ce réseau sont des tronçons du Sentier national. Le sentier La Mauvaise passe par une érablière avant de parcourir la crête des montagnes d'où on aura une vue sur le sud de la vallée. On pourra faire une randonnée plus longue afin de voir les différents panoramas offerts par la boucle du Montagne Art. Le sentier Le Philosore longe plusieurs lacs, grimpe sur 150 mètres et redescend pour mener au lac Faucher. Le sentier du Bras-du-Nord atteint un belvédère donnant sur la vallée, puis aboutit au pied de la chute Delaney, d'une hauteur de 150 mètres. On empruntera ensuite une passerelle suspendue longue de 80 mètres. Le sentier des Falaises passe par des crêtes de montagnes offrant une vue sur la plaine, la vallée, les lacs et la chute. On verra des falaises hautes de 500 mètres et on gravira le mont Gibraltar. Les sentiers des Castors et du Ruisseau sont situés au pied de la chute. On pourra apercevoir un nid de balbuzard pêcheur. 🐎

🏛️P🚶🏕️⛺▲🛖🏘️⛪🚂🪜♨️⛵🚃 Autre : yourte

Note : le service de navette s'effectue en taxi

RÉSEAU PÉDESTRE 74,0 km

SENTIERS ET PARCOURS	LONGUEUR	TYPE	NIVEAU	DÉNIVELÉ
Sentier du Montagne Art	6,5 km	boucle	intermédiaire	320 m
Sentier La Mauvaise	9,0 km	linéaire	intermédiaire	340 m
Sentier du Bras-du-Nord	21,0 km	linéaire	avancé	600 m
Sentier Le Philosore	26,0 km	linéaire	avancé	170 m
Sentier des Castors	3,0 km	linéaire	débutant	
Sentier du Ruisseau	0,3 km	linéaire	débutant	
Sentier des Falaises	8,2 km	linéaire	avancé	500 m

HORAIRE	Toute l'année, du lever au coucher du soleil
	La randonnée est interdite pendant la période de chasse au gros gibier sur les sentiers La Mauvaise et Le Philosore (1 semaine).
TARIF	5,00 $ par personne
ACCÈS	De Saint-Raymond, prendre la route 367 nord (rue Saint-Jacques), passer le pont de la rivière Sainte-Anne et tourner à droite sur la rue Mgr-Vachon. Cette dernière devient le rang du Nord sur 5 km. Tourner ensuite à gauche sur le rang Saguenay et continuer sur 7 km. Pour l'accueil Cantin, tourner à gauche sur la rue Cantin. Le stationnement se situe à 200 mètres. Pour l'accueil Shannahan, continuer sur le rang Saguenay sur 14 km; le stationnement est indiqué sur la droite.
DOCUMENTATION	Dépliant-carte (à l'accueil et au bureau d'information touristique de Saint-Raymond)
INFORMATION	1 800 321-4992 • 418 337-2900 • www.valleebrasdunord.com

44 VIEUX-PORT DE QUÉBEC

On trouve, le long de cette promenade qu'est l'ensemble piétonnier du Vieux-Port, un centre d'interprétation de Parcs Canada proposant des spectacles, des expositions et des activités d'interprétation. Du quai de la Pointe à Carcy, près du pont basculant, débutent des excursions vers l'île aux Grues et Grosse-Île. En commençant la promenade par le stationnement de la rue Dalhousie, non loin du départ du traversier Québec-Lévis, on pourra se rendre à la marina du bassin Louise et au marché public. On aura une vue sur le château Frontenac, le musée de la Civilisation, la Place Royale, le Fleuve, la marina et les activités portuaires comme l'arrivée de navires de croisière. 🐎

⭐P🚶🏕️(X🪑🎿

RÉSEAU PÉDESTRE 2,0 km (Multi : 2 km) (linéaire, débutant)

HORAIRE	Toute l'année, du lever au coucher du soleil
TARIF	Gratuit
ACCÈS	<u>Accès 1</u> : de l'autoroute Dufferin-Montmorency (440), suivre les indications pour le Vieux-Port de Québec.
	<u>Accès 2</u> : de Lévis, sur la rive sud du Saint-Laurent, prendre le traversier.
	Transport public : *de la place d'Youville, prendre l'autobus 800 en direction de Beauport et descendre à la gare du Palais. L'entrée du Vieux-Port se trouve après le marché public. Il y a la possibilité de prendre l'autobus n° 1 en direction de Cap blanc – Gare maritime Champlain à partir de la gare du Palais*
INFORMATION	418 648-3640 • www.portquebec.ca

JCT PARC LINÉAIRE DES RIVIÈRES SAINT-CHARLES ET DU BERGER

Saguenay – Lac-Saint-Jean

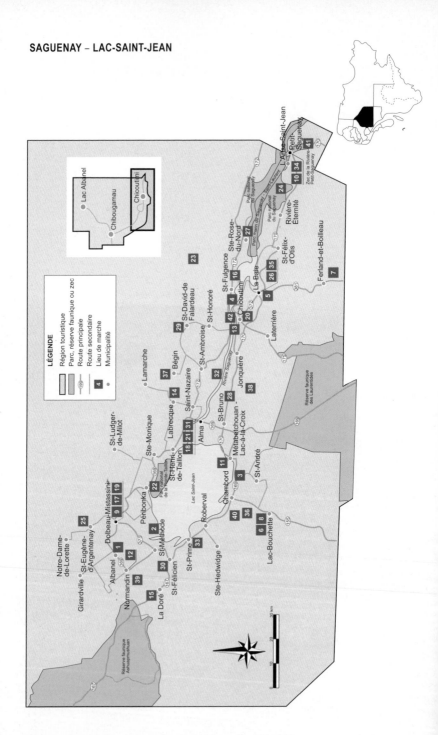

Photo page précédente : Sentier pédestre du lac Kénogami (LMI - Daniel Pouplot)

LIEUX DE MARCHE

1. ASSOCIATION DES SPORTIFS D'ALBANEL
2. BASE DE PLEIN AIR POINTE-RACINE
3. CAVERNE TROU DE LA FÉE
4. CENTRE D'INTERPRÉTATION DES BATTURES ET DE RÉHABILITATION DES OISEAUX (CIBRO)
5. CENTRE PLEIN AIR BEC-SCIE
6. CENTRE VACANCES NATURE DE LAC-BOUCHETTE INC
7. DOMAINE DU LAC HA! HA!
8. ERMITAGE SAINT-ANTOINE DE LAC BOUCHETTE
9. LA MAGIE DU SOUS-BOIS
10. LE MONDE ENCHANTÉ DE MON ENFANCE - UN SENTIER RACONTÉ
11. LE RIGOLET
12. LES GRANDS JARDINS DE NORMANDIN
13. LES SENTIERS DU SAGUENAY
14. MASSIF AUX 3 LACS
15. MOULIN DES PIONNIERS DE LA DORÉ
16. PARC AVENTURES CAP JASEUX
17. PARC CENTRE-VILLE
18. PARC DE LA POINTE-DES-AMÉRICAINS
19. PARC DE LA POINTE-DES-PÈRES
20. PARC DE LA RIVIÈRE DU MOULIN
21. PARC FALAISE
22. PARC NATIONAL DE LA POINTE-TAILLON
23. PARC NATIONAL DES MONTS-VALIN
24. PARC NATIONAL DU SAGUENAY
25. PARC RÉGIONAL ÉCLATÉ
26. PISTE PIÉTONNE DE LA BAIE
27. SAINTE-ROSE-DU-NORD
28. SENTIER DE LA CROIX
29. SENTIER DE LA RIVIÈRE SHIPSHAW
30. SENTIER DES CHUTES-À-MICHEL
31. SENTIER DES GRANDS PINS BLANCS
32. SENTIER DES MARAIS
33. SENTIER DU CURÉ
34. SENTIER DU VILLAGE-VACANCES PETIT-SAGUENAY
35. SENTIER EUCHER
36. SENTIER OUIATCHOUAN
37. SENTIER PÉDESTRE DE BÉGIN
38. SENTIER PÉDESTRE DU LAC KÉNOGAMI
39. SITE TOURISTIQUE CHUTE À L'OURS
40. VILLAGE HISTORIQUE DE VAL-JALBERT
41. ZEC DE LA RIVIÈRE-PETIT-SAGUENAY
42. ZONE PORTUAIRE DE CHICOUTIMI

1 ASSOCIATION DES SPORTIFS D'ALBANEL

Les sentiers de ce centre de ski de fond sont accessibles aux marcheurs durant la saison estivale. Sur fond de poussière de pierre, ils sillonnent une forêt mixte et mènent à une chute. On passera parfois par une succession de buttes et de vallons.

🏠 P ♦♦ (🎋 🏠 ♦ 🏊

RÉSEAU PÉDESTRE 15,0 km

SENTIERS ET PARCOURS	LONGUEUR	TYPE	NIVEAU
Les petites collines	15,0 km	mixte	débutant

HORAIRE	Toute l'année, de 9 h 30 à 17 h
TARIF	Gratuit
ACCÈS	De Dolbeau-Mistassini, suivre la route 169 jusqu'à Albanel. Le stationnement se situe au 1493, route 169.
DOCUMENTATION	Dépliant (à l'accueil)
INFORMATION	418 279-5572

2 BASE DE PLEIN AIR POINTE-RACINE

Ce camp de vacances, situé au sud de Dolbeau-Mistassini, propose un sentier accessible au public. En le parcourant, on sillonnera une forêt mixte peuplée de trembles, de bouleaux, de sapins et d'épinettes. On traversera un ruisseau grâce à une passerelle permettant d'observer une hutte de castors. Ce sentier, agrémenté de quelques points de vue sur le paysage environnant, se rend jusqu'à la rive du lac Saint-Jean. On pourra apercevoir la petite faune comme des lièvres et des perdrix dans la forêt. 🐾

🏠 P ♦♦ (▦▦ 🏊 Autre : piste d'hébertisme

RÉSEAU PÉDESTRE 10,0 km (boucle, débutant)

HORAIRE	D'avril à octobre, du lever au coucher du soleil
	Prudence pendant la période de chasse
TARIF	Gratuit
ACCÈS	De Saint-Félicien, prendre la route 169 nord et tourner à droite au secteur Sainte-Marguerite-Marie. Continuer sur environ 25 km, soit jusqu'au secteur Vauvert. L'entrée de la base de plein air est indiquée.
INFORMATION	418 276-2125 • 418 374-2603 • www.pointeracine.com

3 CAVERNE TROU DE LA FÉE

Cette caverne, d'une profondeur de 68 mètres, résulte d'un phénomène rare. Une cassure a eu lieu dans la croûte terrestre, ce qui a entraîné le glissement des parois l'une contre l'autre. Un sentier mène à cette caverne. L'autre sentier se rend à des cascades. On aura une vue sur les chutes Martine depuis des passerelles. Au début des années 20, un barrage et une centrale furent aménagés. On pourra en voir les vestiges.

🏠P👫X🎋🏠🎟️🚃🛏️🐾🖼️ Autre : boutique

RÉSEAU PÉDESTRE 6,0 km

SENTIERS ET PARCOURS	LONGUEUR	TYPE	NIVEAU	DÉNIVELÉ
Sentier de la Caverne	2,0 km	linéaire	intermédiaire	50 m
Sentier des 3 Chutes	4,0 km	linéaire	intermédiaire	

HORAIRE	De mi-juin à fin septembre, de 9 h à 17 h 30
TARIF	<u>Randonnée seulement</u>
	Adulte : 5,00 $; Enfant : 2,50 $
	<u>Visite de la caverne</u>
	Adulte : 10,50 $; Enfant : 5,50 $
ACCÈS	De l'hôtel de ville de Desbiens, emprunter la 7e Avenue, continuer sur environ 6,5 km et prendre l'embranchement pour le Trou de la Fée.
DOCUMENTATION	Dépliant (à l'accueil)
INFORMATION	418 346-5436 • 418 346-1242 • www.membres.lycos.fr/troudelafee

4 CENTRE D'INTERPRÉTATION DES BATTURES ET DE RÉHABILITATION DES OISEAUX (CIBRO)

Ce site, aménagé en bordure de la rivière Saguenay, a pour but la conservation du milieu naturel. On y observera le phénomène de flèche littorale. Cette dernière est une langue de terre perpendiculaire à la rive et qui fait office de ligne de démarcation entre les parties rivière et fjord du Saguenay. Des belvédères situés sur le cap des Roches offrent des vues sur cette flèche, ainsi que sur la rivière et le Fjord. Le Sentier de la batture est peuplé de 75 espèces de plantes attirant plusieurs oiseaux. Le Sentier du jardin d'oiseaux passe en forêt et permet d'apercevoir les espèces d'oiseaux forestiers, ainsi que des amphibiens et des reptiles dans les sections plus humides. On pourra apercevoir près de 300 espèces d'oiseaux aquatiques, dont des canards, le long du sentier de la digue. D'autres oiseaux sont aussi attirés par les marais saumâtres présents sur le territoire. Le sentier des volières passe dans la section où

des volières ont été aménagées pour sauver les oiseaux de proie avant de les remettre dans leur habitat naturel. 🐕 (sur une portion de 1 km)

🏠P👫🎋🚶🎋🚃🛏️🐾🤸 Autre : refuge faunique

RÉSEAU PÉDESTRE 3,8 km

SENTIERS ET PARCOURS	LONGUEUR	TYPE	NIVEAU	DÉNIVELÉ
Sentier de la batture	1,0 km	boucle	débutant	
Sentier des volières	1,0 km	boucle	intermédiaire	60 m
Sentier de la digue	1,5 km	linéaire	intermédiaire	60 m
Sentier du jardin d'oiseaux	0,3 km	boucle	débutant	

HORAIRE
Du 3 mai au 24 juin, de 9 h à 16 h
Du 25 juin au 29 août, de 8 h 30 à 18 h
Du 30 août au 30 octobre, de 9 h à 16 h
Il y a de la chasse, mais les heures de pratique de celle-ci sont contrôlées.

TARIF
Adulte : 7,00 $
Âge d'or : 5,00 $
Étudiant (13 à 18 ans) : 5,00 $
Enfant (5 à 12 ans) : 3,50 $
Enfant (4 ans et moins) : gratuit
Famille (2 adultes et 3 enfants) : 21,00 $

ACCÈS
De Chicoutimi, traverser le Saguenay par le pont Dubuc. Prendre la route 172 est jusqu'à Saint-Fulgence et suivre les indications pour le Centre sur 1 km.

DOCUMENTATION
Dépliant-carte (à l'accueil)

INFORMATION
418 674-2425 • www.ville.st-fulgence.qc.ca/cibro

5 CENTRE PLEIN AIR BEC-SCIE

En parcourant les différents sentiers de ce réseau, on longera le canyon de la rivière à Mars, où on pourra parfois admirer des arcs-en-ciel. On atteindra un belvédère offrant une vue sur un lac, une chute et les vestiges d'un ancien barrage hydroélectrique qui alimentait autrefois la ville de Bagotville.

Des panneaux d'interprétation traitant de ce dernier, de la rivière à saumons et de la géomorphologie du site jalonnent le parcours. Lors des longues randonnées, on pourra s'abriter pour la nuit dans l'un des trois refuges ponctuant le chemin. Le centre a ajouté une signalisation pour les enfants : un bec-scie, l'emblème du site.

RÉSEAU PÉDESTRE 41,5 km

SENTIERS ET PARCOURS	LONGUEUR	TYPE	NIVEAU
Sentier des murailles	1,5 km	mixte	débutant
Sentier numéro 3	5,0 km	boucle	intermédiaire
Sentier numéro 7	15,0 km	boucle	avancé
Sentiers des refuges	20,0 km	boucle	avancé

HORAIRE
Toute l'année, de 8 h 30 à 16 h 30

TARIF	Adulte : 3,00 $
	Age d'or / étudiant : 2,50 $
	Famille : 10,00 $
ACCÈS	De La Baie, prendre la route 170 ouest (boulevard Bagot), puis emprunter le chemin des Chutes à la jonction de l'avenue du Port et poursuivre jusqu'à l'entrée du Centre.
DOCUMENTATION	Dépliant, carte (à l'accueil)
INFORMATION	418 697-5132 • 418 697-5458 • www.sadcdufjord.qc.ca

6 CENTRE VACANCES NATURE DE LAC-BOUCHETTE INC

Une montagne est située près d'un lac qui est un élargissement de la rivière Ouiatchouan. Ces deux éléments naturels encadrent le centre-nature. Le sentier grimpe sur la montagne à travers une forêt mixte. On atteindra une tour d'observation offrant un panorama sur le lac Bouchette. En chemin, on pourra voir les structures de la piste d'hébertisme.

☆P🚶(X🎋▲🏠🏛🛖 Autre : piste d'hébertisme

RÉSEAU PÉDESTRE 1,0 km (boucle, intermédiaire, dénivelé maximum de 200 m)

HORAIRE	De mai à novembre, de 8 h à 17 h
TARIF	Gratuit
ACCÈS	De Trois-Rivières, emprunter l'autoroute 155 nord jusqu'à Lac-Bouchette et suivre les indications pour le Centre vacances nature.
DOCUMENTATION	Dépliant (à l'accueil)
INFORMATION	418 348-6832 • centrevacancesnature.com

7 DOMAINE DU LAC HA! HA !

Ce sentier est divisé en deux parties. La première débute au camping, situé en bordure du Petit lac Ha! Ha!, et mène au mont du Four. Ce dernier, dont le nom est issu de sa forme rappelant celle d'un four à pain d'autrefois, a une altitude de 655 mètres. On y trouve un belvédère offrant une vue sur le camping, le lac et le massif des Laurentides. On aura d'autres points de vue sur ces derniers le long du parcours, qui sillonne une forêt mixte propice à la mycologie. La première partie est partagée avec les cyclistes tandis que la deuxième, qui rejoint l'auberge de la Vallée du Retour située au Grand lac Ha! Ha!, est strictement pédestre. On pourra apercevoir plusieurs oiseaux dont le pygargue à tête blanche. Le lac a été vidé de son contenu lors des inondations de l'été 1996. Le tournage des productions Robe noire et Shehawey y a eu lieu.

🎿☆P🚶(X🎋▲🏠🏛🌲🐟 Autre : piste d'hébertisme

RÉSEAU PÉDESTRE 11,0 km (Multi : 4 km)

SENTIERS ET PARCOURS	LONGUEUR	TYPE	NIVEAU	DÉNIVELÉ
Sentier du Mont du Four	11,0 km	linéaire	avancé	440 m

HORAIRE	De mai à fin octobre, de 8 h à 18 h
	La randonnée est interdite durant la période de chasse.
TARIF	Adulte : 3,00 $
	Enfant (12 ans et moins) : 2,00 $
ACCÈS	De La Baie, prendre la route 381 sud jusqu'à Ferland-et-Boilleau et suivre les indications pour le Domaine. Se rendre au poste d'accueil au km 67.
DOCUMENTATION	Dépliant, carte (à l'accueil)
INFORMATION	418 676-2373 • 1 877 976-2373 • www.lachaha.com

8   ERMITAGE SAINT-ANTOINE DE LAC BOUCHETTE

Ce sentier d'interprétation fait le tour de l'ermitage, permettant de découvrir son patrimoine naturel et historique. On longera le lac Ouiatchouan sur un kilomètre et on atteindra un étang où sont situés trois barrages de castors. Au centre d'interprétation, on trouve des informations sur Saint François d'Assise et sur le patron de l'ermitage, Saint Antoine de Padoue. On aura accès à un musée dont la thématique change chaque année. On pourra aussi visiter le sanctuaire de la chapelle, qui renferme des fresques du peintre Charles Huot. 🚩

🏛P👥🍴X🌲🏕️🛏️🐾🌿🎣⛴️ Autre : boutique

RÉSEAU PÉDESTRE 7,0 km

SENTIERS ET PARCOURS	LONGUEUR	TYPE	NIVEAU
Sentier de François-d'Assise	7,0 km	boucle	débutant

HORAIRE	D'avril à fin novembre, du lever au coucher du soleil
TARIF	Gratuit
ACCÈS	De La Tuque, prendre la route 155 nord jusqu'à Lac-Bouchette.
DOCUMENTATION	Dépliant des sentiers (à l'accueil)
INFORMATION	418 348-6344 • 1 800 868-6344 • www.st-antoine.org

9   LA MAGIE DU SOUS-BOIS

Les sentiers de ce réseau, recouverts de copeaux de bois, traversent une forêt boréale mixte et une plantation de pins. La forêt compte 150 espèces d'arbres, d'arbustes et de fleurs. On pourra y apercevoir plus de 70 espèces d'oiseaux dont la perdrix, ainsi que des lièvres et des renards. On côtoiera une bleuetière. On passera près d'un petit lac et d'un bassin orné d'une fontaine. Sur le site, une colline d'une hauteur d'environ 35 mètres offre une vue sur la ville de Dolbeau-Mistassini et la région.

🏛P👥🌲🛏️🐾🌿 Autres : vente de produits (bleuets, framboises), autocueillette

RÉSEAU PÉDESTRE 10,0 km (mixte, débutant)

HORAIRE	De mai à août : de 9 h à 18 h
	De septembre à fin octobre : de 9 h à 17 h
TARIF	7,41 $ par personne
ACCÈS	De Dolbeau-Mistassini, prendre la route 169 et tourner sur la 23ᵉ Avenue. Suivre les indications pour La Magie du Sous-Bois.

DOCUMENTATION   Dépliant (à l'accueil)
INFORMATION   418 276-8926 • magiedusousbois@qc.aira.com

10 LE MONDE ENCHANTÉ DE MON ENFANCE - UN SENTIER RACONTÉ

Ce réseau de sentiers a été aménagé par une famille désirant perpétuer la magie de leur enfance. Les sentiers sillonnent une forêt dans laquelle on retrouve plusieurs arbres, dont certains sont centenaires, et une érablière. En les parcourant, on verra des sculptures, un lac avec un barrage, une caverne, des ruisseaux et six chutes. On aura une vue sur l'une d'elles, s'écoulant entre les rochers, depuis un pont couvert l'enjambant. Les douze ponts couverts présents sur le site contiennent chacun la photo d'un poète et quelques-uns de ses textes. Les sentiers passent par des refuges dont le premier étage, à aire ouverte, fait office de belvédère offrant une vue sur la rivière Saguenay, le village et les montagnes des environs. La forêt compte un arbre exceptionnel : un bouleau jaune âgé d'au moins 200 ans et dont le tronc est en forme de « s » en position oblique. Un texte est placé sur cet arbre enchanté semblant sortir d'un film d'Harry Potter.

✻P👭⛩🏛️🎠🛏️🍴🎿🏔️ Autres : musée, pont couvert

RÉSEAU PÉDESTRE 11,0 km

SENTIERS ET PARCOURS	LONGUEUR	TYPE	NIVEAU	DÉNIVELÉ
Le Parcours des Défricheurs	4,0 km	mixte	débutant	
Le Ruisseau de la Forêt	3,0 km	mixte	intermédiaire	
Le Lieu spirituel	2,0 km	mixte	intermédiaire	120 m
L'Aire de l'Abondance	1,0 km	mixte	débutant	
Le Sentier des Poètes	1,0 km	boucle	débutant	

HORAIRE   Toute l'année, du lever au coucher du soleil
TARIF   Gratuit
    Service d'un guide accompagnateur : 10,00 $
ACCÈS   De Saint-Siméon, prendre la route 170 nord jusqu'au village de Petit-Saguenay. Le réseau débute derrière l'hôtel de ville. Il y a un autre accès au 19, route 170, à Petit Saguenay, et un autre sur la rue du Quai.
INFORMATION   418 296-0406 • 418 296-9686 • info@lecomtehotel.com

JCT PARC NATIONAL DU SAGUENAY

11 LE RIGOLET

Dans ce lieu situé dans la municipalité de Métabetchouan-Lac-à-la-Croix, un marais, un boisé mixte et une plage publique se côtoient. Le sentier passe par un belvédère offrant une vue d'ensemble du marais. Plus loin, une passerelle de bois sur pilotis permet de circuler à travers le marais. On y verra des plantes reliques, vestiges de la dernière époque glaciaire. On aura plusieurs points de vue sur le lac Saint-Jean, dont un depuis la plage le bordant. On pourra apercevoir des lièvres ainsi que plusieurs oiseaux.

☆🏠P♔🚻(✗🎋🏕🎑🚂🌿🛶

RÉSEAU PÉDESTRE 2,3 km (Multi : 2,3 km) (linéaire, débutant)

HORAIRE	De mai à novembre, du lever au coucher du soleil
TARIF	Gratuit
ACCÈS	D'Alma, suivre la route 169 sud jusqu'à Métabetchouan-Lac-à-la-Croix et prendre la rue Saint-André. L'entrée du Rigolet est située 400 m avant le pont de fer, à droite.
INFORMATION	418 349-2060 • 418 349-3696 • www.ville.metabetchouan.qc.ca

12   LES GRANDS JARDINS DE NORMANDIN

Ces jardins d'agrément, rappelant les parterres à l'européenne, sont aménagés sur un site de 55 hectares. Ils permettent de découvrir l'évolution de l'art des jardins en s'inspirant des jardins du château de Villandry en France. On côtoiera, entre autres, une collection d'hémérocalles, le jardin des herbes, le tapis d'Orient, le parterre du Midi et le jardin anglais. On passera aussi par un potager occupant un hectare, dans lequel on trouve des légumes d'autrefois comme les salsifis. Le site renferme également des aménagements aquatiques. On offre des parapluies et des imperméables en cas de pluie.

🏠P♔🚻(✗🎋🚂🌿⛷🎿 Autre : gloriette

RÉSEAU PÉDESTRE 5,0 km (boucle, débutant)

HORAIRE	Du 24 juin au 10 septembre, de 9 h à 18 h
TARIF	Adulte : 12,00 $
	Âge d'or : 10,00 $
	Étudiant (13 à 22 ans) : 6,00 $
	Enfant (12 ans et moins) : gratuit
	Tarif saisonnier et de groupe disponibles
ACCÈS	De Saint-Félicien, prendre la route 169 nord jusqu'à Normandin, soit environ 24 km.
DOCUMENTATION	Dépliant, guide d'interprétation (à l'accueil)
INFORMATION	418 274-1993 • 1 800 920-1993 • www.lesgrandsjardinsdenormandin.com

13   LES SENTIERS DU SAGUENAY

Les sentiers de ce réseau étaient autrefois empruntés par les Montagnais. Ils sillonnent une forêt parsemée de ruisseaux, de cascades et de chutes. L'axe principal de ce réseau relie la rue Tourangeau à la station de ski du mont Fortin en longeant la rivière Saguenay. Dans le secteur du Manoir du Saguenay, une boucle fermée s'ajoute. Un petit pont permet de franchir le ruisseau Deschênes, un affluent de la rivière. Des points de vue et un belvédère offrent des vues sur la rivière Saguenay et l'île Wilson, ainsi que sur la centrale Shipshaw et son barrage. 🐕

☆P🎋🎑🚂

RÉSEAU PÉDESTRE 14,5 km (Multi : 14,5 km) (mixte, débutant, dénivelé maximum de 50 m)

HORAIRE	Toute l'année, du lever au coucher du soleil
TARIF	Gratuit
ACCÈS	De Chicoutimi : prendre le boulevard du Saguenay ouest (route 372). Bifurquer à droite sur la rue Tourangeau et poursuivre jusqu'au bout. De la route 372 : ouest, tourner à droite à l'indication du club de golf et continuer sur environ 2 km. D'autres accès sont également possibles par la route 372.
INFORMATION	418 698-3207 • 418 699-6070 • www.ville.saguenay.qc.ca

14 MASSIF AUX 3 LACS

Le Relais des Lacs, point de départ du sentier, est situé entre les lacs Labrecque et Tommy. Le sentier se rend jusqu'au lac Tommy et en fait le tour. Il offre une vue constante sur celui-ci et ses îles. 🦌

RÉSEAU PÉDESTRE 9,3 km (boucle, intermédiaire)

HORAIRE	Toute l'année, du lever au coucher du soleil
TARIF	Gratuit
ACCÈS	D'Alma, suivre la route 169 nord. Tourner à droite sur la route 172 en direction est et continuer jusqu'à Saint-Nazaire. Tourner à gauche à l'église et se rendre à Labrecque. Prendre alors le chemin des Vacanciers jusqu'au stationnement du Relais des Lacs.
DOCUMENTATION	Dépliant (à la municipalité de Labrecque)
INFORMATION	418 481-2022 • 418 481-9999 • www.ville.labrecque.qc.ca

15 MOULIN DES PIONNIERS DE LA DORÉ

Les sentiers de ce réseau permettent d'explorer ce patrimoine local. En les parcourant, on sillonnera une forêt de conifères et on longera en partie la rivière aux Saumons qu'on franchira grâce à une passerelle. De cette dernière, on pourra apercevoir plusieurs ouananiches se diriger vers les frayères grâce à une passe migratoire aménagée pour faciliter leur passage au-delà du barrage. De l'autre côté de la rivière, on atteint le site du Moulin des Pionniers. On y trouve la maison de Marie datant de 1904, un camp de bûcheron, une petite ferme avec ses animaux typiques, des étangs de pêche aménagés, le petit village de tentes de pionniers et le moulin. Ce dernier, toujours en service, a brûlé en 1899 mais fut aussitôt reconstruit. Un belvédère et une tour d'observation offrent des vues sur le site du moulin et sur la rivière. Le sentier des Chutes, partagé avec les cyclistes, permet d'admirer une petite chute. Il est possible de visiter le moulin. 🦌

Autre : visite du moulin

RÉSEAU PÉDESTRE 10,0 km (Multi : 7 km)

SENTIERS ET PARCOURS	LONGUEUR	TYPE	NIVEAU
Sentier des Pionniers	2,0 km	boucle	débutant
Sentier Télesphore-Demers	1,0 km	linéaire	débutant
Sentier des Chutes	7,0 km	linéaire	débutant

HORAIRE	Toute l'année, du lever au coucher du soleil
TARIF	L'accès aux sentiers est gratuit
	Randonnée et visite du moulin : 12,00 $
ACCÈS	De Saint-Félicien, prendre la route 167 jusqu'à La Doré. La route 167 devient la rue des Peupliers. Le stationnement se trouve au 4201, rue des Peupliers.
INFORMATION	418 256-8242 • 1 866 272-8242 • www.moulindespionniers.qc.ca

16 PARC AVENTURES CAP JASEUX

Ce parc, situé à Saint-Fulgence, est aménagé en bordure de la rive nord du fjord du Saguenay, offrant des points de vue sur ce dernier à partir de quelques belvédères. Les sentiers sillonnent une forêt d'une superficie de 183 hectares dans laquelle on retrouve divers écosystèmes. Ces derniers permettent l'observation d'une faune variée, surtout des oiseaux comme le jaseur d'Amérique.

Autres : maisons dans les arbres, circuit d'arbre en arbre

RÉSEAU PÉDESTRE 7,0 km (Multi : 1,6 km)

SENTIERS ET PARCOURS	LONGUEUR	TYPE	NIVEAU
Versant	0,6 km	boucle	intermédiaire
Chanterelles	1,6 km	boucle	intermédiaire
Cascades	1,5 km	linéaire	intermédiaire
Vinaigriers	1,3 km	boucle	débutant
Le Saguenay	0,8 km	boucle	débutant
Pêcheurs	0,4 km	linéaire	débutant
Les Érables	0,5 km	boucle	débutant
Salon de la forêt	0,3 km	boucle	débutant

HORAIRE	Toute l'année, de 8 h à 21 h	
TARIF	Adulte : 5,00 $	
	Enfant : 4,00 $	
	Prix de groupe disponible	
ACCÈS	De Chicoutimi, traverser le Saguenay par le pont Dubuc, et prendre la route 172 est. Après Saint-Fulgence, l'entrée du parc est indiquée 1,5 km plus loin sur la droite via le chemin de la Pointe-aux-Pins.	
DOCUMENTATION	Dépliant, carte (à l'accueil)	
INFORMATION	418 674-9114 • 1 888 674-9114 • www.capjaseux.com	

17 PARC CENTRE-VILLE

Situé au cœur de la ville de Dolbeau, ce site est un ancien fossé-dépotoir reconverti en parc. On parcourra les escarpements de la rivière Mistassini à travers une forêt mixte. On passera aussi par des secteurs gazonnés où une aire de pique-nique se trouve. On verra un marais peuplé de canards et d'espèces des milieux humides. Des jardins de fleurs agrémentent le parcours. On pourra accéder à une plage en contrebas. Un belvédère, situé au quart du parcours, offre une vue sur les gros rapides de la rivière.

RÉSEAU PÉDESTRE 2,0 km (mixte, débutant)

HORAIRE	De mai à octobre, du lever au coucher du soleil
TARIF	Gratuit
ACCÈS	Au cœur de Dolbeau-Mistassini, le sentier débute sur la 8e Avenue (route 169), près du kiosque d'entrée de la ville.
INFORMATION	418 276-1317

18 PARC DE LA POINTE-DES-AMÉRICAINS

Ce parc, situé au confluent des rivières Grande Décharge, Petite Décharge et Saguenay, tient son nom du fait que des Américains venaient y installer leur camp de pêche au XIXe siècle. Le sentier de ce parc en milieu urbain serpente dans une forêt mixte dominée par les feuillus. On partira d'un plateau pour descendre au niveau de la mer, où on aura des points de vue sur les rivières Grande Décharge et Saguenay. On peut faire la grande boucle ou alors emprunter un sentier secondaire qui mène à l'un des points de vue, permettant ainsi de faire une plus courte randonnée.

RÉSEAU PÉDESTRE 3,7 km

SENTIERS ET PARCOURS	LONGUEUR	TYPE	NIVEAU
Sentier de la Pointe-des-Américains	3,1 km	boucle	débutant
Sentier secondaire	0,6 km	linéaire	débutant

HORAIRE	Toute l'année, du lever au coucher du soleil
TARIF	Gratuit
ACCÈS	D'Alma, emprunter la route du Pont Nord (route 169) et tourner à droite sur la rue Sainte-Anne. Le départ du sentier se trouve au bout de la rue.
DOCUMENTATION	Carte des sentiers (au bureau d'information touristique d'Alma)
INFORMATION	418 669-5030 • denis.verrette@ville.alma.qc.ca

19 PARC DE LA POINTE-DES-PÈRES

Le territoire de ce parc, d'une superficie de 58 hectares, est bordé par les rivières Mistassibi et Mistassini. C'est sur la pointe de ce site que fut bâti le premier monastère des Pères trappistes. On pourra apercevoir plusieurs oiseaux grâce à la centaine de nichoirs installés. On verra des vestiges de la présence des autochtones sur ce territoire. Les sentiers traversent des secteurs boisés et des zones de friche. Ils conduisent à des points de vue dont certains donnant sur la rivière Mistassini et l'île Talbot, ainsi que sur la chute des Pères et la Première Chute. Il est possible de cueillir des petits fruits et des champignons. 🐴

🏠P👫(🌲🏛🚂🍴📝

RÉSEAU PÉDESTRE 4,5 km

SENTIERS ET PARCOURS	LONGUEUR	TYPE	NIVEAU
L'Abbaye	0,3 km	linéaire	débutant
Le Trappiste	1,1 km	mixte	débutant
Le Village	0,7 km	linéaire	débutant
Le Grand Pic	0,8 km	boucle	débutant
Le Portage	0,8 km	linéaire	débutant
Le Draveur	0,5 km	mixte	débutant
L'Amélanchier	0,3 km	linéaire	débutant

HORAIRE	Toute l'année, du lever au coucher du soleil
TARIF	Gratuit
ACCÈS	Le parc de la Pointe-des-Pères est situé dans la ville de Dolbeau-Mistassini, en bordure du boulevard des Pères (route 169).
DOCUMENTATION	Carte (au kiosque d'information touristique et au bureau de la société de gestion environnementale)
INFORMATION	418 276-6502 • www.sge.qc.ca

20 PARC DE LA RIVIÈRE DU MOULIN

Ce parc, situé au cœur de la ville, propose trois boucles partagées avec les cyclistes. L'une d'elles circule sur l'ancien lit de la rivière du Moulin, modifié lors du déluge de 1996, et conduit à une chute. Une autre se rend à la rivière du Moulin, qu'on pourra franchir grâce à une passerelle offrant une vue sur les rapides. Ces sentiers, agrémentés de panneaux d'interprétation de la nature, sillonnent une forêt mixte comptant plusieurs pins. On pourra apercevoir des oiseaux, dont des mésanges qui viennent manger dans notre main. Le centre d'interprétation présente un herbier, un vivarium, des aquariums ainsi que des collections de papillons et de pierres. On y trouvera de l'animation. 🐴

🏠P👫(🌲🚂🪑🍴

Note : le pavillon d'accueil est ouvert du lundi au vendredi de 15 h à 19 h et le week-end de 10 h à 16 h.

RÉSEAU PÉDESTRE 9,0 km (Multi : 9 km)

SENTIERS ET PARCOURS	LONGUEUR	TYPE	NIVEAU
Orange	1,5 km	boucle	débutant
Jaune	3,0 km	boucle	débutant
Bleu	4,5 km	boucle	intermédiaire

HORAIRE	Toute l'année, de 9 h à 21 h
TARIF	Gratuit
ACCÈS	Du boulevard Talbot (route 175) à Chicoutimi, prendre le boulevard des Saguenéens est jusqu'à la rue des Roitelets. Tourner à droite, le parc est à gauche, environ 500 mètres plus loin.

DOCUMENTATION   Dépliant, carte (à l'accueil)
INFORMATION   418 698-3235 • 418 698-3200 • www.ville.saguenay.qc.ca

21   PARC FALAISE

Situé à Alma, ce parc propose un sentier permettant de voir plusieurs sculptures qui furent créées lors de symposiums provinciaux. En le parcourant, on passera près d'un étang artificiel. Des points de vue permettent d'admirer le rapide du Carcajou de la rivière Petite Décharge. 🐾

✹P👫⛱

RÉSEAU PÉDESTRE   2,0 km (boucle, débutant)

HORAIRE   De mai à novembre, du lever au coucher du soleil
TARIF   Gratuit
ACCÈS   De Saint-Bruno-Lac-Saint-Jean, suivre la route 169 nord jusqu'à Alma. Traverser la rivière Petite Décharge et prendre la première rue à gauche. À 200 m, prendre à gauche à nouveau.
INFORMATION   418 669-5111 • www.ville.alma.qc.ca

22   PARC NATIONAL DE LA POINTE-TAILLON   Parcs Québec

Ce parc national est ceinturé par le lac Saint-Jean et son principal affluent, la rivière Péribonka. Ce territoire, d'une superficie de 92 km², a un relief relativement plat. On y trouve une vaste tourbière, des milieux humides comme des marais et marécages, des étangs, des dunes, ainsi que des plages bordant le lac. Les sentiers traversent ces milieux, ainsi que des forêts de pins et de bouleaux. On verra, entre autres, des plantes carnivores. On atteindra un belvédère le long du sentier d'interprétation de la nature, d'où on aura une vue d'ensemble de la tourbière. On pourra observer des signes du passage des castors comme des huttes, des barrages et des arbres rongés. On pourra apercevoir des orignaux et, lors de la migration, plusieurs milliers de bernaches et d'oies des neiges. De petites remorques sont disponibles aux marcheurs et aux cyclistes afin d'y mettre leurs bagages. Le parc ne dispose d'aucune source d'eau potable sur le territoire.

🏕P👫(✕⛱🧍🎒♿🏊 Autres : boutique, location d'équipement

RÉSEAU PÉDESTRE   46,0 km (Multi : 45 km)

SENTIERS ET PARCOURS	LONGUEUR	TYPE	NIVEAU
Sentier de la Tourbière	1,0 km	linéaire	débutant
La piste cyclable	45,0 km	mixte	débutant

HORAIRE   De mai à octobre, de 8 h 30 à 19 h
TARIF   Voir la tarification des Parcs nationaux du Québec à la page 15 de cet ouvrage.

Stationnement pour la plage du 21 juin au 21 août : 5, 00 $ par véhicule

ACCÈS D'Alma, suivre la route 169 nord. Le secteur sud est accessible par le rang 3 Ouest, à Saint-Henri-de-Taillon, et on accède au secteur nord par le rang 6 Ouest, à Sainte-Monique-de-Honfleur.

DOCUMENTATION Dépliant, dépliant-carte, journal « En Coulisses » (à l'accueil)

INFORMATION 418 347-5371 • 1 800 665-6527 • www.parcsquebec.com

23 PARC NATIONAL DES MONTS-VALIN Parcs Québec

Ce parc national, d'une superficie de 154 km², est dominé par le plus haut sommet de la région, soit celui du mont Valin avec ses 980 mètres d'altitude. Son territoire est recouvert de forêt mixte et boréale, parsemées de 125 plans d'eau. Parmi ces derniers, on compte cinq rivières dotées de rapides et de chutes, dont la rivière Valin est la plus importante. Le sentier du Pic de la Hutte mène au sommet du pic du même nom, à une altitude de 900 mètres, d'où on aura un panorama englobant la ville de Saguenay et, par temps clair, la bordure du lac Saint-Jean. Le climat difficile a marqué la végétation de ce sommet. On y retrouve des arbres plus petits, des plantes arctiques-alpines et des lichens. Les Sommets arpente plusieurs sommets et offre des panoramas sur la région. Le sentier Tête de Chien passe par des plateaux rocheux et offre une vue sur la rivière Valin. On atteindra le lac des Pères par le sentier du même nom. Le Grand Corbeau s'adresse aux randonneurs plus expérimentés. Il grimpe la montagne et offre une vue sur ses escarpements. Un belvédère est accessible depuis le sentier Le Mirador. On pourra apercevoir plus d'une centaine d'oiseaux, des loups et des orignaux. Le lynx du Canada est présent sur le site. Les fins de semaine, de la mi-juin à la première neige, un garde-parc naturaliste est présent au pic de la Hutte.

RÉSEAU PÉDESTRE 20,0 km

SENTIERS ET PARCOURS	LONGUEUR	TYPE	NIVEAU	DÉNIVELÉ
Tête de Chien	3,5 km	linéaire	avancé	340 m
Pic de la Hutte	1,5 km	linéaire	débutant	70 m
Le Grand Corbeau	5,5 km	linéaire	avancé	590 m
Le Mirador	1,5 km	linéaire	débutant	60 m
Lac des Pères	3,0 km	boucle	débutant	50 m
Les Sommets	5,0 km	boucle	intermédiaire	50 m

HORAIRE Toute l'année, du lundi au jeudi : de 8 h à 18 h
Vendredi et samedi : de 7 h à 21 h
Dimanche : de 7 h à 18 h

TARIF	Voir la tarification des Parcs nationaux du Québec à la page 15 de cet ouvrage.
ACCÈS	De Chicoutimi, traverser le Saguenay par le pont Dubuc et prendre la route 172 est sur 13 km . À la première entrée du village de Saint-Fulgence, tourner à gauche sur le rang Saint-Louis et continuer jusqu'à l'accueil.
DOCUMENTATION	Dépliant et carte (à l'accueil, aux centres d'information touristique de Québec et Montréal)
INFORMATION	418 674-1200 • www.parcsquebec.com

24 PARC NATIONAL DU SAGUENAY

Aménagé le long des deux rives du fjord du Saguenay, ce parc, d'une superficie de 283,6 km², a été créé en 1983. Son territoire compte plusieurs pointes, caps, anses et baies. Certains sommets sont couverts de plantes alpines. Les sentiers passent par des dunes de sable, une forêt de pins rouges et une forêt de bouleaux jaunes. On pourra admirer des chutes et profiter des panoramas sur le Fjord, le fleuve Saint-Laurent et le village de Tadoussac. Le sentier Les Caps est un parcours boisé reliant Baie-Éternité à l'anse aux Petites-Îles. Le sentier de Méandres à falaises longe le delta de la rivière Trinité et aboutit au pied des falaises du cap Trinité, où niche le faucon pèlerin. On pourra aussi apercevoir trois espèces de pics. Depuis les rives, on pourra observer des phoques communs et des bélugas. Les secteurs boisés sont peuplés de loups, de lynx, de castors et d'orignaux. Un bateau-taxi permet la traversée d'une rive à l'autre.

Autres : bateau-taxi, déplacement de véhicule

RÉSEAU PÉDESTRE 90,7 km (Multi : 3 km)

SENTIERS ET PARCOURS	LONGUEUR	TYPE	NIVEAU	DÉNIVELÉ
Sentier de la Statue	3,5 km	linéaire	intermédiaire	290 m
Sentier des Chutes	8,6 km	linéaire	intermédiaire	540 m
Sentier le Fjord	37,1 km	linéaire	intermédiaire	280 m
Sentier de Méandres à falaises	1,6 km	boucle	débutant	
Sentier de la rivière Petit-Saguenay	3,5 km	linéaire	débutant	
Sentier de la Coupe et sentier de la Colline de l'Anse à l'eau	1,2 km	boucle	débutant	65 m
Sentier de la rivière (Baie-Éternité)	4,2 km	linéaire	intermédiaire	
Sentier Les Caps (Baie-Éternité)	5,1 km	linéaire	intermédiaire	200 m
Sentier Les Caps (secteur Montagne Blanche)	15,0 km	linéaire	intermédiaire	450 m
Sentier Les Caps (secteur des Poètes)	10,0 km	linéaire	intermédiaire	350 m
Anse à Tabatière	0,3 km	linéaire	débutant	
Sentier de la Pointe de L'Islet	0,7 km	boucle	débutant	

HORAIRE	De fin mai à fin octobre, de 8 h 30 au coucher du soleil
TARIF	Voir la tarification des Parcs nationaux du Québec à la page 15 de cet ouvrage.
ACCÈS	De la route 170 à Rivière-Éternité, suivre les indications pour le parc. Les sentiers situés sur la rive nord sont accessibles à partir des villages de Tadoussac et de Sacré-Cœur par la route 172. D'autres accès sont possibles le long du Fjord.
DOCUMENTATION	Dépliant-carte, carte-guide, journal du parc (à l'accueil et sur le site Web)
INFORMATION	1 800 665-6527 • 418 272-1556 • www.parcsquebec.com

JCT SENTIER DU VILLAGE-VACANCES PETIT-SAGUENAY ; LE MONDE ENCHANTÉ DE MON ENFANCE ; FERME 5 ÉTOILES (MANICOUAGAN)

25 PARC RÉGIONAL ÉCLATÉ

Ces sentiers sillonnent une forêt de conifères en majorité composée de pins gris. La Rivière conduit à la rivière Mistassini. Les Ormes permet de voir quelques ormes d'Amérique ayant été rescapés de la maladie hollandaise de l'orme et offre des points de vue sur la rivière et ses 8e et 9e chutes. Les Cyprès passe par une zone de pins gris matures tandis que Les Frênes passe par une zone de frênes matures. Les Chutes offre une vue sur les rapides de la rivière Mistassini et ses bancs de sable. Sur les sentiers Les Ormes, Les Chutes, Les Cyprès et Le Ravin, des passerelles permettent de traverser de petites rivières.

RÉSEAU PÉDESTRE 8,7 km

SENTIERS ET PARCOURS	LONGUEUR	TYPE	NIVEAU
La Source	0,2 km	linéaire	débutant
La Rivière	0,4 km	linéaire	débutant
Le Ravin	0,3 km	linéaire	débutant
Les Ormes	4,3 km	linéaire	débutant
Les Cyprès	1,3 km	linéaire	débutant
Les Chutes	1,2 km	linéaire	débutant
Le Chalet	0,2 km	linéaire	débutant
Jos-Gauthier	0,7 km	linéaire	débutant
Les Frênes	0,1 km	linéaire	débutant

HORAIRE	De mai à novembre, du lever au coucher du soleil
TARIF	Gratuit
ACCÈS	De Dolbeau-Mistassini, emprunter le rang Saint-Louis qui deviendra, plus loin, le 4e Rang, puis la rue Principale. À Saint-Eugène-d'Argentenay, tourner à gauche sur la rue du Pont. Tourner à droite sur la rue de la Croix, et encore à droite sur le 3e Rang. Suivre les indications pour le parc.
INFORMATION	418 276-6502 • sge.qc.ca

26 PISTE PIÉTONNE DE LA BAIE

Cette piste, située en milieu urbain, longe la zone habitée de la baie des Ha! Ha!. Elle relie le parc Mars au quai du secteur Grande-Baie en parcourant la rive du fjord du Saguenay et offrant une vue sur ce dernier. Le long du parcours, on trouve quelques aires d'interprétation dotées de panneaux. Ces derniers traitent des installations portuaires et des oiseaux.

P

RÉSEAU PÉDESTRE	8,0 km (Multi : 8 km) (linéaire, débutant)
HORAIRE	D'avril à novembre, du lever au coucher du soleil
TARIF	Gratuit
ACCÈS	Cette piste est accessible en plein cœur de la ville de La Baie.
INFORMATION	418 697-5045

27 SAINTE-ROSE-DU-NORD

Le village de Sainte-Rose-du-Nord est situé à l'ancienne anse du Milieu, maintenant nommée l'anse Théophile. Le panorama qu'on y retrouve lui a valu le surnom de « Perle du Saguenay ». Un sentier débute au quai. En l'empruntant, on se rendra sur des rochers où est juché un belvédère. De l'autre côté de l'anse, le sentier de la Plate-Forme tient son nom du fait qu'il se rend sur un plateau plus élevé.

☆P⋔(✕⊼▲⌂▦

RÉSEAU PÉDESTRE 2,0 km

SENTIERS ET PARCOURS	LONGUEUR	TYPE	NIVEAU
Sentier de la Plate-Forme	1,0 km	linéaire	débutant
Sentier du Quai	1,0 km	boucle	débutant

HORAIRE	De mai à octobre, du lever au coucher du soleil
TARIF	Gratuit
ACCÈS	De la route 172, prendre la rue du Quai jusqu'à Sainte-Rose-du-Nord.
DOCUMENTATION	Dépliant (à l'accueil)
INFORMATION	418 675-2250 • 418 675-2346 • admin@ste-rosedunord.qc.ca

28 SENTIER DE LA CROIX

En parcourant ce sentier, sur fond de poussière de pierre, on passera par un jardin floral. On grimpera ensuite jusqu'au sommet de la montagne, où un belvédère couvert offre un panorama englobant le village de Larouche et la région. 🐴

☆P⋔⊼▦❦

RÉSEAU PÉDESTRE 1,5 km (Multi : 1,5 km) (boucle, débutant, dénivelé maximum de 130 m)

HORAIRE	De mai à novembre, du lever au coucher du soleil
TARIF	Gratuit
ACCÈS	De Jonquière, prendre la route 170 ouest jusqu'à l'école de Larouche où se situe le sentier.
INFORMATION	418 695-2201 • villedelarouche@bellnet.ca

29 SENTIER DE LA RIVIÈRE SHIPSHAW

Après avoir franchi la passerelle enjambant la rivière Shipshaw, on se retrouve à la jonction des deux trajets proposés par ce sentier. Le trajet de gauche est très étroit et s'étend sur 3,8 kilomètres en longeant la rivière. On pourra se familiariser, entre autres, avec les oiseaux présents et la géologie du site. On pourra parfois apercevoir des gens descendant les rapides dans des bateaux pneumatiques. Le trajet de droite, d'une longueur de 1,2 kilomètres, se fait en majorité sur un trottoir de bois. Jalonné de panneaux d'interprétation de la nature, ce segment longe la rivière et mène à un belvédère. De là, on aura une vue sur un bâtiment désaffecté, un vieux pont couvert, une chute d'une hauteur de plus de 20 mètres, ainsi que sur le barrage de la Chute-aux-Galets qui contrôle le niveau d'eau de la rivière. Des trilobites, fossiles arthropodes marins maintenant disparus, sont visibles sur les galets. 🐴

☆P⊼▦▭❦

RÉSEAU PÉDESTRE 5,0 km (linéaire, intermédiaire)

HORAIRE	D'avril à novembre, du lever au coucher du soleil
TARIF	Gratuit
ACCÈS	De Chicoutimi, prendre le boulevard Sainte-Geneviève, tourner à droite sur le boulevard Martel et rouler environ 27 km. Au centre de Saint-David-de-Falardeau, tourner à droite sur le boulevard Desgagné et aller jusqu'au bout. Tourner à gauche sur le rang 4 et continuer sur 8 km. Suivre les indications pour le rafting Cascade Aventure. Le sentier débute de l'autre côté du petit pont.
INFORMATION	418 673-4647 • pages.infinit.net/falardau

30 SENTIER DES CHUTES-À-MICHEL

Ce sentier, sur fond de poussière de pierre, est partagé avec les cyclistes. Il débute près d'une chute d'une hauteur de 3 mètres. À travers une forêt mixte, on longe la rivière Ashuapmushuan sur laquelle on peut voir près de 50 000 oies blanches depuis quelques années. Cette abondance provient du fait qu'on procède à la culture de céréales dans le secteur. La rivière conduit aux rapides Arcand et à la chute à Michel. En chemin, on atteindra cinq belvédères et on pourra apercevoir la petite faune présente, dont le renard. 🐴

✶P👥🎪🎍

RÉSEAU PÉDESTRE 3,2 km (Multi : 3,2 km) (linéaire, débutant)

HORAIRE	Toute l'année, du lever au coucher du soleil
TARIF	Gratuit
ACCÈS	De Saint-Félicien, prendre la route 167 et rouler sur environ 6 km. Suivre les indications pour le sentier des Chutes-à-Michel.
DOCUMENTATION	Carte (au bureau d'information touristique)
INFORMATION	418 679-2100 poste 2256 et 2257 • www.ville.stfelicien.qc.ca

31 SENTIER DES GRANDS PINS BLANCS

Ce sentier est situé sur l'île Maligne, elle-même située dans la rivière Grande Décharge. Elle tient son nom du fait qu'autrefois, on ne pouvait y accéder que lorsque l'eau était basse et à l'aide de canotiers experts. On y trouve un puissant barrage hydroélectrique. Le sentier sillonne cette forêt qui a conservé les caractéristiques des premières forêts de la région. Le nom du sentier vient du fait qu'elle est en partie peuplée de pins blancs de taille considérable. On atteindra un belvédère offrant une vue sur la rivière et on rejoindra un tronçon de la Véloroute des Bleuets.

🏢P👥(X🎍▲🏠🎪🚃🍴🗻🛶

RÉSEAU PÉDESTRE 3,0 km (Multi : 1 km) (boucle, débutant)

HORAIRE	De mai à novembre, du lever au coucher du soleil
TARIF	Gratuit
ACCÈS	D'Alma, prendre la route 169 sud (avenue du Pont Nord) et traverser la rivière Grande Décharge. Suivre les indications pour le complexe touristique de la Dam-en-Terre. Le sentier se situe sur l'île Maligne, voisine de l'île d'Alma. À partir du complexe touristique Dam-en-Terre, prendre la piste cyclable longeant la rivière Grande Décharge.
DOCUMENTATION	Carte des lieux (au bureau d'information touristique)
INFORMATION	418 668-3611 • 1 877 668-3611 • www.tourismealma.com

32 SENTIER DES MARAIS

Situé au cœur de la municipalité de Saint-Charles-de-Bourget, ce sentier débute en traversant le marais du lac Duclos grâce à un trottoir de bois sur pilotis d'une longueur de 900 mètres. On pourra apercevoir plus de 130 espèces d'oiseaux survolant le territoire grâce à deux belvédères. On s'enfoncera ensuite dans la forêt boréale, on traversera une tourbière et on passera par des caps rocheux pour atteindre le sommet de la montagne. De là, on aura un panorama de la région. On croisera ensuite un second marais. Le sentier, agrémenté de panneaux d'interprétation traitant de la faune et de la flore, permet de voir une espèce végétale rare, la sarracénie pourpre. 🐴

✶P🎪🚃🍴

RÉSEAU PÉDESTRE 8,0 km (mixte, intermédiaire, dénivelé maximum de 300 m)

HORAIRE D'avril à novembre, de 6 h à 19 h
TARIF Gratuit
ACCÈS De Saint-Charles-de-Bourget, suivre la route Néron, puis tourner à droite sur la rue Racine. Le sentier des marais se trouve à environ 1,5 km de la municipalité.
INFORMATION 418 672-2624 • www.saglac.qc.ca/~bourget

33 SENTIER DU CURÉ

Situé à Saint-Prime, ce sentier débute près d'un ruisseau. On sillonnera une forêt mixte ceinturée de terres agricoles. Le sentier aboutit à une tour d'observation offrant une vue sur la plaine et les environs. On pourra aussi visiter la vieille fromagerie Perron située à proximité. ⛩

✳P⛩♨♣

RÉSEAU PÉDESTRE 2,4 km (Multi : 2,4 km) (boucle, débutant)

HORAIRE Toute l'année, du lever au coucher du soleil
TARIF Gratuit
ACCÈS De Roberval, suivre la route 169 nord jusqu'à Saint-Prime. De la rue Principale, prendre l'avenue du Centre communautaire jusqu'au bout.
INFORMATION 418 251-2116 • www.saint-prime.ca

34 SENTIER DU VILLAGE-VACANCES PETIT-SAGUENAY

Ce lieu à vocation récréative repose sur le site de l'ancien village de Saint-Étienne, un village industriel dont on peut voir les vestiges. En parcourant le sentier d'interprétation, on atteindra le pic au Vent, en passant par le cap de la Petite Anse et le pic des Pins. Le site, surplombant le fjord du Saguenay, offre une vue sur ce dernier ainsi que sur une plage. On pourra apercevoir des mammifères marins. Des modules d'activités sont dispersés le long du parcours.

🏠P👫🛶✗⛩⛺🚂♣🎿🚤

RÉSEAU PÉDESTRE 1,8 km (Multi : 0,8 km)

SENTIERS ET PARCOURS	LONGUEUR	TYPE	NIVEAU	DÉNIVELÉ
Sentier du Pic au Vent	1,8 km	linéaire	débutant	80 m

HORAIRE De fin mai à mi-octobre, de 8 h au coucher du soleil
TARIF 5,00 $ par véhicule
ACCÈS De la route 170 à Petit-Saguenay, prendre le chemin Saint-Étienne et suivre les indications sur environ 13 km.

DOCUMENTATION   Dépliant, carte (à l'accueil)
INFORMATION   418 272-3193 • 1 877 420-3193 • www.vacancesviva.com

[JCT]   PARC NATIONAL DU SAGUENAY

35   SENTIER EUCHER

Le sentier, situé en bordure du Fjord, débute à la marina de La Baie. Au début du sentier, on pourra apercevoir les vestiges des écorceurs, un incinérateur à écorce et un site de fondations de pierre. Le sentier monte jusqu'au sommet des caps et offre une vue sur la baie des Ha! Ha! Il n'est pas rare de voir des bateaux de croisière voguer sur le Fjord. Le sentier se termine à la croix du centenaire du Saguenay – Lac-Saint-Jean. 🏇

🏠 P ⛹ (

RÉSEAU PÉDESTRE	2,0 km (linéaire, intermédiaire, dénivelé maximum de 100 m)
HORAIRE	Toute l'année, du lever au coucher du soleil
TARIF	Gratuit
ACCÈS	Se rendre à la marina de La Baie où se situe le départ du sentier.
INFORMATION	418 698-3000 poste 4280

36   SENTIER OUIATCHOUAN

Ce sentier se rend de Lac-Bouchette au Village historique de Val-Jalbert en longeant la rivière Ouiatchouan, sur laquelle on aura plusieurs points de vue. On sillonnera une forêt mixte dont certains arbres sont âgés de plus de 100 ans, et dans laquelle on pourra apercevoir des lièvres et des perdrix. Le sentier passe par quelques montagnes offrant des panoramas sur le lac Saint-Jean. Près des refuges, on pourra admirer le rapide Ballantyne. Trois points d'accès permettent de faire une longue ou une courte randonnée.

⭐🏠P⛹(X⛩🏕▲🛏🏠🔥🚰🚻🚶🛶

RÉSEAU PÉDESTRE	30,0 km (linéaire, intermédiaire, dénivelé maximum de 200 m)
HORAIRE	Toute l'année, du lever au coucher du soleil
TARIF	Gratuit
ACCÈS	De Chambord, prendre la route 155 sud, tourner à gauche sur le chemin de l'Ermitage à Lac-Bouchette, et suivre les indications pour l'Ermitage Saint-Antoine. Deux autres voies d'accès sont possibles par le site du Village historique de Val-Jalbert et par l'auberge Au toit vert de Saint-François.
DOCUMENTATION	Dépliant-carte (à l'accueil)
INFORMATION	418 348-6832 • cdlacbouchette@qc.aira.com

[JCT]   VILLAGE HISTORIQUE DE VAL-JALBERT

37   SENTIER PÉDESTRE DE BÉGIN

Ce sentier grimpe en montagne et mène à deux belvédères, dont l'un situé près d'un pont suspendu au-dessus d'une vallée. En chemin, on verra 17 sculptures en bois représentant divers personnages et animaux, dont des personnages des fables de La Fontaine comme le lièvre et la tortue. On verra aussi un totem et un arbre enchanté. On pourra visiter la grotte de l'ours. Des bancs dispersés le long du parcours permettent de se reposer et d'observer les oiseaux présents. On peut acheter un arbre ou une sculpture pour financer le sentier.

RÉSEAU PÉDESTRE	6,2 km (Multi : 5 km) (boucle, intermédiaire, dénivelé maximum de 50 m)
HORAIRE	Toute l'année, du lever au coucher du soleil
TARIF	Contribution volontaire
ACCÈS	De Chicoutimi, traverser le Saguenay par le pont Dubuc et prendre la route 172 ouest. À Saint-Ambroise, suivre les indications pour Bégin. Le sentier débute au Club de ski de fond Perce-Neige.
DOCUMENTATION	Dépliant-carte (à l'accueil et à la municipalité de Bégin)
INFORMATION	418 672-2434 • 418 672-4270 • begin.chez-alice.fr

38   SENTIER PÉDESTRE DU LAC KÉNOGAMI

Ce sentier arpente la rive sud du lac Kénogami, sur lequel on aura plusieurs points de vue le long du parcours. On verra aussi des rivières agitées et des escarpements rocheux. Il débute par une tour d'observation d'une hauteur d'environ 12 mètres, située au sommet du mont Lac-Vert, qui offre un panorama sur la plaine d'Hébertville et du lac Saint-Jean. Le sentier s'enfonce ensuite dans les forêts mixte et boréale, parsemées de plans d'eau. Le sentier compte deux attraits particuliers. Le premier est une nacelle auto-tractée sur une longueur d'environ 100 mètres, située au-dessus de la rivière Pikauba. L'autre est un pont suspendu, d'une longueur de 23 mètres, qui enjambe la rivière Cyriac. Le sentier se termine à la route 175.

Autres : piste d'hébertisme, nacelle autotractée

RÉSEAU PÉDESTRE   48,4 km

SENTIERS ET PARCOURS	LONGUEUR	TYPE	NIVEAU	DÉNIVELÉ
Sentier Pédestre du Lac Kénogami	43,0 km	linéaire	intermédiaire	250 m
Sentier Le Merisier	1,2 km	boucle	débutant	
Sentier Le Cornouiller	4,2 km	boucle	débutant	

HORAIRE	Du 15 mai au 15 novembre, du lever au coucher du soleil
	Pendant la période de chasse, le port du dossard orange est approprié.
TARIF	Gratuit
ACCÈS	D'Alma : prendre la route 169 sud jusqu'à Hébertville. Le sentier débute en haut des pentes de la station de ski du Mont-Lac-Vert.
	De Chicoutimi : prendre la route 175 sud jusqu'à Laterrière. Le sentier débute en bordure de la route.
DOCUMENTATION	Dépliant-carte (au 3000, chemin de l'Église à Lac Kénogami)
INFORMATION	418 812-9711 • 418 547-0994 • www.ville.hebertville.qc.ca

39 SITE TOURISTIQUE CHUTE À L'OURS

Ce site, aménagé en bordure de la rivière Ashuapmushuan, propose deux sentiers. Celui de l'Arboretum riverain est un sentier d'interprétation de la faune et de la flore. Le sentier Mask8àtik8iche permet de voir un pin blanc centenaire avant de passer par un étang et des lacs. On longe ensuite la rivière Ashuapmushuan, sur laquelle on aura une vue depuis un belvédère et une tour d'observation d'une hauteur de 25 mètres. C'est sur cette rivière que s'étendent, sur 1,5 kilomètres, les rapides de la Grande Chute à l'Ours. Une cédrière est présente sur le site. En référence au sentier Mask8àtik8iche, qui signifie en Montagnais « L'endroit des trous d'ours », le « 8 » est prononcé comme le chiffre « huit ». En été, on y présente une pièce de théâtre. 🐎

🏫 P 👥 (X 🍽 🎍 🏠 ▲ ▲ 🛏 🏮 ⚑ 🏊 🏞

RÉSEAU PÉDESTRE 8,0 km

SENTIERS ET PARCOURS	LONGUEUR	TYPE	NIVEAU
L'Arboretum riverain	4,0 km	boucle	débutant
Mask8àtik8iche	4,0 km	boucle	débutant

HORAIRE	De mai à fin septembre, de 8 h à 23 h (jusqu'à minuit les fins de semaine)
TARIF	13 ans et plus : 2,00 $
	Enfant (6 à 12 ans) : 1,00 $
	Enfant (moins de 6 ans) : gratuit
	Prix spécial pour les groupes
ACCÈS	De la route 169, immédiatement au nord de Saint-Félicien, prendre le rang Saint-Eusèbe Nord sur environ 16 km et suivre les indications.
DOCUMENTATION	Plan des sentiers (à l'accueil)
INFORMATION	418 274-3411 • 418 274-2190 • www.chutealours.com

40 VILLAGE HISTORIQUE DE VAL-JALBERT

Cet ancien village industriel, qui fut aménagé autour d'une usine de production de pulpe servant à fabriquer le papier, s'est développé entre 1901 et 1927. Fermé cette année-là, il devint un village « fantôme ». Des bâtiments ont été rénovés, puis convertis. On trouve une reconstitution historique du site grâce au vieux moulin et à l'ancien couvent. On atteindra la chute Ouiatchouan, d'une hauteur de 72 mètres. On pourra en faire l'ascension grâce à un téléphérique offrant une vue sur le lac Saint-Jean. On pourra accéder à une autre chute située en amont, la chute Maligne. Pour s'y rendre, il faut emprunter un sentier en montagne, qui se rend à un belvédère après avoir monté un escalier de 400 marches. La hauteur des chutes Ouiatchouan est supérieure à celle des chutes Niagara de 22 mètres.

Autres : téléphérique, boutique de souvenirs

RÉSEAU PÉDESTRE	6,0 km (Multi : 6 km) (mixte, débutant, dénivelé maximum de 100 m)
HORAIRE	De mai à fin octobre
	De 9 h 30 à 17 h 30 en haute saison (de juin à début octobre)
	De 10 h à 17 h en basse saison
TARIF	Adulte : 19,00 $ / 13,00 $
	Enfant (6 à 13 ans) : 9,00 $ / 7,00 $
	Enfant (5 ans et moins) : gratuit
ACCÈS	De Chambord, prendre la route 169 nord jusqu'à Val-Jalbert et suivre les indications pour le village historique.
DOCUMENTATION	Dépliant, journal (à l'accueil)
INFORMATION	418 275-3132 • 1 888 675-3132 • www.valjalbert.com

[JCT] SENTIER OUIATCHOUAN

41 ZEC DE LA RIVIÈRE-PETIT-SAGUENAY

Cette réserve faunique a été mise sur pied afin de pratiquer la pêche sportive au saumon dans la rivière Petit Saguenay. En parcourant les sentiers de ce réseau, on longera la rivière et on verra les fosses peuplées de saumons. Une passerelle suspendue enjambe la rivière du Portage, un affluent de la rivière Petit Saguenay. Près de ce pont, un belvédère offre une vue sur une des fosses à saumons. On circulera dans une forêt mixte dominée par les essences résineuses. On pourra y apercevoir des lièvres, des perdrix et des cerfs de Virginie. 🐎

🏛 P ♙ (🎋 ⌂ ⛰ ⛰ 🏕 🌉 🌉

RÉSEAU PÉDESTRE 4,0 km (mixte, débutant)

HORAIRE	De fin mai à fin octobre, de 8 h au coucher du soleil
	Les randonneurs doivent porter un dossard durant la période de chasse.
TARIF	Gratuit
ACCÈS	De la route 170 à Petit-Saguenay, prendre la rue Eugène-Morin sur environ 3 km. Le sentier débute au Camp des Messieurs.
DOCUMENTATION	Carte (à l'accueil et au bureau d'information touristique)
INFORMATION	418 272-1169 • 1 877 272-1169 • www.petitsaguenay.com

42 ZONE PORTUAIRE DE CHICOUTIMI

Une promenade en bois débute au vieux pont désaffecté de Chicoutimi pour se rendre à proximité du club nautique en longeant la rivière Saguenay. Durant le parcours, on côtoiera des espaces verts et des aires de jeux. On verra le marché public, une scène présentant des spectacles et le « pARTerre Desjardins » où on pourra voir des œuvres réalisées par les gens de la région. On aura accès à des jardins ayant permis à la ville de gagner plusieurs fois un concours. On verra une horloge installée lors de l'inauguration de la zone portuaire. Des citoyens ont enfermé des capsules contenant leurs souhaits et aspirations à l'intérieur de l'horloge. Ces capsules seront ouvertes lors du 50e anniversaire de l'inauguration de la zone portuaire.

🏛 P ♙ (X 🎋 🚂

RÉSEAU PÉDESTRE 1,0 km (Multi : 1 km) (linéaire, débutant)

HORAIRE	De mai à septembre, du lever au coucher du soleil
TARIF	Gratuit
ACCÈS	On accède à la zone portuaire par le boulevard Saguenay, en plein cœur de Chicoutimi.
INFORMATION	418 698-3025 • www.zoneportuaire.com

En traitement

La gestion de la base de données informatiques sur les lieux de marche s'effectue de façon permanente. De ce fait, certains dossiers se trouvent à différents stades d'avancement, que ce soit à celui de la collecte des informations, de la validation de celles-ci ou de l'enregistrement lui-même. Même si nous ne pouvons confirmer aujourd'hui qu'ils seront effectivement répertoriés, voici quelques lieux faisant présentement l'objet d'analyse.

Abitibi-Témiscamingue

Camp Dudemaine
Destination Or
La Yol
Les Jardins Saint-Maurice
Mont Panoramique

Baie-James

Sentier Campbell
Sentier d'écrasement d'avion militaire
Sentier de la halte routière Km 232
Sentier du centre d'Intérêt Minier
Sentier écologique Hudson
Sentier Hudson
Sentier linéaire de Radisson
Sentier Wiwiou
Sentiers pédestres de Waswanipi

Bas-Saint-Laurent

Centre de plein air Ixworth
Lac de l'est – Sentier des Pointes
Parc régional de Val-d'Irène
Sentier de Rivière-du-Loup

Cantons-de-l'Est

Haut Bois Normand
Mont-Orford inc.
Petit mont Ham
Sentier d'interprétation des plantes médicinales
Sentier des Meules

Centre-du-Québec

Parc linéaire Saint-Eugène-de-Grantham
Sentiers pédestres d'Inverness

Charlevoix

Sentier de Saint-Urbain

Chaudière-Appalaches

L'Archipel de l'Isle-aux-Grues
Sentier de la chute Bailey
Sentier historique Kinnear's Mills

Gaspésie

Réserve faunique des Chic-Chocs

Îles-de-la-Madeleine

Île Brion

Lanaudière

Inter-Vals
Le petit Carcan
Lien entre le cap de la Fée et la montagne Noire
Parc régional des chutes du Calvaire
Sentier des Randonneurs
Sentier du lac Archambault
Sentier Maskanaw
Sentier Nature-Études
Sentier Onikam
Sentier Rochemaure

Laurentides

Corridor Aérobic
Domaine Vanier
Mont-Daniel
Parc des Falaises
Réserve faunique Rouge Matawin
Zec Le Sueur

Mauricie

Centre d'aventure Mattawin
Halte-camping du Lac Clair
Parc régional des 3 soeurs
Sentier du lac Clair
Sentier du Père Jacques Buteux

Montérégie

Parc de la promenade

Outaouais

Base de plein air des Outaouais
Centre de plein air du lac Leamy – Kinexsport
Sentier Wakefield

Québec

Parc du Haut-Fond

Fédération québécoise de la marche

Organisme sans but lucratif, également reconnu comme organisme de charité enregistré, la Fédération québécoise de la marche a pour mandat général la promotion et le développement de la marche sous toutes ses formes, misant particulièrement sur l'aspect loisir. Elle renseigne et conseille depuis près de 30 ans tous ceux intéressés par la marche, la randonnée pédestre ou la raquette. Par l'intermédiaire de comités permanents ou ad hoc, elle accomplit plusieurs mandats :

Festival de la marche

C'est un événement de participation qui rassemble les marcheurs de toutes les catégories. Chaque année, il a lieu dans une région différente du Québec. En 2006, il s'est déroulé dans la région de la Gaspésie et a attiré des centaines de marcheurs et de randonneurs. En 2007, c'est dans le Bas-Saint-Laurent que tous ont rendez-vous.

Festival de la raquette

C'est le pendant hivernal du Festival de la marche. Des randonnées en raquette et des compétitions amicales sont organisées. La première édition, qui a eu lieu dans les Laurentides, a attiré plus de 100 personnes. En 2007, l'événement se déroulait dans la région des Cantons-de-l'Est.

Certificat du randonneur émérite québécois

C'est un programme de participation volontaire consistant à parcourir 25 sentiers parmi une liste qui en compte 75, et ce, dans 10 régions différentes du Québec. La première tranche de 25 sentiers donne accès au niveau bronze, la deuxième, à l'argent, et la troisième, à l'or. Il n'y pas d'inscription, pas de frais, pas de temps limite. La seule condition est d'être membre en règle de la Fédération au moment où on parcourt chacun des sentiers.

Fondation Sentiers-Québec

Depuis plus de 25 ans, c'est sous cette dénomination que la Fédération reçoit, gère et redistribue les dons servant à soutenir le développement de réseaux pédestres et la marche sous toutes ses formes. Elle émet chaque année aux donateurs les reçus pour impôt.

Padélima

Ce **P**rogramme d'**A**ide au **DÉ**veloppement des **LI**eux de **MA**rche au Québec appuie les projets de développement et d'amélioration des lieux de marche au Québec. Grâce à la Fondation Sentiers-Québec, des subventions sont octroyées aux groupes affiliés à la Fédération.

Journée nationale des sentiers

Elle a lieu le premier samedi de juin de chaque année. À cette occasion, les clubs sont invités à inscrire à leur programme une activité d'entretien de sentier, et les randonneurs à s'y inscrire.

Sentier national au Québec

Ce projet d'envergure en voie de réalisation est décrit au prochain chapitre.

Diffusion Plein Air

Pour diffuser l'information sur les activités et sur les lieux de marche, et transmettre ses expertises, la Fédération québécoise de la marche a créé des outils. L'ensemble porte un nom : Diffusion Plein Air. On y trouve :

Revue MARCHE-RANDONNÉE

Publiée depuis plus de 18 ans, elle présente, à chaque saison, des récits de voyages, des découvertes, des suggestions de destinations, des conseils sur la santé, l'équipement, l'environnement et plusieurs autres sujets appréciés des marcheurs et des randonneurs. C'est le meilleur outil pour se tenir au courant des développements de la marche et des sentiers. De plus, un calendrier des activités pédestres y est inséré, proposant des centaines de marches de toutes sortes.

Éditions Bipède

Elles ont été créées pour transmettre information et expertise.

> *Partir du bon pied* répond aux questions le plus souvent posées par les personnes désirant s'adonner à la marche et à la randonnée pédestre.
> *Le Répertoire des lieux de marche au Québec*, qui en est à sa 6e édition, rassemble en un seul volume, tous les lieux aménagés pour la pratique de la marche.
> *De l'idée au sentier* s'adresse aux créateurs de sentiers (actuels ou potentiels) et va progressivement apporter une forme de sécurisation et de normalisation des réseaux pédestres.
> *Le Topo-guide du Sentier national au Québec – Bas-Saint-Laurent* est le premier d'une collection de topo-guides que les Éditions Bipède prévoit publier. Cartes topographiques et description détaillée guident le randonneur au fil des 144,4 km de sentier qui relie Trois-Pistoles à Dégelis.
> *Raquette et marche hivernale au Québec* est le dernier-né des Éditions Bipède. Il rassemble tous les lieux destinés à la raquette et à la marche hivernale.

Centre de documentation

On y retrouve une sélection de cartes et de dépliants sur les lieux de marche, proposée sous forme de présentoir libre-service

Librairie postale

Les membres de la Fédération québécoise de la marche peuvent y obtenir à prix escomptés des produits, des cartes et des livres sur des sujets se rapportant au plein air.

Produits spéciaux

> *Trousse de premiers soins :* en plus des articles que toute bonne trousse de premiers soins doit contenir, on y trouve tout ce qu'il faut pour la prévention et le soin des ampoules, ainsi que pour les entorses et pour la plupart des petits bobos du marcheur.
> *Podomètre :* léger et facile à utiliser, il fournit une foule de renseignements au marcheur (nombre de pas, distance parcourue, pulsations cardiaques, nombre de calories brûlées et bien d'autres).
> *Brassards de sécurité :* fabriqués avec des matériaux fluorescents et réfléchissants issus de la technologie 3M, ces brassards augmentent la visibilité du marcheur, de jour comme de nuit.
> *Épinglette de la Fédération :* elle représente le logo de la Fédération québécoise de la marche. La personne qui la porte marque son soutien à la promotion et au développement de l'activité pédestre.
> *Écusson de la Fédération :* le logo de la Fédération québécoise de la marche y est brodé en gris pâle sur fond vert forêt. Cousu sur le sac à dos ou un vêtement, c'est une autre façon de montrer son soutien.
> *T-shirt de la Fédération :* de couleur vert forêt, le logo de la Fédération y est appliqué dans une teinte de gris argenté. C'est un vêtement polyvalent, résistant, lavable et séchable à la machine, et disponible en deux tailles, grand et très grand.
> *Veste de laine polaire de la Fédération :* également de couleur vert forêt, le logo de la Fédération y est brodé en gris pâle. Elle possède une fermeture éclair pleine longueur, deux très grandes poches et est disponible en trois tailles, petit, moyen et grand.
> *Casquette de la Fédération :* elle protège du soleil tout en affichant son support à la Fédération. De couleur vert forêt, la visière et le logo sont dans une teinte de tan.
> *Tuque de la Fédération :* l'extérieur est en acrylique et l'intérieur, en laine polaire. Elle est donc chaude et douce au toucher. Elle est disponible en gris ardoise ou beige.

Partenaires

Un partenariat a été établi entre la Fédération et diverses entreprises reliées à la pratique d'activités pédestres. Chaque membre en règle de la Fédération québécoise de la marche, sur présentation de sa carte de membre, peut bénéficier de rabais ou de conditions privilégiées. Au printemps 2007, près de 80 partenaires ont signé des ententes avec nous. Ces partenaires se retrouvent dans six catégories :

> réseaux pédestres
> gîtes et auberges
> établissements de camping
> boutiques plein air
> location de véhicules
> produits spécialisés

La Fédération : un avenir qui se construit par ses membres

La Fédération s'attache à établir, entre les besoins et les ressources, le lien indispensable au développement de la marche, de la randonnée pédestre et de la raquette. Dans sa volonté d'accroître le partenariat avec d'autres secteurs tels que le tourisme, l'environnement ou l'écologie, elle continuera à construire des outils et à établir des ententes nécessaires à cette fin. C'est par l'accroissement du nombre de ses membres qu'elle saura le mieux identifier l'évolution des besoins, puis définir en conséquence les lignes directrices des actions à entreprendre. Devenir membre de la Fédération québécoise de la marche, c'est se donner l'opportunité d'exprimer ses attentes, et d'aider à ce qu'elles soient satisfaites.

FÉDÉRATION QUÉBÉCOISE DE LA MARCHE
4545, avenue Pierre-De Coubertin
Case postale 1000, succursale M
Montréal (Québec) H1V 3R2

Téléphone : 514 252-3157 > Sans frais : 1 866 252-2065
Télécopieur : 514 252-5137 > www.fqmarche.qc.ca

Coupon d'adhésion

Devenir membre de la Fédération québécoise de la marche, c'est :

- Soutenir le développement de la marche, de la randonnée pédestre, de la raquette et des réseaux de sentiers;
- Recevoir la revue Marche-Randonnée 4 fois par année;
- Obtenir le bulletin Info-Membres 4 fois par année;
- Être admissible au Certificat du randonneur émérite québécois;
- Bénéficier d'escomptes auprès des partenaires de la Fédération : réseaux pédestres, écoles de formation, hébergements, boutiques plein air, services de location de véhicules;
- Obtenir à prix réduit des livres, des cartes et autres produits;
- Recevoir, sur demande, l'Annuaire des clubs et organisations affiliés

NOM ....

ADRESSE ....

VILLE ....

CODE POSTAL ....

TÉLÉPHONE (résidence) ....

TÉLÉPHONE (travail) ....

COURRIEL ....

Adhésion INDIVIDUELLE ❒ 1 an 25 $ ❒ 2 ans 47,50 $

FAMILIALE ❒ 1 an 30 $ (*) ❒ 2 ans 57 $ (*)

(*) Nom des autres membres de la famille

Prénom   Nom

....

....

....

PAIEMENT ❒ PAR CHÈQUE ❒ VISA ❒ MASTERCARD

N° de la carte ....

Date d'expiration ....

Signature ....

REP6

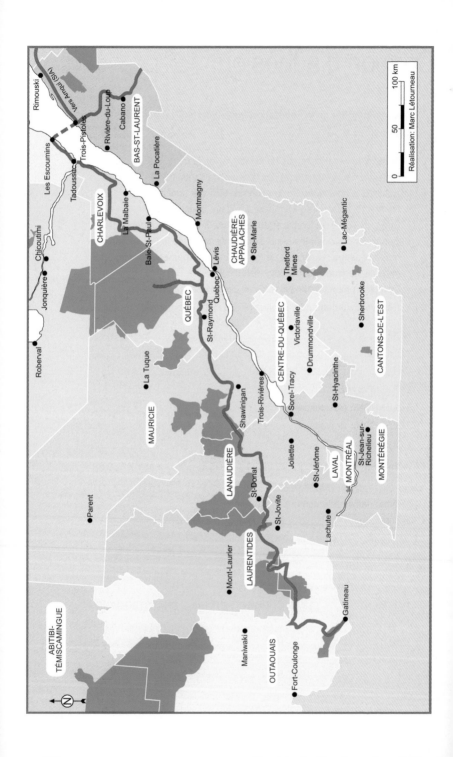

Répertoire des lieux de marche au Québec

Sentier national

Le projet du Sentier national consiste à aménager un sentier pédestre ininterrompu traversant le Canada d'ouest en est : un projet d'environ 10 000 kilomètres!

Comme bien des grands projets, celui du Sentier national a d'abord germé dans la tête de quelques mordus. L'idée était de réunir les amateurs de marche dans un défi commun, soit celui de réaliser un sentier pédestre ininterrompu reliant l'Atlantique au Pacifique. À l'instigation de Douglas Campbell, de la Canadian Hiking Association, l'Association canadienne du Sentier national – ACSN – est créée en 1971. Mais ce n'est qu'en 1977 qu'elle est officiellement fondée en obtenant sa charte. En 1984, l'ACSN redéfinit sa structure nationale pour introduire et former les structures provinciales. La première inauguration eut lieu en 1987, à Ottawa. Depuis, le défi du Sentier national a fait boule de neige et suscité beaucoup d'intérêt de la part des amateurs de randonnée pédestre et des intervenants régionaux. Bien qu'encore aucune province n'ait terminé sa portion, le projet est bien avancé dans la plupart de celles-ci.

Le Sentier national au Québec

Une fois complété, le Sentier national au Québec comptera quelque 1 500 kilomètres. Il s'étirera de l'Ontario au Nouveau-Brunswick, franchissant huit régions touristiques : Outaouais, Laurentides, Lanaudière, Mauricie, Québec, Charlevoix, Manicouagan et Bas-Saint-Laurent. Il sera tracé principalement en pleine nature, n'effleurant la civilisation que pour le ravitaillement ou l'hébergement. Une partie importante traversera les parcs nationaux, les zecs et les pourvoiries. Ailleurs, il passera sur des terrains privés et sur des terres publiques. Les milieux traversés seront représentatifs du bouclier laurentien, unique au monde par son histoire géologique et ses milieux

> **« Le Sentier national permettra avant tout de profiter du plein air, de pouvoir marcher, de relaxer, de faire de l'exercice, de se récréer. À long terme, le Sentier national veut combler le besoin pressant de nouveaux espaces récréatifs afin de répondre adéquatement aux nouvelles habitudes de vie liées au maintien d'une bonne condition physique; il vise aussi à préserver les sites offrant une importance historique et panoramique avant qu'ils ne soient accaparés par le développement immobilier ou commercial; enfin, sa mission l'appelle immanquablement à forger un lien durable à travers le pays pour unir toutes les énergies vouées à la protection et à la promotion de l'environnement naturel. »**
>
> *Doug Campbell, fondateur de l'Association canadienne du Sentier national (ACSN)*

écologiques. De nombreux attraits et points de vue se retrouveront tout le long du parcours. Sur la majeure partie de celui-ci, on ne pourra circuler qu'à pied et, en période de neige, en raquettes

C'est en 1984 que la Fédération québécoise de la marche devint répondant officiel du Sentier national pour le Québec. Mais ce n'est que quelques années plus tard que le projet prit vraiment son élan grâce à Réal Martel, un bénévole féru d'espaces sauvages. En janvier 1990, le « Comité québécois pour le Sentier national » fut créé et, à l'automne de la même année, les premiers tronçons québécois furent inaugurés, soit les sentiers de la Matawinie et de l'Inter-Centre. Au début de 1993, le comité changea de nom pour « Sentier national au Québec », ou SNQ.

Aujourd'hui, quelque 800 kilomètres du Sentier national au Québec sont déjà accessibles. Le comité du SNQ coordonne la réalisation du projet au nom de la Fédération québécoise de la marche. Pour effectuer le travail sur le terrain, le comité dispose d'un sous-comité dans chacune des régions où le Sentier est appelé à passer. La très grande partie du travail se fait grâce à la contribution de bénévoles, notamment au niveau de l'entretien.

Le SNQ met en œuvre un système de partenariat et de gestion de sentiers d'avant-garde au Québec. En collaboration avec les municipalités, corporations de promotion touristique et autres organismes régionaux, il représente un projet adapté au milieu et générateur de revenus et d'emplois.

Plus particulièrement, il représente un outil de promotion touristique dans un contexte de popularité grandissante du tourisme de plein air au Québec, notamment de la marche.

Au Québec, le Sentier national est identifié au moyen d'une balise blanc et rouge, généralement peinte sur les arbres. Les accès et les sentiers secondaires sont balisés d'une autre couleur qui varie selon les régions. Le Sentier national privilégie le raccordement entre des sentiers existants. Les tronçons homologués ont ainsi l'avantage d'être adéquatement balisés et entretenus, en plus de voir apparaître de nouvelles infrastructures d'accueil.

Pensé en fonction d'une vaste clientèle de marcheurs, le Sentier national s'adresse autant aux amateurs de longue randonnée qu'aux randonneurs d'un jour. Sauf exception, tous les tronçons sont accessibles par plusieurs entrées, ou encore par des bretelles d'accès, ce qui permet de les parcourir sur une partie de leur longueur. Les randonneurs qui désirent effectuer une randonnée de plusieurs jours peuvent, selon les sections, dormir en refuge, en appentis (lean-to), en camping ou dans des hébergements « tout confort » associés au SNQ.

Pour découvrir le Sentier national au Québec

Les personnes qui veulent parcourir les sections déjà accessibles peuvent se procurer, auprès de la Fédération québécoise de la marche, des pochettes contenant les cartes des tronçons ouverts. Ces pochettes sont des outils temporaires qui seront remplacés progressivement par des topo-guides au fur et à mesure que des régions seront complétées. Le Bas-Saint-Laurent est la première région où le Sentier national est complété et le topo-guide est déjà disponible.

Pour suivre sa progression

La meilleure façon de suivre la progression du Sentier national au Québec est en lisant la revue Marche-Randonnée. Celle-ci est disponible au bureau de la Fédération québécoise de la marche et dans quelque 3 000 points de vente à travers le Québec. En devenant membre de la Fédération, on est automatiquement abonné.

SÉQUENCE OUEST-EST DES TRONÇONS DU SENTIER NATIONAL AU QUÉBEC

OUTAOUAIS

- Sentier de la Capitale (page 406)
- Parc de la Gatineau (page 398)
- Portion en projet*

LAURENTIDES

- Portion en projet*
- L'Héritage (page 272)
- Alléluia (page 272)
- L'Expédition (page 274)
- Sentier Cap 360 (page 264)
- Sentier Mont-Gorille (page 264)
- Portion en projet*
- Sentier du Toit-des-Laurentides (page 280)
- Sentier du Centenaire (page 280)
- Portion en projet*
- Sentier Inter-Centre (page 256)

LANAUDIÈRE

- Sentier Inter-Centre (page 256)
- Sentier du Mont-Ouareau (page 255)
- Portion en projet*
- Sentier du Massif (page 246)
- Sentier des Contreforts (page 254)
- Sentier de la rivière Swaggin (page 253)
- Portion en projet*
- Sentier de l'Ours (page 252)
- Sentier de la Matawinie (page 252)
- Sentier des Nymphes (page 254)
- Portion en projet*
- Réserve faunique Mastigouche (page 338)

MAURICIE

- Portion en projet*
- Réserve faunique Mastigouche (page 338)
- Portion en projet*
- Parc récréoforestier Saint-Mathieu (page 335)
- Portion en projet*

QUÉBEC

- Portion en projet*
- Sentier Le Philosore (page 438)
- Sentier La Mauvaise (page 438)
- Sentier du Bras-du-Nord (page 438)
- Sentier des Falaises (page 438)
- Portion en projet*
- Station touristique Duchesnay (page 437)
- Portion en projet*
- Le Montagnard (page 418)
- Portion en projet*
- Sentier Mestachibo (page 434)
- Portion en projet*
- Sentier des Caps de Charlevoix (page 144)

AXE SECONDAIRE

- *Sentier du Hibou-Sud (page 436)*
- *Sentier du Hibou-Nord (page 436)*
- *Sentiers La Tourbière et L'Éperon (page 428)*
- *Sentier Les Loups, La Matteucie, Le Draveur et La Croisée (page 428)*

---

* Portion en projet : cette portion peut être encore au stade du tracé projeté ou en cours de réalisation pour une accréditation ultérieure.

CHARLEVOIX

- Sentier des Caps de Charlevoix (page 144)
- Portion en projet*
- Sentier des Florent (page 145)
- Portion en projet*
- La Traversée de Charlevoix (page 137)
- Sentier de l'Orignac (page 143)
- Portion en projet*

MANICOUAGAN

- Portion en projet*
- Sentier polyvalent du club Le Morillon (page 317)
- Portion en projet*

BAS-SAINT-LAURENT

AXE SECONDAIRE

- *De Trois-Pistoles, un lien est en construction vers Amqui pour rejoindre le Sentier international des Appalaches*
- Le Littoral basque (page 66)
- Rivière des Trois Pistoles (page 76)
- Sénescoupé (page 78)
- Toupiké (page 80)
- Les Sept Lacs (page 69)
- Les Érables (page 67)
- Lac Anna (page 65)
- Les cascades Sutherland (page 66)
- Montagne à Fourneau (page 70)
- Rivière Touladi (page 77)
- La Grande Baie (page 63)
- Dégelis (page 59)

Vallée Bras-du-Nord (LMI - Daniel Pouplot)

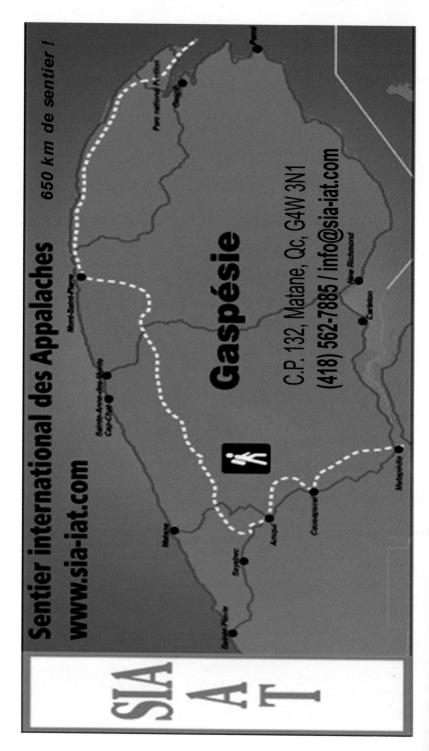

Sentier international des Appalaches
www.sia-iat.com

650 km de sentier !

Gaspésie

C.P. 132, Matane, Qc, G4W 3N1

(418) 562-7885 / info@sia-iat.com

SIA
A
T

Sentier international des Appalaches

Relier les plus hauts sommets des Appalaches a été la motivation pour aménager un sentier de 1 085 kilomètres passant par les monts Katahdin au Maine, Carleton au Nouveau-Brunswick et Jacques-Cartier au Québec, et ainsi créer le Sentier international des Appalaches (SIA). Aux États-Unis, le SIA se connecte à l'Appalachian Trail (AT), ce réputé sentier de 3 468 kilomètres. Ces deux sentiers, AT et SIA, ont une longueur totale de 4 551 kilomètres, depuis le mont Springer en Georgie jusqu'à Cap-Gaspé au Québec. Or, on peut partir d'aussi loin que Key West, en Floride, par un autre sentier qui fait 3 075 kilomètres. Ces trois sentiers cumulés, de Key West à Cap Gaspé, forment le Sentier de la côte est du continent, d'une longueur totale de 7 626 kilomètres.

Le SIA, c'est 650 kilomètres au Québec, 275 au Nouveau-Brunswick et 160 au Maine jusqu'au mont Katahdin. Le SIA comporte des éléments attractifs distincts. Le territoire qu'il traverse est très varié. Toundra, prairie alpine, forêt boréale et zones maritimes offrent aux marcheurs une végétation diversifiée et l'on peut y admirer une faune aussi dissemblable qu'intéressante. Le degré de difficulté du sentier varie de facile à difficile selon les endroits. On peut y marcher pendant plusieurs mois consécutifs, d'un site d'hébergement à un autre ou l'apprécier par petites portions d'un jour dans divers secteurs.

Le Sentier international des Appalaches – Québec (SIA-Qc)

Au Québec, après avoir traversé le Maine et le Nouveau-Brunswick, il prend sa course en Gaspésie en remontant la vallée de la Matapédia jusqu'à Amqui avant d'atteindre la rivière Matane. Là, il entreprend la traversée des Chic-Chocs et de la réserve faunique de Matane, franchit le parc national de la Gaspésie sur toute sa longueur, redescend vers Mont-Saint-Pierre dans une synergie mer et montagne, et continue, de village en village et de plages en falaises, de la Haute-Gaspésie à la Côte-de-Gaspé. Enfin, il atteint le parc national Forillon et, tout au bout, Cap-Gaspé avec ses escarpements abrupts qui dominent l'océan.

Le SIA-Qc offre 650 kilomètres de sentier et des infrastructures d'hébergement comprenant 16 refuges et 25 sites de camping avec des plates-formes dont 13 ont un abri. En plus des infrastructures aménagées par le SIA-Qc, il faut compter les campings privés et municipaux, ainsi que les hébergements (gîte, auberge, motel, hôtel) dans les agglomérations.

Des kiosques et des abris d'information ont été placés dans différents villes et villages traversés par le SIA-Qc. Il y a également des panneaux d'information à différents points d'accès au sentier. On y trouve la carte générale et la carte topographique pour le secteur.

Pour marquer le tracé du sentier, 35 000 balises ont été installées tout au long des 650 km du SIA. De façon générale, chaque balise est installée du côté droit, à une distance visible l'une de l'autre.

Le début des chemins d'accès vers le SIA est identifié par des balises blanches et bleues, de même que le début des chemins de sortie.

Le long des chemins d'accès ou de sortie, on utilise des balises peintes en jaune sur les arbres, de 5 cm x 15 cm.

Des bornes de référence sont installées à chaque kilomètre le long du sentier afin de permettre une localisation plus facile du lieu lors d'un accident sur le sentier. Elles servent aussi de repères aux randonneurs tout au long du parcours. Le point 0 se trouve à Cap-Gaspé et le point 650 à Matapédia.

Informations, réservations, achats de cartes et livres pour randonneurs

Le site Web www.sia-iat.com informe sur l'organisation et la préparation de courtes ou de longes randonnées. En collaboration avec de nombreux partenaires basés le long du sentier, plusieurs services sont offerts (transport d'individus et de bagages, déplacement de voitures, sites pour dépôt de nourriture, forfaits guidés, etc.).

Voici la liste des produits disponibles qu'il est possible de commander par le site Web ou par la poste :

- Cartes topographiques par région;
- Livre « Le Compagnon », guide sur le SIA ;
- Glossaire bilingue de la randonnée.

La Sépaq assure le service de réservation des 16 refuges et des 25 sites de camping avec plates-formes aménagés par le SIA-Qc. En composant le 1 800 665-6527 (option 3), on vous informe sur chaque site d'hébergement et les itinéraires possibles. Les paiements par carte de crédit sont acceptés.

Le bureau du SIA-Qc est situé à Matane et la gestion du sentier est supportée par un conseil d'administration composé de membres bénévoles. Vous pouvez devenir membre du SIA-Qc au coût de 10 $ par année et ainsi contribuer à sa pérennisation.

Entretien et développement

Maintenir en bon état le sentier et ses infrastructures ainsi que répondre aux besoins des randonneurs est une préoccupation constante de la part de la direction du SIA-Qc. Le parrainage d'un secteur vous intéresse ou vous aimeriez participer à des corvées d'entretien? Il est possible de s'impliquer de plusieurs façons et, en échange de vos services, des avantages vous sont offerts. Informez-vous!

Inspiré par les principes du développement durable, le SIA-Qc représente une alternative d'exploitation de la ressource forestière qui contribue à la protection des environnements exceptionnels qu'il traverse.

Mont Blanc - Réserve faunique de Matane (SIA - Québec)

Sentier transcanadien

Présentation

Le Sentier transcanadien (STC) est un autre grand projet. Tout comme le Sentier national, il joindra l'Atlantique au Pacifique. Il traversera les dix provinces, mais sillonnera en plus les trois territoires que compte le Canada, ce qui représente un parcours de plus de 18 500 kilomètres. Alors que le « National » se veut un sentier essentiellement pédestre, le « Transcanadien » sera à usages partagés. Ainsi, on y circulera, selon les sections, à pied, à vélo, à cheval, à skis ou en moto-neige.

La portion québécoise

Le Sentier transcanadien franchira le Québec de Dégelis, près de la frontière du Nouveau-Brunswick, à Gatineau, aux portes de l'Ontario. Il utilisera principalement les voies ferrées abandonnées converties en corridors verts. Forêt, champs, terres agricoles, villes et villages composeront son paysage. Aménagé de part et d'autre du fleuve, de grandes villes comme Montréal, Québec et Sherbrooke seront ainsi reliées par le sentier. À l'heure actuelle, le tracé préliminaire compte plus de 1 800 kilomètres. Les deux tiers environ sont accessibles aux marcheurs.

Historique

Le projet est né dans la foulée des célébrations du 125e anniversaire de la Confédération canadienne, en 1992. L'organisation responsable des célébrations, la société Canada 125, a donné naissance à la Fondation du Sentier transcanadien, laquelle s'occupe depuis de la réalisation du projet. L'ouverture officielle a eu lieu le 9 septembre 2000, à Hull, dans le cadre d'un événement grandiose, le Relais 2000. Présentement, plusieurs segments, représentant environ 60 % du parcours total, sont praticables. Au Québec, plus de 90 % du sentier est en usage et c'est le Conseil québécois du Sentier transcanadien qui a mis en œuvre ce grand projet.

Une cohabitation nécessaire

La cohabitation entre la marche, le vélo, l'équitation, le ski et la moto-neige est l'un des grands défis du projet. Évidemment, toutes ces activités ne sont pas praticables en même temps tout le long du parcours. Sauf exception, tous les tronçons du STC sont à usages partagés de façon simultanée ou selon les saisons, alors que d'autres sont partagées par deux activités à la fois mais dans des voies parallèles. Au début, cette cohabitation n'a pas été facile, mais peu à peu le respect mutuel est en voie de s'installer.

Financement

Pour financer le projet, la Fondation du Sentier transcanadien a mis sur pied un programme où chaque Canadien peut acheter un ou plusieurs mètres de sentier. Chaque mètre coûte 50 $ et le nom de chacun des donateurs sera inscrit dans de petits pavillons aménagés le long du sentier.

En plus des dons des particuliers, la Fondation du Sentier transcanadien bénéficie de commanditaires nationaux. La Fondation a pu aussi profiter de sommes provenant des gouvernements dont un legs reçu de Canada 125 lorsque cette société a cessé ses activités. Le gouvernement canadien a accordé une somme de 15 millions de dollars à la fin de 2003, afin de contribuer au parachèvement de la construction du sentier à travers le pays.

La Fondation du STC a produit un guide et une carte du Sentier transcanadien au Québec. Les produits sont disponibles en librairie et peuvent être commandés par le site Web de la Fondation : www.sentier.ca

Parc Jacques-Cartier - Gatineau (Commission de la capitale nationale)

Répertoire des lieux de marche au Québec

Lexique

Abatis   Terrain dont on n'a pas enlevé les souches après l'abattage des arbres.

Affleurement   Endroit où la roche constituant le sous-sol apparaît en surface.

Appentis   Construction généralement en bois, comportant un toit et trois côtés. Le quatrième côté est ouvert et orienté dans le sens opposé aux vents dominants.

Arboretum   Plantation d'arbres de plusieurs espèces servant à leur étude botanique.

Artefacts   Phénomène ou structure d'origine artificielle dont l'apparition est liée à la méthode utilisée lors d'une expérience.

Aulnaie   Plantation d'aulnes.

Aulne   Arbre du bord des eaux, voisin du bouleau.

Aviaire   Ce qui concerne les oiseaux.

Balbuzard   Grand rapace diurne qui se nourrit de poissons.

Barachois   Mot acadien désignant une petite baie peu profonde abritée par un banc de sable.

Batture   Partie du rivage, plate et de grande étendue, qui se découvre à marée basse.

Bihoreau   Espèce de héron active surtout la nuit.

Boréal   En rapport au climat froid des régions nordiques, correspondant à la forêt coniférienne.

Butor   Oiseau échassier, voisin du héron, à plumage fauve tacheté de noir, nichant dans les roseaux.

Cairn   Monticule de pierres servant de balise.

Camarine   Arbuste bas à épines non piquantes, poussant dans les régions froides et produisant un fruit noir ou rouge.

Camp prospecteur   Cabane ou tente faite d'une toile épaisse, du type utilisé par les prospecteurs.

Caryer   Arbre feuillu à bois dur.

Cédrière   Plantation de thuyas, appelés à tort « cèdres ».

Celtique   Provenant des Celtes.

Chênaie   Plantation de chênes.

Chenal   Passage permettant la navigation entre des îles, des écueils, etc.

Chicoutai   Nom innu de la plaquebière.

Cypripède   Plante herbacée appelée aussi sabot de la vierge.

Drave   Flottage du bois.

Drosera   Plante herbacée de très petite taille poussant en milieu humide et produisant une fleur blanche ou rosée.

Eider   Gros canard fréquentant le bord de la mer, dont le duvet est recherché pour ses propriétés isolantes.

Endémique   Se dit des espèces vivantes propres à un territoire délimité.

Éricacée	Famille de plantes comprenant, entre autres, les airelles et les bleuets.
Esker	Longue et étroite crête de sable et de gravier formée à l'époque glaciaire.
Feldspath	Constituant des roches magmatiques et métamorphiques.
Fossilifère	Qui renferme des fossiles.
Frayère	Endroit où les poissons fraient.
Frênaie	Plantation de frênes.
Friche	Terrain abandonné ayant déjà été cultivé.
Galet	Caillou poli par l'action de l'eau.
Gravière	Carrière de gravier.
Havre	Petit port bien abrité ou lieu tranquille.
Héronnière	Colonie de hérons, lieu où ils nichent.
Inukshuk	Mot d'origine inuite désignant un cairn en forme de personnage.
Kalmia	Petit arbuste poussant dans les tourbières, remarquable par ses fleurs roses qui apparaissent au printemps.
Kettle	Dépression laissée par la fonte d'un glacier.
Lagune	Étendue d'eau de mer retenue derrière un cordon littoral.
Laîche	Plante poussant en milieu marécageux, formant des touffes de grandes herbes.
Lande	Formation végétale où dominent arbustes et arbrisseaux.
Lean-to	Voir « Appentis »
Lichen	Végétal formé de l'association d'un champignon et d'une algue, croissant sur les pierres et les arbres.
Littoral	Étendue de pays le long des côtes, au bord de la mer.
Marmette	Oiseau marin au dos noir et au ventre blanc.
Marmite	Cavité creusée par le tournoiement de graviers sous l'action d'un torrent.
Micocoulier	Arbre feuillu poussant surtout le long du Fleuve et servant d'arbre d'ornement.
Molybdène	Métal blanc, dur et cassant.
Monolithe	Ouvrage formé d'un seul bloc.
Mosaïculture	Culture de plantes d'ornement de formes et de couleurs variées, agencées pour former un dessin.
Muraille	Surface verticale abrupte.
Mycologue	Personne qui étudie les champignons.
Ombrotrophe	Type de tourbière alimentée en eau uniquement par les précipitations atmosphériques.
Palustre	Qui croît où qui vit dans les marais.
Paruline	Oiseau nichant régulièrement au Québec. Il en existe plusieurs espèces.
Pessière	Forêt dominée par l'épinette.
Peupleraie	Plantation de peupliers.
Pinède	Forêt de pins.

Plaquebière	Petite plante poussant dans les marais de la Côte-Nord et donnant un fruit juteux ressemblant à une framboise d'un blanc orangé.
Porphyre	Roche magmatique colorée.
Prucheraie	Plantation de pruches.
Ravage	Lieu où les cervidés se rassemblent en hiver, ou sont rassemblés, lorsque les conditions climatiques sont mauvaises.
Sablière	Carrière de sable.
Salant	Se dit des marais d'eau salée.
Salicorne	Petite plante annuelle des rivages maritimes vaseux.
Salin	Qui contient du sel.
Sarcelle	Petit canard barboteur qui fréquente les lacs et les étangs.
Sarracénie	Plante insectivore des milieux marécageux, à feuilles en forme de cornet veiné de rouge.
Saulaie	Plantation de saules.
Sauvagine	Ensemble des oiseaux qui sont chassés pour leur chair.
Savane	Terrain marécageux.
Silice	Composé oxygéné du silicium, retrouvé dans un grand nombre de minéraux et qui est la substance même de la terre.
Spartine	Plante de la famille du blé, à tige rouge contrastant avec le vert de son feuillage, et poussant au bord de la mer.
Sphaigne	Mousse poussant en milieu humide, dont la décomposition concourt à la formation de la tourbe.
Sphérolite	Roche ronde d'origine volcanique.
Sumac (à vernis)	Arbre dont toutes les parties sont toxiques, y compris les racines. On le reconnaît à ses feuilles composées, alternes et sans dent. Son écorce lisse est gris pâle et ses petites fleurs jaunâtres sont réunies en grappe.
Taïga	Forêt clairsemée, composée principalement de conifères, et faisant la transition entre la forêt boréale et la toundra.
Talus	Amoncellement de fragments de roches accumulés au pied d'une falaise ou d'une pente abrupte.
Tipi	Habitation traditionnelle des Indiens des plaines d'Amérique du Nord.
Touladi	Grande truite d'eau douce.
Toundra	Paysage des régions très froides caractérisé par une végétation très basse.
Tourbière	Habitat très humide où s'accumulent des débris organiques d'origine végétale en décomposition.
Vasière	Étendue couverte de vase.
Via Ferrata	Voie de ferrures aménagée à flanc de paroi et facilitant l'accès à un sommet.
Yourte	Tente en feutre chez les Mongols.
Zec	Zone d'exploitation contrôlée.

Crédits photographiques

Légende :   H = en haut   B = en bas

Arrondissement Saint-Hubert : 355H

Michèle Allaire : 272

Aventurex : 138B

Ginette C. Bisaillon :129

Nicole Blondeau : 47H, 61, 70H, 158, 163, 166, 171, 203, 221, 363, 365, 376H, 382, 459, 466

Pierre Blouin : 300

Jacques Boucher : 196, 198

Canyon Sainte-Anne : 413

Centre de la Biodiversité : 122

Commission de la Capitale-Nationale : 426

Conseil Environnemental et Culturel De Stratford : 113,114

Corporation touristique de Saint-Clément : 118

Claude Côté/Sophie Despins : 179, 181

Magali Crevier : 99, 184B

Anna De Dreuille, Parc Oméga : 402, 440

Michel Devost : 428, 436

Domaine Saint-Bernard : 269

Armand Dubé : 80

Mathieu Dupuis : 41

Frédéric Dusanter : 264

Ferme 5 Étoiles : 310

Forêt habitée de Dudswell : 92

Forêt Montmorency : 417

Daniel Fortin : 157

Pierre Fugère : 377

Serge Gauthier : 60, 64, 74, 89, 101, 110, 137, 200, 209, 211, 214, 220, 244, 245, 246H, 250, 251, 257, 268, 279, 286, 298, 301, 322, 327, 331H, 349, 352, 356, 359, 362, 384, 401

Lionel Gionet : 146

Leslie Gravel : 88, 97, 107, 126, 246B, 270, 283, 295, 323, 329, 336, 355B, 376B, 378, 379, 385, 389, 397, 431B

Pierre-Luc Hudon : 57, 210, 276, 280, 284, 294, 333, 386

Bertrand Lavoie : 81

Stéphane Lavoie : 145

Sylvain Lavoie : 240, 273, 394

Le Petit Nirvana : 324

Nicolas Lecomte : 46, 47B

Les Amis des Sentiers Bromont : 116

Les sentiers d'A.D.E.L.E. : 325

Les Sentiers de la Capitale : 418, 424, 429

Les Sept Chutes : 421H

Julie Massicotte, CLD Mékinac : 337

Martin McLeod , Amis de la Forêt La Blanche : 404

Index général

Index spécialisés

Longue randonnée (avec refuge, lean-to ou camping)

Sélection de lieux possédant eux-mêmes ou créant, en se connectant à d'autres, un sentier linéaire de 25 km ou plus, avec au moins un refuge, un appentis (lean-to) ou un site de camping.

Répertoire des lieux de marche au Québec

Les parcs nationaux du Québec et du Canada

Jardins de promenade

Circuits historiques et patrimoniaux

Monts et montagnes

Le numéro de page réfère au lieu dans lequel se retrouve ce relief physique.

NOTES

NOTES